IMPROBABLE

Adam Fawer vit à New York. Un MBA de l'université de Stanford en poche, il travaille pour Sony Music, entre autres grandes compagnies. *Improbable*, son premier roman, traduit dans cinq langues, fait déjà partie des listes européennes de best-sellers.

Adam Fawer

IMPROBABLE

ROMAN

Traduit de l'anglais (États-Unis)
par Judith Roze

Éditions du Seuil

TEXTE INTÉGRAL

TITRE ORIGINAL
Improbable
ÉDITEUR ORIGINAL
William Morrow, Imprint of HarperCollins, NY
© original : 2005 by Adam Fawer
ISBN original : 0-06-073677-1

ISBN 2-7578-0005-1
(ISBN 2-02-069385-2, 1ʳᵉ publication)

À mon père, Philip R. Fawer
Je pense encore à lui tous les jours

Bon, parlons probabilités.

La probabilité de gagner au Powerball est d'environ 1/120 millions. Depuis la création de ce jeu, en 1997, plus de cinquante personnes ont «défié les probabilités» et gagné le jackpot, ce qui leur permet de compter parmi les gens les plus chanceux et les plus riches de la planète. Je déteste ces gens-là. Mais je m'égare.

Parlons maintenant d'un autre événement improbable : la collision d'un énorme astéroïde avec la Terre qui provoquerait l'anéantissement de notre civilisation. Les astrophysiciens ont calculé que la probabilité d'un tel événement, pour n'importe quelle année donnée, était de 1/1 million.

Comme nos ancêtres les singes traînent sur cette planète depuis sept millions d'années, la probabilité, au jour d'aujourd'hui, qu'un astéroïde nous ait tous anéantis est d'environ 700 %. En d'autres termes, nous devrions tous être morts – non pas une fois, non pas deux fois, mais *sept fois*.

Cependant, comme cela n'a pas échappé à la plupart d'entre vous, l'humanité, aussi loin que remontent nos connaissances, n'a jamais été anéantie.

Où je veux en venir ? Eh bien, je ne cherche pas à vous faire croire que nous allons tous être tués par un astéroïde. J'aimerais juste vous faire comprendre une chose concernant les événements improbables :

On peut à tout moment se retrouver dans la merde.

Extrait d'un cours de statistiques de David T. Caine.

Données médicales

Quand les neurones deviennent hyperactifs, ils émettent des signaux incontrôlés et en apparence aléatoires. Ces signaux peuvent provoquer des sensations anormales, des mouvements étranges, voire des phénomènes psychiques aberrants, l'ensemble de ces symptômes formant ce qu'on appelle couramment une crise d'épilepsie.

2 % des adultes connaissent au moins une crise dans leur vie. Parmi eux, la plupart n'en connaîtront pas d'autre ; mais certains subiront des crises répétées jusqu'à leur mort. Cette maladie a porté divers noms à travers l'histoire – « mal sacré », « haut mal », « maladie démoniaque », et même « le châtiment du Christ » – avant de prendre celui d'épilepsie.

Parfois, les médecins parviennent à identifier la cause des crises : il s'agit en général de lésions cérébrales microscopiques, d'une tumeur au cerveau ou de facteurs génétiques. Toutefois, 75 % des épileptiques – soit 1,9 million de personnes pour les seuls États-Unis – sont déclarés atteints d'une maladie *idiopathique*.

Le mot *idiopathique* vient du grec, où *idios* signifie « particulier, propre, distinct », et *pathos* « émotion » ou « souffrance ». On peut donc le traduire littéralement par « souffrance propre ». Selon la définition moderne, *idiopathique* se dit « d'une maladie qui existe par elle-même, ou dont la cause n'est pas connue ».

En d'autres termes, en dépit des progrès spectaculaires accomplis par la médecine depuis quelques siècles, on n'a toujours aucune idée de ce qui cause la plupart des crises d'épilepsie.

Strictement aucune.

PREMIÈRE PARTIE

Victimes des circonstances

Qu'il parie sur des chevaux, des événements sportifs, des jeux de casino ou les gouttes d'eau qui coulent sur le hublot d'un avion, un joueur est quelqu'un qui a les probabilités contre lui.

Un joueur de poker, s'il connaît son affaire, est quelqu'un qui a les probabilités pour lui. Le premier est un romantique ; le second, un réaliste.

ANTHONY HOLDEN, joueur de poker

C'est presque toujours le jeu qui permet de se former une idée à peu près claire d'une manifestation du hasard, c'est le jeu qui a fait naître le calcul des probabilités, c'est au jeu que ce calcul doit ses premiers bégaiements comme ses derniers développements, c'est le jeu qui permet de concevoir ce calcul de la façon la plus générale, c'est donc le jeu qu'il faut s'efforcer de comprendre, mais on doit le comprendre dans un sens philosophique, indépendamment de toute idée vulgaire.

LOUIS BACHELIER, mathématicien,
Le Jeu, la Chance et le Hasard

CHAPITRE 1

« Vingt à suivre, Caine. Tu suis ou pas ? »

Les mots parvenaient jusqu'à David Caine, mais il ne pouvait répondre : l'odeur l'accaparait entièrement. Elle ne ressemblait à rien de ce qu'il avait connu auparavant. Un immonde relent de viande avariée et d'œuf pourri mijotant dans l'urine. Il avait lu sur Internet que des gens se tuaient à cause de l'odeur. Il n'y avait d'abord pas cru, mais maintenant… maintenant, ça ne lui paraissait plus si invraisemblable.

Il avait beau savoir que l'odeur n'était qu'un leurre produit par quelques neurones perturbés, ça ne changeait rien à l'affaire. Pour son cerveau, elle était bien réelle. Plus réelle que le nuage de fumée suspendu au-dessus de la table. Plus réelle que les effluves graisseux de McDonald's qui flottaient dans l'air, souvenir du snack nocturne de Walter. Plus réelle que le mélange de sueur et de désespoir qui imprégnait la pièce tout entière.

Caine en avait les larmes aux yeux. Pourtant, il redoutait moins l'odeur elle-même que ce qu'elle présageait. Une nouvelle crise approchait et, à en juger par l'atroce puanteur qui lui vrillait les nerfs, ça n'allait pas être une partie de plaisir. Elle approchait même à grands pas – pile au moment où il pouvait le moins se permettre de la voir survenir.

Il ferma les yeux un instant, cherchant vainement à conjurer le sort. Puis il les rouvrit et se mit à fixer la boîte de frites jaune et rouge qui gisait, froissée, devant Walter : elle palpitait comme un cœur de carton. Il détourna le regard pour éviter de vomir.

«David, ça va ?»

Il sentit une main réconfortante sur son épaule : celle de Sœur Mary Straight, une ancienne nonne affublée d'un dentier de taille impressionnante et d'âge immémorial. C'était la seule femme de la tablée – et à vrai dire la seule femme du club, à l'exception des deux serveuses roumaines efflanquées que Nikolaev employait pour éviter que les joueurs aient une quelconque raison de se lever. Bref, la seule femme qui venait ici pour jouer. Tout le monde l'appelait «Sœur», mais elle faisait plutôt figure de mère de substitution auprès des hommes qui vivaient dans la cave – ou le *podvaal*, comme disaient les Russes.

Bien sûr, personne ne vivait à proprement parler dans le *podvaal*, mais Caine était prêt à parier que, si l'on demandait à la vingtaine d'hommes massés autour des tables quel était le lieu où ils se sentaient le plus vivants, ils répondraient que c'était ici, dans ce sous-sol exigu et sans lumière situé à quelques mètres sous l'East Village. Tous les habitués étaient comme Caine : des joueurs. Des accros du jeu. Certains d'entre eux avaient bien des bureaux chics à Wall Street, ou des postes au titre pompeux dans Midtown, avec des cartes de visite ornées de lettres d'argent ; mais ils savaient que rien de tout cela ne comptait. Seules comptaient les cartes qu'on leur distribuait, et la possibilité de rester dans le coup.

Chaque soir, ils se retrouvaient dans ce réduit au-dessous du Chernobyl, le club russe de l'Avenue D. Le bar était sale mais les jeux organisés par Vitaly Nikolaev, eux, étaient «propres». La première fois que Caine l'avait aperçu, Vitaly, avec son teint blafard et ses bras de gringalet, lui avait davantage fait penser à un expert-comptable qu'à un mafieux russe. Mais ses doutes s'étaient instantanément dissipés le soir où Vitaly Nikolaev avait passé à tabac un pauvre vieux du nom de Melvin Schuster, qui avait choisi le mauvais club pour tricher. En moins de temps qu'il n'en faut pour le dire, la face rebondie du grand-père avait été réduite en bouillie sanguinolente. Et plus personne n'avait jamais triché au *podvaal*.

Pourtant, c'était là que Caine se sentait « chez lui ». Son minuscule studio de l'Upper West Side ne lui servait qu'à dormir, se doucher et – à l'occasion – se raser. Parfois il y ramenait une fille, mais ça ne lui était pas arrivé depuis un bon bout de temps. Pas étonnant, dans la mesure où Sœur Mary était son unique fréquentation féminine.

« David, ça va ? »

La question força Caine à revenir parmi les vivants. Il cligna des yeux et adressa à la Sœur un bref hochement de tête, qui le rendit aussitôt nauséeux.

« Ouais, tout va bien, Sœur. Merci.

– Sûr ? Je te trouve un peu vert.

– J'essaie juste d'en *gagner*, du vert[1], répliqua-t-il en s'efforçant de sourire.

– C'est une tentative de diversion, ou bien vous voulez une chambre pour deux ? » demanda Walter d'un ton sarcastique en découvrant ses dents jaunies.

Puis il se pencha vers Caine, qui sentit son haleine chargée d'oignon :

« Vingt. À. Suivre. Tu. Suis. Ou. Pas ? »

Caine jeta un coup d'œil à sa main, puis aux cartes posées sur la table, et étira ses longs bras nerveux au-dessus de ses cheveux noirs en bataille. Il ravala sa nausée et se força à ignorer l'odeur pendant qu'il prenait une décision.

« Arrête de faire des probas et mise », fit Walter en se tripotant le pourtour d'un ongle.

Caine était réputé pour sa capacité à effectuer de tête les calculs de probabilité les plus complexes. La seule variable qu'il ne pouvait quantifier était le bluff potentiel de ses adversaires, mais il essayait tout de même. Sentant que Walter faisait exprès de le presser, il lui adressa un regard contrarié et poursuivit son examen.

Les règles du Texas Hold'Em[2] étaient simples. On distribuait deux cartes à chaque joueur, puis on passait au

1. Allusion à la couleur des billets de banque américains. *[Toutes les notes sont de la traductrice.]*
2. Une des variantes les plus courantes du poker.

17

« flop » : trois cartes étaient disposées, faces visibles, sur la table. Le donneur retournait ensuite une quatrième, puis une cinquième carte, appelées respectivement le « tournant » et la « rivière ». Chacune de ces donnes était suivie d'un tour d'enchères. Enfin, les participants dévoilaient leur jeu. Le gagnant était celui qui parvenait à former la meilleure main de cinq cartes à partir des cinq cartes communes et de ses deux cartes propres.

La beauté du jeu tenait au fait qu'à tout moment, quelqu'un d'intelligent, en observant le tableau, pouvait en déduire la meilleure main possible. Quand Caine regardait le flop, ce qu'il voyait, ce n'était pas trois cartes, mais des centaines de probabilités. Et celle qui l'intéressait le plus concernait ses chances de gagner. En l'occurrence, cette probabilité lui paraissait élevée. Il avait en main une paire d'as – celui de cœur et celui de carreau. Quant au flop, il comportait l'as de trèfle et deux piques : le valet et le six. Avec son brelan d'as, Caine possédait la meilleure main possible à ce moment du jeu – les « nuts ». Mais il restait encore bien d'autres possibilités.

Il se mit à calculer la probabilité de chaque scénario. Pendant les précieuses secondes qu'il passa à jongler avec les chiffres, les neurones qui lui avaient imposé la persistante odeur de chair brûlée lui accordèrent un répit bienfaisant.

Tout joueur ayant en main deux piques disposait, avec les deux du tableau, d'un total de quatre piques. Il lui faudrait un pique supplémentaire sur le tableau pour obtenir une couleur. Caine fit le calcul ; il maniait les nombres avec l'aisance d'un enfant récitant son alphabet.

Il y avait au total treize piques dans un jeu, donc si quelqu'un en possédait déjà deux, il en restait au plus neuf qui pouvaient améliorer sa main. La probabilité qu'une des prochaines cartes tirées soit un pique était de 36 %. Un taux élevé. Cela dit, les chances qu'un joueur ait reçu deux piques au départ n'étaient que de 6 %.

Mentalement, Caine tourna la clé dans la serrure pour aboutir au résultat final – la probabilité que quelqu'un ait en main deux piques *et* qu'un troisième pique se retrouve sur le tableau. Il eut un soupir de soulagement en voyant le chiffre apparaître, éblouissant comme une enseigne au néon : 2,1 % seulement. Pas de quoi l'empêcher de respirer.

Il réitéra l'exercice pour calculer la probabilité que quelqu'un ait en main un pique et finisse avec une couleur – à peine 2 % par joueur. Et les chances d'obtenir une couleur étaient encore plus faibles avec les trèfles – 0,3 % par joueur. Rien d'inquiétant là-dedans.

L'hypothèse d'une quinte était plus alarmante. Avec un as et un valet sur le tableau, et aucune autre figure ni aucun dix en vue, il restait douze cartes permettant de former une quinte (les quatre rois, les quatre reines et les quatre dix). Mais il n'y avait que 3,6 % de chances pour qu'un joueur possède déjà les deux autres cartes nécessaires. En théorie, la quinte flush était également envisageable, mais si improbable qu'il ne prit même pas la peine de faire le calcul.

Dans la mesure où Caine disposait déjà de trois as, il avait besoin soit du dernier as, soit d'un valet, soit d'un six. L'as lui donnerait un carré. Avec un valet ou un six, il aurait un full – soit les as par les valets, soit les as par les six. Il restait sept cartes susceptibles d'améliorer son jeu (un as, trois valets et trois six), la probabilité d'en obtenir une étant de... Caine cligna des yeux, le cœur battant... 28 %. Pas si mal.

Il regarda Walter, espérant lire quelque chose dans le regard larmoyant du vieux bougre, mais il n'y vit rien d'autre qu'une mortelle lassitude, semblable à celle que lui renvoyait sa propre image dans le miroir. De la lassitude, mais aussi un désir ardent, compulsif, de jouer encore et encore.

À cet instant, Caine fut frappé de plein fouet par une nouvelle vague d'odeur nauséabonde. Un flot de bile fraîche lui emplit la bouche ; il le ravala. Il savait qu'il ferait bien d'aller aux toilettes, mais il ne pouvait pas. Pas au milieu d'un coup, alors qu'il avait les nuts. Pas question. Même s'il devait pleurer des larmes de sang, il ne se lèverait pas avant le ramassage des cartes. Il avança la main et, sans réfléchir, fit tomber quatre jetons dans le pot.

«Je relance de vingt.

– Je suis.»

Sœur Straight restait dans le coup – Caine espérait qu'elle avait un deuxième valet et ne recherchait pas la quinte comme à son habitude[1].

«Je suis.»

Merde, Stone aussi restait dans le coup. Comme toujours, il avait l'immobilité d'une statue. Il ne bougeait presque jamais, mais ce n'est pas ce qui lui avait valu son surnom : si on l'appelait Stone, c'est que ce type était un putain de roc. Il collait aux règles, ne fonctionnait jamais au caprice ou à l'intuition, et calculait toujours tout. Jamais il n'aurait continué s'il n'espérait pas une quinte ou une couleur.

Caine se maudit de n'avoir pas misé plus haut avant le flop, ce qui aurait éliminé tous les prétendants à la quinte. Ils ne seraient pas restés dans le coup s'il avait frappé plus fort dès le départ. Mais l'odeur engourdissait son cerveau et le faisait jouer comme un branque. Il tenta de se rassurer en se disant qu'il avait misé faible pour les faire marcher, par pure gourmandise, mais ce n'était pas vrai. La vraie responsable, c'était l'odeur. L'odeur, l'odeur et encore *l'odeur*. En fermant les yeux, il voyait des vers blanchâtres se tortiller sur des amas de viande en putréfaction.

D'un geste habile mais las, Walter faisait jouer ses jetons entre ses phalanges. Un instant, Caine pensa qu'il allait relancer, mais il se contenta de suivre. Bon. Tout le monde restait sur la réserve et attendait le tournant pour se faire une idée de la suite.

La carte était une bonne surprise. La vue d'un poster de *Playboy* ou d'un coucher de soleil sur le Grand Canyon n'aurait pas davantage réjoui Caine. C'était l'as de pique.

---

1. «*Straight*», au poker, signifie «quinte», d'où le surnom de la Sœur.

Avec une paire d'as en main et une autre sur le tableau, il avait un carré.

Seule une quinte flush pouvait le battre, mais il y avait peu de chances pour que quelqu'un l'obtienne. Cela supposerait que la prochaine carte soit un roi, une reine ou un dix de pique, et qu'un joueur ait en main les deux autres piques nécessaires. Impossible.

Quoique… Caine fit un rapide calcul, ses paupières masquant un instant le mouvement incessant de ses yeux. La probabilité de recevoir au départ deux des trois piques nécessaires (roi et reine, roi et dix ou reine et dix) était de $1/442$; celle de posséder l'une de ces combinaisons *et* d'obtenir la troisième carte était de $1/19448$. Ouais : impossible.

Le pot lui appartenait. Maintenant, il ne s'agissait plus que de le maximiser avant la fin du coup. S'il misait trop haut, il risquait d'effrayer le gibier. Mais s'il décidait de faire le mort et de sous-jouer ses as, il risquait de gâcher sa main battante. Il fallait miser « à la Boucle d'Or » : ni trop gros ni trop petit, juste bien.

« Vingt. »

Walter lança quatre jetons rouges dans le pot et se cala à nouveau sur son dossier, comme s'il se préparait à une longue attente.

Caine regarda ses jetons et, lentement, en prit deux verts.

« Allons-y pour cinquante.

– Je me couche, fit la Sœur d'un air dégoûté en jetant ses cartes et en titillant, de l'autre main, la croix d'argent qu'elle portait au cou.

– Moi aussi », dit Stone.

Il ne bougea pas : ses cartes étaient déjà posées devant lui, faces contre table.

Tous deux étaient sans doute en quête d'une quinte et pensaient qu'un autre joueur avait obtenu un full ou une couleur grâce au tournant.

« Il n'y a plus que nous deux, dit Walter en mastiquant d'un air absent une frite froide. Autant rendre le jeu intéressant. Je relance de cinquante. »

Sa voix était aussi huileuse que sa peau. Ses jetons tintèrent en tombant dans le pot.

Caine tenta de réprimer l'odeur et de se concentrer. À quoi jouait Walter ? Il était peut-être en train de le balader, mais Caine n'y croyait pas – pas avec une paire d'as sur le tableau. Et puis, le petit sourire arrogant de son adversaire semblait indiquer autre chose. Soudain, Caine comprit : Walter avait en main soit une paire de valets, soit une paire de six. Ça lui donnait un full, sans doute les valets par les as. Le seul problème, c'était que cette main ne pouvait pas battre le carré de Caine.

La nausée le retint de sourire. Au moins, quand il se retrouverait à vomir dans les toilettes après la fin du coup, il aurait un bon paquet de jetons pour se consoler. Il se concentra sur son élocution pour tenter de parler normalement ; chaque mot avait dans sa bouche un goût de lait caillé.

« Cinquante de plus. »

Il fit tomber dans le pot un jeton de cent dollars. Le noir mat de l'objet attira l'attention de Nikolaev, qui s'approcha nonchalamment pour observer le déroulement de l'action. Walter lança à son tour un jeton noir et en reprit deux verts en guise de monnaie. Alors, le donneur retourna la rivière. C'était le roi de pique.

Caine eut un léger haut-le-cœur. Avec l'as, le roi et le valet de pique sur le tableau, la quinte flush devenait une possibilité bien réelle. Il regarda à nouveau sa main, puis le tableau, en s'efforçant d'ignorer l'odeur, et avala une grande lampée de Coca pour tenter de la chasser – en vain. *Réfléchis, réfléchis, réfléchis. Ne fais pas attention à l'odeur, concentre-toi sur les cartes, sur les chiffres.*

C'était ça, la solution. Les chiffres allaient l'aider. Ils allaient le guider. Rassemblant toute son énergie, il se mit à se réciter la litanie des probabilités. Il avait un carré. Quatre cartes du même rang. Qu'est-ce que ça voulait dire ?

L'odeur, l'épouvantable odeur. Elle était partout.

Non, concentre-toi. Concentre-toi sur les chiffres.

On peut former 134 millions de mains différentes à partir de sept cartes. Sur ces 134 millions, seulement 224 848 comportent quatre cartes du même rang. La probabilité d'obtenir un carré n'est donc que de 0,168 % (1/595).

Quid de la quinte flush ?

Il n'y a que 38 916 combinaisons de sept cartes qui permettent de former une quinte flush. Une probabilité de 0,029 %, soit une main sur 3 438.

Et les deux en même temps ? Combien de combinaisons est-ce que ça faisait ? La tête lui tournait, il n'arrivait pas à réfléchir. Combien ? Pas beaucoup. Un tout petit nombre. Minuscule. Insignifiant. Impossible de faire le calcul dans cet état, mais il savait que seule une infime partie des 38 916 combinaisons permettait aussi de former un carré. Quelque chose comme 5 000, sans doute. 5 000 combinaisons de sept cartes sur 134 millions de possibles… 1/26 757.

Aucune chance. Aucune chance, bordel. Enfin, une toute petite quand même… Bon Dieu, cette odeur le tuait. Il ferma les yeux, espérant que tout reviendrait ainsi à la normale. Lorsqu'il les rouvrit, le monde semblait reflété dans un miroir déformant. Le visage hagard de Walter s'étirait du sol au plafond. Ses cernes noirs avaient la taille d'un Frisbee, et sa bouche était assez grande pour engloutir une télé de 20 pouces.

« Tu es *sûr* que ça va, petit ? »

La voix était à des millions de kilomètres. Quand Caine tourna la tête, la pièce tangua si violemment qu'il en tomba presque de sa chaise.

« Eh, mon pote ! »

C'était Stone, qui s'était penché pour lui saisir le bras. Caine ne comprit d'abord pas pourquoi, puis il s'aperçut qu'il avait le buste incliné de 45 degrés à gauche. Il agrippa le feutre de la table à deux mains et se remit d'aplomb.

« Ça va, haleta-t-il. Juste un vertige. Désolé. »

Sa voix semblait provenir d'un long tunnel.

« Je crois que tu devrais t'allonger un moment, mon lapin.

– Avant ça, il doit finir ce putain de coup», dit Walter.
Puis il se tourna vers Caine :

«Sauf si tu préfères te coucher.

– Fais pas l'enculé, Walter, tu vois pas qu'il est malade ?

– *L'enculé ?* Eh, Sœur, c'est comme ça que vous parlez à Jésus ? Je veux dire —

– Walter, tais-toi !»

La Sœur prononça ces mots avec tant d'autorité que l'autre s'interrompit brusquement. Elle plaça son visage face à celui de Caine.

«Tu veux t'allonger sur le sofa un moment ?»

Du coin de l'œil, Caine apercevait Nikolaev penché par-dessus l'épaule de la Sœur : il n'avait pas l'air inquiet – il avait plutôt l'air énervé.

«Non, non, je me sens bien, souffla Caine dans un suprême effort. Laissez-moi juste finir le coup.»

Avant que la Sœur ait eu le temps de réagir, il poussa un jeton noir dans le pot : «Cent.»

Maintenant que la dernière carte avait été tirée, ils jouaient à «pot-limit» – le montant de la relance n'était limité que par celui du pot.

Walter jaugea Caine du regard, mais le visage de son adversaire ne lui fournit aucun indice – ce qui n'avait rien d'étonnant, étant donné la gravité de son état. La seule chose qu'il vit, c'était une sorte de mort vivant.

Au bout d'une seconde, il marmonna par-dessus son épaule : «Vitaly, tu peux faire le compte ?» Nikolaev s'approcha de la table et, d'un geste expert, disposa en piles les jetons du pot. Cinq noirs, huit verts, quinze rouges : un total de 775 dollars.

«Je suis tes cent et je relance du montant du pot, annonça Walter en piochant dix billets de cent dollars dans la réserve d'argent posée près de son coude. Ça fait 875 dollars à suivre.»

Walter cherchait à lui faire croire qu'il avait une quinte flush, mais ce n'était pas vrai. Pas avec une probabilité aussi faible. Il essayait juste de l'impressionner pour avoir le pot, mais Caine n'allait pas se laisser faire. Il jeta un coup d'œil à sa misérable pile de jetons, puis au bout de papier qui se trouvait dessous. C'était un bon pour un crédit de 15 000 dollars, censé récompenser Caine d'avoir toujours payé ses dettes à l'heure. Quand Nikolaev le lui avait donné, Caine s'était juré de ne jamais l'employer à moins d'être absolument sûr de gagner. C'était le cas avec un carré d'as ou il ne s'y connaissait pas.

Il hocha la tête en direction de Nikolaev, mais c'était superflu : celui-ci avait déjà fait signe à son garde du corps, et le colosse posa immédiatement une pile de quinze jetons violets devant Caine. S'il suivait les 875 dollars, tout serait fini dans quelques secondes. En cas d'échec, il devrait 1 000 dollars à Nikolaev – une situation peu enviable, mais quelques semaines suffiraient à réunir le fric. Caine se plut à caresser cette idée, mais il savait qu'il se mentait à lui-même. Il ne pouvait pas suivre, merde. Pas avec un carré, alors que Walter venait de chercher à lui voler le pot. Il n'avait plus le choix : il fallait relancer.

Il poussa lentement quatre jetons violets vers le pot et en retira cinq noirs.

« Ça fait 3 500 dollars. Je relance du pot. »

Sœur Mary en eut le souffle coupé. Même Stone était impressionné – Caine vit une petite ride se creuser au milieu de son front. L'air se mit à manquer. L'odeur elle-même reflua un instant quand le regard de Caine croisa les yeux larmoyants de Walter.

« 2 625 dollars à suivre, Walter. Tu. Suis. Ou. Pas ? »

Walter eut un petit sourire.

« Tu vas vraiment t'en mordre les doigts. »

Il fit un signe de tête à Nikolaev et eut bientôt dix jetons violets devant lui. Il y ajouta cinq jetons noirs et les fit tomber un à un dans le pot.

« Je relance du pot. Tu suis ? »

Caine sentit son cœur s'affaisser. Il n'y avait plus de relance possible. Ça y était. Pour suivre, il fallait miser 7 875 dollars. S'il perdait, il devrait 11 000 dollars à Nikolaev, soit environ 10 600 de plus que ce qu'il avait sur son compte en banque. Un paquet d'argent – et Nikolaev ne rigolait pas avec ça. Au moins, Caine pouvait se dispenser de se demander s'il avait toujours un problème avec le jeu. Son parrain des Joueurs anonymes avait de quoi être fier.

Tant pis. Plutôt mourir que de jeter ses quatre as en abandonnant le pot, qui exhibait fièrement 15 750 dollars.

«Je suis», soupira-t-il sans grand enthousiasme, l'estomac noué. Il glissa huit jetons violets dans le pot. «Montre-les.»

D'un seul élan, les autres se penchèrent en avant, brûlant de savoir si Walter possédait réellement la reine et le dix de pique qui lui donneraient une quinte flush, ou bien s'il n'avait fait que bluffer. Walter retourna ses cartes une à une. La première était la reine de pique. À cet instant, Caine sut que son adversaire avait gagné. Il resta néanmoins cloué sur place tandis que le vieux retournait son dix. Une quinte royale. La meilleure main possible – la seule qui pouvait battre le carré de Caine. Il avait tout perdu. Ça semblait irréel. La probabilité était si faible qu'elle frôlait l'impossible.

Caine voulut dire quelque chose, mais il parvint juste à bouger légèrement les lèvres. Avant qu'un son ait pu s'échapper de sa bouche, l'odeur déferla sur lui et l'emporta comme un raz-de-marée. Elle s'infiltrait sous sa peau, s'insinuait dans ses veines, pénétrait par ses narines, par sa bouche, par ses yeux. Elle était pire que jamais. C'était l'odeur de la mort.

Alors, tout devint noir. Caine dégringola par terre. Pendant une fraction de seconde, avant de sombrer dans l'inconscience, il éprouva un sentiment qui le prit par surprise : du soulagement.

CHAPITRE 2

À deux heures quinze précises du matin, Nava Vaner s'arrêta à l'angle de la 20e Rue et de la 7e Avenue pour allumer une cigarette. Fumer était son seul vice et, comme les moindres détails de son existence, elle le contrôlait parfaitement. Elle s'autorisait une cigarette par jour, sauf lorsqu'elle surveillait quelqu'un – auquel cas, plus aucune règle n'avait cours. Mais aujourd'hui, elle n'était pas en mission. Ce serait donc sa première et dernière.

Elle renversa la tête en arrière, inspira une longue bouffée en regardant la braise rougeoyante se détacher sur le noir sale du ciel, puis exhala. Elle fit alors mine de vérifier qu'il n'arrivait pas de voiture avant de s'engager sur le passage clouté. En réalité, ce n'était pas la circulation qu'elle guettait, mais la personne qui la suivait.

Malgré l'heure avancée, le trottoir était semé de gamins sortant de boîte, de vagabonds et d'autres aventuriers du samedi soir. Son instinct disait à Nava qu'elle était suivie, mais elle n'arrivait pas à savoir par qui. D'un coup, elle fit demi-tour et se mêla aux passants pour tenter d'identifier l'adversaire.

Un clochard noir dépenaillé tituba pour l'éviter et vint heurter un trio de gothiques qui le repoussèrent brutalement. Aussitôt, une alarme se déclencha dans le cerveau de Nava. Il lui fallut une seconde pour en déterminer l'origine. Rien, dans l'apparence du type, ne suggérait autre chose que ce qu'il prétendait être, mais elle détectait la supercherie.

C'est son odeur qui le trahit, ou plutôt son absence

d'odeur. Malgré ses guenilles et sa bouille crasseuse, il n'avait pas l'odeur de quelqu'un qui vivait dans la rue. Sans cesser de marcher, Nava sortit un poudrier de son sac à dos en cuir noir et observa le reflet de l'homme dans le minuscule miroir circulaire. Maintenant qu'elle l'avait repéré, son déguisement paraissait plus évident. L'énorme poncho taché et la démarche voûtée dissimulaient une carrure d'athlète.

Il fallait aller à un endroit où il ne pourrait la suivre pour démasquer son partenaire. Lorsqu'elle eut choisi sa destination, Nava pressa le pas et se joignit à la foule qui faisait la queue devant le Twi-Fly. Elle tira une dernière fois sur sa cigarette et l'écrasa sous son talon, regrettant d'avoir à sabrer sa dose quotidienne de nicotine.

Avec sa silhouette sportive et élancée, ses longs cheveux bruns et son teint cuivré, Nava était une femme impressionnante. Elle n'eut aucune peine à fendre la foule pour se faufiler auprès du blond décoloré qui faisait office de videur. Lui décochant un sourire, elle lui fourra un billet de cent dollars dans la main. Sans un mot, il décrocha le cordon pourpre qui barrait la porte et la fit entrer.

Nava suivit un sombre couloir tapissé de miroirs qui débouchait sur une pièce de la taille d'un hangar à avions. Aussitôt, elle fut assaillie par un rythme techno entraînant et des flashs de lumière. Voilà qui n'allait pas l'aider à identifier son deuxième poursuivant. D'un autre côté, ça la rendait aussi plus difficile à suivre.

Le dos à un panneau de lumières stroboscopiques, elle garda les yeux fixés sur la porte. Au bout de presque dix minutes, une rousse au teint d'albâtre fit son entrée. Elle se plaça au centre d'une bande de fêtardes, mais on voyait bien, à ses vêtements et à son maquillage, qu'elle ne faisait pas partie du lot. Comme prévu, elle ne suivit pas les autres lorsqu'elles atteignirent la piste de danse ; en faisant de son mieux pour avoir l'air naturel, elle s'accouda au bar et se mit à fouiller la pièce du regard.

Nava attendit encore cinq minutes pour voir si un autre suspect se montrait. Personne. Elle savait qu'il pouvait y avoir plus d'agents, mais quelque chose lui disait qu'elle n'avait affaire qu'à cette femme et au prétendu sans-abri. Tout en gardant la rousse à l'œil, elle réfléchit à l'étape suivante.

Elle ne pensait pas qu'ils veuillent la tuer. Si ç'avait été leur but, il aurait été plus simple d'engager un sniper que de la prendre en filature. À moins qu'ils n'essaient de faire croire à un accident. Nava avait déjà tué des gens comme ça – attendant jusqu'à la dernière minute, puis les poussant l'air de rien vers un bus ou un camion lancés à toute vitesse. Mais c'était peu probable. Ils essayaient sans doute juste de repérer une cache ou une passe d'information. Ou bien de savoir qui étaient ses contacts.

Elle décida qu'il était temps d'agir – si vraiment c'étaient des assassins, elle voulait suivre son propre programme, pas le leur. Raidissant les muscles, elle se dirigea résolument vers le bar, puis, lorsqu'elle fut certaine que la rousse l'avait remarquée, fila vers la sortie. Elle émergea dans l'air froid de la nuit et traversa la rue en direction du Noir baraqué.

Physiquement, il était plus dangereux que la rousse, mais Nava voulait bénéficier de l'effet de surprise : l'homme allait la sous-estimer, tandis que la femme serait prête à l'affrontement. Nava passa à cinq mètres de lui et poursuivit son chemin le long de la 7e Avenue, à la recherche d'un endroit discret.

Il fallait maîtriser le type avant que sa partenaire ne réapparaisse. La station de métro de la 23e Rue était un lieu tout indiqué. Elle accéléra le pas, espérant qu'il serait seul à essayer de la suivre et que la rousse resterait un peu en arrière. Elle atteignit les escaliers menant au sous-sol et descendit les marches deux à deux.

Une fois en bas, elle tourna le coin et se tassa contre le mur. Puis elle fouilla dans son sac à dos et en sortit sa matraque, composée d'un manche en acier à ressort et d'un poids de plomb d'une demi-livre, le tout enveloppé d'une lourde gaine de cuir. Simple, mais efficace. Nava fléchit le coude en reculant légèrement le bras pour avoir de l'élan quand elle frapperait.

Quelques secondes plus tard, elle entendit les pas de l'homme sur les marches. Les yeux au sol, elle vit approcher l'ombre longue de son corps. Elle n'attendit pas qu'il ait tourné le coin pour attaquer, mais bondit hors de sa cachette, le prit à la gorge d'une main et, de l'autre, lui assena un coup de matraque sur le crâne. Il eut un grognement de douleur et leva le bras pour se protéger la tête. Elle lui saisit alors le poignet et le tordit méchamment, s'arrêtant juste à temps pour ne pas le briser.

Sans lâcher l'adversaire, elle laissa tomber la matraque et prit son pistolet dans le holster épaule caché sous son poncho ; elle ôta le cran de sûreté et lui enfonça le canon de l'arme dans le cou, le forçant à reculer jusqu'au mur.

« Pour qui tu travailles ? »

L'homme jeta un coup d'œil à son arme, puis regarda à nouveau Nava, apparemment stupéfait de ce qui venait de se produire.

« Ta collègue sera ici dans trente secondes. Je ne peux pas m'occuper de vous deux à la fois, donc si tu ne parles pas, je te tue et c'est elle qui me fournira l'information, dit Nava sans ciller. Je te donne dix secondes. Neuf. Huit. S—

— Bon Dieu, grommela-t-il, mais je suis de l'Agence, comme vous ! C'est de la surveillance de routine ! Mon portefeuille est dans ma poche de devant, vous pouvez vérifier. »

Dès qu'il eut lâché le morceau, Nava comprit qu'il disait la vérité. Mais elle devait quand même vérifier. Elle appuya plus fort le canon de l'arme sur son cou et chercha son portefeuille. Comme la plupart des agents, il en possédait deux : un dans la poche gauche, avec un permis de conduire en règle, un autre dans la droite, avec un badge de la CIA. Agent Leon Wright. Elle reprit son souffle et recula d'un pas.

Wright s'affaissa contre le mur et palpa avec précaution son poignet blessé. Au même moment, Nava entendit des pas précipités résonner dans l'escalier. Elle fit un signe de tête à Wright, qui cria :

« Je me suis fait prendre, Sarah. Tu as le temps. »

Nava tourna le coin et, laissant pendre le revolver de Wright à son pouce pour ne pas alarmer sa partenaire, mit les mains en l'air. Le visage de la rousse exprima successivement la surprise, la déception et la colère, avant de se figer en un masque neutre de résignation. En apercevant Wright, elle émit un léger sifflement. Une bosse violacée de la taille d'une boule de flipper apparaissait déjà sur le côté de son crâne.

«Je suis prête à oublier l'incident si vous me laissez continuer ma petite balade nocturne tranquillement», déclara Nava.

Sarah fit mine de protester, mais Wright lui coupa la parole.

«Deal», dit-il en réprimant la grimace qui menaçait de lui déformer la bouche.

D'une chiquenaude, Nava remit le cran de sûreté et lança le pistolet à Sarah avec le badge.

«Alors bonne nuit», fit-elle.

Et, sans se retourner, elle monta l'escalier. Ses mains tremblaient. Elle avait failli le tuer. Seigneur. Elle se laissait aller. Avant, elle était capable de deviner les intentions d'un collègue rien qu'à sa démarche, mais ces derniers temps elle se sentait fatiguée, cassée. Elle jeta un coup d'œil en arrière, craignant soudain que tout ce scénario n'ait été qu'un piège. Mais il n'y avait personne. Elle était seule.

Ce n'était pas parce qu'on épiait ses mouvements que le gouvernement la soupçonnait de trahison. Si tel était le cas, les deux agents ne l'auraient pas laissée partir si facilement. Allons, pas de paranoïa. Ce n'était rien de plus que ce qu'avait dit Wright : une mission de routine. On surveillait tous les agents de temps à autre pour vérifier qu'ils se tenaient à carreau.

Néanmoins, Nava fit encore trois fois le tour du pâté de maisons pour se rassurer. Puis elle ouvrit la porte de l'immeuble crasseux avec les clés que son contact avait silencieusement glissées dans sa poche la veille au soir. Une fois à l'intérieur, elle grimpa au premier étage et s'arrêta pour prendre son pistolet – un Glock 9 mm. Elle expira lentement, tranquillisée par le poids de l'arme dans sa main, puis la pointa vers l'entrée et laissa passer cinq bonnes minutes pour s'assurer qu'on ne la suivait plus.

Personne.

Rassurée, elle monta les quatre autres étages menant à l'appartement vacant, fit jouer la clé dans la serrure et tourna la poignée. Elle poussa la porte d'une main et, de l'autre, balaya la pièce avec son pistolet. L'unique chaise était occupée par un Coréen de petite taille. Il remua à peine. Son visage large et lisse n'exprimait aucune émotion. Nava fit un pas à l'intérieur et, d'un bref regard circulaire, vérifia qu'ils étaient seuls.

«Pourquoi si nerveuse ce soir?» Son anglais était très bon, mais il avait un léger accent et prononçait les mots trop rapprochés.

«Pas nerveuse. Juste prudente.»

Il hocha la tête et fit un signe vers l'ordinateur portable, dont l'écran projetait une lueur verdâtre dans l'obscurité de la cuisine. Nava mit un index en l'air, puis déballa un petit engin qui se trouvait dans son sac à dos – un cylindre d'environ douze centimètres de long et cinq centimètres de diamètre. Elle pressa un minuscule bouton noir à la base du cylindre et trois petites pointes d'acier surgirent à l'autre extrémité. Puis elle le posa précautionneusement sur le sol, pointes vers le haut. Au bout de quelques secondes, l'appareil émit un bourdonnement grave et un voyant lumineux rouge apparut.

«Encore une prudente précaution? s'enquit l'agent du *Spetsnaz*.

– C'est pour empêcher les micros directionnels de capter notre conversation», répondit Nava en remarquant, pour la première fois, le minuscule écouteur qu'il avait dans l'oreille.

Elle savait que son brouilleur n'aurait aucun effet là-dessus, mais ce n'étaient pas des Coréens qu'elle cherchait à se protéger. Elle fit courir ses doigts sur les formes lisses du portable.

«Il est sécurisé?

– Le modem cellulaire possède une clé de cryptage de 128 bits. Une fois que j'aurai vérifié les données, je transférerai l'argent sur votre compte. Ensuite, vous pourrez appeler la Suisse vous-même. »

Nava défit la boucle de sa ceinture et en sortit un minuscule disque laser qu'elle inséra sur le côté de l'ordinateur. Elle tapa un mot de passe de quinze caractères. L'écran devint noir une fraction de seconde, puis s'éclaira à nouveau.

L'homme qu'elle connaissait sous le nom de Yi Tae-Woo se leva pour se diriger vers l'ordinateur. Sa démarche était si fluide qu'il avait l'air de flotter sur le sol. Avec une telle grâce, il était certainement expert au combat à mains nues, songea Nava. Cela dit, c'était le cas de tous les agents du *Spetsnaz* – en particulier ceux de l'unité 695, le groupe d'élite chargé d'établir des cellules clandestines partout dans le monde pour le compte du département nord-coréen du contre-espionnage, ou RDEI[1].

Elle se souvint du jour où les hommes de la République populaire démocratique de Corée étaient arrivés au camp où elle s'entraînait dans sa jeunesse. C'était en 1984. Kim Jong Il avait décidé d'envoyer ses meilleurs combattants à Pavlovsk pour qu'ils se forment auprès des forces spéciales soviétiques connues sous le nom de *Voiska Spetsialnogo Naznachenia* (abrégé en *Spetsnaz*). L'entraînement couvrait toutes les formes de combat, armé ou non, ainsi que les techniques du terrorisme et du sabotage.

Les Nord-Coréens furent si impressionnés par leurs instructeurs soviétiques qu'eux-mêmes adoptèrent l'appellation de *Spetsnaz*. Ils conservèrent toutefois leur propre slogan : « Un contre cent. » Et ils pesaient leurs mots. Une fois de plus, Nava se demanda si elle avait eu tort de faire affaire avec eux. Les hommes du RDEI n'étaient sans doute pas plus dangereux que ses clients habituels, les Israéliens du Mossad ou les Britanniques du MI-6, mais ils

---

1. Research Department for External Intelligence.

ne lui inspiraient pas confiance. Qu'importe. Elle en aurait bientôt fini. C'était la dernière fois qu'elle traitait avec eux.

Elle observa Yi Tae-Woo face à l'ordinateur. Il faisait défiler l'information, ralentissant pour lire certaines pages, puis passant rapidement sur des sections entières. Nava le laissa faire son travail et attendit patiemment qu'il soit sûr d'avoir obtenu l'information promise. Cinq minutes plus tard, il se redressa.

« Tout semble en ordre. L'argent a été transféré. Vous pouvez utiliser l'ordinateur pour vérifier. »

Nava sourit.

« Vous comprendrez que je décline votre offre.

– Bien sûr », fit Yi Tae-Woo, l'air déconcerté.

Nava n'avait aucune intention d'utiliser un ordinateur du RDEI pour vérifier le transfert. Si elle acceptait, le RDEI pourrait non seulement lui communiquer de fausses informations, mais aussi, en enregistrant sa frappe sur le clavier, reconstituer son mot de passe et mettre son compte à sec. Elle aurait été surprise que le renseignement extérieur nord-coréen lui fasse un mauvais coup, mais ce ne serait certainement pas le premier exemple de détournement de fonds dans le monde de l'espionnage. Après tout, les espions aussi avaient leur budget.

Elle ouvrit son téléphone portable, qui possédait sa propre clé de cryptage de 128 bits, puis composa le numéro et donna son mot de passe au banquier étranger. Celui-ci lui confirma que 750 000 dollars venaient d'être versés sur son compte. Nava lui dicta un autre mot de passe pour lui signifier qu'il devait exécuter l'ordre de virement donné la veille. Elle attendit sa réponse quelques secondes et raccrocha. Le temps de se retourner vers Yi Tae-Woo, et son argent était en sécurité aux îles Caïmans, pour une commission inférieure à 1,5 %.

« Tout se passe comme prévu ? demanda-t-il.

– Oui, merci. »

Elle remballa le brouilleur et le remit dans son sac à dos. Yi Tae-Woo, qui se tenait entre elle et la porte, allait la laisser passer lorsque son écouteur se mit à vrombir bruyamment. Il fit un pas en arrière et, d'un geste souple, sortit son arme, qu'il pointa vers la poitrine de Nava.

« Il y a un problème, dit-il d'un ton neutre.

– Lequel ? demanda-t-elle en se forçant à rester calme.

– Un des fichiers est illisible. Sans doute un problème avec le disque. »

Il fit un petit signe du menton en direction de l'ordinateur.

« Vérifiez-le. »

Nava se retourna et éjecta le disque, puis, le tenant entre le pouce et l'index, l'orienta vers la lumière. De fait, on apercevait une minuscule rayure de la taille d'un cil. Le disque avait dû être endommagé pendant qu'elle réglait son compte à Wright.

« Il est rayé, fit-elle.

– Il faut rendre l'argent. »

Elle sentit son sang se glacer dans ses veines. « Je ne peux pas, dit-elle sans se retourner. J'ai formellement interdit qu'on touche à cet argent pendant les vingt-quatre heures suivant son arrivée. » En prenant cette précaution auprès de son banquier, elle s'était crue maligne. Elle s'apercevait que c'était tout le contraire.

« Alors, nous avons un grave problème. »

Nava savait qu'elle n'avait qu'une seule chance. Elle se retourna d'un bond, saisit l'avant-bras de Yi Tae-Woo et le plaqua contre le mur avant qu'il ait eu le temps de tirer. De l'autre main, elle fit glisser la tranche du disque sur sa joue, qui se mit aussitôt à saigner. Profitant du choc provoqué par la lacération, elle le frappa au visage avec la base de la main, lui fracassant le nez. Il laissa tomber son arme et recula en titubant.

Elle allait prendre son Glock dans sa veste quand la porte s'ouvrit brutalement. Trois hommes en noir se précipitèrent à l'intérieur, arme au poing. Aussitôt, Nava mit les mains derrière la tête et se laissa tomber à genoux ; elle savait qu'il n'y avait plus rien à faire. L'un des hommes lui donna un coup de pied dans l'estomac. De douleur, elle roula à terre ; l'homme l'immobilisa, une chaussure posée sur la base de son crâne et une mitraillette Uzi braquée sur son dos.

Pendant près d'une minute, les hommes parlèrent précipitamment en coréen. Puis ils attachèrent Nava à une chaise.

Yi Tae-Woo se pencha de manière à la regarder droit dans les yeux.

«Qu'est-ce que vous voulez? demanda Nava.

– Que vous rendiez l'argent, répondit-il d'une voix altérée par sa fracture du nez. Tout de suite.

– Je vous l'ai déjà dit: je ne peux pas.»

Il se redressa et pointa le canon de son SIG Sauer vers sa tête.

«Attendez, Tae-Woo. Il me faut vingt-quatre heures pour vous fournir les données. Il suffit que je retourne au bureau pour les copier.»

Yi Tae-Woo échangea quelques mots en coréen avec la personne reliée à son écouteur. Puis il reporta son attention sur Nava.

«D'ici vingt-quatre heures, vous nous fournissez l'information manquante *et* vous rendez l'argent.

– Mais c'est inju— »

Elle s'interrompit en apercevant le regard grave de son interlocuteur et se reprit:

«Merci d'être aussi raisonnable.

– Il n'y a pas de quoi.»

Yi Tae-Woo fit un signe de tête à ses hommes, qui se hâtèrent de la détacher et l'aidèrent à se lever.

«Et n'oubliez pas: vingt-quatre heures.

– Je n'oublierai pas», dit-elle en réprimant son envie de se frotter les poignets.

Et, sans ajouter une parole, elle quitta l'appartement et descendit l'escalier. Elle ne desserra pas les mâchoires avant d'avoir laissé huit rues derrière elle. Alors, elle se surprit à vomir sur un tas de sacs-poubelle vert foncé. Quand elle eut terminé, elle s'essuya la bouche avec le dos de sa manche, y laissant une petite trace jaune.

Un peu plus loin, elle s'aperçut qu'elle était en train

d'allumer une nouvelle cigarette. Elle allait l'écraser quand elle changea d'avis, décidant de s'en accorder autant qu'elle le voudrait aujourd'hui.

Il n'y aurait peut-être plus beaucoup de demains.

CHAPITRE 3

Tout en parcourant les données recueillies lors de ses dernières expériences, le Dr Tversky pensait à Julia. Ces derniers temps, elle ne cessait de papillonner à travers le labo, toute en sourires et en gloussements, à mille lieues de la timidité dont elle faisait preuve les deux premières années. Les gens n'allaient pas tarder à se douter de quelque chose – si ce n'était déjà fait.

Ça ne le tourmentait pas outre mesure. Après tout, les profs sautaient leurs étudiantes de troisième cycle depuis la nuit des temps. L'administration s'en fichait, du moment que vous restiez discret. Elle s'y attendait, même : c'était l'un des bonus tacitement accordés à un professeur.

Bien sûr, ce n'était pas ce qu'il disait à Julia. Elle était un peu naïve sur les choses de la vie, et il sentait que le secret qui entourait leur liaison ajoutait à son excitation ; il fallait bien nourrir un peu ses fantasmes. Au lit, en fait, ce n'était pas terrible. Elle était passionnée mais maladroite, toute en coups de dents et de griffes quand elle lui faisait une gâterie – et, quand il était sur elle, elle restait allongée sans bouger comme un sac à patates en arborant un sourire niais. Et cette obstination à l'appeler «Petey» quand ils étaient seuls… La seule pensée de ce sobriquet puéril lui donnait envie de fuir.

Au bout d'un mois, il avait voulu rompre. C'est alors qu'il avait pris conscience de la chance unique que lui offrait ce cas désespéré d'amour juvénile. Au début, Julia avait hésité à participer aux expérimentations humaines, mais lorsqu'il lui avait expliqué combien elles comptaient pour lui, elle s'était empressée d'accepter. Jusqu'ici, les résultats avaient été rien moins qu'extraordinaires. Les informations qu'il soutirait à Julia lorsqu'elle «partait» étaient incroyables. Il pensait même pouvoir l'emmener plus loin. Cependant, les effets secondaires du traitement l'inquiétaient. Dans l'ensemble, elle avait l'air d'aller bien, mais son amour tout neuf pour la rime était alarmant. Ce type de trouble du langage était un signe précurseur de la schizophrénie. Il savait bien qu'en altérant la chimie de son cerveau il risquait d'affecter sa stabilité mentale ; il était juste surpris que cela se produise si vite.

Quand même, ça valait le coup, quels que soient les risques encourus par Julia. Après tout, si les expériences aboutissaient à la conclusion prévue, ce n'était plus de la sécurité de la jeune femme qu'il aurait à se préoccuper, mais de la sienne propre.

☆

Le Dr James Forsythe avait toujours su qu'il n'était pas quelqu'un de brillant. Mais ce petit homme barbu, au crâne presque chauve, savait aussi que le brio n'était pas nécessaire pour devenir un grand scientifique. Les capacités intellectuelles aidaient, bien sûr – jusqu'à un certain point. Au-delà de ce point, elles vous jouaient presque toujours des tours. Le scientifique type était un introverti, dépourvu des aptitudes sociales permettant de se distinguer dans le monde réel, et Forsythe se félicitait de ne pas lui ressembler. Lorsqu'il surprenait un des chercheurs de son équipe en train de dire qu'il n'était pas un «vrai homme de science», cela le faisait sourire. C'était censé être une insulte, mais il le prenait comme un compliment. Après tout, les prétendus «génies scientifiques» n'étaient que la cheville ouvrière du STR, le laboratoire de recherche scientifique et technologique ; lui, il en était le directeur.

Bien que le STR fût un laboratoire public, les civils ignoraient généralement son existence, ce qui valait sans doute mieux. Il existait depuis vingt ans environ, mais ses antécédents remontaient à 1952, année où le président Truman avait signé la directive donnant naissance à la National Security Agency. Au début des années 80, la NSA enregistrait chaque jour plus de 250 millions de conversations dans plus de 130 pays. Certes, sa mission était d'analyser les communications relatives à la sécurité nationale et d'ignorer les autres ; mais, tel un gamin qui prend le téléphone pour entendre son grand frère parler de sexe, les employés de la NSA ne pouvaient se retenir d'écouter ce qui les intéressait.

L'agence ne savait trop que faire de cette masse d'informations, surtout lorsqu'elles étaient de nature scientifique. C'est le directeur de la Cryptographie qui finit par imaginer une solution : il eut l'idée visionnaire de créer un laboratoire dont le but serait de décrypter, analyser et interpréter les données recueillies auprès des chercheurs du monde entier. De la sorte, aucun pays ne pourrait jamais surpasser les États-Unis.

Le plan fut présenté à la Maison Blanche comme un nouveau moyen de surveiller les régimes communistes, et l'administration de Ronald Reagan l'accueillit à bras ouverts. Le 13 octobre 1983 fut donc créé le STR. Au départ, celui-ci se contenta d'espionner les scientifiques étrangers. Cependant, avec la fin de la guerre froide et l'intensification de la coopération internationale liée à Internet, il se mit aussi, l'air de rien, à s'intéresser aux chercheurs américains. À l'époque, le gouvernement tirait déjà suffisamment profit de ses services pour fermer les yeux.

Le processus de « recherche » était simple. Les analystes du STR parcouraient des milliers de pages prélevées sur les serveurs du monde entier et sélectionnaient tout ce qui leur paraissait une technologie intéressante à explorer. Les chercheurs maison reproduisaient alors les expériences clés pour vérifier la viabilité de la nouvelle technologie en question.

Une fois les résultats validés, le STR les faisait passer

aux agences gouvernementales concernées. Toutefois, lorsqu'il découvrait une technologie étrangère d'intérêt commercial, il organisait une fuite d'information vers deux ou trois multinationales basées aux États-Unis et jouissant des faveurs de l'administration. Il ne fallut pas beaucoup de temps au STR pour devenir la plus puissante centrale de nouvelles technologies au monde.

Forsythe en prit la direction en 1997 et fut stupéfait de découvrir l'étendue du capital financier et politique légué par son prédécesseur. Le STR répartissait les technologies volées entre pas moins de six agences gouvernementales (la CIA, le DoD, le FBI, la FDA, la NASA et le NIH), sans compter quelques-unes des entreprises les plus innovantes de la Silicon Valley. La seule entité qui pouvait s'interposer entre le directeur et ses « clients » était la Commission de surveillance du STR. Elle était composée de trois sénateurs, parfaitement conscients du pouvoir que ce poste leur conférait.

Forsythe savait qu'il n'aurait réellement le pouvoir qu'en devenant seul décisionnaire. Mais, pour y parvenir, il lui fallait un moyen de contrôle. C'est alors qu'il recruta un allié improbable dans sa quête du pouvoir : un jeune homme boutonneux du nom de Steven Grimes, spécialiste du piratage informatique, auquel il fallut moins de deux semaines pour découvrir des informations susceptibles d'amener la Commission – dirigée par Geoffrey Daniels, le plus ancien des deux sénateurs de l'Utah – à faire bon accueil aux recommandations de Forsythe.

Grimes avait un infatigable désir d'épier ses semblables et, si troublant fût-il, ce penchant pour le voyeurisme et l'indiscrétion s'avéra extrêmement utile. Forsythe ne savait toujours pas où il avait déniché les photos de Daniels en compagnie de ce jeune garçon – et, très franchement, il ne voulait pas le savoir. La seule chose qui comptait, c'est qu'après avoir vu les photos, le sénateur Daniels s'était montré plus que disposé à tenir compte des « suggestions » de Forsythe.

John Simonson, le plus jeune sénateur de la Commission,

était lui aussi bien plus amical depuis que Grimes avait découvert l'abri fiscal illégal qu'il possédait aux îles Caïmans. Par la suite, plus aucune requête adressée par Forsythe à la Commission n'avait été rejetée. Certes, le vote était en général de deux contre un, mais Forsythe n'avait besoin que de la majorité – et c'était heureux, car Grimes n'avait jamais rien trouvé contre le troisième membre de la Commission, un sénateur de la Louisiane appartenant à la droite ultra-religieuse.

Depuis près de six ans, donc, Forsythe contrôlait la Commission du STR et n'en faisait pas mystère, récoltant argent et faveurs auprès de chefs d'entreprises et hauts fonctionnaires. La vie était belle, très belle. Mais le décès inopportun du sénateur Daniels, qui venait de mourir d'un arrêt cardiaque durant son sommeil, menaçait de mettre un terme à tout cela.

Lorsqu'il apprit la mort de Daniels par la presse, Forsythe jura intérieurement. Il savait que son successeur à la Commission serait John « Mac » MacDougal, un sénateur libéral du Vermont. Sa candidature avait échoué deux ans auparavant et, depuis lors, il n'avait cessé de convoiter le poste. Forsythe était certain qu'il manœuvrait en ce moment même pour l'obtenir.

Prévoyant que MacDougal risquait un jour de parvenir à ses fins, il avait déjà, en guise de mesure préventive, chargé Grimes d'aller mettre le nez dans son linge sale. Malheureusement, la seule chose que le jeune homme avait pu dénicher était un cousin qui travaillait dans l'industrie pharmaceutique et se serait bien vu dans une agence gouvernementale.

Lorsque Forsythe arriva au labo ce matin-là, il trouva un message du bureau de MacDougal sollicitant un rendez-vous. C'est alors qu'il en acquit la certitude : il allait être remplacé d'ici la fin du mois. Il avait toujours su que sa situation ne durerait pas éternellement, mais il pensait au moins être tranquille jusqu'aux prochaines élections sénatoriales.

Heureusement qu'il n'était pas entièrement pris au

dépourvu. Au cours des mois précédents, il avait réuni douze millions de dollars pour créer son propre laboratoire de recherche. Les investisseurs de capital-risque signaient rarement des chèques en blanc de ce genre – mais il faut dire qu'ils avaient rarement la chance de financer un homme avec des milliers d'idées opérationnelles sous la main.

Le seul problème, c'est que Forsythe avait toujours pensé qu'il disposerait d'au moins un an pour trouver la bonne idée ; or, il avait en définitive moins d'un mois. Mais il pouvait encore y arriver. Il allait passer deux semaines à parcourir les résumés des projets de recherche de la planète entière et finirait par en trouver un qui vaille la peine d'être dérobé. Une fois qu'il l'aurait choisi, il écraserait les fichiers du STR pour éviter toute concurrence future de la part de l'État.

Par une heureuse coïncidence, il avait lu quelques jours plus tôt un résumé qui paraissait prometteur. Il s'agissait d'expériences illicites conduites par un biostatisticien que le STR surveillait depuis un bon bout de temps. Le gentil professeur avait injecté à un sujet humain un intrigant mélange qui avait un effet tout à fait intéressant sur ses ondes cérébrales. Forsythe ne connaissait pas le nom du cobaye (mentionné sous le nom de « sujet Alpha »), mais il connaissait le chercheur. Or, ce dernier avait déjà une demande de rendez-vous en suspens ; il espérait probablement une allocation.

Voilà qui était parfait. Forsythe décrocha le téléphone pour appeler sa secrétaire : « J'ai besoin d'un rendez-vous dès que possible. Je pense que vous avez déjà les coordonnées… Demain, très bien… Le nom est Tversky. »

CHAPITRE 4

Inquiet, Caine huma l'air. Il était froid et stérile, avec un léger soupçon d'alcool. En faisant courir ses doigts sur les draps amidonnés, il comprit qu'il était à l'hôpital. Il ouvrit les yeux lentement, craignant de voir le monde étiré et déformé ; mais tout avait repris des proportions normales. Le spectacle était juste un peu flou, car il n'avait pas ses lentilles. En levant le bras pour frotter ses paupières pleines de sommeil, il remarqua l'aiguille intraveineuse fichée dans le dos de sa main. Il avait une étrange sensation de déjà-vu, comme s'il s'était réveillé dans ce lit à d'autres occasions et que ses pensées avaient suivi le même cours.

Il se demanda depuis combien de temps il était là.

« À peu près huit heures, petit frère. Tu étais à moitié conscient, tu parlais dans ton sommeil. Content que tu sois de retour. »

Surpris, Caine tourna brusquement la tête à gauche. Jasper lui fit un petit signe de la main. Retenant son souffle, Caine se dit : *C'est de ça que j'aurais l'air si je devenais fou.*

Jasper était terrible à voir. Il avait le teint terreux et ses os semblaient distendre la peau sur son corps maigre. Mais la lueur qui brillait dans ses yeux verts et caves rappelait à David Caine la pénétrante intelligence qu'emprisonnait l'esprit torturé de son frère.

« Je ne savais pas que tu… – Caine cherchait ses mots. – Je veux dire, ça alors, tu es là. C'est super, mec.

– Ça va, tu peux le dire : tu ne savais pas qu'on m'avait

44

laissé sortir de chez les dingos », dit Jasper en se balançant d'un pied sur l'autre.

L'air penaud, Caine hocha la tête. Son frère avait toujours su lire dans ses pensées.

« Ouais, reprit Jasper d'une voix à la fois lasse et amusée. Vendredi dernier, les braves gens de Mercy m'ont décrété en parfaite santé. Ça fait presque une semaine que je suis dehors.

– Ça alors… et pourquoi tu n'as pas appelé ? »

Jasper haussa les épaules.

« Je ne sais pas. J'avais des trucs à régler d'abord. Merci pour tes visites, au fait. »

Caine fit la grimace.

« Jasper, je — »

Son frère leva la main pour l'arrêter.

« Laisse tomber. »

Il se détourna et regarda un instant par la fenêtre avant de rompre le silence.

« Désolé. Je comprends. Moi non plus, je n'aimerais sans doute pas me rendre visite dans cet endroit.

– J'aurais quand même dû venir.

– Eh bien, fit Jasper avec un sourire entendu, il te restera toujours la prochaine fois. »

Les deux frères restèrent un moment sans parler, puis, simultanément – en vrais jumeaux qu'ils étaient –, ils éclatèrent de rire. Ça faisait du bien. Caine avait l'impression qu'il n'avait pas ri pour de bon depuis longtemps, et plus encore avec son grand frère – Jasper n'était né qu'avec dix minutes d'avance sur lui, mais jamais il ne le laisserait oublier qui était « le grand ».

« Comment tu as su que j'étais ici ?

– Un interne m'a appelé sur mon portable après ton admission. Quand je suis arrivé, l'infirmière m'a dit que tu avais eu une crise. »

Caine hocha la tête.

« Elle a dit aussi que tu en avais depuis un an environ. Visiblement, elle pensait que j'étais au courant. Tu as envie d'en parler-*dé-thé-ré* ? »

Caine regarda son frère avec inquiétude ; il gloussait comme s'il venait de faire la blague la plus drôle du monde. Quoi qu'on ait pu lui faire subir dans cette institution psychiatrique, ça n'avait pas suffi. Et cette lueur dans les yeux de Jasper rappelait maintenant autre chose à Caine – la maladie dont souffrait son frère.

« Est-ce que l'infirmière a dit autre chose ? demanda-t-il, s'efforçant d'ignorer l'étrange comportement de Jasper.

– Pas vraiment, sauf que la crise était plutôt sérieuse. D'après tes copains russes, tu étais sans connaissance depuis à peu près vingt minutes quand l'ambulance est venue te chercher.

– Merde, fit Caine, essayant d'imaginer la réaction de Nikolaev quand il s'était évanoui. Ils ont dû appeler le 911 ?

– Ouaip. Au fait, qu'est-ce que tu foutais dans un club russe de l'Avenue D à deux heures du matin ? »

Caine haussa les épaules d'un air évasif.

« Ils ont de la bonne vodka.

– Ça, je parie – ou plutôt, *tu* pariais, répliqua Jasper en haussant le sourcil.

– J'imagine qu'on pourrait le dire comme ça.

– Combien tu dois ?

– Rien, tout va bien, répondit Caine avec un peu trop de hâte.

– Dans ce cas, je me demande bien pourquoi Vitaly Nikolaev a appelé ici trois fois pour prendre de tes nouvelles. »

Les épaules de Caine s'affaissèrent.

« Tu déconnes ?

– Eh non, petit frère. À moins qu'il ne veuille t'envoyer de la vodka avec ses vœux de prompt rétablissement, je suppose qu'il s'inquiète pour son investissement. Donc, je recommence : combien ? »

Caine ferma les yeux et tenta de se rappeler le dernier coup. Peu à peu, le souvenir reprit forme dans son esprit embrumé. Il poussa un gémissement.

« Onze, fit-il sans ouvrir les yeux.

« – Onze cents ? Ça va encore. Je dois avoir un certificat de dépôt que je peux liquider —

– Non.

– Allez, David, je peux bien donner un coup de main.

– Oui, mais ce n'est pas ça que je dois.

– Combien alors ? »

Sans répondre, Caine regarda fixement le visage hagard de son frère.

« Putain, fit Jasper en comprenant soudain. *Onze mille ?*

– Ouais.

– Merde, David. Comment tu as fait pour perdre autant ?

– Je n'aurais pas dû perdre. C'était un coup sûr.

– Pas assez.

– Écoute, Jasper, j'ai assez de problèmes sans que tu viennes me juger. J'ai merdé. Je l'admets, d'accord ? Si je me souviens bien, tu as merdé une ou deux fois toi-même. »

Jasper soupira et s'assit sur une chaise d'hôpital orange fluo.

« Qu'est-ce que tu avais ? demanda-t-il, cherchant visiblement à radoucir son frère.

– Un carré.

– Petit ?

– Non. Des as. »

Jasper émit un petit sifflement.

« Et tu as perdu avec quatre as ? Merde alors, dit-il, impressionné. Qu'est-ce qui s'est passé ?

– L'autre a eu une quinte royale grâce à la rivière.

– Waouh ! »

Jasper secoua la tête.

« Et tu as combien de temps pour payer ?

– Tel que je connais Vitaly, il va vouloir un premier versement d'ici demain. Mais comme je suis un ami, il laissera sans doute passer la fin de la semaine avant qu'un de ses acolytes ne me renvoie à l'hôpital pour beaucoup plus longtemps.

– D'après l'infirmière, tu te débrouilles très bien tout seul pour y passer du temps.

47

– Ouais. En gros, si Nikolaev ne me supprime pas, mes crises s'en chargeront sans doute.

– Bon sang, mec, fit Jasper avec une réelle émotion dans la voix. La dernière fois qu'on s'est parlé, tu étais en pleine forme et tu n'avais pas joué depuis, quoi, un an ? Qu'est-ce qui t'est arrivé ? »

Caine ne savait que répondre. La réalité commençait à le rattraper. L'année qui venait de s'écouler n'avait été qu'un gigantesque naufrage. Bon Dieu, ça faisait donc un an qu'il avait eu sa première crise ? Ça ne pouvait quand même pas faire si longtemps… Il s'aperçut alors qu'en réalité, près d'un an et demi s'était écoulé depuis qu'il avait pour la dernière fois fait cours à ses étudiants de l'université. Son estomac se noua. Bizarre. Il aurait cru que ça prendrait plus de temps de foutre sa vie en l'air.

Il faut croire qu'il avait tort.

☆

Contrairement à la plupart des membres du département de statistiques, Caine adorait l'enseignement. Après son premier cours, il s'était aperçu qu'il possédait un don unique pour communiquer, d'une manière à la fois à intrigante et amusante, sa passion pour sa matière. Bien sûr, ce n'était pas aussi jubilatoire que de remporter un gros pot au poker ; mais il y avait quelque chose d'excitant à faire découvrir aux étudiants l'univers des probabilités.

Par une étrange ironie du sort, c'est le poker qui, indirectement, l'avait amené à l'enseignement. À l'époque, Caine avait engouffré toutes ses économies dans les salles de jeu souterraines de la ville. Il n'avait plus le choix : il lui fallait de l'argent, et ce cours d'« Introduction à la théorie des probabilités » était le seul travail disponible pour un statisticien en quatrième année de thèse à l'université de Columbia.

Comme il n'avait plus ni liquide ni crédit bancaire, il ne put rejouer au poker avant d'avoir touché sa première paie. Et, lorsqu'elle arriva, il se rendit compte qu'il n'avait plus envie de jouer. Cette nuit-là, au lieu de rêver de cartes, il rêva de son cours du lendemain.

Dès lors, les choses commencèrent à changer. Bien sûr, il se réveilla au matin avec ce besoin dévorant que seuls comprennent les vrais joueurs ; mais il se força à canaliser cette énergie pour la reporter sur sa pratique universitaire. Bref, l'enseignement réussit là où d'innombrables réunions des Joueurs anonymes avaient échoué : il lui rendit le contrôle.

Les deux mois suivants furent presque paisibles. Caine découvrait qu'il était capable de surmonter sa dépendance. Un temps, il crut réellement qu'il maîtrisait enfin le cours de son existence – jusqu'à ce que tout s'effondre.

Il se rappelait encore le moment précis où sa vie était partie à vau-l'eau. Cela se passait à l'endroit même où elle avait pris meilleure tournure : la salle de cours. Caine était appuyé au tableau, un bout de craie dans une main, une tasse en polystyrène pleine de café dans l'autre. Il s'était alors lancé dans une leçon d'histoire improvisée.

« Bon, quelqu'un sait d'où vient la théorie des probabilités ? »

Silence.

« OK, on va faire ça sous forme de QCM. La théorie des probabilités est née d'un échange de lettres entre deux mathématiciens français qui discutaient : (a) de physique ; (b) de philosophie ; (c) de dés. »

Pas de réponse.

« Si personne ne lève la main dans les cinq secondes, je peux vous garantir que ce truc sera à l'examen. »

Vingt mains se levèrent d'un coup.

« Je préfère ça. Jerri, qu'est-ce que vous en pensez ?

– La physique ?

– Eh bien, non. La bonne réponse était la réponse (c) : les dés. L'homme qui a posé les bases de la théorie des probabilités est né en 1623. Il s'appelait Blaise Pascal. Comme beaucoup d'enfants des milieux privilégiés à l'époque, Pascal fit son instruction chez lui, avec son père et plusieurs autres précepteurs. Mais son père, qui ne voulait pas l'assommer de travail, décida qu'il se concentrerait sur les langues et n'apprendrait pas les mathématiques. Or, comme n'importe quel enfant, Blaise était curieux de ce qu'on lui cachait; il décida donc d'étudier la géométrie à ses moments perdus. »

Certains étudiants firent de gros yeux et Caine ajouta :

« Figurez-vous que c'était avant la Xbox et la PS2; les gamins n'avaient pas grand-chose pour s'amuser. »

Il y eut quelques rires dans la salle.

« Lorsque son père s'aperçut que Blaise était naturellement doué pour les nombres, il l'encouragea en lui offrant les *Éléments* d'Euclide – là encore, souvenez-vous qu'il n'y avait pas la télé, donc les gens s'intéressaient à des trucs appelés *livres*. »

Cette nouvelle pique lui valut deux ou trois gloussements.

« En tout cas, après avoir vu son fils lire Euclide d'une traite, le père embaucha les meilleurs profs de maths – et grand bien lui en prit, puisque Blaise Pascal allait devenir l'un des plus grands mathématiciens du XVIIe siècle. D'ailleurs, l'une de ses inventions a eu une incidence directe sur notre vie à tous. Quelqu'un sait laquelle ?

– Le boulier? suggéra une fille du campus.

– Vous devez confondre les Français avec les anciens Chinois, répondit Caine. Mais vous étiez sur la bonne voie. Pascal a inventé la première machine arithmétique, qui devait donner plus tard notre calculatrice moderne. Il a passé le restant de ses jours à étudier les mathématiques et la physique – ou presque : par un amusant retour du sort, il a abandonné son obsession pour les nombres quelques années avant sa mort, parce qu'il avait prouvé numériquement qu'il ferait mieux de se concentrer sur la religion et la philosophie.

– Comment a-t-il fait ça ? demanda un étudiant barbu assis au dernier rang.

– Bonne question, j'y viendrai dans un instant. Où en étais-je ? Ah oui. »

Caine but une petite gorgée de café et poursuivit :

« En 1654, avant que Pascal n'abandonne les mathématiques, un aristocrate français, le chevalier de Méré, lui soumit plusieurs problèmes. Intrigué par les questions mathématiques qu'ils soulevaient, Pascal débuta une correspondance avec un vieil ami de son père, un fonctionnaire à la retraite nommé Pierre de Fermat.

« Il se trouve que Méré était un joueur invétéré, et qu'une de ses questions portait sur un jeu à la mode où il fallait tirer quatre dés : si le joueur n'obtenait aucun six, il gagnait un montant égal à sa mise, mais s'il avait un six, c'est l'établissement de jeu qui gagnait. Méré se demandait si l'établissement était avantagé. Et maintenant, si vous deviez ne retenir qu'une seule chose de ce cours, j'aimerais que ce soit celle-ci. »

Caine se dirigea vers le tableau et écrivit en gros caractères :

Les chances sont TOUJOURS du côté de l'établissement.

Il y eut quelques rires approbateurs.

« Est-ce que quelqu'un peut me dire pourquoi ? Jim. »

L'étudiant préféré de Caine s'anima :

« Parce que, si les chances n'étaient *pas* du côté de l'établissement, il perdrait plus souvent qu'il ne gagne, donc il finirait par disparaître.

– Exactement, dit Caine. À mon avis, même sans la théorie des probabilités, Méré aurait pu parvenir à cette conclusion – mais si les aristocrates français avaient été futés, on ne leur aurait sans doute pas coupé la tête.

« Quoi qu'il en soit, Pascal et Fermat démontrèrent mathématiquement – ô surprise – que les chances *étaient*, effectivement, du côté de l'établissement. Ils prouvèrent que, si quelqu'un jouait cent fois, il était probable qu'il ne tirerait *pas* de six et gagnerait quarante-huit fois, mais qu'il tirerait un six et perdrait cinquante-deux fois. Les probabilités étaient donc en faveur de l'établissement, 52 contre 48. Et c'est ainsi que naquit la théorie des probabilités – parce qu'un aristocrate français se demandait s'il devait parier qu'il n'aurait pas de six en tirant quatre dés. »

Caine vit quelques étudiants hocher la tête – ce qu'il avait appris à interpréter comme la traduction de : *hmmm, intéressant.* Un étudiant afro-américain assis au fond leva la main.

« Michael ? fit Caine.

– Comment Pascal a-t-il prouvé qu'il devait consacrer sa vie à la religion ?

– Ah, oui, j'allais oublier. Il a utilisé quelque chose qu'on a appelé plus tard la *valeur attendue.* En gros, il s'agit d'additionner les produits des probabilités de différents événements par ce que vous gagneriez si chacun d'entre eux se produisait. »

Cette affirmation fut accueillie par des yeux ronds.

« Hmm, OK, prenons un exemple concret : la loterie. Quel est le montant du jackpot au Powerball, cette semaine ? Quelqu'un sait ?

– Dix millions de dollars, fit un type d'allure sportive assis dans le fond.

– Bien. Pour le moment, imaginons que nous vivons dans un pays merveilleux où les impôts n'existent pas. Il se trouve que je connais la probabilité de gagner le jackpot, à savoir environ 1/120 millions, puisque c'est le nombre de combinaisons numériques possibles. Pour calculer ce que je *m'attends* à gagner si j'achète un ticket de Powerball d'un dollar, il faut multiplier la probabilité de gagner par le montant que je gagnerais, et additionner ce nombre à la probabilité de perdre multipliée par zéro – puisqu'on ne gagne rien en perdant. »

Valeur attendue (billet loterie)
= prob. (gagner) x jackpot + prob. (perdre) x ($ 0)
= (1/120 000 000) x ($ 10 000 000)
  + (119 999 999/120 000 000) x ($ 0)
= (0,00000083 %) x ($ 10 000 000)
  + (99,99999917 %) x ($ 0)
= $ 0,083 + $ 0,000
= $ 0,083

« Ça veut dire que si vous jouiez au Powerball cette semaine, vous *vous attendriez* à gagner 8,3 cents. Mais comme le ticket *coûte* un dollar alors qu'on ne peut en *attendre* que 8,3 cents, jouer n'a aucun sens selon la théorie des probabilités : le coût est plus élevé que la valeur attendue. Et, si vous pensiez qu'une chance de gagner 10 millions vaut bien un dollar, vous auriez tout faux : en réalité, ça ne vaut même pas 10 cents. »

Caine but une autre gorgée de café pour laisser l'auditoire s'imprégner de ses paroles. Lorsqu'il sentit que tout le monde avait compris, il demanda :

« Quand est-ce que ça *vaudrait* la peine de jouer ? Madison. »

Une blonde sémillante se redressa sur sa chaise.

« Euh, quand le jackpot est supérieur à 120 millions de dollars.

– Juste. Pourquoi ?

– Parce que si le jackpot était, disons, de 125 millions, et la probabilité de gagner de 1/120 000 000, la valeur attendue de chaque ticket serait de… »

Elle s'interrompit le temps de pianoter sur sa calculatrice :

« … 1,04 dollar, donc supérieure au coût.

– Exactement. Du point de vue de la valeur attendue, il n'y a de sens à jouer que si la *valeur* est supérieure au *coût*. Donc, dans le cas présent, vous ne devriez jouer que si vous pouvez gagner plus de 120 millions de dollars.

– Et quel rapport avec le choix de la religion ? insista Michael.

– Pascal a utilisé la valeur attendue pour prouver qu'il devait se consacrer à la religion. Comme tous les bons mathématiciens, il a ramené la question à une équation. »

Qu'est-ce qui est plus grand ?

(a) valeur attendue (vie hédoniste)
ou
(b) valeur attendue (vie religieuse)

Sachant que :

(a) = prob. (pas de vie après la mort) x (joies de l'hédonisme)
  + prob. (vie après la mort) x (damnation éternelle)
  et
(b) = prob. (pas de vie après la mort) x (joies de la religion)
  + prob. (vie après la mort) x (bonheur éternel)

« La logique de Pascal était simple : si (a) était supérieur à (b), il fallait choisir la vie hédoniste ; dans le cas contraire, il fallait suivre la voie de la religion.

– Mais comment a-t-il résolu le problème sans connaître la valeur des variables ? demanda Michael.

– Il a fait une ou deux suppositions, à savoir que la valeur du bonheur éternel était l'infini positif, et que celle de la damnation éternelle était l'infini négatif. »

bonheur éternel = $+ \infty$
damnation éternelle = $- \infty$

« Dès que vous introduisez l'infini dans une équation, il annule tout le reste tellement il est grand. On peut donc dire que : (a) la vie hédoniste a une valeur attendue égale à l'infini négatif, tandis que : (b) la vie religieuse a une valeur attendue égale à l'infini positif. »

(a) hédonisme = $- \infty$
  et
(b) religion = $+ \infty$
  donc
(a) < (b)
  donc
val. attendue (hédonisme) < val. attendue (vie religieuse)

« Vous y êtes ? Bien que la probabilité d'une vie après la mort soit infime, le bonheur que Pascal attendait de la vie religieuse restait supérieur à celui qu'il pensait atteindre en menant une vie hédoniste et en risquant la damnation

54

éternelle. Dès lors, il devenait évident pour lui qu'il devait consacrer le restant de ses jours à la religion.

– Ça veut dire que *vous* vivez selon la religion ? demanda Michael, au grand amusement des autres étudiants.

– À vrai dire, répondit Caine avec un sourire, non.

– Et comment ça se fait ?

– Il y a deux raisons : premièrement, j'estime que les joies que procure une vie suffisamment hédoniste équivalent à l'infini positif, alors que les joies de la vie religieuse équivalent à l'infini négatif. »

Quelques étudiants applaudirent. Caine leva la main.

« Et deuxièmement, je mène une vie hédoniste pour la même raison qui me fait jouer au loto : parfois, il faut se dire "au diable les stats" et agir comme on le sent. »

Tout le monde éclata de rire ; il y eut même quelques sifflements. Caine allait laisser sortir les étudiants lorsqu'il baissa les yeux vers sa craie et s'aperçut qu'elle avait grandi.

Elle ressemblait maintenant à un gigantesque bout de bois. Caine avança la main pour en toucher l'extrémité et, à leur tour, ses doigts parurent grandir et s'étirer à la manière de Carambar géants. Il resta d'abord pétrifié. Puis il lui sembla que la craie se recourbait vers lui. Il la jeta sur le sol où elle se brisa, et ses fragments se mirent à se tortiller comme un amas de vers de terre.

Haletant, Caine leva les yeux vers le tableau pour tenter de retrouver ses repères. Cela ne fit qu'aggraver les choses. Le tableau avait la hauteur d'une tour, et les équations voltigeaient comme des rubans dans le vent. Désespéré, il se retourna pour faire face aux étudiants, espérant que la vue d'objets animés allait l'apaiser. Il se trompait lourdement. Trois étudiants avaient la main en l'air, et leurs bras oscillaient au-dessus d'eux comme d'immenses palmiers doucement agités par la brise.

C'est alors que l'odeur le terrassa. Une odeur écœurante et fétide, qui faisait surgir des images de chairs en putréfaction et de viande avariée. Son cerveau luttait pour comprendre le phénomène, mais il était trop tard. D'un coup, l'air fut expulsé de ses poumons, comme si on venait de le frapper en pleine poitrine. Il eut à peine le temps d'atteindre la corbeille à papier pour vomir. Puis il s'évanouit en se cognant la tête contre un bureau dans sa chute.

Par chance, un de ses étudiants était interne dans le service de neurologie de l'hôpital Mount Sinai. Cela lui évita l'humiliation de se réveiller avec un portefeuille dans la bouche – comme ce serait le cas deux mois plus tard, après son évanouissement dans une rame de la ligne N. Évidemment, à l'époque, Caine ne savait pas se montrer reconnaissant; tout ce qu'il savait, c'est que sa nouvelle vie semblait s'être volatilisée sous ses yeux.

☆

Il lui fallut près de trois semaines pour trouver le courage de retourner en cours, mais l'expérience fut un désastre. La mer de visages anxieux qui s'étendait devant lui fit aussitôt resurgir des images de mains monstrueuses se balançant d'avant en arrière, comme les accessoires déchaînés d'un mauvais film de Tim Burton. Lorsqu'il ouvrit la bouche pour parler, aucun son n'en sortit. Il inspira profondément et ses narines se dilatèrent au souvenir de l'atroce puanteur.

«Ça va, monsieur?»

La question provenait d'un étudiant assis au premier rang. Caine l'entendit, mais, au lieu de répondre, il monta quatre à quatre les marches de l'amphithéâtre et passa en chancelant la lourde porte d'acier. Une fois dehors, il sentit les battements de son cœur ralentir. Il aspira avec précaution une bouffée d'air frais; à son grand soulagement, l'odeur avait disparu.

Par la suite, il essaya encore une fois de faire cours, mais ce fut peine perdue. Ce jour-là, la crise de panique débuta à la seconde même où il entra dans la salle. Lorsqu'il atteignit l'estrade, Caine avait peine à respirer. La sueur qui coulait sur son front lui picotait les yeux. Horrifié, il se vit répéter les mêmes gestes que lors de sa première crise : il

56

gagna en trébuchant la corbeille et y vomit le burrito qu'il avait avalé une heure plus tôt. Il considéra l'ignoble mixture orange faite d'œufs et de salsa à moitié digérés. Alors, il sut que c'était fini : il n'enseignerait plus jamais. Il se remit péniblement sur pied, s'essuya la bouche et quitta la salle avec la certitude qu'il ne reviendrait pas.

Il tenta d'abord de se persuader que c'était une bonne chose : maintenant qu'il n'avait plus à faire cours trois fois par semaine, il pouvait consacrer tous ses efforts à finir son mémoire de thèse, intitulé « L'influence des exceptions statistiquement significatives dans l'analyse de la régression logistique ».

Pendant près d'un mois, les événements semblèrent lui donner raison. Il reporta toute son énergie, ainsi que la sourde sensation de manque avec laquelle il se réveillait chaque matin (*Allez, mec, une petite partie de POKER ?*), sur son doctorat. Il passait ses journées terré entre les hauts rayonnages de Columbia. Courbé sur son portable, il traçait avec application des courbes de distribution concernant divers phénomènes naturels. Le soir, il s'écroulait, épuisé.

Puis cela recommença, et ce fut pire encore. Un après-midi, alors qu'il était concentré sur son portable, l'odeur le foudroya. Elle semblait émaner de l'ordinateur lui-même ; l'écran s'élargissait sous ses yeux comme une énorme bouche édentée. Caine voulut se détourner, mais il resta cloué sur place. Puis tout devint noir.

Il se réveilla par terre, sur le ciment froid. Roulant sur lui-même, il cracha une bonne quantité de sang chaud et salé, ainsi qu'un morceau d'émail provenant d'une de ses dents de devant. Son ordinateur gisait à ses pieds. Il semblait être passé sous un dix-huit roues : l'écran était fissuré, le clavier en miettes et méconnaissable. Sonné, Caine serra le poing à la vue de son Sony Vaio à 2 500 dollars, désormais juste bon à jouer les presse-papiers ou les œuvres d'art moderne.

Ce n'est qu'en sentant l'éclat de plastique lui transpercer la peau qu'il s'aperçut qu'il avait un morceau de clavier

planté dans la main. Il ouvrit les doigts et vit la touche
«F» fichée dans sa paume. Elle semblait le narguer.
F comme Fini. *Tu es fini, mon pote. Autant laisser tomber
tout de suite. Tu es tombé dans les pommes, tu as démoli
ton ordinateur – tu ne t'en souviens même pas, d'ailleurs – et te voilà par terre à recracher des bouts de dent.
Il faut appeler un chat un chat : tu es terminé. F comme
Finito – voilà pour toi. Quoi, tu pensais t'en sortir
indemne ? Tu as le gène du maboul, mon coco. Ton jumeau
l'a bien, lui. Et devine quoi ? Tu l'as aussi. Bienvenue au
club.* Caine jeta la touche contre le mur, où elle laissa une
petite trace rouge en tombant par terre.

Ce jour-là, il reconnut enfin que son «petit problème»
n'allait pas passer tout seul. Le lendemain matin, il prit
rendez-vous avec un des spécialistes de l'Institut de neurologie de Columbia. Trois jours, un scanner, un PET scan
et deux IRM plus tard, un médecin d'origine indienne, au
visage rond, vint dans sa chambre lui annoncer la mauvaise nouvelle.

CHAPITRE 5

Caine souffrait d'ELT, ou épilepsie du lobe temporal. Son médecin lui expliqua que les hallucinations olfactives et visuelles étaient classiques avant une crise ; il arrivait aussi qu'on entende des voix, ou qu'on ait une soudaine impression de déjà-vu. Ces odeurs, visions, sons et sensations précédant la crise formaient un ensemble de symptômes appelé « aura ». Le fait que toutes les personnes atteintes d'ELT connaissent des auras aurait dû réconforter Caine, mais ne fit que le déprimer davantage.

L'année qui suivit fut un cauchemar. Caine allait et venait entre son studio et l'hôpital, et ses crises étaient pires à chaque fois.

« Je n'avais aucune idée de tout ça, David, dit Jasper lorsqu'il eut terminé son récit. Je suis désolé. »

Caine haussa les épaules.

« Même si tu l'avais su, tu n'aurais rien pu faire.

– Peut-être, mais j'aurais quand même aimé que tu me préviennes. – Jasper eut un mouvement saccadé des épaules. – Ils savent ce qui provoque les crises ?

– Le médecin m'a dit que c'était "idiopathique". Ça veut dire qu'ils n'en ont aucune idée.

– Et ils n'arrivent pas à te soigner ? »

Caine secoua la tête.

« En un an, j'ai essayé six antiépileptiques différents. Ils n'ont réussi qu'à me faire vomir mes tripes.

– Mon Dieu, fit Jasper. Je pensais que l'épilepsie se soignait.

– Les médicaments et autres traitements fonctionnent

59

sur environ 60 % des patients. J'ai la chance de faire partie des 40 % restants. »

Jasper n'eut pas le temps de réagir : on frappait à la porte.

« Je peux entrer ? demanda le Dr Kumar pour la forme – et, sans attendre la réponse, il pénétra en coup de vent dans la chambre.

– Bien sûr », fit Caine également pour la forme.

Le médecin s'empara de son dossier et se mit à tourner les pages en hochant vigoureusement la tête, comme s'il était en grande conversation avec lui-même. Puis il reposa le document, examina les yeux de Caine à l'aide de sa lampe-stylo et fit un pas en arrière.

« Comment vous sentez-vous ?

– Fatigué, mais ça va.

– Combien de temps a duré l'aura avant la crise ?

– Juste quelques minutes.

– Hmmm. C'est la plus courte depuis que nous avons commencé la thérapie SNV ?

– Oui. »

Caine palpa machinalement la cicatrice laissée par son opération. Trois mois auparavant, le Dr Kumar lui avait implanté sous la clavicule un petit appareil à piles relié à un nerf du cou. Cette technique, appelée stimulation du nerf vague ou SNV, ne donnait de résultats que chez 25 % des patients. Dans son désespoir, Caine avait quand même voulu tenter sa chance. Malheureusement, il n'était pas parmi les cas de réussite.

Le médecin poussa un soupir.

« Je ne sais pas quoi vous dire, David. Il n'y a plus d'autre thérapie disponible, et vous êtes résistant à tous les médicaments présents sur le marché. Pour être très franc, c'est sans issue. »

Il fit une pause.

« … À moins que vous n'ayez changé d'avis sur mon étude. »

Près de neuf mois auparavant, le Dr Kumar lui avait proposé de tester un nouveau médicament à titre expérimental.

Caine avait d'abord accepté. Il avait même enduré toutes les prises de sang et la paperasserie préalables. Mais à la dernière minute, comme le Dr Kumar énumérait les possibles effets secondaires du traitement, il s'était rétracté.

Toutefois, cela se passait avant la thérapie SNV : à l'époque, il restait encore de l'espoir. Aujourd'hui, comme l'avait si délicatement souligné le Dr Kumar, il n'y avait plus d'issue. Si les crises persistaient, Caine deviendrait un légume d'ici quelques années. Et en attendant, il continuerait à vivre dans la peur, sans savoir quand il allait s'évanouir et s'effondrer sur le sol comme un poisson hors de l'eau.

« Il y a encore de la place pour participer à votre étude ?

– C'était complet hier, mais l'une de mes patientes s'est désistée ce matin, donc —

– Pourquoi s'est-elle désistée ?

– Hein ? Oh, elle se plaignait que le traitement lui donnait d'horribles cauchemars. Personnellement, je pense que c'était psychosomatique — »

Il s'interrompit brusquement et prit une longue inspiration.

« Quoi qu'il en soit, j'ai une place en ce moment. Mais il faut vous décider tout de suite.

– OK, fit Caine en hochant la tête d'un air résigné.

– Vous vous rappelez les effets secondaires possibles ?

– Je pourrais difficilement les oublier.

– Ah oui… il y a des antécédents de schizophrénie dans la famille, c'est ça ? »

Jasper leva la main. Le Dr Kumar se tourna vers lui, comme s'il remarquait pour la première fois sa présence.

« Ah, vous devez être le frère jumeau. David m'a dit que vous aviez connu un épisode schizophrénique récemment. »

Jasper regarda Caine qui hocha la tête, l'air de dire : *Réponds aux questions, je t'expliquerai plus tard.* Il se tourna à nouveau vers le médecin.

« Oui.

– Ça fait combien de temps que vous êtes sorti ?

– Cinq jours.

– Quels médicaments prenez-vous ?

– En ce moment du Zyprexa, mais j'ai aussi été sous Seroquel, avec un peu de Risperdal.

– Intéressant. Et pour l'instant, les symptômes ont disparu ?

– Je n'entends plus de voix me raconter que le gouvernement surveille mes pensées, si c'est ce que vous voulez dire-*rire-lire-vire*», répondit Jasper avec un sourire chagrin.

Le Dr Kumar observait Jasper et Caine observait le Dr Kumar. Il essayait de se mettre à la place du médecin, de voir Jasper avec ses yeux. L'apparence extérieure de son frère avait été ravagée par la maladie. Non seulement sa beauté avait disparu, mais n'importe quelle personne sensée aurait traversé la rue pour l'éviter. Au bout d'un moment, le médecin se tourna à nouveau vers Caine.

« Alors, qu'est-ce que vous voulez faire ?

– Je n'ai pas le choix, soupira Caine. Allons-y.

– Bien, fit le Dr Kumar en réprimant un sourire. Je vais demander à mon assistant de s'occuper de la paperasse. Vous pourrez quitter l'hôpital demain, mais il faudra revenir faire une prise de sang tous les trois jours. J'aimerais que vous notiez l'heure et la durée de chacune de vos auras et de vos crises. Et, si vous constatez l'apparition de symptômes schizophréniques comme des idées délirantes, des troubles du langage ou des hallucinations non liées à une crise partielle, eh bien —

– Eh ! »

Jasper se leva et, d'un geste las, interrompit le débit monotone de Kumar.

« Pourquoi présenterait-il des symptômes schizophréniques ? »

Le Dr Kumar se tourna vers lui comme s'il avait affaire à un gamin énervé. En croisant son regard féroce, il se ravisa et décida de répondre à sa question.

« Le médicament antiépileptique que je teste actuellement a pour effet secondaire d'accroître la production de dopamine par le cerveau. Comme vous le savez certainement, un niveau élevé de dopamine a été mis en relation avec la schizophrénie. Dans la mesure où le traitement stimule la formation de dopamine, il est *possible* que David connaisse un épisode schizophrénique.»

Surprenant le regard inquiet qu'échangeaient les deux frères, il s'empressa d'ajouter :

«Je n'ai pas dit que ça allait se produire ; juste qu'il y avait un petit risque.

– Petit comment ? demanda Jasper.

– Moins de 2 %, répondit-il rapidement.

– Et si ça arrivait, j'arrêterais le traitement, c'est ça ?» s'enquit Caine.

Le médecin secoua la tête.

«Oh non, ça pourrait être très dangereux. Même si le médicament avait l'air de ne pas fonctionner, il se pourrait qu'il fasse de l'effet. Si vous arrêtiez brutalement de le prendre, vous auriez sans doute des crises extrêmement graves.

– Et si je commence à devenir cinglé, je fais quoi, exactement ?

– Il est très difficile d'autodiagnostiquer une maladie mentale ; dans ce cas, je vous conseillerais de voir mon assistant de recherche une fois par semaine pour une évaluation psychologique.»

Caine se laissa retomber sur son lit. Il voyait à l'expression de son visage combien son frère le plaignait. Doux Jésus. Il ferma les yeux et tenta de faire abstraction du monde extérieur. Les mots du Dr Kumar résonnaient dans sa tête – *épisode schizophrénique*. Il n'arrivait pas à croire qu'il s'exposait volontairement à un tel risque. Mais les crises… Si elles continuaient comme ça, il finirait dans un état pire que celui de Jasper. Il n'avait plus le choix.

«OK, dit-il, à la fois soulagé et terrifié.

– Bien.»

Le Dr Kumar se dirigea vers la porte. Puis il s'arrêta et, se retournant :

«Ça me fait penser qu'il faudra que vous signiez une

décharge m'autorisant à vous confier à une institution psychiatrique si nécessaire. »

Sans laisser à Caine le temps de répondre, le petit Asiatique disparut.

« Sympa, le type, fit sèchement Jasper.

– Ça ouais. Il est vraiment trop cool. »

Il y eut une seconde de silence et Jasper demanda :

« Donc, tu comptes vraiment le faire ?

– Il le faut.

– Tu n'as pas peur de finir comme ton grand frère ? Cinglé et la bave aux lèvres comme un chien enragé-*gré-pré-nez* ? »

Caine retint son souffle.

« Jasper, tu es sûr que ça va ? Je croyais que les rimes étaient un symptôme de —

– Ce n'est rien, l'interrompit Jasper en souriant du coin des lèvres. Les rimes m'aident à me sentir bien, c'est tout. J'aime bien le son. »

Il fit claquer deux fois sa langue contre son palais, comme pour ponctuer cette affirmation.

« Mais revenons à toi. Tu es sûr ?

– C'est la seule solution. Je ne peux pas continuer à vivre comme ça. Si les crises continuent de la même manière, je… »

Il laissa sa phrase en suspens.

« Tu veux que je reste ? Je peux dormir sur ton canapé pendant deux jours, si tu veux. »

Caine secoua la tête.

« Non, ça va aller. Je veux y arriver tout seul, tu comprends.

– Ouais, fit Jasper en grattant sa barbe naissante. Je crois que oui.

– Je peux juste te poser une question ? hasarda Caine.

– Bien sûr.

– C'est comment ? La schizophrénie, je veux dire », demanda-t-il d'un air gêné.

Il s'apercevait qu'il n'avait jamais posé la question à son frère.

« Quel effet ça fait ? »

Jasper haussa les épaules.

« Ça ne fait rien de spécial. Les délires paraissent réels. Naturels, évidents même. Comme s'il était parfaitement normal que le gouvernement épie tes pensées ou que ton meilleur ami essaie de te tuer. »

Il se tut un instant.

« C'est pour ça que ça fout tellement la trouille. »

Il déglutit avant de poursuivre.

« Le truc, c'est que, quoi qu'il arrive – quoi que tu *penses* qu'il arrive –, tu gardes le contrôle. Essaie de te rappeler que tu es toujours toi. Prends ton mal en patience. Cherche des moyens de t'ancrer, des lieux ou des gens qui te sécurisent. Et dans le monde que tu t'es créé, quel qu'il soit, essaie de prendre les bonnes décisions. Tu finiras par revenir à la réalité. »

Caine hocha la tête, priant pour n'avoir jamais à suivre ces conseils.

« Eh bien, dit-il alors pour rendre à la conversation un semblant de normalité, où est-ce que tu habites maintenant ?

– Toujours mon vieil appartement de Philly[1], à quelques rues du campus.

– Cool. »

Les deux frères restèrent silencieux un moment. Perdus dans leurs pensées, ils songeaient avec inquiétude à l'avenir. Pour finir, Jasper regarda sa montre et se leva.

« Si tu ne veux pas que je reste, il vaut mieux que j'y aille pour attraper le prochain car. »

À sa grande surprise, Caine était déçu de voir partir son frère. Son visage dut le laisser paraître, car Jasper fit immédiatement marche arrière.

« Bien sûr, si tu veux, je me mets en arrêt maladie et je reste ici deux jours.

– Non, c'est bien comme ça. Je ne voudrais pas que tu aies des problèmes au travail. J'imagine que ce n'est pas facile de trouver un boulot quand — »

1. Philadelphie.

Il ne finit pas sa phrase, mais le début suffisait.

«Quoi, quand on est fou?

– Allez, mec. – Caine se sentait épuisé. – Tu sais bien ce que je veux dire.

– Ouais, désolé. Je suis un peu sensible ces temps-ci.

– Pas de problème. Moi aussi.»

Caine tendit la main à son frère jumeau – un quasi étranger pour lui – en se demandant comment ils avaient pu en arriver là.

«Merci d'être venu. C'est vraiment chouette de ta part, d'autant que je ne me suis pas manifesté ces derniers temps.»

Jasper balaya ces mots d'un revers de main.

«Et ça sert à quoi, un frère jumeau?»

Il se tourna vers la porte. Au moment où il sortait, il s'arrêta, un pied dedans, un pied dehors.

«Si tu as besoin de quelque chose, tu as mon numéro-rot-beau-dos.

– Merci, fit Caine, un peu mal à l'aise. Ça veut dire beaucoup pour moi.»

Et quand Jasper eut disparu, il fut surpris de s'apercevoir que c'était vrai.

☆

Julia savait qu'elle était amoureuse.

Elle le savait parce que son cœur saignait quand il n'était pas là, et que ses mains tremblaient quand ils étaient ensemble. Parce qu'elle avait le souffle coupé quand ils faisaient l'amour et parce qu'après avoir joui, elle se sentait toute chaude et flageolante, comme si ses os étaient de la gelée. En plus, elle éprouvait un incroyable sentiment de sécurité. Dans les bras de Petey, rien ne pouvait lui faire de mal.

Petey. Il adorait le petit nom qu'elle lui donnait. Elle n'arrivait pas à croire qu'il avait changé sa vie à ce point. Quand elle l'avait rencontré, elle n'était qu'une gamine; aujourd'hui, elle était une femme.

Deux ans plus tôt, lorsqu'elle était entrée en troisième cycle, Julia avait abandonné toute idée de trouver quelqu'un. Elle savait qu'elle était sans doute trop jeune pour renoncer à l'amour, mais, comme elle n'était jamais sortie avec personne, ce n'était guère un sacrifice. Aucun garçon, ni au lycée ni à la fac, ne lui avait jamais témoigné le moindre intérêt. Elle commençait à se dire qu'elle avait un grave problème. Un problème que tout le monde voyait. Et elle était lasse, si lasse des espoirs déçus. Elle s'était donc refermée sur elle-même. Jusqu'à sa rencontre avec Petey.

Il était la dernière personne à qui elle aurait cru donner sa virginité. De plus de vingt ans son aîné, son directeur de thèse était un petit homme velu aux sourcils en bataille et aux oreilles garnies de touffes grises. Elle savait que les autres filles du département le trouvaient tout sauf sexy, mais elle s'en fichait. Ce n'était pas son apparence qui l'avait fait tomber amoureuse de lui ; c'était son intelligence. Petey était tout simplement l'homme le plus brillant qu'elle eût jamais rencontré. Et son travail était révolutionnaire. Elle était certaine que s'il parvenait, ou plutôt *quand* il parviendrait, à prouver la justesse de ses théories, son nom deviendrait célèbre.

Non seulement on lui décernerait le Nobel, mais, à coup sûr, les animateurs de talk-shows se mettraient en quatre pour que le grand professeur vienne leur expliquer que toutes les vies, dans leur facture même, étaient interconnectées, imbriquées dans la toile immense et mouvante de l'énergie, de l'espace et du temps. Si l'université ne faisait pas tant de difficultés pour lui accorder des financements, les recherches de Petey auraient déjà abouti.

Julia se sentit contrite en songeant à leur dernière conversation sur le sujet.

«Tu crois vraiment que tu auras l'allocation cette fois ?» avait-elle demandé en passant la main dans son épaisse tignasse poivre et sel.

Petey se figea ; leur moment de bonheur parfait était gâché.

«Je suis désolée, dit-elle, regrettant instantanément ses paroles. Je ne voulais pas —

– Non, ce n'est pas grave. Il faut que je regarde les choses en face. Si cette dernière série de tests ne donne pas les résultats que j'attends, les bureaucrates mesquins de l'université auront gagné.»

Petey avait raison : c'étaient tous des bureaucrates. S'ils se souciaient vraiment de la science, ils n'auraient pas quitté la recherche pour devenir de vulgaires administrateurs. Ils en avaient tous après lui parce qu'ils étaient jaloux de son talent ; dès qu'il approchait de la découverte, ils lui mettaient des bâtons dans les roues. Mais ils ne pouvaient pas arrêter Petey. Ses dernières expériences allaient lui permettre de démontrer sa théorie, elle en était certaine. Alors, ils se battraient pour lui donner de l'argent, et ses idées géniales seraient estimées à leur juste valeur.

Elle en mourait d'impatience. Quand ce serait fait, il lui avait promis qu'ils pourraient officialiser leur liaison et arrêter les expériences. Elle soupira, pensant au soulagement qu'elle éprouverait quand elle n'aurait plus à retourner dans ce… dans cet endroit. Un frisson la parcourut, où la terreur se mêlait à un étrange désir. Elle ferma les yeux et crut presque le voir ; puis il disparut.

Elle avait du mal à se souvenir de cet endroit quand elle était éveillée ; pourtant, elle le voyait en rêve chaque nuit. Et elle rêvait beaucoup ces derniers temps. Alors, toutes ces choses bizarres avaient un sens, mais elles se brouillaient dès qu'elle ouvrait les yeux. Pendant quelques semaines, elle avait rêvé de chiffres enchâssés dans d'immenses sphères au scintillement blanc et rouge, si brillantes qu'elles l'aveuglaient presque. La nuit dernière, il était question de poker. Étrange – Julia ne connaissait même pas les règles. Mais dans son rêve, elle était une maîtresse joueuse et calculait les probabilités en un clin d'œil, malgré l'ignoble odeur de poisson pourri qui l'accablait.

Petey lui affirmait que les rêves ne voulaient rien dire, mais elle les soupçonnait d'être liés aux expériences. Elle avait beau être fière de prendre part aux recherches de son amant, elle savait que ce n'était pas bien, et que l'arrêt des tests marquerait un tournant dans leur liaison. Finis les rendez-vous dans des bars glauques à l'autre bout de la ville, et l'amour au labo tard dans la nuit.

Julia se retourna dans son lit, étira les jambes et fixa le plafond, l'imaginant couché près d'elle. Comment est-ce que ce serait de se réveiller dans ses bras ? Ils pourraient faire l'amour le matin. Ensuite, elle lui servirait le petit déjeuner au lit. Quand il aurait bu son café (au lait, sans sucre), ils recommenceraient. Elle tendit le bras pour se caresser l'intérieur des cuisses et une sensation de chaleur l'envahit. Pour la première fois de sa vie, Julia était heureuse.

Ses doigts descendaient lentement le long de son ventre nu quand sa montre se mit à biper. Sans une seconde d'hésitation, elle sauta du lit et se précipita dans la salle de bains pour prendre ses pilules. Il n'y avait pas d'étiquette sur le flacon transparent ; Petey ne voulait pas qu'on puisse découvrir qu'il provenait du labo.

« Pilule, bulle, jules, nul », dit-elle tout haut en se gargarisant de cette rime absurde et en se versant deux cachets de cinquante milligrammes dans la main. Elle faisait beaucoup de rimes ces temps-ci. Elle ne savait pas bien pourquoi, mais quelle qu'en fût la raison, elle trouvait ça follement drôle. Malheureusement, Petey ne semblait pas partager son amusement. La première fois qu'elle avait fait des rimes après l'amour, elle avait senti son corps se raidir – et pas de la bonne manière. Si ça l'ennuyait, elle arrêterait. Rien n'avait d'importance tant qu'il était heureux.

Elle renversa la tête en arrière et avala les deux cachets en les faisant passer avec un verre d'eau. Ils lui laissaient toujours un arrière-goût crayeux et amer dont elle n'arrivait pas à se débarrasser. Mais ce n'était pas aussi pénible que l'odeur. Au début, l'odeur l'avait effrayée, mais Petey lui avait dit qu'il s'agissait juste d'un effet secondaire mineur du traitement sur son système nerveux. Rien d'inquiétant là-dedans. Elle avait donc cessé d'y penser.

Après tout, jamais Petey ne lui mentirait.

La situation ne semblait pas plus rassurante à la lumière du jour. En éteignant son réveil d'une tape, Nava comprit qu'elle ne pouvait pas continuer comme ça. Pendant plus de six ans, elle avait vendu des secrets américains à différents États sans rencontrer de problème, mais l'incident d'hier soir lui avait ouvert les yeux. Elle finirait par se faire prendre ou tuer – c'était juste une question de temps.

Si elle avait voulu dénoncer ses collègues de la CIA ou faire trafic de technologies d'armement, elle vivrait déjà sur une île des Tropiques ; mais c'étaient deux domaines qu'elle s'interdisait de toucher. Nava ne vendait d'information que si elle la croyait susceptible de sauver des vies ou d'équilibrer les forces en présence. Elle pouvait ainsi, sans distinction, indiquer au Mossad la cachette de terroristes palestiniens ou fournir des photos satellite de la République tchèque au contre-espionnage autrichien. Elle n'avait ni foi ni patrie.

La vente de la veille était la plus grosse qu'elle eût jamais réalisée et lui avait demandé plus de huit mois de travail. Il y avait maintenant, au total, 1,5 million de dollars sur son compte des îles Caïmans. Ce n'était pas assez pour vivre comme une reine, mais ça l'était pour se retirer. Elle pouvait partir tout de suite. Il suffisait qu'elle prenne les papiers correspondant à l'une de ses six identités et qu'elle saute dans n'importe quel avion. En quarante-huit heures, elle pouvait disparaître.

L'idée était tentante, mais, elle le savait, peu réaliste. La CIA ne se réjouirait sans doute pas de voir l'un de ses tueurs disparaître, mais Nava aurait été étonnée que l'Agence la poursuive. Malheureusement, elle ne pouvait en dire autant du *Spetsnaz* nord-coréen. Jamais le RDEI ne la laisserait s'enfuir. Même si ça leur prenait des années, ses hommes finiraient par la coincer et la tuer.

Non. Impossible de décamper. Il fallait retrouver cette information sur une cellule itinérante de terroristes islamistes dans la base de données de la CIA et la livrer au RDEI. Ensuite, elle pourrait devenir un fantôme. Dès qu'elle en aurait fini avec les Nord-Coréens, elle quitterait New York pour une vie nouvelle.

Elle n'avait pas plus tôt pris cette décision que son terminal Blackberry se mit à vibrer.

Les messages étaient toujours les mêmes : ils indiquaient l'heure et le lieu où elle devait, le soir, récupérer le disque contenant les instructions relatives à sa nouvelle mission. Utiliser un objet physique pour transmettre ce type d'information était vieux jeu, mais, de la sorte, l'Agence était sûre de ne pas être écoutée. Seul le support avait changé : vingt ans plus tôt, les ordres de mission étaient tirés sur imprimantes Dot Matrix ; désormais, on fournissait aux agents des DVD photosensibles qui devenaient illisibles après vingt minutes d'exposition à la lumière. Ils ne pouvaient être lus que par des ordinateurs spécialement configurés, comme celui qu'avait Nava dans la pièce voisine. Son portable était équipé d'une minuscule caméra qui scannait la rétine de toute personne regardant l'écran, afin que seul le destinataire de l'information puisse y accéder.

Nava alla dans la salle de bains se passer de l'eau sur le visage avant de lire son message. Lorsqu'elle le vit, son sang se figea. Au lieu d'une heure et d'une adresse codées, l'écran affichait ces deux mots :

Au rapport.

Il n'y avait que son directeur qui puisse ainsi la convoquer. Est-ce qu'il savait ? Impossible. Elle était certaine que personne ne l'avait suivie jusqu'à l'appartement la veille. Mais alors, pourquoi voulait-il la voir en tête à tête ? Allons, c'était ridicule. S'il savait qu'elle vendait des secrets d'État, il ne lui demanderait pas de venir le voir au bureau ; elle trouverait une escorte armée sur son palier.

Mais justement, c'est peut-être ce qu'ils voulaient lui faire croire. S'ils essayaient de la capturer maintenant, elle risquait de s'échapper, alors qu'une fois dans les bureaux new-yorkais de l'Agence, elle ne pourrait plus rien faire. Si elle devait s'enfuir, c'était le moment ou jamais – à moins qu'il ne fût déjà trop tard. Ils surveillaient peut-être son appartement. Dans ce cas, ils ne la laisseraient jamais quitter la ville.

Ses pensées s'emballaient; elle savait qu'elle avait peu de temps pour prendre une décision. Lorsqu'elle avait lu le message, l'appareil avait automatiquement transmis à l'Agence sa position GPS. Si elle n'était pas au bureau dans la demi-heure, ils sauraient que quelque chose n'allait pas. Elle ferma les yeux et respira profondément. L'heure tournait, elle n'en était que trop consciente.

Partir ou rester. Le choix ne pouvait être plus simple. Mais les conséquences ne l'étaient pas, loin de là. Au bout de presque une minute, Nava rouvrit les yeux. Sa décision était prise. Munie de ses trois armes favorites (un SIG Sauer 9 mm dans son holster épaule, un Glock semi-automatique 9 mm sanglé au mollet et un poignard glissé dans sa botte), de quatre faux passeports et de cinq chargeurs, elle se dirigea vers la porte.

Avant de partir, elle jeta par-dessus son épaule un dernier coup d'œil à l'appartement. Elle doutait de jamais le revoir. Une fois dans la rue, elle héla un taxi. Il fallait se dépêcher.

☆

Il faisait si froid que la respiration de Jasper formait de la buée, mais ça ne le dérangeait pas, au contraire. C'était formidable d'avoir froid: cette douleur sourde dans ses doigts lui rappelait ce que c'était que d'être en vie. Il était de retour. Il avait arrêté les antipsychotiques quelques semaines plus tôt et il ne resterait bientôt plus trace des médicaments dans son organisme. C'était comme si on lui avait mis un tuyau dans l'oreille pour aspirer toute la ouate qui lui embrumait le cerveau. Si les rues n'avaient pas été bondées, il se serait mis à courir le long du trottoir pour le simple plaisir de voir défiler les immeubles à toute allure.

Bon sang, il se sentait en pleine forme.

« Cool-*roule-moule-poule* ! » hurla-t-il à la cantonade.

Plusieurs passants le regardèrent d'un air bizarre, mais il s'en fichait. Il adorait la sensation que lui donnaient les rimes. Cet écho dans ses oreilles, ces sons qui l'encerclaient comme une sphère parfaite.

Il avait hâte d'être à Philly. Il —

Tu ne peux pas partir maintenant.

Jasper s'arrêta si brutalement que quelqu'un lui rentra dedans, mais il ne faisait plus attention à son entourage. Il inclina la tête comme s'il cherchait à percevoir un son lointain. C'était la Voix. La Voix qui l'avait accompagné pendant presque un an, avant d'être chassée par les médicaments. Ce n'est qu'en l'entendant résonner à nouveau qu'il comprit à quel point elle lui avait manqué. Il l'aimait tant, cette Voix, qu'il avait envie de pleurer.

Un léger bourdonnement lui fit comprendre que la Voix désirait lui parler. Il ferma les yeux. Il l'entendait toujours mieux ainsi.

Tu dois ressssster.

– Pourquoi ?

Parssssque tu dois protéger ton frère.

– Qu'est-ce qui va lui arriver ?

Ils sssseront là bientôt. Et il faudra que tu ssssois là aussi, pour l'aider.

– Qui, « ils » ?

Le gouvvvvernement.

– Pourquoi est-ce qu'ils en ont après lui ?

Parsssssqu'il est ssssspécial. Maintenant, écoute-moi bien...

Et Jasper écouta, planté au beau milieu de ce trottoir affairé de Midtown. Le flot des passants le contournait comme un roc saillant dans les eaux mugissantes d'un fleuve. Quand la Voix eut cessé de bourdonner dans sa tête, il ouvrit les yeux et sourit. Puis il fit demi-tour et se mit à marcher le plus vite possible, mû par une nouvelle résolution.

Il allait aider David. Son frère ne savait pas qu'ils le

traquaient, mais lui, si. Tant qu'il suivrait les instructions de la Voix, tout irait bien. Sans se soucier des regards furieux des gens qu'il bousculait sur son passage, Jasper se mit à courir. Il fallait se dépêcher.

Il lui restait encore à acheter une arme.

CHAPITRE 6

Prenant son courage à deux mains, Nava franchit la porte de sécurité en métal gris et pénétra dans les bureaux new-yorkais de la CIA. S'ils devaient l'arrêter, ils le feraient ici, dans l'entrée. La porte se referma derrière elle. Elle observa les deux gardes armés, cherchant à déceler leurs intentions. Leur visage resta impassible.

Lentement, elle se dirigea vers le dernier poste de contrôle. Le détecteur de métaux émit une lumière rouge sur son passage, mais on ne la fouilla pas. Les gardes savaient qu'elle était autorisée à porter des armes à feu à l'intérieur. Elle mit la main sur le scanner d'empreintes et patienta pendant que le rayon de lumière blanche lui balayait la paume.

La serrure électronique s'ouvrit d'un clic et la porte blindée coulissa. Soulagée, Nava entra alors dans un hall d'accueil qui, malgré les armes de la CIA gravées au mur, ressemblait à celui de n'importe quelle grande entreprise ; on y trouvait même la paire de secrétaires, l'une fringante et l'autre austère. Elle leur donna son nom et la seconde l'escorta, à travers un dédale de box, jusqu'au bureau du directeur.

Lorsque Nava pénétra dans la petite pièce sans fenêtre, M. Bryce se leva pour lui serrer la main. C'était un homme grand et mince à l'épaisse chevelure d'argent, aux yeux bruns pénétrants et à la poigne solide. Il ressemblait davantage à un richissime chef d'entreprise qu'à un agent de renseignements. Sans perdre de temps, il en vint au fait.

« Je vous transfère.

– Quoi ? »

Nava s'attendait à être arrêtée, mais ceci la prenait complètement au dépourvu.

« Le laboratoire de recherche scientifique et technologique de la NSA est à court d'effectifs et a demandé un agent de terrain. »

Nava ne comprenait pas : les effectifs de la NSA étaient plus de cinq fois supérieurs à ceux de la CIA. De plus, ce type de transfert inter-agences était totalement inhabituel. Ça devait être un piège. Il fallait gagner du temps et obtenir davantage de renseignements.

« Mais, chef, je ne peux pas —

– Vous pouvez et vous allez le faire. Le transfert prend effet immédiatement. Voici votre nouvelle carte. – Il poussa vers elle un badge fraîchement plastifié. – Rendez l'autre à la sécurité en partant.

– Chef, pourquoi la NSA aurait-elle besoin d'un agent de la CIA ?

– Manifestement, la NSA ne souhaite pas que nous le sachions ; sinon, elle aurait requis notre assistance plutôt qu'un transfert pur et simple », fit sèchement le directeur.

L'animosité qui perçait dans sa voix suffit à renseigner Nava. Ce n'était pas lui qui avait décidé ce transfert. Tout compte fait, ce n'était pas un piège, mais un ordre auquel il était contraint d'obéir.

« Mais pourquoi moi ? demanda-t-elle, toujours aussi perplexe.

– Vous êtes le seul agent qui ne soit pas en mission et qui possède les compétences requises. »

À ces mots, le déclic se fit dans la tête de Nava. Si la NSA demandait à employer un agent comme elle, c'était nécessairement pour interroger, kidnapper ou tuer quelqu'un.

Le directeur prit une feuille dans l'imprimante laser et la lui tendit. « Voici l'adresse des bureaux du STR. Vous êtes censée vous présenter avant midi, donc vous feriez bien d'y aller. » Et il se tourna vers l'écran de son ordinateur, lui signifiant clairement que l'entretien était terminé. « Si vous voulez bien m'excuser. »

Un garde armé attendait Nava à l'extérieur du bureau. Il la regarda d'un air sévère.

«Je suis chargé de vous raccompagner, madame.»

Nava réfléchissait à toute allure. Elle devait accéder au réseau et copier les renseignements sur un autre disque. Elle leva les yeux vers le garde en battant des cils.

«Est-ce que je peux juste utiliser un des terminaux pour vérifier mon mail? Ça ne prendra qu'une seconde.

– Je crains que non, madame. Vos codes de sécurité ont été désactivés. Je vais devoir vous demander de me suivre.»

Nava haussa les épaules, feignant l'indifférence, et suivit le garde jusqu'à la sortie. Elle se demandait ce que ferait le RDEI en apprenant qu'elle n'avait plus accès à l'information. Dès qu'elle eut mis le nez dehors, elle alluma une cigarette. Ses doigts tremblaient. De l'autre côté de la rue, elle aperçut un Coréen de grande taille chaussé de lunettes de soleil réfléchissantes. Il était au téléphone. Merde: ils la suivaient déjà.

Elle fit semblant de ne pas le remarquer et se mit en marche vers le labo du STR, à quinze rues de là. L'homme la suivit sans réellement chercher à se dissimuler. Nava connaissait assez le *Spetsnaz* pour savoir que, si elle l'avait repéré aussi facilement, c'est parce qu'il voulait être vu. Il était là pour lui rappeler qu'on la surveillait. Comme si elle pouvait l'oublier.

Elle se força à ignorer l'homme et à réfléchir. Impossible de mettre en œuvre son idée de départ et de graver un nouveau disque. Il allait falloir trouver autre chose à donner au RDEI. Si elle ne leur livrait rien dans les seize prochaines heures, ils la tueraient.

Tout ce qu'elle pouvait espérer, c'était découvrir parmi les données du STR une information que les Coréens jugeraient de la même valeur. Peu probable, mais il fallait essayer. Si elle ne trouvait rien, ce serait le moment de détaler.

Elle était encore en train de réfléchir à un moyen d'évasion lorsqu'elle pénétra dans l'immeuble de Downtown qui abritait le laboratoire du STR. Une fois passé la sécurité, elle prit l'ascenseur jusqu'au vingtième étage, où une réceptionniste souriante l'accueillit.

«Bienvenue, agent Vaner. Si vous voulez bien me suivre. Le Dr Forsythe vous attend.»

☆

Le Dr Tversky déposa doucement un baiser sur le front de Julia et sentit qu'elle tremblait.

«Ça va, chérie?

– Parfaitement bien, murmura-t-elle, les yeux fermés. Je me sens toujours parfaitement bien avec toi, Petey.»

Allons bon. Il savait bien qu'elle était en pleine crise d'amour bête, mais ça devenait ridicule. Combien de temps allait-il devoir supporter cette comédie? En son for intérieur, il se dit que, si l'expérience échouait complètement, il pourrait au moins de se dépêtrer de cette relation.

En un geste qui voulait paraître tendre, il serra brièvement le bras de Julia. Puis il recula pour inspecter sa maîtresse, son «sujet». Elle était allongée sur la table, nue, le bas du corps délicatement recouvert d'un drap de coton. Ses seins minuscules étaient à l'air, leurs bouts brun foncé durcis par l'air froid et vif du laboratoire.

Six électrodes étaient fixées juste sous ses seins; les fils descendaient sur son ventre, puis se perdaient sous la table et rejoignaient en serpentant l'électrocardiographe. Huit autres électrodes étaient apposées sur son crâne – deux pour chaque lobe: occipital, pariétal, frontal et temporal. Elles étaient reliées à l'électroencéphalographe, chargé de mesurer son activité électrique cérébrale. Tversky détourna son attention de Julia pour observer les moniteurs alignés à côté d'elle. Il se concentra sur l'écran où défilaient ses ondes cérébrales.

Amateur d'histoire autant que de science, Tversky s'émerveillait de l'enchaînement de circonstances qui aboutissait à ce moment. Tout remontait à 1875. Cette année-là, un médecin du nom de Richard Caton avait découvert la présence de signaux électriques neuronaux en introduisant des électrodes dans le cerveau d'animaux. Cinquante ans plus tard, le psychiatre allemand Hans Berger inventait l'électroencéphalographe, un appareil capable de mesurer à la fois l'amplitude et la fréquence des ondes cérébrales humaines. Comme Tversky, Berger croyait aux expérimentations humaines. En 1929, il publia les soixante-treize premiers tracés EEG, tous recueillis sur le même sujet – son fils Klaus.

Mais c'étaient les recherches menées par Berger sur des patients épileptiques, dans les années 30, qui intéressaient réellement Tversky. Berger avait découvert que les impulsions électriques émises par le cerveau des épileptiques lors d'une crise étaient plus fortes que chez les sujets normaux. Plus intéressant encore, leurs ondes cérébrales devenaient presque plates juste après la crise, comme si on les avait temporairement court-circuitées. C'est à cette bipolarité que Tversky attribuait l'étincelle qui était à l'origine de sa recherche : il s'était mis à étudier les ondes cérébrales des personnes souffrant de ce qu'on appelait autrefois le haut mal.

Tversky avait toujours su que les ondes cérébrales étaient la clé qui lui donnerait accès à ce qu'il cherchait. Bêta, alpha, thêta, delta : là était la réponse. En observant le tracé EEG de Julia, il se laissa happer un instant par le point électronique qui bondissait sur l'écran en laissant derrière lui une traînée argentée.

La fréquence de l'onde, mesurée en hertz, indiquait le nombre de fois par seconde où elle se répétait ; son amplitude correspondait à l'intensité des impulsions électriques. Bien que chacune des quatre catégories d'ondes cérébrales fût toujours en activité, l'une d'entre elles, suivant le moment, était dominante. Pour l'instant, chez Julia, il s'agissait des ondes alpha – ce qui n'avait rien de surprenant, le rythme alpha étant caractéristique des adultes au repos. Ces ondes, qui culminaient lors d'un doux rêve éveillé, étaient souvent décrites comme un moyen d'accès au subconscient, favorisant à la fois la mémoire et la concentration. La fréquence des ondes alpha de Julia était de 10 Hz – soit exactement la moyenne des variations normales.

Avant de la faire sombrer plus profondément, Tversky décida de tester ses ondes bêta. Celles-ci n'étaient dominantes que lorsque le sujet avait les yeux ouverts, ou qu'il écoutait ou réfléchissait activement – bref, lorsqu'il traitait une information quelconque. Tversky assigna donc une tâche à Julia afin de mettre, littéralement, le cerveau de la jeune femme au travail :

« Mon ange, j'aimerais que tu récites les nombres premiers jusqu'à ce que je te dise d'arrêter. Vas-y. »

Julia eut un léger hochement de tête et se mit à compter tout haut : « Deux, trois, cinq, sept, onze, treize… »

Au début, son activité cérébrale n'enregistra pas de modification notable, sans doute parce qu'elle connaissait les dix premiers nombres par cœur. Mais à mesure que la liste s'allongeait, elle dut se mettre à réfléchir : comme prévu, ses ondes bêta prirent le dessus, atteignant bientôt une fréquence d'environ 19 Hz.

« C'est bien, Julia. Tu peux t'arrêter. »

Elle cessa de compter ; aussitôt, l'amplitude et la fréquence de ses ondes bêta se mirent à décroître, et les ondes alpha devinrent à nouveau dominantes. Tversky versa dans une seringue hypodermique 2 cm³ d'une solution jaunâtre.

« Je vais t'injecter un sédatif léger. Ça va piquer une seconde. »

Il lui introduisit l'aiguille dans le bras. La jeune femme se raidit un instant, puis il la sentit se détendre, comme si tous les muscles de son corps se relâchaient d'un coup. Sa respiration devint plus profonde et sa tête roula sur le côté. Tversky fit claquer ses doigts près de son visage. Julia cligna des yeux lentement à une ou deux reprises, puis les garda fermés.

« Julia, tu m'entends ?

– T'entends », murmura-t-elle.

Elle n'était pas complètement partie, mais presque. C'était exactement ainsi qu'il la voulait – dans les vapes.

Il jeta un coup d'œil au moniteur et hocha la tête : à présent, ses ondes thêta dominaient, indiquant qu'elle se trouvait dans un état intermédiaire entre la veille et le sommeil. Les ondes thêta étaient les plus favorables à la créativité, aux rêves, à l'imagination.

Elles dominaient rarement chez l'adulte conscient, mais très couramment chez l'enfant de moins de quatorze ans. Les scientifiques ne savaient pas si ce phénomène était la cause ou le résultat de la vive imagination manifestée par les enfants ; ce qu'ils savaient en revanche, du moins d'un point de vue biochimique, c'est que l'enfant moyen était beaucoup plus créatif que la plupart des adultes.

Tversky laissa vagabonder ses pensées tout en regardant les ondes thêta croître en intensité. Les paupières de Julia semblaient palpiter sur ses pupilles en perpétuel mouvement. Il versa dans la seringue 1 cm^3 supplémentaire et lui fit une nouvelle piqûre, puis attendit quelques minutes que le sédatif agisse pleinement.

Au bout d'un moment, la fréquence et l'amplitude des ondes thêta se mirent à décroître, et les ondes delta prirent le dessus. Leur cycle était beaucoup plus lent que celui des autres ondes (seulement 2 Hz), mais leur intensité était bien supérieure. Julia se trouvait maintenant plongée dans un sommeil profond et sans rêve ; son inconscient était aux commandes. Le rythme delta était celui qui intéressait le plus Tversky, car il donnait accès à cette faculté qu'il s'efforçait de comprendre : l'intuition pure.

C'est alors – quand ses ondes thêta eurent atteint leur plein développement – que Tversky fit à Julia une dernière injection, cette fois à la base du crâne. Il s'agissait non plus d'un sédatif, mais d'un nouveau sérum qu'il avait mis au point. Il lui avait fallu pas moins de quatre ans de recherche pour obtenir un mélange de base qui produise l'effet désiré sur des rhésus ; ensuite, il y avait encore eu deux ans de tests sur des sujets humains.

Il avait d'abord ramassé quelques pauvres bougres dans divers centres d'épileptologie du pays. Tous étaient en quête du traitement miracle ; dans leur désespoir, ils auraient essayé n'importe quoi. S'ils avaient compris le but réel de Tversky, ils ne seraient sans doute pas montrés si coopératifs. Mais il aurait menti en disant qu'il se sentait responsable de leur sort. Bien sûr, il regrettait le résultat final, mais la science comptait plus que les sujets des expériences.

Quand il eut remédié aux défaillances du système et se sentit confiant, il passa à Julia. Après tout, s'il parvenait à ses fins, il lui faudrait quelqu'un de facile à contrôler. Et qui pouvait mieux faire l'affaire qu'une étudiante en mal d'amour ? Il baissa les yeux sur sa maîtresse et lui caressa doucement la tête en prenant garde à ne pas décoller les électrodes. Quel mignon petit cobaye.

Tout à coup, l'électrocardiographe se mit à biper violemment. Le rythme cardiaque de Julia avait presque doublé, atteignant 120 battements par minute. Tversky sentit son cœur s'emballer, comme s'il cherchait à rattraper le rythme. Les ondes bêta, alpha et thêta de Julia avaient à présent la même intensité que ses ondes delta. Tversky avait peine à respirer : s'il ne s'était pas trompé, elle devait maintenant être capable de traiter des informations tout en restant en prise avec son inconscient.

Il était si nerveux que ses mains tremblaient. Il se força à inspirer profondément, puis retint son souffle un instant et expira. Un coup d'œil à la caméra vidéo lui confirma que la scène était bien filmée. Il éprouvait un désir pervers de se lisser les cheveux devant la glace ; après tout, si les choses se passaient comme prévu, il était en train de vivre un moment historique. Mais il chassa cette pensée de son esprit. Occupe-toi du présent, pas de l'avenir. Occupe-toi du maintenant. Il hocha la tête en se répétant cette phrase intérieurement :

Occupe-toi du maintenant. Occupe-toi du maintenant.

Lorsqu'il se sentit assez calme pour parler d'une voix ferme, il se pencha vers Julia, plaçant son visage à quelques centimètres du sien. Alors, il lui posa la question qui le hantait depuis tant d'années :

« Julia – sa voix était éraillée – qu'est-ce que tu vois ? »

Sans ouvrir les yeux, elle tourna la tête vers lui.

« Je vois… l'infini. »

☆

Caine regardait fixement la gélule oblongue. Allait-elle le précipiter dans la folie ?

« Je ne peux pas partir avant que vous ayez pris votre médicament, monsieur Caine, dit l'infirmière.

– Je sais, répondit-il avec douceur.

– Il y a un problème ?

– Non, pas encore. »

L'infirmière ne comprit pas l'allusion. Sans réfléchir davantage, Caine porta la gélule à ses lèvres et l'avala en renversant la tête en arrière. Puis il attrapa le verre d'eau en polystyrène et fit mine de trinquer avec l'infirmière.

« Eh bien, espérons que les choses en resteront là. »

L'infirmière répondit à son sourire crispé par un regard perplexe. Elle vérifia en explorant sa bouche qu'il avait bien avalé la gélule, puis sortit, l'abandonnant à ses frayeurs. Dans vingt minutes, son estomac aurait digéré la capsule soluble qui renfermait le nouveau remède expérimental de Kumar. Après, c'était le grand inconnu.

Caine se demanda que faire de ce moment – peut-être le dernier où il avait encore sa raison. Il songea à écrire son testament, mais il ne possédait rien qui eût de la valeur. S'il n'avait pas vu Jasper le jour même, il lui aurait griffonné un petit mot, mais il se dit que ce n'était plus nécessaire. En définitive, il se décida à allumer la télévision pour regarder la seconde partie de *Jeopardy*[1] !

Un type grassouillet du nom de Zeke était en train d'enfoncer les deux autres candidats. Il rafla la mise pendant le *Double Jeopardy*, sans cesser d'ajuster ses épaisses lunettes à monture noire entre deux tours. Puis il fut trop

1. Célèbre jeu télévisé présenté par Alex Trebek. Il s'agit d'une sorte de « quizz inversé » : le présentateur lit à haute voix une réponse, et les participants doivent trouver la question correspondante.

gourmand sur le *Daily Double* et perdit plus de la moitié de ses gains. Désormais, un autre candidat le devançait de quelques centaines de dollars. Tout allait dépendre du *Final Jeopardy*. Après une avalanche de publicités vantant les mérites de pâtées pour chiens, de minivans et de sociétés de courtage, Alex Trebek réapparut pour donner la dernière réponse :

« Lorsque Napoléon demanda à cet astronome du XVIIIe siècle pourquoi il n'était pas question de Dieu dans son ouvrage sur le système solaire, le savant répondit : "Sire, je n'ai pas eu besoin de cette hypothèse" », lut-il en articulant soigneusement chaque mot.

Le jingle retentit.

« Qui est Pierre Simon Laplace ? » lança Caine tout seul dans sa chambre.

Il était sûr de lui, mais avant d'avoir confirmation du résultat, il sombra dans le sommeil – au risque de gaspiller ses trois dernières minutes de raison.

☆

Forsythe utilisait toutes sortes d'euphémismes pour décrire le travail du laboratoire de recherche scientifique et technologique, mais Nava ne s'y laissa pas prendre une seconde. Elle savait que la mission du STR pouvait se résumer en un mot – le vol –, et ce mot lui était parfaitement familier. Tout ce qu'elle espérait, c'était que ce que Forsythe allait lui demander de voler présenterait un intérêt pour le RDEI.

Lorsqu'on lui eut assigné un poste de travail, elle se mit à parcourir les noms des fichiers que les pirates du STR avaient copiés sur l'ordinateur de Tversky. À côté de chaque nom étaient indiquées la taille du fichier, sa date de création et ses trois dernières dates de modification ; elle pouvait ainsi évaluer la fréquence d'utilisation du document. Elle tria les fichiers, ouvrit les plus utilisés et commença à les lire en diagonale.

Comme il fallait s'y attendre, l'essentiel de leur contenu

lui échappait complètement. Il lui aurait fallu retourner à l'école et étudier la biologie, la physique et les statistiques pendant près de dix ans avant d'y voir goutte dans les notes de Tversky. Au moins, elle aurait essayé. Elle s'efforçait toujours de remonter à la source afin de ne pas dépendre de l'interprétation d'autrui. Toutefois, dans le cas présent, elle n'avait pas le choix.

Elle s'attaqua donc à quelques-uns des résumés rédigés par l'équipe scientifique du STR. Ses yeux s'agrandirent à mesure qu'elle lisait. Pour la première fois depuis douze heures, la chance semblait lui sourire. La découverte que s'attribuait Tversky ressemblait à s'y méprendre à de la science-fiction. Les expériences n'étaient pas encore concluantes, mais semblaient extrêmement proches d'aboutir. Nava s'émerveillait de sa bonne fortune. Tels quels, les fichiers de Tversky avaient une valeur marchande inestimable.

Même s'ils n'intéressaient pas le RDEI, elle pensait pouvoir gagner assez de temps pour trouver un autre acheteur. Personnellement, elle ne croyait pas au projet de Tversky : elle ne connaissait pas assez la biochimie ni la physique quantique pour saisir les fondements de ses théories, mais elle connaissait assez le monde pour savoir que ce qu'il avançait était tout simplement impossible. Il *fallait* que ce soit impossible. Pour autant, cela ne signifiait pas qu'un gouvernement étranger n'y croirait pas ; elle était certaine de trouver preneur pour les folles idées de Tversky. Et, lorsqu'elle aurait vendu l'information, elle partirait pour toujours.

Nava sortit de son sac à dos une paire de lunettes de vue et les chaussa. Elle prit soin de garder la tête parfaitement immobile en parcourant les résumés et les fichiers originaux, afin que la caméra en fibre optique cachée dans l'une des branches capte clairement l'écran. Une fois parvenue à la dernière page, elle refit défiler toutes les données en sens inverse pour s'assurer que rien ne lui manquait.

Elle s'attarda alors sur l'intitulé du projet, se demandant où diable Tversky était allé chercher un nom aussi bizarre.

Qu'importe. Elle chassa cette question de son esprit et regarda sa montre : 13 : 00. Il lui restait quatorze heures pour négocier sa peau.

Elle rentra chez elle d'un bon pas, fumant en route deux cigarettes. Lorsqu'elle atteignit son appartement, elle tenait son plan. Elle passa les heures qui suivirent à correspondre par e-mails codés avec le RDEI, le Mossad et le MI-6, puis fit les cent pas en attendant leurs réponses, une cigarette à la main. Sur le coup de dix-sept heures, elle avait arrangé le rendez-vous. Une heure plus tard, elle prit un taxi pour le Bronx, puis monta dans le dernier wagon d'une rame de la ligne D, qui la ramenait à Manhattan.

D'une voix à peine audible, le conducteur annonça qu'ils marqueraient l'arrêt à toutes les stations jusqu'à Coney Island. À mesure qu'ils progressaient vers le sud-ouest, la foule devenait plus dense à l'intérieur ; la rame continua à se remplir jusqu'à la 42e Rue, puis commença à se vider lentement. Au bout d'un moment, il ne resta plus que quelques passagers. Parmi eux, deux seulement étaient montés avec Nava dans le Bronx. Deux Coréens – un type costaud penché sur son journal, et l'homme aux lunettes réfléchissantes.

Certaine à présent qu'aucun agent de la CIA ne l'avait suivie, Nava referma son livre de poche et le rangea dans son sac à dos. C'était le signal. Presque instantanément, le costaud replia son journal, le mit sous son bras et vint s'asseoir à côté d'elle.

« Où est Tae-Woo ? demanda Nava.

– Yi Tae-Woo se fait réparer le nez, répliqua-t-il gravement. Je m'appelle Chang-Sun. »

Nava savait qu'il s'agissait d'un nom d'emprunt, mais elle s'en moquait. À coup sûr, c'était aussi le cas de Tae-Woo. Tout ce qu'elle voulait savoir, c'est si ce Chang-Sun était habilité à conclure les négociations.

« Vous avez une réponse ? »

Inutile de se perdre en préliminaires.

« Les chercheurs du ministère ont analysé les données et les ont trouvées plutôt intéressantes, dit-il sans s'avancer.

– Et ? »

L'homme fut choqué par sa brusquerie, mais il répondit quand même :

« Nous serons quittes quand vous nous aurez livré les fichiers inédits et le sujet Alpha.

– Le sujet Alpha ne faisait pas partie de l'offre.

– Il n'y aura pas d'accord sans lui », dit-il simplement.

Et il ouvrit les mains, comme pour signifier qu'il n'y pouvait rien.

Nava s'y attendait. Ses pourparlers avec les Britanniques d'un côté, les Israéliens de l'autre, s'étaient achevés de la même manière. Aucun des deux gouvernements ne voulait de ces données sans le sujet qui avait permis de les obtenir. Mais chacun lui avait offert plus de 2 millions de dollars – une somme très supérieure à celle que le RDEI lui avait versée pour l'information initiale. Elle savait qu'il lui restait de la marge pour négocier : aux yeux des Nord-Coréens, les fichiers de Tversky valaient bien plus que sa vie à elle.

« Il va me falloir un million de dollars supplémentaires, fit Nava.

– C'est hors de question.

– Alors nous n'avons plus rien à nous dire. Votre offre est trop faible. »

Nava se leva comme si elle s'apprêtait à sortir de la rame. L'agent du *Spetsnaz* lui posa une main sur le bras. Elle se retourna et, pour la première fois, le regarda en face, satisfaite d'occuper cette position dominante.

« Je ne savais pas qu'il s'agissait d'enchères.

– Quelle que soit ma situation, vous ne pensiez tout de même pas que je vous réserverais une opportunité pareille ?

– Qui sont les autres offrants ?

– C'est hors de propos. »

Chang-Sun hocha la tête.

« Un petit cadeau pour la mère Russie, peut-être ? »

Nava fut interloquée. Elle s'efforça de ne pas le laisser paraître, mais son interlocuteur savait qu'il avait fait mouche.

«Vos anciens camarades du SVR seraient certainement intéressés d'apprendre que leur espionne volage a épousé avec tant de ferveur la cause du capitalisme.»

Nava se concentra sur sa respiration. Elle se demandait comment le RDEI avait découvert son identité alors que son propre pays n'y était pas parvenu. Elle baissa les yeux vers Chang-Sun et le regarda comme s'il était un insecte.

«Je ne suis pas sûre de comprendre ce dont vous parlez. En tout cas, ça ne change rien au prix.

– Non?» fit Chang-Sun avec un grand sourire qui découvrit une parfaite rangée de couronnes – à l'évidence, il était passé entre les mains des dentistes occidentaux.

Il savait qu'il la tenait. Le RDEI pouvait tout faire, y compris la tuer – ce n'était rien en comparaison de ce qui l'attendait si le SVR apprenait son existence.

«Cinq cent mille. Si vous n'êtes toujours pas intéressés, je suis sûre que la République de Corée se fera un plaisir d'accepter.»

La nuque de son interlocuteur s'empourpra lorsqu'il l'entendit mentionner la Corée du Sud. Ce n'était que du bluff – Nava n'avait aucun contact fiable au sein du gouvernement sud-coréen –, mais il avait fonctionné. Chang-Sun eut un bref hochement de tête.

«Je vais devoir obtenir le feu vert de mes supérieurs, mais nous avons un accord de principe.

– Je vous contacterai dès que j'aurai mis la main sur le sujet.

– C'est-à-dire?

– D'ici une semaine.

– Deux jours.

– Ce n'est pas ass— »

Les doigts de Chang-Sun se crispèrent sur son bras. Il l'attira vers lui d'un coup sec et lui dit d'une voix basse et menaçante:

«Vos délais ne nous intéressent plus. Dans deux jours, vous nous livrez le sujet Alpha et les autres matériaux de base qui ont servi à cette recherche. Si vous êtes en retard, il se passera deux choses. D'une part, je dirai à mes supérieurs que vous avez forgé les documents de toutes pièces. D'autre part, je téléphonerai personnellement à Pavel Kyznetsov, du SVR, et je lui raconterai tout sur vos activités depuis dix ans. Vous avez déjà manqué deux rendez-vous. Ne manquez pas le troisième. »

Il lâcha son bras ; au même moment, le train s'arrêta avec une embardée et les portes s'ouvrirent en crissant. Sans attendre la réponse de Nava, Chang-Sun sortit du wagon et la laissa seule avec l'homme aux lunettes réfléchissantes.

La rame repartit. Nava se demandait comment elle allait faire pour s'emparer du sujet Alpha sans éveiller les soupçons de la NSA. Elle avait beau passer en revue tous les scénarios possibles, elle ne voyait pas comment s'y prendre sans tuer quelqu'un.

C'était regrettable, mais s'il n'y avait pas d'autre moyen de s'en sortir, elle le ferait. Elle n'avait pas le choix.

CHAPITRE 7

Tommy léchait l'intérieur du canon huileux quand le téléphone sonna. Le bruit lui fit si peur qu'il faillit se faire sauter la cervelle.

Certes, il avait projeté de se tuer ; mais projeter n'était pas décider. Une fois qu'il aurait appuyé sur la détente, il ne pourrait plus revenir en arrière. Il voulait donc être entièrement sûr de lui, sûr à 100 %, et la sonnerie aiguë du téléphone avait failli lui coûter sa décision. Il sortit le .45 de sa bouche et le posa sur la table.

La prochaine fois, je décrocherai le téléphone.

« Allô ?

– Tommy ! Tu as vu ? ! »

C'était Gina, son ex – la dernière personne qu'il s'attendait à entendre ce soir.

« Vu quoi ?

– Les résultats ! Les numéros !

– Je ne sais pas de quoi tu parles, mais je suis, euh, occupé. Je peux peut-être te rappeler —

– Tu ne sais pas, hein ? demanda Gina d'une voix basse et pleine d'excitation.

– Non, je viens de te dire —

– Tommy, tu as gagné ! Tes numéros sont tombés. Tu m'entends ? *Tu… as… gagné.* »

Elle prononça ces trois mots lentement, en détachant chaque syllabe, comme si elle parlait à un simple d'esprit. Néanmoins, Tommy mit quelques secondes à comprendre.

« Tu veux dire… »

Sa voix retomba ; il avait peur de finir sa phrase.

«Oui, Tommy.

– Tu es sûre?

– Tu parles que je suis sûre! J'étais dans la cuisine quand ils ont donné les numéros. J'ai su rien qu'en les entendant. Après toutes ces années à t'écouter en parler, comment j'aurais pu oublier? Mais j'ai quand même foncé vers la télé et zappé jusqu'à ce qu'ils les répètent, et puis je les ai notés et tout le bazar, juste pour être super-sûre. Bordel de merde, Tommy… tu es *millionnaire*!»

Tommy regarda par la fenêtre sans savoir que répondre. Les mots de Gina faisaient lentement leur chemin. Il était millionnaire. Tommy DaSouza, millionnaire.

«Tommy, t'es là?

– Euh, ouais.

– Dis, Tommy, tu veux que je vienne? On pourrait fêter ça, comme au bon vieux temps – sauf que, cette fois, on aura un vrai truc à fêter, tu vois ce que je veux dire?»

Cette demande le prit au dépourvu. Gina lui avait tant manqué qu'il avait sincèrement voulu mourir. Mais en entendant son ton suppliant, il se dit que, s'il la revoyait maintenant, il risquait de se sentir encore plus seul, et non l'inverse.

«Je crois… euh… Ça sera sans doute pour une autre fois, OK?

– Juste le temps d'enfiler mes chaussures et je — »

Elle s'interrompit en prenant conscience de ce qu'il venait de dire.

«Oh. Bien sûr, tu préfères être seul. Je comprends.

– Merci», fit Tommy, qui se sentit aussitôt grandi.

Il n'avait encore jamais dit «non» à Gina. Bon Dieu, il n'y avait même jamais songé.

«Tommy, euh, je t'aime encore. Tu le sais?»

Tiens tiens, ce n'est pas ce que tu m'as dit il y a trois semaines quand tu t'es mise à hurler pour que j'arrête d'appeler, faillit répliquer Tommy. Au lieu de quoi, il s'entendit dire: «Il faut que j'y aille.» Et sans lui laisser le temps de répondre, il raccrocha. Il avait peur, s'il s'attardait, qu'ils ne finissent par se remettre ensemble. Bizarre.

Deux minutes plus tôt, il aurait tout donné pour être encore avec elle. Mais maintenant…

Il se rassit sur le canapé et tendit le bras par-dessus le revolver pour saisir la télécommande. Puis il se mit à surfer de chaîne en chaîne. Au bout d'à peine deux minutes, il tomba sur un présentateur qui répétait les numéros gagnants : 6-12-19-21-36-40, et 18 pour la boule rouge du Powerball. Il n'eut pas besoin de les noter, comme Gina, ni de sortir son ticket pour vérifier qu'il avait tout bon. C'était *sa* combinaison. Il jouait la même chaque semaine depuis sept ans.

Il n'aurait pas su expliquer précisément le choix de 6-12-19-21-36-40 + 18. Les nombres n'avaient rien à voir avec sa date de naissance ou autre chose du même genre. Simplement, ils avaient toujours été là, dans sa tête, comme des caractères géants inscrits au néon derrière ses paupières. Ils étaient tous d'un blanc éclatant, à l'exception du 18, qui rougeoyait comme les braises d'un feu presque éteint. Il n'avait compris ce qu'ils signifiaient que lorsque le Powerball avait été introduit au Connecticut.

La première fois qu'il avait vu une combinaison de Powerball au journal de vingt-deux heures – six numéros blancs et un rouge, exactement comme dans son rêve –, Tommy avait su qu'il ne pouvait s'agir d'une coïncidence. Il était destiné à gagner au Powerball. Il craignit d'abord d'avoir laissé passer sa chance, que les numéros – *ses* numéros – n'aient déjà été tirés. Mais le Bureau de la Loterie fédérale lui envoya par la poste la liste de toutes les combinaisons gagnantes et il découvrit avec soulagement que la sienne était encore vierge.

Le lendemain, il prit le train pour le Connecticut et se rendit dans un 7-Eleven pour jouer les numéros qu'il avait en tête depuis toujours. L'aller-retour lui prit plus de deux heures, mais le jeu en valait la chandelle : avec un jackpot de 86 millions de dollars, il gagnait 43 millions par heure de trajet. Le soir où l'on devait annoncer la combinaison gagnante, il avait une telle confiance en sa destinée qu'il paya une tournée à tous les gars du O'Sullivan's. Il lui en coûta 109 dollars, sans compter le pourboire, ce qui le mit complètement à sec. Mais c'était sans importance. D'ici la fin de la soirée, il serait si riche qu'il pourrait s'acheter tout le bar.

Seulement, ce ne furent pas ses numéros que les nouvelles donnèrent gagnants. Sur les sept, il n'en avait trouvé que deux. Il était si certain de gagner qu'il crut d'abord à une erreur. Mais le lendemain, le journal lui confirma que le présentateur aux cheveux blancs ne s'était pas trompé : il avait perdu.

Sa foi en fut ébranlée, mais pas anéantie. Il fallait persévérer, un point c'est tout. La semaine suivante, il reprit le train pour aller jouer ses numéros. Mais, comme la fois précédente, deux seulement correspondaient. Au bout de quelques mois, il commença à perdre espoir. Il aurait abandonné s'il n'avait vu chaque nuit les mêmes numéros scintiller dans son sommeil. Il continua donc à acheter des billets de Powerball, ne laissant jamais passer une semaine sans jouer, de peur que ses numéros ne sortent précisément cette fois-là.

Au bout de deux ans, il cessa de s'attendre à gagner, mais il ne cessa pas de jouer. Et à chaque fois qu'il était ivre – ce qui se produisait de plus en plus souvent –, il racontait à qui voulait l'entendre qu'il serait un jour millionnaire. Attendez donc de voir. Malheureusement, ce jour n'arrivait pas.

Le temps passait et les choses ne cessaient d'empirer. Ou, si elles n'empiraient pas, elles ne s'arrangeaient pas vraiment non plus – ce qui revenait à peu près au même. Depuis dix ans qu'il avait son bac, il habitait toujours le même appartement merdique à Brooklyn et faisait toujours le même boulot merdique. L'appartement comme le boulot lui avaient d'abord paru sympas, mais il s'était rendu compte que ce qui était sympa à dix-huit ans devenait pathétique à vingt-huit.

Et, pour ne rien arranger, les filles s'en rendaient compte aussi. Les filles comme Gina. Bien sûr, Tommy était parfait pour un coup de temps en temps ; mais, comme Gina le lui avait laborieusement expliqué, il n'avait pas de « potentiel à long terme ». Il s'était efforcé de devenir l'homme qu'elle voulait qu'il soit, mais c'était impossible. Les types de vingt-huit ans qui n'avaient pas fait d'études et n'avaient travaillé que comme caissiers chez Tower Records ne se réveillaient pas un beau matin avec un potentiel à long terme.

Sauf aujourd'hui. Aujourd'hui, j'ai un potentiel à long terme, non ? Tommy prit le revolver sur la table basse et le fit tourner entre ses mains. Il se demandait pourquoi il avait toujours envie de se mettre le canon dans la bouche et de tirer.

Il n'avait plus besoin de se tuer. Maintenant qu'il avait gagné cet argent, tout allait bien se passer, non ? Pour une obscure raison, Tommy en doutait. Au fond de lui, il savait que l'argent ne changeait rien : il restait le loser qu'il avait toujours été. Mais il savait également ceci : s'il était bien l'homme qui, quelques minutes plus tôt, s'apprêtait à se faire sauter la cervelle, il n'était pas obligé de *rester* cet homme. Il pouvait se transformer en… en quoi ?

En quelqu'un qui avait un but, voilà. Il hocha la tête et soupira d'envie. Ouais… *Je peux au moins essayer.* S'efforçant de ne pas réfléchir, il cacha l'arme au fond de son placard, sous la pile de T-shirts de concert noirs qu'il avait acquis au fil des années. Avant, il les portait continuellement, mais ces derniers temps il ne s'en servait que les jours de lessive, quand il n'avait plus d'autre vêtement propre.

Il ferma la porte du placard, puis finit sa bière et s'allongea sur le canapé. Il pensa beaucoup aux numéros avant de s'endormir ; mais, pour la première fois en dix ans, il ne les vit pas en rêve.

☆

Il faisait nuit quand Caine s'éveilla. La télévision projetait sur les murs sombres une lumière vacillante ; des reflets amorphes bondissaient de part et d'autre de la pièce. À l'écran, une pétillante jeune femme donnait la liste des numéros gagnants du Powerball. Caine appuya sur une touche de la télécommande et se retrouva dans le noir. Il regardait dans le vide, attendant que ses yeux s'accoutument à l'obscurité.

Il avait l'impression d'oublier quelque chose et ça le taraudait. Était-ce une chose qu'il avait rêvée ? Non, ce n'était pas ça. Il avait dormi comme une souche et, s'il avait fait des rêves, il les avait déjà refoulés. Puis il se souvint : il avait avalé la gélule. Il prit son portable sur la table de nuit pour vérifier l'heure. Presque deux heures du matin – le médicament était dans son organisme depuis maintenant onze heures.

En clignant des yeux, il tourna la tête à gauche, puis à droite. Il ne ressentait aucun changement. Pour l'instant, tout allait bien. Cela étant, Jasper l'avait prévenu : *Ça ne fait rien de spécial*. Mais Caine se disait que, si quelque chose se détraquait dans son cerveau, il s'en apercevrait. Oui, il le saurait. C'était impossible autrement.

Son portable se mit soudain à vibrer. De frayeur, il faillit le laisser tomber. Il regarda l'écran pour voir qui l'appelait.

Privé

Un instant, il hésita à répondre, puis il se décida et, maladroitement, ouvrit le téléphone. Il avait encore des fourmis dans les doigts.

« Bonjour, Caine, c'est Vitaly. Comment tu te sens ? »
Caine sentit son estomac se nouer.

« Oh, salut. Je me sens bien, merci. Et toi, comment vas-tu ? »

Il devait onze mille dollars à cet homme et il ne trouvait rien d'autre à lui dire.

« Pas très bien, Caine. Mais j'espère que tu vas m'aider à arranger ça. »

Il fit une pause. Caine ne savait pas s'il était censé parler. Au bout de quelques instants, il se sentit néanmoins obligé de meubler le silence.

« Ah, oui, j'imagine que tu appelles à propos de l'argent. »

Pas de réponse. La langue de Caine devint aussi sèche qu'une éponge oubliée au soleil.

« Je l'ai, Vitaly. Je te rembourserai dès que je sortirai de l'hôpital.

– Avec intérêts.

– Avec intérêts. Bien sûr. – Caine tenta de déglutir, mais en vain. – Les intérêts sont de combien, au fait ?

– Le taux standard. 5 % par semaine, intérêts composés. J'aimerais juste que la situation soit claire : tu as l'argent, hein ? Je veux dire, j'adore quand tu viens au club. J'aimerais être sûr qu'on continuera à se voir, tu comprends ?

– Ouais, bien sûr, mentit Caine. J'ai l'argent. Pas de problème.

– Formidable, fit Nikolaev d'une voix basse et menaçante. Il est à la banque ?

– Euh, oui. »

Caine avait envie de vomir.

« Parfait. Comme tu es alité, je vais t'envoyer Sergueï. Tu lui donneras ta carte bancaire et je sortirai l'argent à ta place. Comme ça, tu ne t'embêteras pas à venir jusqu'ici. Tu pourras te consacrer entièrement à ta santé.

– Oh, merci », répondit bêtement Caine, qui cherchait à gagner du temps.

La visite de Sergueï Kozlov, un type de plus de cent dix kilos que Nikolaev employait comme garde du corps, était bien la dernière chose dont il avait envie.

« Le truc, Vitaly, c'est que je vais peut-être devoir faire des transferts, tu vois ? J'ai deux mille dollars à la banque, mais le reste est en titres. Il faut que je liquide des certificats de dépôt, des trucs comme ça.

– J'ai cru t'entendre dire que tu avais tout l'argent à la banque. – Nikolaev resta silencieux un instant. – Ce n'est pas le moment de commencer à me mentir, Caine.

– Oui, je veux dire, non, je ne te mens pas. J'ai l'argent. Simplement, je n'ai pas tout en liquide. Mais ce n'est qu'une question de temps. »

Silence.

« *C'est* une question de temps, Vitaly. Je te rembourse à la minute où je sors d'ici.

– OK. Voilà ce qu'on va faire. Sergueï attend dans le hall. Je le fais monter pour prendre ta carte. Il retirera mille dollars ce soir et ensuite, cinq cents par jour jusqu'à ce que tu sortes de l'hôpital pour liquider ces titres. Ça te va ?

– Ouais, Vitaly. Cool, fit Caine en se disant que tout serait bien plus cool s'il avait plus de quatre cents dollars sur son compte.

– Bien. Sergueï sera en haut d'ici quelques minutes.

– OK. Merci, Vitaly.

– Il n'y a pas de quoi, répondit l'autre, magnanime. Ah, et au fait, Caine, encore une chose —

– Oui ?

– Remets-toi vite. »

Il y eut un petit clic, puis plus rien.

Caine referma son portable et décida qu'il était temps de sortir de l'hôpital. Il repoussa le drap amidonné et se laissa glisser hors du lit avec précaution pour vérifier que ses jambes le portaient. Le linoléum était froid et lisse sous ses pieds. Ça faisait du bien d'être à nouveau debout. Lorsqu'il fut sûr qu'il ne risquait pas de tomber, il enfila à la hâte ses vêtements de ville.

Il regarda l'heure. Cela faisait moins de trois minutes qu'il avait raccroché, mais si Nikolaev avait appelé Kozlov aussitôt, il ne lui restait plus beaucoup de temps pour fuir. Il ne doutait pas que le grand Russe parviendrait à passer la sécurité ; la seule question, c'était le temps qu'il mettrait. Et Caine espérait ne jamais avoir la réponse. Il voulait être dehors bien avant cette visite.

Il passa la tête pour inspecter le couloir mal éclairé et vit alors Kozlov l'arpenter de son pas pesant. Le colosse avait moins l'air de marcher que de se dandiner en déplaçant son énorme masse d'un pied sur l'autre. Caine sentit son cœur chavirer. Il était trop tard. Il allait devoir lui donner sa carte bancaire. Et, quand Nikolaev s'apercevrait qu'il lui avait menti sur son solde, ce serait la fin.

À cet instant, des réalités aussi intangibles que l'épilepsie ou la schizophrénie lui semblaient beaucoup moins redoutables que le monde matériel. Il fouilla la pièce du regard, cherchant désespérément un endroit où se cacher, mais n'aperçut que la forme vague de son compagnon de chambre. Il respirait si faiblement que Caine se demanda un instant s'il était encore vivant ; seul le bip léger de l'électrocardiographe confirmait qu'il était bien de ce monde.

En regardant le point lumineux bondir sur l'écran, Caine eut une idée.

☆

«Code bleu. 1012. Code bleu. 1012.»

L'infirmière Pratt parlait avec fermeté dans le micro. Son ton dénotait le calme et l'expérience. Autant ne pas effrayer les patients en les alertant que quelqu'un était en train de mourir en 1012. Empoignant le chariot d'urgence, elle se précipita dans le couloir. Elle ne remarqua pas le géant barbu avant de le percuter.

Il fit volte-face, l'air féroce, mais elle n'avait pas le temps de l'engueuler. Poussant toujours le chariot, elle contourna le mastodonte et poursuivit sa route. Elle était la première sur les lieux. Doux Jésus, pourquoi est-ce que les vieux claquaient toujours pendant son service ? C'était le troisième cette semaine. Elle entra dans la chambre, alluma et se précipita vers M. Morrison. Son visage était si gris qu'il avait déjà l'air d'un cadavre.

C'est alors qu'elle vit le fil par terre. Au même moment, l'un des nouveaux internes, un jeune au visage poupin, entra en courant dans la pièce et manqua la renverser.

«Depuis combien de temps est-il —

– Fausse alerte. Une électrode est tombée.

– Quoi… oh !» fit l'interne en suivant la direction de son doigt et en voyant le fil qui gisait sur le sol.

Elle se pencha pour le ramasser. Bizarre : l'électrode

collait encore. Elle se demanda un instant comment elle s'était détachée, mais chassa rapidement cette question de son esprit. Les seize ans qu'elle avait passés à faire ce métier lui avaient appris à ne pas s'interroger sur les choses étranges qui se produisaient dans le bâtiment.

Après tout, c'était un hôpital. Il arrivait tout le temps des trucs bizarres.

☆

Tapi dans l'obscurité, Caine attendait dans l'embrasure de la porte 1013. Il se fit tout petit lorsque l'infirmière et l'interne quittèrent son ancienne chambre. Quelques secondes plus tard, Kozlov s'y glissait à son tour. Caine se rua dans le couloir et se dirigea d'un pas vif vers le néon rouge qui indiquait la sortie. Tandis qu'il les regardait, les lettres lumineuses parurent soudain grandir, s'étirant jusqu'au sol. Son cœur cessa de battre.

Pas maintenant, putain, pas maintenant.

Il ferma les yeux, priant pour que l'hallucination se dissipe. Au même moment, il sentit un vertige l'envahir. Il allongea le bras et agrippa un chariot près du mur pour ne pas perdre l'équilibre. Quand le monde eut cessé de tourner, il rouvrit les yeux et s'aperçut que le chariot en question était couvert de hautes piles de blouses blanches et de vêtements de chirurgien. D'instinct, il prit une des blouses et l'enfila.

Il entendit alors derrière lui un lourd bruit de pas. C'était Kozlov. Il fonça sur Caine, dont les muscles se raidirent en prévision de l'impact. Quand la lourde main du géant s'abattit sur son épaule, il se crut perdu ; mais, au lieu de le plaquer contre le mur, Kozlov l'écarta brutalement du passage, tourna le coin et disparut.

Stupéfait, Caine resta un moment sans comprendre, puis il se rendit compte que sa blouse avait dû le faire passer pour un médecin. Il se remit en branle et, sans perdre de temps, franchit la porte qui barrait le couloir, puis rejoignit les ascenseurs. Il allait appuyer sur l'un des boutons argentés lorsqu'il sentit quelque chose vibrer près de sa cuisse et entendit son téléphone sonner.

«Merde !» Il fourra la main dans sa poche pour faire taire l'appareil, mais il était trop tard : la porte s'ouvrit violemment pour laisser place à Kozlov, portable en main. Il souriait.

Caine lança un regard désespéré à l'ascenseur, priant pour que la cabine s'arrête et lui offre une chance de salut, mais rien ne se produisit. Kozlov progressait lentement dans sa direction, savourant le calme avant la tempête. Soudain, la porte de l'ascenseur coulissa, révélant un vieil Hispano-Américain ; il tenait un balai à franges plongé dans un grand seau sur roulettes.

«Désolé», fit Caine au garçon de salle éberlué en saisissant le balai et en envoyant le seau dévaler le couloir. Le moment était parfaitement choisi : Kozlov parvint à éviter le bolide sur roulettes, mais, ce faisant, il heurta de l'épaule le manche du balai ; le seau perdit l'équilibre et une eau savonneuse se répandit sur le sol lisse. Le géant glissa et s'étala.

Caine sauta dans la vaste cabine et appuya frénétiquement sur un bouton pris au hasard : il fallait que la porte se ferme avant que Kozlov ne soit sur pied. Au moment où elle coulissait, il entrevit la gigantesque silhouette du Russe. Celui-ci tendit la main pour arrêter l'ascenseur, mais il était trop tard : la porte métallique se ferma avec un bruit sec et la cabine commença son ascension.

En regardant défiler les chiffres lumineux des étages, Caine fut soudain accablé par le ridicule de la situation. Qu'est-ce qu'il foutait, à cavaler dans un hôpital pour échapper à un gangster russe ? Comment s'était-il retrouvé dans ce truc de dingues ?

Alors il se souvint – la pilule. Il avait avalé la pilule, s'était réveillé, et alors… alors quoi ?

Peut-être que c'était ça. Peut-être qu'il était en plein épisode schizophrénique, qu'il ne faisait qu'*imaginer* que la mafia russe le poursuivait. Non, impossible. Tout était réel. Il s'était endetté auprès de Nikolaev *avant* de prendre cette pilule. Bien sûr, les minutes qu'il venait de vivre avaient été un peu folles, mais ça ne signifiait pas qu'*il* était fou, si ?

Mais encore une fois, tout était peut-être un cauchemar provoqué par le médicament. Il se pinça l'avant-bras pour s'assurer qu'il ne rêvait pas. Ça faisait mal, mais est-ce que la douleur prouvait quoi que ce soit ? Il pouvait *rêver* qu'il avait mal. Il était pris dans une boucle sans fin, une boucle logique – ou illogique, suivant le point de vue adopté. Comment un esprit délirant peut-il se rendre compte qu'il délire ?

Et si c'était bien ça ? S'il venait de sombrer à jamais dans la démence ?

Les mots de Jasper résonnèrent dans sa tête, moqueurs. *Ça ne fait rien de spécial... C'est pour ça que ça fout tellement la trouille.*

Soudain, l'ascenseur s'arrêta avec un petit rebond et un *ping* qui rappela à Caine celui d'un minuteur. La porte s'ouvrit et, sans réfléchir, il sortit au quatorzième étage. Impossible de deviner quelles maladies on soignait ici ; l'étage semblait identique à celui où il avait séjourné. La porte coulissa, se refermant derrière lui.

Caine hésita à appeler un autre ascenseur, mais quelque chose le retint. Presque comme si une voix de provenance invisible résonnait dans sa tête : *Pas maintenant... Tu n'as pas terminé.* Preuve supplémentaire de sa folie naissante ? Non. Caine refusait de l'admettre. Il se dit que c'était juste une forme d'instinct. Il avait souvent de l'instinct et, en général, celui-ci s'avérait très sûr – sauf, bien sûr, lorsqu'il le poussait à parier onze mille dollars sur une main perdante.

Caine mit fin à ce dialogue intérieur et longea le couloir désert jusqu'à une porte ; l'écho de ses pas résonnait sur le dur revêtement de linoléum. En posant la main sur la matière lisse de la poignée, il éprouva une incroyable sensation de déjà-vu. Tout lui était familier : le contact du métal froid et poli sous ses doigts ; la lumière vacillante du néon fixé au plafond ; l'odeur aseptisée d'alcool et de médicaments. La force de cette sensation le terrassait, le submergeait comme une vague immense qui lui donnait l'impression d'être… quoi ? Devin ? Extra-lucide ? Voyant ?

Caine se sentit soudain étrangement confiant, comme s'il avait en main une quinte royale et savait qu'il ne pouvait pas perdre. Il poussa la porte pour voir ce qu'il trouverait de l'autre côté et s'engagea dans le couloir fai-blement éclairé, passant devant les chambres silencieuses. Un air frais lui parcourait le visage. Il l'aspira à fond, heu-reux de savourer chaque instant, de le voir se dérouler exactement comme il l'avait prévu.

Il y avait quelque chose de reposant dans cette expé-rience – passer devant les corps endormis, en se deman-dant quels rêves ou quels cauchemars hantaient leur inconscient.

Des muffins aux myrtilles entassés jusqu'au plafond… Des chiens qui courent, la gueule écumante… Une dispute animée avec une ex-maîtresse…

Ces images traversaient son esprit comme les souvenirs distincts d'une époque très ancienne. Il se sentait curieuse-ment apaisé et en phase… mais en phase avec quoi ?

Avec leur esprit, lui chuchota la voix (ou son instinct ?). Caine se dit que c'était fou.

Bien sûr que c'est fou. Mais ça n'est pas faux pour autant.

Effrayé, il secoua la tête. Ça y était. Il perdait la boule, il hallucinait. Mais tout paraissait trop réel pour être un délire. Les sensations étaient réelles. Il entendit alors les mots de Jasper résonner dans sa tête : *Les délires paraissent réels. Naturels, évidents même. Comme s'il était parfaitement normal que le gouvernement épie tes pensées ou que ton meilleur ami essaie de te tuer.*

Caine se sentit soudain froid et moite. Il fallait qu'il se concentre. Il reporta son attention sur son environnement. Chacune des portes qu'il dépassait portait un numéro ; le nom de l'occupant était inscrit, en grosses majuscules, sur un rectangle de carton blanc. HORAN, NINA. KARA-

FOTIS, MICHAEL. NAFTOLY, DEBRA. KAUFMAN, SCOTT.

Au bout du quatrième, Caine s'aperçut soudain qu'il lisait les noms comme s'il cherchait quelqu'un. À chaque fois qu'il en voyait un nouveau, son cerveau lui disait *Non, non, non.* En lisant le nom inscrit sur la cinquième porte, en revanche, il s'arrêta. Un faible geignement lui parvenait de l'intérieur.

Oui, c'est elle.

Sans hésiter, Caine entra.

Sur le grand lit d'hôpital, les draps étaient légèrement froissés, mais ils ne semblaient recouvrir personne. Puis, comme les yeux de Caine s'habituaient à l'obscurité, il aperçut la petite tête d'une poupée. Elle se tourna vers lui et fit cligner ses grands yeux mouillés.

Il faillit hurler, mais se mordit la langue juste à temps. Puis il se rendit compte que la créature n'avait rien d'une poupée. C'était une petite fille. Elle semblait si fragile et perdue dans ce lit trop grand pour elle.

«Ça va?» demanda-t-il d'une voix hésitante.

L'enfant ne répondit pas, mais Caine crut discerner un imperceptible hochement de tête.

«Tu veux que j'appelle une infirmière?»

Elle secoua lentement la tête.

«Tu veux que je reste avec toi une minute?»

Petit «oui» de la tête.

«OK.»

Caine tira doucement une chaise près du lit et s'assit.

«Je m'appelle David, mais mes amis m'appellent Caine.

– Salut, Caine.»

La voix de la petite fille était à peine audible, mais elle contenait un soupçon de quelque chose – d'espoir, peut-être? Ou bien était-ce autre chose? Caine l'ignorait. Il eut soudain honte de la peur qu'il avait ressentie quelques heures auparavant. Il était adulte, après tout. Et il avait en face de lui une enfant. Il s'imaginait mal seul dans un hôpital à son âge.

«Tu t'appelles Elizabeth, c'est ça?

– Oui-i-i, hoqueta-t-elle.

– Ça, c'est un joli nom. Tu sais, si j'avais une petite fille, je crois que je l'appellerais comme toi.

– Vraiment ? demanda-t-elle en s'essuyant le nez distraitement.

– Vraiment », répondit Caine avec un sourire.

Il se pencha vers elle avec un clin d'œil complice.

« Là, c'est le moment de dire que tu aimes bien *mon* nom – même s'il n'est pas aussi joli qu'Elizabeth. »

Elizabeth gloussa.

« Tu as un joli nom, toi aussi.

– Vraiment ? » fit Caine en imitant le son aigu de sa voix. Elle gloussa à nouveau.

« Vraiment », répondit-elle avec un sourire qui découvrit ses dents clairsemées. Puis : « Tu es différent des autres.

– Quels autres ?

– Les autres docteurs, dit-elle comme si c'était la chose la plus évidente du monde. Ils ne me parlent jamais, sauf pour dire "*ahhhh*" ou des trucs comme ça.

– Ouais, les médecins sont parfois de sacrés rasoirs. Mais ils font un dur boulot, à s'occuper de gens malades toute la journée, donc j'essaie de leur faciliter la tâche.

– Tu as sans doute raison, dit-elle avec, dans la voix, une mélancolie surprenante pour son âge. Ça me fatigue, c'est tout.

– Ouais. – Caine se sentait soudain très fatigué lui-même. – Je sais. »

Elle l'examina de plus près, plissant les yeux pour distinguer son visage parmi les ombres.

« Tu es *vraiment* docteur, Caine ? »

Il sourit.

« Est-ce que je te plairais moins si je ne l'étais pas ?

– Sûrement pas. Tu me plairais *plus*.

– Eh bien, dans ce cas, je ne suis pas docteur.

– Bon. Parce que j'aime pas trop les docteurs.

– Moi non plus. »

Il se tut un instant. Elizabeth bâilla à s'en décrocher la mâchoire.

« C'est sans doute le signal du départ. Ça fait longtemps que tu devrais dormir. »

Caine se leva, mais avant qu'il ait pu faire un pas, Elizabeth lui saisit vivement le bras. La force de son étreinte le surprit.

« S'il te plaît, ne pars pas tout de suite. Reste un tout petit peu plus. Jusqu'à ce que je m'endorme, d'accord ?

– D'accord. »

Caine se rassit. Il prit gentiment la main d'Elizabeth et la reposa sur le drap.

« Je te promets que je n'irai nulle part avant de t'entendre ronfler.

– Mais je ne ronfle pas !

– C'est ce qu'on verra, fit Caine en la bordant. Et maintenant, ferme les yeux et commence à compter les moutons. »

Elizabeth obéit. Au bout de quelques secondes, elle se tourna vers lui, les yeux toujours fermés.

« Tu reviendras me voir demain soir ?

– Je pense que je serai parti, Elizabeth.

– Peut-être dans mes rêves, alors ?

– Oui. Peut-être dans tes rêves. »

Quelques minutes plus tard, sa respiration se fit plus profonde. Caine sortit sur la pointe des pieds. Pour une obscure raison, il était sûr que, quelle que fût la cause de son séjour à l'hôpital, tout finirait bien pour elle.

☆

Jasper faisait le tour du pâté de maisons en attendant que la Voix lui donne le signal. Il n'avait encore jamais utilisé de pistolet, mais il ne se faisait pas de souci. C'était comme prendre une photo : viser et appuyer. La seule différence, c'est qu'un Nikon n'avait pas le recul d'un Lorcin L 9 mm.

Il avait hésité à faire un ou deux essais à Harlem, où il avait acheté l'arme illégalement, mais il n'avait que deux chargeurs et ne voulait pas gâcher ses munitions. Il ne savait pas combien de balles il lui faudrait, car la Voix n'avait évoqué le sujet que de manière assez vague. Elle lui avait juste dit d'acheter une arme et de se grouiller de retourner à Downtown – ce qu'il avait fait. S'il devait pratiquer, ce serait donc sur le terrain.

Jasper se demandait s'il serait amené à tuer quelqu'un. Il ne le souhaitait pas, mais il savait que si la Voix lui disait de tuer, il le ferait. La Voix n'irait jamais l'induire en erreur. C'était impossible, car la Voix savait tout – tout ce qu'il y avait à savoir.

Il n'aurait pas su dire d'où lui venait cette certitude. La Voix ne lui avait jamais dit qu'elle savait tout, mais quand elle lui parlait, une partie de son cerveau voyait ce qu'elle voyait ; et, dans ces occasions, Jasper *voyait tout*. Toutes les personnes qui manœuvraient et intriguaient pour faire du mal à David. Certains voulaient le vendre pour de l'argent. D'autres, lui faire subir des expériences. Quelques-uns voulaient le tuer.

C'est pour ça qu'il avait acheté le pistolet. Pour le protéger. Pour protéger David de ceux qui lui voulaient du mal. Jamais il ne les laisserait faire de mal à son petit frère. Jamais —

C'est le moment.

Jasper s'arrêta net sur le trottoir désert et leva la tête.

– *J'ai une arme, comme tu m'as dit.*

Tu es prêt ?

– *Oui.*

Bien. Voici ce qu'il faut faire…

En l'écoutant, Jasper ferma les yeux pour entrevoir l'infini. Alors, un sourire extatique se dessina sur son visage ; il comprenait enfin son but véritable. Puis la Voix se tut. Quand il rouvrit les yeux, les images qu'il venait de voir s'enfuirent, ne laissant derrière elles que des ombres.

Mais même s'il ne se souvenait pas de tout, Jasper se sentait léger, aérien même, comme si sa personne était emplie de joie pure. Il serra le pistolet plus fort et repartit d'un bon pas dans la rue. Il fallait se dépêcher s'il voulait arriver à temps.

☆

Lorsqu'il eut refermé la porte d'Elizabeth, Caine se sentit soulagé. L'instinct (*la Voix ?*) qui lui avait dicté d'entrer dans la chambre s'était tu. Cette fois, il n'avait plus de raison de rester ; il rebroussa chemin le long du couloir et prit l'ascenseur. Mais, une fois au rez-de-chaussée, il sentit à nouveau quelque chose l'ébranler et lui murmurer à l'oreille :

N'emprunte pas la sortie principale, ils t'attendent. Sors par les urgences.

Caine ne voulait pas désobéir à son instinct (*à la Voix, tu veux dire ?*). Il parcourut donc un méandre de couloirs jusqu'à la salle des urgences. Il n'y avait là pas grand-chose de commun avec la série télévisée du même nom. Pas de médecins séduisants lançant des appels tels que «Intubation !» ou «NFS, chimie, iono !», mais quantité de gens souffrants qui toussaient, éternuaient, saignaient et suintaient.

Caine se mit à slalomer entre les chaises pour gagner la sortie. Il passa devant une femme enceinte qui se disputait avec son mari. Alors, un vertige le prit et la pièce se mit à onduler, comme s'il la regardait à travers une cascade de cristal. Il s'arrêta, s'agrippa à la chaise la plus proche et ferma les yeux. Malgré ses efforts pour l'ignorer, la discussion du couple qui se chamaillait s'insinuait jusqu'à sa conscience.

«Je ne peux pas rester seule. Tu passes toute la journée dans ce train ridicule et je suis coincée ici, à des centaines de kilomètres.

– Mais, chérie…

– Il n'y a pas de "mais, chérie". Ce n'est pas raisonnable. Demande-lui. Qu'est-ce que vous en pensez ?»

Silence.

«Docteur ? Docteur ?»

Caine ouvrit les yeux. À son grand soulagement, le vertige avait disparu. La femme enceinte le regardait avec insistance.

107

«Hein ? fit-il, ahuri.

– Est-il est raisonnable pour une femme qui a perdu son premier enfant et connu trois alertes durant sa seconde grossesse de rester seule chez elle pendant que son mari conduit un train le long de la côte Est ? »

Du regard, Caine implora l'aide du mari, mais celui-ci ne fit que hausser les épaules.

« Je ne sais pas trop, répondit Caine, cherchant quelque chose d'intelligent à dire. Vous avez de la famille dans le coin ? »

La femme secoua la tête.

« Juste une sœur à Philadelphie.

– Tiens, c'est drôle, mon frère aussi vit à Philly. Comme le monde est petit », dit Caine, se parlant presque à lui-même.

Puis il lâcha soudain : « Pourquoi n'iriez-vous pas vivre avec votre sœur ? Enfin, jusqu'à la date où le bébé doit naître. »

Le visage du mari s'éclaira.

« Eh ! ça, c'est une bonne idée, chérie. Tu pourrais habiter chez Nora pendant deux mois. Et puis, tu rentreras à la maison pour la naissance. Comme ça, tout le monde est gagnant. »

La femme baissa les yeux vers ses mains grassouillettes, qui s'agrippaient l'une à l'autre comme si elles craignaient de rester seules. Lentement, elle hocha la tête.

« D'accord. Je vais l'appeler. »

L'homme poussa un soupir de soulagement, déposa un petit baiser sur le front de sa femme et tendit la main à Caine.

« Merci mille fois, docteur.

– Tout le plaisir était pour moi, fit Caine, lui-même soulagé de voir s'achever cette étrange conversation. Bonne chance pour tout.

– Merci », répondit l'homme sans cesser de lui broyer la main.

Puis il aida sa femme à gagner la sortie. Chemin faisant, celle-ci lui ordonna de l'appeler toutes les heures pendant qu'il travaillait. Elle le força à répéter plusieurs fois son numéro de portable pour s'assurer qu'il le savait par cœur – ainsi, il n'aurait «pas d'excuse» si elle restait sans nouvelles.

Caine attendit un peu avant d'emprunter lui-même la sortie; il craignait de devoir arbitrer une nouvelle dispute. Lorsqu'il fut certain que la voie était dégagée, il franchit les vingt dernières marches qui le menaient vers la liberté. Un tourbillon glacé l'enveloppa lorsqu'il passa la porte.

Lui qui avait horreur du froid, il savoura cet air glacial qui lui brûlait les oreilles et transperçait sa mince blouse blanche pendant qu'il marchait dans la rue. Il y était arrivé. Il se sentait optimiste. Alors, une paire de mains le prit brutalement au collet et le plaqua contre le mur.

Sa tête rebondit sur la paroi de béton et la douleur lui vrilla la colonne vertébrale. Sans lui laisser une chance de se battre, l'homme passa un bras puissant autour de sa poitrine et le transporta, en le traînant à moitié, jusqu'à un bout de terrain désert situé derrière le coin. Là, il le jeta sur le sol gelé, puis le prit à la gorge et le redressa contre le mur de brique.

Il faisait trop sombre pour distinguer son visage, mais son lourd accent le trahit.

«Monsieur Caine, grommela Kozlov. Je vous cherchais.»

CHAPITRE 8

La détonation fut assourdissante. Bien plus forte qu'il ne l'aurait cru. En l'entendant, l'agresseur de son frère s'immobilisa, poing en l'air, dans une posture digne d'un boxeur de bande dessinée.

« Lâche-le. »

La voix de Jasper tremblait légèrement, mais il s'en fichait. La main massive qui enserrait la gorge de son frère lâcha prise et s'éleva lentement en l'air. David s'effondra à genoux en toussant violemment.

« Ça va ? fit Jasper.

— Nom de Dieu, mais qu'est-ce que tu fous là ? articula David entre deux quintes de toux.

— Si je te le disais, tu ne me croirais pas. Qui c'est ? demanda Jasper en désignant le nervi, qui avait toujours les mains en l'air.

— Je te présente Serguei », répondit David d'une voix éraillée.

Il se remit sur pied, prenant soin de rester hors de portée du grand Russe.

« Serguei, dis à Vitaly que je lui rendrai son argent d'ici la fin de la semaine.

— M. Nikolaev ne va pas aimer ça, grommela Serguei.

— Non, sans doute pas. Dis-le-lui quand même, OK ? »

Serguei haussa les épaules, l'air de dire : *Tu as signé ton arrêt de mort*.

David recula pour se placer derrière Jasper. Celui-ci fit sauter le pistolet dans sa main et assena un grand coup de crosse à l'arrière du crâne de Kozlov. Le géant s'écroula comme un arbre.

«Il faut foutre le camp avant que ton pote se réveille», dit Jasper, qui respirait lourdement.

David le regarda dans les yeux pour la première fois. «Comment tu as su… ?»

Jasper aurait voulu le lui dire, mais il savait que son frère n'était pas prêt. Avec lui, il était important d'avoir l'air normal. S'il agissait comme un fou, David ne lui ferait pas confiance. Mais Jasper ne se faisait pas de souci : il avait joué les hommes sains pendant la plus grande partie de sa vie ; il savait s'y prendre.

«C'était juste de la chance, mentit-il. Viens, allons-y.»

Il prit son frère par le bras et ils s'éloignèrent. Au bout de quelques centaines de mètres, David s'arrêta.

«Attends, on va où ?

– On rentre à ton appartement.

– Impossible, fit David en secouant la tête. Ils doivent le surveiller.

– Non, répondit Jasper, calme et sûr de lui.

– Et comment tu le sais ?»

Jasper ne répondit pas. Il empoigna le bras de David et partit au pas de course, entraînant son frère avec lui.

☆

Lorsqu'ils atteignirent l'appartement, une flaque de lumière matinale flottait déjà sur le sol. Par la fenêtre, Caine voyait le soleil pointer à l'horizon. La pendule murale indiquait 06 :28. Avec le répondeur, c'était le seul appareil électronique encore présent dans l'appartement. Tout le reste avait été emmené. Au moins, Nikolaev ne faisait pas les choses à moitié ; il fallait lui reconnaître ce mérite.

Des pièces de jeu d'échecs en pierre polie étaient éparpillées sur le sol. Caine se pencha pour ramasser un cavalier noir ; son museau était ébréché. Un douloureux sentiment de perte l'étreignit. Ce jeu d'échecs était la seule de ses possessions qui eût réellement de la valeur. Son père le lui avait offert pour son sixième anniversaire. En le voyant disposer ces pièces aux formes étranges sur les cases noires et blanches, Caine avait été envoûté.

«Les échecs, David, c'est comme la vie, lui avait dit son père. Chaque pièce a une fonction propre. Certaines sont faibles, d'autres fortes. Certaines sont utiles au début du jeu, d'autres plutôt à la fin. Mais il faut *toutes* les utiliser pour gagner. Et, comme dans la vie, on ne compte pas les points : même si tu as dix pièces de moins que l'adversaire, tu peux encore gagner. C'est la beauté des échecs – on peut toujours revenir. Il suffit, pour gagner, d'avoir conscience de tout ce qui se passe sur l'échiquier et de deviner ce que l'autre va faire avant qu'il ne le fasse.

– Un peu comme prédire l'avenir ?

– Il est impossible de *prédire* l'avenir. Mais si on sait suffisamment de choses sur le présent, on peut *contrôler* l'avenir. »

À l'époque, Caine ne comprit pas ce que son père voulait dire, mais cela ne l'empêcha pas d'apprécier le jeu. Tous les soirs, quand les jumeaux avaient débarrassé, leur père s'asseyait pour faire une partie avec chacun d'entre eux, avant de les envoyer faire leurs devoirs. Jasper ne réussit jamais à battre leur père, mais Caine y parvenait régulièrement.

Il ramassa un roi blanc et le posa sur sa case. Plus de dix ans après la mort de son père, leurs parties lui manquaient toujours.

«Tu sais, fit Jasper en le tirant de ses pensées, c'est sans doute parce que tu jouais si bien que tu étais le préféré de papa.

– Je n'étais pas son préféré, répliqua Caine, même s'il avait lui aussi de bonnes raisons de le croire. D'ailleurs, tu jouais bien quand tu te concentrais. Simplement, tu ne tenais jamais en place assez longtemps. Tu faisais sans arrêt des erreurs d'inattention qui te laissaient à découvert. »

Jasper haussa les épaules. «La concentration, c'est ton truc, pas le mien. T'as un oreiller ?»

Assez parlé du passé, pensa Caine, comprenant que le sujet était clos. Il installa Jasper sur le canapé, puis se glissa dans son lit et s'endormit presque instantanément. Lentement, son esprit se mit à dériver, entraîné par le courant de son inconscient. Alors…

… il est dans un train à destination de Philadelphie.

Le wagon oscille doucement de droite à gauche et ça lui donne sommeil. Le clic-clac du train se mue en un bourdonnement continuel ; à l'extérieur, les arbres se fondent en une masse indistincte de noir et de vert. Il baisse les yeux et s'étonne un peu de ce qu'il voit. Sa main gauche tient une autre main, beaucoup plus petite. Cette main appartient à Elizabeth. Elle fait un grand sourire à Caine et serre l'un de ses doigts dans les siens.

Caine regarde maintenant sa main droite. Ses doigts sont comprimés par une grande main douce aux longs ongles rouges. Il lève la tête pour demander à la femme de serrer moins fort. Quand elle se tourne vers lui, son visage lui paraît étrangement familier. Il ne la reconnaît qu'en voyant son gros ventre : la femme enceinte de l'hôpital.

« Où allez-vous ? demande Caine à ses deux voisines.

– Au même endroit que toi, répondent-elles à l'unisson.

– Pourquoi ? demande Caine, sans trop savoir lui-même ce qu'il cherche à comprendre.

– Parce que, réplique Elizabeth, c'est comme ça que ça marche.

– Oh », fait-il, comme si cette explication lui semblait parfaitement logique.

…

Et, dans un coin de son cerveau envahi par la dopamine, elle l'est en effet parfaitement.

☆

En attendant que la porte s'ouvre, le Dr Tversky rajusta sa cravate. Il fut accueilli par deux hommes en tenue de camouflage verte et noire. Il n'arrivait pas à comprendre pourquoi, en milieu urbain, les militaires portaient des vêtements spécifiquement conçus pour se fondre dans la végétation de la jungle. Dans la pièce grise où ils se trouvaient, leurs habits faisaient tout sauf camoufler ces deux hommes à la carrure imposante ; au contraire, ils les faisaient paraître hyper-réels, comme des figurines en 3D.

« Puis-je avoir une pièce d'identité, monsieur. »

Le ton était dur et cassant. Ce n'était pas une requête, mais un ordre.

Tversky tendit au garde son permis de conduire, puis attendit qu'on lui imprime un laissez-passer temporaire. Il jeta un rapide coup d'œil à la surface plastifiée. Le badge portait la mention « TVERSKY, P. » en grosses majuscules et, au-dessous, une série de barres noires verticales. Il se demanda depuis quand les gens trouvaient parfaitement acceptable d'être étiquetés comme des savonnettes.

Il fut également surpris de découvrir une photo de lui dans le coin supérieur droit du badge. Le cliché avait dû être pris quelques secondes plus tôt, grâce à l'une des nombreuses caméras dissimulées dans les locaux du STR. Tversky le contempla fixement : il n'avait jamais vu de photo de lui aussi peu apprêtée. Il resta un instant interdit. L'homme de la photo paraissait en colère et sérieusement inquiet. Tversky se demanda si Forsythe lirait aussi facilement que lui ces émotions sur son visage.

Dans ce cas, le rendez-vous était mal parti. Forsythe allait sentir sa peur et l'exploiter – d'autant qu'il ne le croirait probablement pas. Tversky n'avait jamais eu une très haute opinion de Forsythe. Pour lui, c'était moins un penseur qu'un vulgaire administrateur. Et voilà qu'il venait trouver cet homme, cet homme inférieur à lui-même, pour lui demander de l'argent.

De l'argent, et de l'aide.

☆

Assis derrière son vaste bureau, Forsythe regardait son ancien collègue. Ce que Tversky venait de lui décrire était tout simplement incroyable. Non, pas incroyable – *impossible*. Mais, même si son histoire ne contenait qu'une parcelle de vérité, il ne pouvait pas se permettre de l'ignorer. En fait, c'était peut-être exactement ce dont il avait besoin. Il décida de pousser Tversky dans ses retranchements pour voir jusqu'à quel point il croyait à ses propres théories.

« Eh bien, vos arguments sont intéressants, c'est certain, dit-il sans s'avancer. Mais qu'est-ce que vous attendez de moi ?

– J'ai besoin de votre soutien. Vous vous doutez bien que je n'ai pas les fonds nécessaires pour étudier efficacement ce phénomène. Tandis qu'avec vos ressources…

– … Vous les auriez, acheva Forsythe en croisant les mains sur ses genoux.

– Oui », répondit l'autre en serrant les dents.

Forsythe faillit secouer la tête. Franchement, à ce stade de sa carrière, un homme aussi intelligent que Tversky aurait dû apprendre à maîtriser sa colère. Surtout lorsqu'il parlait à une personne susceptible de financer ses projets. Mais, bien sûr, c'était l'incompétence de Tversky – et de ses semblables – en matière de relations humaines qui permettait à Forsythe de réussir là où ils échouaient.

« J'aimerais vous aider, reprit-il, mais ce que vous me décrivez va à l'encontre de plus de soixante-dix ans de physique quantique. Comme vous le savez, le principe d'incertitude de Hei—

– Heisenberg s'est trompé, l'interrompit Tversky.

– Ah bon ? »

Forsythe avait souvent affaire à l'orgueil démesuré des scientifiques, mais l'audace de Tversky le laissa pantois. Certes, il restait bien quelques renégats qui persistaient à critiquer le principe d'incertitude de Heisenberg ; mais les meilleurs physiciens de la planète adhéraient presque tous aux principes de la mécanique quantique tels que les avait exposés le savant allemand.

Dans un célèbre article de 1926, Werner Heisenberg avait mathématiquement démontré qu'il était impossible d'observer un phénomène sans modifier son cours. Pour le prouver, il avait imaginé un scénario dans lequel un scientifique cherchait à déterminer la position et la vitesse exactes d'une particule subatomique. Ce qui n'était possible qu'en éclairant la particule au moyen d'une onde lumineuse. En analysant le changement induit dans l'onde, on pouvait alors déterminer la position de la particule au moment où l'onde l'avait frappée. Cependant, l'expérience avait un effet indésirable : la vitesse de la particule, qui était inconnue jusqu'à sa rencontre avec l'onde, était alors modifiée de manière imprévisible.

Heisenberg prouva ainsi qu'on ne pouvait prédire à la fois la position *et* la vitesse d'une particule, si bien qu'il restait toujours un degré d'*incertitude* dans le monde physique. Il réfuta la notion d'absolu si chère aux physiciens newtoniens en proclamant que le monde n'était ni noir ni blanc, mais gris. Il affirma que, dans le monde réel, les particules subatomiques n'avaient pas de position exacte, mais seulement une position *probable* – c'est-à-dire que, même si une particule donnée se trouve *probablement* en un endroit, en réalité, elle n'occupe pas de position déterminée tant qu'elle n'est pas *observée*.

Heisenberg parvint ainsi à démontrer que la seule information donnée par l'observation était non pas la position de la particule telle qu'elle *existait* réellement dans la nature, mais la position de la particule telle qu'elle *était observée* dans la nature. Et, même si de nombreux savants avaient peine à l'accepter, cette théorie d'un univers probabiliste s'accordait parfaitement avec des équations physiques précédemment admises – quoique inexplicables.

Pour finir, en 1927, les physiciens s'accordèrent sur ce que l'on devait appeler l'« interprétation de Copenhague » : celle-ci reprenait les théories de Heisenberg et stipulait que les phénomènes observés n'obéissaient pas aux mêmes lois physiques que les phénomènes non observés. Non seulement elle soulevait de passionnantes questions philosophiques, mais elle forçait les scientifiques à admettre que – littéralement – tout était possible, puisque tout pouvait arriver dans un monde régi par des probabilités, et non par des certitudes. Par exemple, s'il est *probable* qu'une particule se trouve dans le laboratoire d'un scientifique, il est également *possible* qu'elle se trouve en un tout autre lieu de l'univers.

Telle fut la naissance de la physique quantique moderne – et, bien que peu de gens pussent se vanter de comprendre ses principes, personne ne parvenait à les réfuter. Toutefois, cette théorie ne fut pas toujours bien accueillie, notamment parmi les fidèles de Newton. Ces derniers croyaient au déterminisme ; ils soutenaient que l'univers était gouverné par des lois immuables et que rien n'était incertain. Pour les déterministes, tout phénomène était la conséquence d'une cause qui l'avait précédé, et aurait donc pu être prédit avec précision si les hommes avaient connu les « vraies » lois de la nature et l'état présent de l'univers.

En retournant tout ceci dans sa tête, Forsythe réfléchissait au meilleur moyen de critiquer la thèse de Tversky.

« Rejeter Heisenberg revient à adopter le déterminisme, dit-il en choisissant soigneusement ses mots. Est-ce que c'est votre cas ?

– Peut-être. De mon point de vue, le déterminisme n'a jamais été pleinement réfuté.

– Et que faites-vous de Charles Darwin ? »

Tversky roula des yeux en entendant prononcer ce nom. Darwin avait été l'un des premiers à remettre en cause le déterminisme. Certes, le principe d'incertitude de Heisenberg était généralement considéré comme le coup final porté au déterminisme, mais c'était aussi le plus abstrait ; en revanche, la théorie de l'évolution de Darwin était l'une des offensives les plus convaincantes et les plus faciles à comprendre.

Dans son *Origine des espèces*, un ouvrage révolutionnaire paru en 1859, Darwin avait soumis aux philosophes et aux physiciens l'idée d'un monde qui ne serait pas modelé par un pouvoir divin, mais aurait évolué sur des millions d'années en passant par d'innombrables mutations de nature *aléatoire*. Dès lors, toute personne qui acceptait l'hypothèse de l'évolution au détriment du créationnisme se voyait également contrainte à renoncer à la notion de prédestination, donc de déterminisme.

« Seriez-vous en train de m'expliquer que vous niez l'évolution ? Ne me dites pas que vous êtes créationniste. »

Tversky grinça des dents avant de répondre, ce qui fit sourire Forsythe. La chose qu'il aimait le plus au monde, plus encore que le débat d'idées, c'était titiller l'un de ses collègues enfermés dans leur tour d'ivoire. Il savait bien que traiter Tversky de créationniste était ridicule, mais c'était précisément ce qui rendait le jeu si drôle. Or, à l'évidence, c'en était trop pour Tversky, qui se lança dans une grande diatribe.

« Bien sûr que je crois à l'évolution, mais le postulat de Darwin selon lequel l'évolution et la sélection naturelle résultent de mutations aléatoires n'a *jamais* été démontré. Ce n'est pas parce que la science moderne n'a pas su déterminer les causes des mutations qu'elles sont aléatoires. Un phénomène qui semble aléatoire n'est rien d'autre qu'un phénomène encore incompris. Il y a 3,2 milliards de nucléotides dans le génome humain. Qui peut affirmer qu'il n'y a pas dans ce génome des structures chimiques qui, lorsqu'un individu est confronté à des problèmes environnementaux particuliers, reprogramment *intentionnellement* les caractéristiques physiques de sa progéniture – en lui donnant la peau foncée en climat tropical, par exemple, ou des pommettes saillantes dans les régions venteuses ? »

Forsythe l'arrêta en avançant les deux mains. « D'accord, vous m'avez convaincu. Je retire ce que j'ai dit – je ne pense pas que vous soyez créationniste. Mais quand même, le déterminisme ? Que faites-vous de Maxwell ? »

Ancêtre philosophique de Heisenberg, James Clerk Maxwell avait été l'un des plus brillants physiciens du XIXe siècle. Il s'était surtout fait connaître par ses recherches sur les ondes électromagnétiques et sur la thermodynamique – ou science des « mouvements de la chaleur ». Sa plus grande réussite en ce domaine avait été la découverte de la loi de l'entropie, selon laquelle la chaleur se déplaçait toujours d'un corps plus chaud vers un corps plus froid, jusqu'à ce que les températures des deux corps s'équilibrent.

Maxwell montra que, lorsqu'un cube de glace était immergé dans un verre d'eau tiède, ce n'était pas le froid de la glace qui s'infiltrait dans l'eau, mais la chaleur relative de l'eau qui était absorbée par la glace. L'eau réchauffait le cube jusqu'au moment où celui-ci fondait et où l'ensemble du liquide atteignait un équilibre thermique. Toutefois, pas plus que Heisenberg, Maxwell ne croyait réellement aux lois absolues. Et, après avoir passé la première partie de sa carrière à essayer d'en établir, il passa la seconde à s'efforcer de les démolir.

Sa principale prouesse en la matière consista à prouver que la deuxième loi de la thermodynamique n'était, en fait, pas une loi du tout. Cette fameuse loi énonçait qu'au sein d'un système, l'énergie concentrée dans une zone donnée tendait à se diffuser et à se disperser. Elle fut utilisée pour expliquer d'innombrables phénomènes – aussi bien pourquoi les rocs ne roulaient pas vers le sommet de la montagne que pourquoi une pile usée ne se rechargeait pas toute seule. La raison en étant que ces phénomènes auraient nécessité une concentration d'énergie spontanée, soit l'inverse de ce que stipulait la deuxième loi, à savoir que l'énergie se disperse toujours et qu'un système évolue toujours vers un plus grand désordre. La deuxième loi fut d'ailleurs surnommée « la flèche du temps » – parce qu'elle semblait, littéralement, orienter le cours du temps.

Toutefois, Maxwell parvint à démontrer que cette loi, en réalité, n'était pas absolue. Pour ce, il imagina une expérience où l'on injectait du gaz dans une éprouvette. Comme la deuxième loi énonce que l'énergie contenue dans un système se diffuse, on pouvait s'attendre à ce que les molécules de gaz se répartissent uniformément à l'intérieur de l'éprouvette. Ce qui impliquait une température égale en tous les points de l'éprouvette, puisque la chaleur résultait du mouvement incessant et aléatoire des molécules.

Maxwell postula alors que, puisque la trajectoire et la vitesse des molécules étaient aléatoires, il était *possible* que les molécules qui se mouvaient le plus rapidement se retrouvent toutes dans une portion donnée de l'éprouvette. Ce qui occasionnerait un pic temporaire de température en ce point, du fait d'une *concentration d'énergie spontanée* à l'endroit où toutes ces molécules se trouvaient rassemblées – en contradiction directe avec le principe de base de la deuxième loi, qui veut que l'énergie se disperse toujours.

Maxwell établit donc que la deuxième loi n'était vraie que *de manière probabiliste*, c'est-à-dire seulement «la plupart du temps». Et il prouva ainsi que la majorité des lois physiques n'étaient jamais absolues.

Tversky prit la parole pour répondre: «On cite souvent Maxwell et sa démonstration sur la deuxième loi de la thermodynamique pour conclure à l'existence du hasard. Pour ma part, je postule que le hasard n'est que l'*apparence*, et non la réalité.»

Devant ce nouveau coup d'audace, Forsythe haussa les sourcils. L'affirmation de Tversky dépassait presque l'entendement. Tous deux savaient ce qu'elle impliquait, mais il avait besoin de le dire à voix haute, ne serait-ce que pour l'entendre:

«Vous pensez donc que la vitesse et la trajectoire des électrons ne sont *pas aléatoires*?

– Si vous croyez vraiment à la théorie de Heisenberg selon laquelle *tout* est possible, alors il vous faut accepter la *possibilité* que le mouvement des électrons ne soit *pas* aléatoire.

– Mais s'il ne l'est pas, qu'est-ce qu'il y a derrière?

– Est-ce si important?

– Bien sûr que c'est important, fit l'autre en agitant la main.

– Et pourquoi?»

Forsythe regarda fixement son ancien collègue, ne sachant que répondre.

«Comment ça, *pourquoi*?

– Je veux dire, reprit Tversky en se penchant en avant, pourquoi est-il important de savoir *ce qui cause* le mouvement des électrons ? Ce sont peut-être des particules organisées plus petites que le quark et encore inconnues, ou bien l'énergie transmise par une réalité non locale ; que diable, il se pourrait même que les électrons soient conscients. Ce qui importe, ce n'est pas *pourquoi* leur mouvement n'est pas aléatoire, mais simplement *le fait* qu'il ne l'est pas.

– Mais le principe de ce mouvement —

– … est un concept très intéressant, mais extérieur au champ de ma recherche. »

Forsythe avala lentement une gorgée de café tout en ruminant les propos de Tversky.

« Vous ne m'avez toujours pas expliqué ce qui "clochait" dans le raisonnement de Heisenberg.

– Peu importe. Si vous acceptez l'idée que le mouvement des électrons obéit à un but quelconque, vous devez aussi admettre qu'il existe une force qui sert ce but. Vous ne voyez pas ? Si cette force encore inconnue, encore non mesurable, existe, alors il est *possible* qu'on trouve le moyen d'observer un électron sans se servir d'une onde lumineuse. »

Forsythe ne put s'empêcher de le regarder avec des yeux ronds.

« Mais votre logique est à la fois circulaire *et* paradoxale. Vous êtes en train de dire que, parce que tout peut arriver dans un univers probabiliste, il se pourrait que l'univers soit déterministe et non probabiliste… Vous utilisez le principe d'incertitude de Heisenberg pour *réfuter* Heisenberg. »

Tversky se contenta de hocher la tête. Il faisait preuve d'une arrogance stupéfiante ; pourtant, il y avait dans ses idées une sorte de fluidité qui les rendait étrangement séduisantes. Mais Forsythe ne voulait pas montrer qu'il commençait à se laisser convaincre. Il s'éclaircit la gorge.

« Et pourquoi est-ce que je devrais accepter vos hypothèses hérétiques, au juste ?

« – Je ne vous demande pas de les accepter en l'état – juste de croire qu'elles *pourraient* être vraies.

– Au nom de quoi ?

– La foi », dit Tversky.

Ses yeux brillaient.

« Vous conviendrez que ce n'est pas le plus convaincant des arguments. »

Tversky haussa les épaules.

« Écoutez, James, je ne suis pas représentant de commerce. Je suis chercheur. Mais je vous dis que j'ai raison. Je l'ai vu. Si vous aviez été là, vous comprendriez.

– Mais je n'étais pas là.

– *Moi*, si. »

Forsythe secoua la tête.

« Je suis désolé, mais ça ne suffit pas. Je ne peux pas attribuer de ressources sans preuves. Je ne peux — »

Tversky frappa du poing sur le bureau.

« Et pourquoi pas, Bon Dieu ? Il y a eu un temps où la science était révolutionnaire. Où elle était élaborée par des génies sans le sou, qui travaillaient dans leur sous-sol vingt-quatre heures sur vingt-quatre parce que, pour eux, l'univers ne fonctionnait pas comme les autres le *croyaient*. Ils avaient une vision. Et le *courage de leur vision*. – Tversky se leva et se pencha tout près de Forsythe. – Je vous en prie, pour une fois, essayez de ne pas vous comporter en bureaucrate, mais en scientifique. »

Forsythe se laissa aller en arrière dans sa chaise.

« Je *suis* un scientifique. La seule différence entre vous et moi, c'est que je vis dans le monde réel et que je connais ses contraintes. Que je suis assez malin pour travailler en m'accommodant du système au lieu de passer mon temps à me lamenter. Vous me dites d'avoir du courage ; eh bien, moi, je vous demande : où est-il, *votre* courage ? Quels foutus risques avez-vous pris en vous dévouant à la science ? »

Tversky resta sans voix. Forsythe n'aurait pas su dire s'il était muet de rage ou de stupéfaction, mais c'était sans importance : les deux lui convenaient.

«C'est bien ce que je pensais, fit-il en se levant pour aller ouvrir la porte. Si vous n'avez rien d'autre à me dire, j'ai un emploi du temps très chargé aujourd'hui. Je vous invite à revenir m'exposer vos théories quand vous aurez une preuve.

– Je trouverai la preuve, répondit Tversky d'un ton catégorique. Mais quand je la tiendrai, je doute que je viendrai vous la présenter. »

Et, faisant volte-face, il s'engagea rapidement dans le couloir. Forsythe se tourna alors vers le garde posté près de la porte et lui dit d'un ton plus que satisfait :

«Merci de raccompagner le Dr Tversky jusqu'à la sortie.

– Oui, chef », répondit le soldat, qui se hâta d'emboîter le pas à son protégé.

Forsythe s'attarda un moment dans le couloir désert, puis rentra dans son bureau. Ce n'est qu'une fois la porte refermée qu'il s'autorisa à sourire. Il était sûr que ses piques avaient atteint leur but et foutu la pression à Tversky. Et, comme ce dernier effectuait actuellement des tests «secrets» sur le sujet Alpha, il avait tout lieu de penser que ses sarcasmes le pousseraient à prendre encore plus de risques.

Il ne lui restait plus qu'à attendre. Si la prochaine expérience de Tversky foirait, il se concentrerait sur d'autres projets. Mais si Tversky avait raison… Si Tversky avait raison, il mettrait l'agent Vaner sur le coup et la laisserait faire ce qu'elle savait si bien faire. Après quoi, il n'aurait qu'à reprendre les choses là où Tversky les avait laissées.

Et la science n'en serait pas plus avancée.

CHAPITRE 9

Jasper était déjà parti quand Caine se réveilla. Un Post-it était collé sur le sofa : *Sorti faire des commissions, à +*. Caine ne savait pas de quelles commissions son frère était chargé, mais il ne s'en inquiéta pas. En dépit de sa légère instabilité mentale, il était de plus en plus clair que Jasper pouvait se débrouiller tout seul. C'était lui, Caine, qui avait des problèmes.

Il avait peine à donner sens à ce qui s'était passé la veille au soir. Ça lui semblait tellement irréel. Il décida de faire du café ; la caféine l'aidait toujours à réfléchir. En écoutant le liquide couler dans le récipient, il s'aperçut que le voyant rouge du répondeur clignotait furieusement. Avec une lassitude résignée, il appuya sur PLAY. Au bout d'une seconde, la voix sirupeuse de Vitaly Nikolaev emplit la pièce.

« Salut, Caine. C'est Vitaly. Je voulais juste savoir comment tu te sentais. Pourquoi tu ne passes pas au club ? Je me fais du souci pour toi. »

« Tu m'étonnes », fit Caine à l'appareil gris métallisé.

Les cinq messages suivants étaient vides : on avait accroché. Même chose sur la messagerie vocale de son portable. On était mardi ; cela faisait deux jours qu'il devait 11 000 dollars à Nikolaev. Et, comme les intérêts étaient de 5 % par semaine, sa dette s'élevait maintenant à 11 157 dollars. Il était vraiment mal barré.

En rentrant de l'hôpital, il s'était arrêté pour vider son compte courant. Son avoir net total – 438,12 dollars – ne représentait même pas une semaine d'intérêts. Il fallait trouver une solution. Caine s'attaqua au problème comme l'aurait fait tout bon statisticien : il analysa la probabilité et l'issue de chaque scénario pour déterminer la meilleure marche à suivre.

Malheureusement, il fallait payer ou disparaître.

Or, les crises ne lui permettaient pas de disparaître. Impossible de filer s'il voulait poursuivre le traitement de Kumar. Il devait faire des prises de sang deux fois par semaine et n'avait sur lui que vingt pilules – juste assez pour dix jours de traitement. Il trouverait peut-être un moyen d'échapper à Kozlov, mais il n'échapperait jamais aux crises. Non. Il fallait continuer à participer à cette étude.

Caine devait donc payer – ou faire la paix avec Nikolaev. Peut-être pourrait-il travailler pour rembourser sa dette ? Au moment même où cette idée le traversait, il secoua la tête : travailler comme quoi ? Comme tueur ? Pas très vraisemblable. Il soupira. Impossible de faire autrement : il fallait trouver l'argent.

Mais comment le gagner ? La première réponse semblait presque évidente : comme il l'avait perdu, c'est-à-dire en jouant. Il palpa machinalement la mince liasse de billets qu'il avait dans la poche. Il pouvait aller dans un autre club et essayer de faire quelque chose de ses 400 dollars. Ça restait du domaine du possible. Avec un peu de chance, il gagnerait 2 000 dollars d'ici le matin. Mais bien sûr, s'il perdait, il serait encore plus dans le rouge. Et puis, si Nikolaev entendait dire qu'il jouait dans un autre club, ça ne lui ferait pas plaisir.

Et s'il allait à Atlantic City ? Il pouvait sauter dans un car et, une fois sur place, déplumer un ou deux touristes aux tables de Hold 'Em. S'il jouait de manière conventionnelle, il était sûr de gagner ; le problème, c'est que ça prendrait trop de temps. Les perdants assurés jouaient généralement petit – 3/6 ou 5/10 – et il y avait toujours au moins un authentique requin à chaque table. Avec des mises aussi faibles, il n'était pas sûr d'empocher plus de 20 ou 30 dollars de l'heure. Pas si mal en soi, mais, à ce rythme, il aurait trop peu et trop tard. Même s'il jouait seize heures d'affilée, il ne gagnerait qu'entre 320 et 480 dollars, et il faudrait qu'il gagne 116 soirs de suite.

Non : le casino était définitivement exclu. Quant à jouer dans un autre club de poker, Caine décida de garder cette option en réserve jusqu'à nouvel ordre. Il ne lui restait donc qu'à trouver du travail. Mais jamais il n'obtiendrait d'emploi fixe assez rapidement. Pas dans cette conjoncture ni avec son CV, qui accusait une grosse période d'inactivité. Il voyait d'ici l'entretien :

« Alors, monsieur Caine, que faites-vous depuis 2002 ?

– Eh bien, on m'a enfermé pendant quelques mois parce que, une ou deux fois par semaine, j'ai tendance à avoir des visions et ensuite des convulsions. Mais depuis septembre dernier, je fréquente le club de Vitaly Nikolaev – je suis super-bon au Texas Hold 'Em. Ah ouais, ça me fait penser : vous pourriez m'avancer onze mille dollars ? Il faut que je rembourse la mafia russe avant de me faire descendre. »

Peut-être qu'un prof de l'université pourrait lui confier des recherches à faire. C'était une bonne idée, mais sans doute meilleure en théorie qu'en pratique : ce type de boulot était très demandé, et jamais on ne le paierait d'avance ; en plus, ça rapportait des clopinettes. Il n'y avait que le secteur privé pour débourser de grosses sommes – c'est d'ailleurs bien pour ça que les meilleurs professeurs étaient en parallèle consultants à Wall Street.

Caine eut soudain une idée : il pouvait demander à son ancien directeur de thèse de l'embaucher pour une mission de conseil. S'il promettait de se donner à fond, Doc le laisserait peut-être faire le travail analytique de base. Bon Dieu, s'il avait de la chance, il se pourrait même qu'il obtienne une avance. Caine regarda la pendule : dix heures passées de quelques minutes.

Doc donnait généralement un cours d'introduction aux statistiques à dix heures trente à Columbia. Il préférait cela à un séminaire de troisième cycle : il pouvait ainsi consacrer le plus de temps possible à la recherche, sans cours de haut niveau à préparer. Comme la plupart des professeurs, Doc avait horreur de l'enseignement – ce qu'on avait peine à croire lorsqu'on l'avait vu sortir son grand jeu devant ses étudiants de premier cycle.

Un rapide coup de fil à l'administration confirma à Caine que Doc donnait ce jour-là son premier cours du semestre. S'il se dépêchait, il pourrait l'attraper juste avant. Il agrippa sa veste en cuir et le flacon de gélules blanches tomba de sa poche ; il se souvint alors qu'il était l'heure de prendre une nouvelle dose. En faisant tomber la pilule dans sa main, Caine ne put s'empêcher de se demander si l'hallucination auditive de la veille en était bien une, et si c'était le médicament qui l'avait provoquée.

Il avait peur de le prendre, mais plus encore de s'en passer. Il l'avala à sec avant de se dégonfler et sortit de l'appartement. En descendant les marches quatre à quatre, il eut le sentiment qu'il oubliait quelque chose – mais quoi donc ? C'était juste là, à la lisière de sa conscience, presque à sa portée. Caine finit par abandonner, certain que ça allait lui revenir.

Ce genre de chose vous revenait toujours.

☆

Vingt-sept minutes plus tard, Caine inspira profondément et pénétra dans la salle de cours. Il choisit une place au fond et s'assit. Son cœur battait la chamade, mais, pour l'instant, il n'avait pas l'impression qu'il allait s'évanouir. Il pouvait y arriver. C'était juste une salle. Ce n'était pas lui qui allait faire cours. Tout se passerait bien tant qu'il resterait assis ici.

À l'autre extrémité de la salle, Doc prit un morceau de craie et écrivit en énormes lettres :

LES PROBAS SONT ENNUYEUSES

Il y eut quelques rires.
« Quelqu'un n'est pas d'accord ? »

Silence.

« OK, puisque nous sommes d'accord là-dessus, je peux vous rassurer : vous n'allez pas perdre votre temps dans ce cours, parce que, dans ce cours, nous n'allons pas parler de la théorie des probabilités. Nous allons parler de la vie. Et la vie *est* intéressante. En tout cas la mienne – je n'ai aucune idée de la manière dont vous menez la vôtre. Les probabilités, *c'est* la vie – la vie ramenée à des chiffres. Je vais vous donner un exemple. Il me faut un volontaire dans le public. Des mains. »

Plusieurs mains se levèrent aussitôt. Au même moment, la porte du fond claqua et tous les regards se braquèrent sur le retardataire, un étudiant du campus. Il se faufilait déjà vers une chaise, les yeux presque masqués par sa casquette de base-ball. Doc se dirigea vivement vers le fond et lui saisit le bras.

« Voici ce que j'appelle un volontaire désigné, déclara-t-il en brandissant le bras de l'étudiant comme celui d'un boxeur. Comment vous appelez-vous ?

– Mark Davis. »

Doc fit volte-face, alla prendre une page imprimée sur son bureau et la tendit à Mark.

« Qu'est-ce que c'est ?

– Euh… On dirait une liste d'appel.

– Précisément. Et dites-moi, combien d'étudiants y a-t-il là-dessus ? »

Mark regarda la feuille, puis releva la tête.

« Cinquante-huit.

– Est-ce que les dates de naissance sont inscrites à côté des noms ?

– Non.

– On va bien s'amuser », lança Doc aux étudiants d'un air conspirateur.

Il se tourna à nouveau vers Mark :

« Vous aimez parier ?

– Bien sûr.

– Formidable ! » s'écria Doc en battant des mains.

Il sortit de sa poche cinq billets tout neufs d'un dollar et les exhiba devant l'assemblée à la manière d'un magicien avant un tour.

« Je vous parie cinq gros billets qu'au moins deux personnes dans cette pièce sont nées le même jour de l'année. Que répondez-vous ? »

Mark jeta un coup d'œil à l'assistance, puis se tourna vers Doc avec un petit sourire.

« Ouais, je tiens le pari.

– Épatant. Faites voir. »

Mark le regarda d'un air perplexe.

« L'argent. Les billets. »

En haussant les épaules, Mark sortit un billet froissé de cinq dollars. Doc s'en empara et le posa vivement sur la table. Puis il se tourna vers l'assistance en souriant, le pouce pointé vers Mark.

« Quelle poire. – Les étudiants se mirent à rire et Mark rougit. – Si Mark avait la moindre idée sur la vie, c'est-à-dire sur les probabilités, il saurait qu'il vient de faire un mauvais pari. Quelqu'un peut me dire pourquoi ? »

Pas de réponse.

« OK, alors d'autres volontaires. »

Personne ne bougea. C'est alors que Doc aperçut Caine. Celui-ci tenta de se tasser sur sa chaise – trop tard.

« Nous avons aujourd'hui un invité de marque : David Caine, un de mes meilleurs thésards. Lève la main, David. »

À contrecœur, Caine s'exécuta. Il avait la gorge sèche. Tous les étudiants se retournèrent pour le regarder.

« J'appelle David "Rain Man" parce qu'il est le seul, dans le département, à pouvoir se passer d'une calculatrice. D'accord pour me donner un coup de main, David ?

– Je suppose que je n'ai pas le choix ? »

Le cœur de Caine battait à tout rompre.

« Pas vraiment, non, rétorqua Doc.

– Dans ce cas, j'en serais très honoré. »

Les étudiants gloussèrent. Caine força son rythme cardiaque à ralentir. C'était simple comme bonjour. Il pouvait y arriver.

«Parfait, fit Doc en joignant les mains. Quelles chances y a-t-il pour que nous soyons tous les deux nés le même jour ?

– À peu près 0,3 %.

– Et peux-tu nous expliquer, à nous pauvres mortels, comment tu es arrivé à ce résultat ?

– En divisant 1 par 365.

– Exactement. Comme chacun d'entre nous est né l'un des 365 jours de l'année, il y a précisément 1 chance sur 365 pour que nous soyons tous les deux nés le même jour. »

Doc retourna prestement au tableau et griffonna :

$$1 / 365 = 0,003 = 0,3 \%$$

« C'est bien vu, tout le monde ? »

Il y eut un froissement de feuilles et quelques ronchonnements, les étudiants s'apercevant qu'il était temps de prendre des notes.

« Bon. Si je t'avais proposé de parier que nous n'étions pas nés le même jour, tu aurais dit oui, n'est-ce pas ?

– En effet.

– Et ç'aurait été bien joué : tu aurais probablement gagné. Je suis né le 9 juillet. Et toi ?

– Le 18 octobre.

– Et voilà. Il n'y avait que 1 chance sur 365 pour que nous ayons le même anniversaire – et 364 chances sur 365 pour que ce ne soit pas le cas. Maintenant, peux-tu me dire quelle est la probabilité que tu sois né le même jour que *n'importe quelle autre personne* dans cette pièce – moi y compris ? »

Caine réfléchit une seconde, puis leva les yeux.

« 14,9 %.

– Exact. L'explication ?

– Pour calculer la probabilité que je *sois* né le même jour qu'une des 59 autres personnes présentes, il faut d'abord calculer la probabilité que je ne sois *pas* né le même jour que quelqu'un d'autre, à savoir 364 divisé par 365 à la puissance 59. Cela revient à calculer la probabilité que je n'aie pas la même date de naissance qu'une personne donnée, multipliée par elle-même 59 fois. »

Doc écrivait à mesure que Caine parlait.

Prob. (anniv. différent de tous les autres)   = $(364/365)^{59}$
                                              = 85,1 %

« Donc, poursuivit Caine, comme la probabilité que je n'aie *pas* la même date de naissance que quelqu'un d'autre est de 85,1 %, celle que *j'aie* la même que quelqu'un d'autre est de 14,9 %. »

Prob. (même anniv.)   = 1 – prob. (anniv. différent)
                            = 100 % – 85,1 %
                            = 14,9 %

« Parfait, fit Doc. Tout le monde suit ? »

Plusieurs étudiants hochèrent la tête en finissant de recopier les calculs dans leur calepin.

« OK. Maintenant, revenons en arrière. Sachant que toi et moi n'avons pas la même date de naissance, quelle est la probabilité qu'*aucun de nous deux* n'ait la même que quelqu'un d'autre ? »

Caine s'éclaircit la gorge.

« Il faut d'abord calculer la probabilité que je n'aie pas la même date de naissance que quelqu'un d'autre – c'est-à-dire 85,1 %, comme nous le savons déjà. Ensuite, on calcule la probabilité que *tu* n'aies pas la même date de naissance que quelqu'un d'autre – en tenant compte du fait que tu n'as pas la même que moi.

– Eh, ça va beaucoup trop vite ! » s'écria Doc théâtralement.

Et il lança son morceau de craie, qui traversa la pièce en direction de Caine ; celui-ci l'attrapa instinctivement.

« Tu peux venir ici me montrer de quoi tu parles ? »

Tout le monde se tourna vers Caine. Ses mains étaient moites et son cœur cognait dangereusement, mais il trouva quand même le moyen de se lever. Il se mit en marche vers le tableau. Chaque pas semblait durer une éternité. Pourtant, à mesure qu'il approchait, il sentait la confiance lui revenir. Enfin, il se retrouva debout devant les étudiants, comme avant. Il cligna rapidement des yeux, mais rien ne bougea. Le médicament du Dr Kumar fonctionnait. Caine était de nouveau à sa place.

«Euh, bon, fit-il en se tournant vers l'assistance. Comme je le disais, nous savons déjà que Doc et moi ne sommes pas nés le même jour. Pour calculer la probabilité qu'aucun de nous deux ne soit né le même jour que quelqu'un d'autre dans cette pièce, il faut d'abord calculer la probabilité que Doc ne soit pas né le même jour que quelqu'un d'autre. Et on procède comme on l'a fait pour moi, sauf que, cette fois, on utilise 363 comme numérateur et 364 comme dénominateur, puisqu'on sait que Doc et moi sommes nés un jour différent; il faut donc éliminer un jour. Ensuite, j'élève la fraction à la puissance 58, car je n'ai plus à le comparer qu'à 58 personnes, et non 59, sachant que je m'exclus moi-même. La probabilité que Doc n'ait pas le même anniversaire que quelqu'un d'autre dans cette pièce est donc de 85,3 %.»

Prob.$_{Doc}$ (anniv. différent de tous les autres) $= (363/364)^{58}$
$$= 85,3\,\%.$$

Caine se retourna pour faire face à l'auditoire. L'espace d'un instant, il eut une horrible vision de mains-palmiers et sentit son estomac se soulever. Il ferma fort les yeux, puis les rouvrit. Tout allait bien. Les palmiers avaient disparu. Il inspira profondément et reprit:

«Donc, si vous voulez connaître la probabilité qu'aucun de nous deux n'ait le même anniversaire qu'un de vous, il faut faire le produit des deux probabilités.»

Prob. (Caine & Doc anniv. différent de tous les autres)
$$= \text{prob. (Caine diff.)} \times \text{prob. (Doc diff.}_{\text{sachant que diff. de Caine}})$$
$$= (364/365)^{59} \times (363/364)^{58}$$
$$= (85,1\,\%) \times (85,3\,\%)$$
$$= 72,5\,\%$$

« La probabilité que *ni* Doc *ni* moi n'ayons le même anniversaire que l'un d'entre vous est de 72,5 %. Donc, la probabilité que l'un d'entre nous *ait* le même anniversaire que quelqu'un d'autre est de 27,5 %. »

Prob. (même anniv.)   = 1 – prob. (anniv. diff.)
                                  = 100 % – 72,5 %
                                  = 27,5 %

« Tout le monde est toujours avec nous ? »

La soudaine intervention de Doc surprit Caine. Il avait presque oublié qu'il ne s'agissait pas de son cours.

« Formidable, reprit Doc en voyant tout le monde acquiescer. Bon, dernière question : quelle est la probabilité que deux personnes *quelles qu'elles soient* aient le même anniversaire ?

– Eh bien, reprit Caine en se tournant à nouveau vers le tableau, en supposant qu'on ne sache pas que toi et moi sommes nés un jour différent, il suffit de reprendre le calcul qui a servi à déterminer si nous étions nés le même jour et de le répéter tout du long, pour chaque étudiant, en soustrayant à chaque fois 1 au numérateur. »

Prob. (pas 2 anniv. pareils)
   = (364/365) x (363/365) x (362/365) x...
     x (308/365) x (307/365) x (306/365)
   = 0,006
   = 0,6 %

« Comme la probabilité qu'*aucun* étudiant ne soit né le même jour qu'un autre n'est que de 0,6 %, il y a 99,4 % de chances pour qu'au moins deux personnes *soient* nées le même jour. »

Doc applaudit lentement. Puis, se retournant, il empocha les billets posés sur la table et donna à Mark une tape dans le dos.

« Merci pour l'argent, monsieur Davis. Vous pouvez vous rasseoir.

– Une minute, protesta Mark.

– Oui ?

– Ce n'est pas parce que votre copain dit que j'ai tort que c'est la vérité.

– Ah, un incrédule. Seriez-vous en train de me dire que vous ne croyez pas à la théorie des probabilités ?

– Pas 100 % du temps, répondit Mark avec un petit sourire.

– Blasphème ! s'écria Doc en levant les mains au ciel comme un prédicateur de l'Évangile. Frères et sœurs, il y a un incrédule parmi nous ! Aidez-moi à sauver son âme ! Que tous ceux qui sont nés en janvier se lèvent. »

Quatre étudiants s'exécutèrent.

« Donnez-nous votre date de naissance, en partant du fond. »

Il n'y avait pas de dates identiques. Le sourire de Mark s'élargit. Doc se contenta de hausser les épaules.

« Si j'étais vous, je me dispenserais de ce rictus. La situation vous paraîtra moins drôle dans une minute. »

Il se tourna vers les autres et poursuivit :

« OK, ceux de janvier, rasseyez-vous. Ceux de février, levez-vous et faites pareil. »

Cette fois, cinq étudiants se levèrent, mais leurs dates d'anniversaire ne coïncidaient pas davantage. Le résultat fut le même pour mars, avril, mai et juin. Mark se rengorgeait de plus en plus. Puis vint le tour des natifs de juillet.

Un maigrichon en études d'ingénieur :

« 3 juillet. »

Un grand sportif coiffé en brosse :

« 12 juillet. »

– Eh, moi aussi ! 12 juillet ! » s'exclama une minuscule Asiatique vêtue d'un T-shirt rose.

Doc fit un grand sourire et, ouvrant les bras, salua bas l'assistance : « CQFD. »

Mark se renfrogna et se rassit.

« Donc, quelle est la morale de l'histoire ? D'abord, plus l'échantillon est important, plus la probabilité l'est aussi. En d'autres termes, si l'on répète suffisamment l'observation, tout peut – et doit – arriver, même s'il s'agit d'une chose extrêmement improbable. Si nous étions, disons, dix dans cette pièce, Mark n'en sortirait peut-être pas perdant, parce que les chances pour que deux personnes aient le même anniversaire seraient alors de… Rain Man, aide-moi. »

Caine ferma les yeux quelques secondes, puis les rouvrit.

« À peu près 12 %. »

Doc sourit.

« Exact. Donc, où en étais-je ? Ah oui, la deuxième morale de l'histoire, dit-il en regardant Mark sans détour, c'est que la théorie des probabilités ne ment *jamais*. Croyez-y, parce que c'est le seul vrai Dieu. »

Doc fit une petite révérence et quelques étudiants l'applaudirent. Il rayonnait.

« Bien, à présent, parlons de vos lectures. »

Caine en profita pour retourner à sa place. En remontant l'allée centrale, il sentit la joie le submerger. Il l'avait fait. Il y avait deux épées de Damoclès – respectivement nommées *épilepsie* et *Vitaly Nikolaev* – suspendues au-dessus de sa tête, mais ça lui était égal pour le moment. Pendant quelques minutes, il avait fait cours à des étudiants. Pour la première fois depuis dix-huit mois, il se disait qu'il avait peut-être une chance de renouer avec son ancienne vie. S'il avait su, il n'aurait pas tant attendu pour participer aux essais cliniques du Dr Kumar.

Quarante-cinq minutes plus tard, Doc termina son cours.

« Ce sera tout pour aujourd'hui. À mercredi. Si nous avons de la chance, peut-être M. Caine jugera-t-il bon de se joindre à nous une fois de plus. »

La plupart des étudiants se hâtèrent de sortir, mais Caine vit quelques fayots s'agglutiner autour de Doc pour le questionner sur le cours. Lorsqu'ils se furent dispersés, il se dirigea vers son ancien mentor.

« C'est super de te revoir, Caine, fit Doc en lui tapant sur l'épaule. Tu sais, on devrait vraiment partir en tournée avec notre show.

– Je ne suis pas sûr que les gens paieraient pour le voir.

– Tu plaisantes ? Cinquante-huit étudiants, dont chacun débourse 14 000 dollars pour quatre séries de cours, viennent de le faire. Ça donne… »

Caine cligna des yeux.

« 134,62 dollars par étudiant et par cours.

– Exactement !

– Cool, fit Caine. Dans ce cas, ma part pour le cours d'aujourd'hui s'élève à 3 904 dollars. Tu me fais un chèque ? »

☆

Le camion blanc orné des célèbres lettres bleues et orange s'arrêta juste en face du restaurant Chez Sam. C'était l'un des quarante véhicules FedEx dont une société écran, détenue à 100 % par la National Security Agency, avait fait l'acquisition. Toutefois, à l'exception de son aspect extérieur, le camion n'avait plus grand-chose de commun avec ceux qu'utilisait le transporteur ; on l'avait équipé d'un moteur puissant et de matériel de surveillance de type militaire.

Aucun des trois passagers n'avait sur lui de pièce d'identité ; des noms d'emprunt étaient inscrits sur les étiquettes de leurs uniformes volés. Steven Grimes dirigeait l'équipe. C'était l'un des meilleurs experts du pays en matière de surveillance ; pourtant, avec ses cheveux noirs gras et son teint blafard, il n'avait guère la tête de l'emploi.

Au Centre de surveillance, il s'asseyait dans un vaste fauteuil de capitaine en cuir d'où il voyait dix écrans et avait accès à cinq claviers. Mais, sur le terrain, l'équipement était réduit à sa plus simple expression : Grimes ne disposait que de trois écrans, deux claviers et un minuscule tabouret de métal vissé au plancher. Pourtant, c'est dans le camion qu'il s'épanouissait pleinement – car c'était un véritable obsédé du terrain.

Plus que tout, Grimes aimait regarder. En matière de

voyeurisme, il était le maître. Malgré son absence de diplômes, c'était un génie de l'électronique et – grâce à son criminel de père – un voleur accompli. Ces deux talents combinés lui avaient permis de fabriquer chez lui de minuscules caméras qu'il installait partout où cela lui chantait – à commencer par les vestiaires des filles lorsqu'il était en seconde. Après s'être fait renvoyer du lycée, il décida qu'il voulait devenir voyeur professionnel et posa sa candidature à la NSA. Sa première demande fut sommairement rejetée, mais il fit changer d'avis les ressources humaines lorsqu'il parvint à s'introduire dans le réseau de la NSA et écrivit un message personnel au directeur de la Cryptographie, qui le trouva sur son écran juste après s'être identifié.

Grimes fut embauché le lendemain et passa les huit années suivantes au nirvana des voyeurs. Il bénéficiait de son propre labo d'électronique et d'un budget quasi illimité pour s'acheter des joujoux d'espionnage. Les seules choses qu'il n'appréciait pas dans son travail étaient la foutaise administrative et son patron, le Dr James Forsythe. Forsythe – Dr Jimmy, comme Grimes se plaisait à l'appeler – était le roi des emmerdeurs, pire que tous les autres branleurs de l'armée réunis.

Jusqu'à une époque récente, ils avaient, par intérêt, maintenu des relations correctes – quoique non dénuées d'acrimonie. Puis Grimes avait tout perdu à cause d'un tuyau boursier foireux donné par son patron. Sans Forsythe, il aurait encore plus de deux cent mille dollars à la banque ; mais, deux mois auparavant, il avait tout investi dans Philotech parce que Dr Jimmy lui avait dit que le sénateur Daniels parrainait un important projet de loi de défense qui garantirait un gros marché public à l'entreprise.

Quelques semaines plus tard, quand la nouvelle du projet de loi se répandit, les valeurs s'envolèrent et le prix de l'action, qui était resté pendant cinquante-deux semaines à son niveau plancher de 20,25 dollars, passa à 101,50 dollars. Au lieu de vendre, Grimes investit davantage, parce qu'il savait que le marché public en question était trois fois plus important que ce qu'attendait Wall Street. Il était lancé pour faire fortune quand Daniels mourut dans son sommeil et que tout partit en eau de boudin. Plus de Daniels, plus de projet de loi, plus de contrat pour Philotech. Et encore, c'était avant que le scandale financier ne fasse la une des journaux.

Dans l'heure qui suivit l'ouverture, les actions perdirent 98 % de leur valeur et Grimes se retrouva ruiné. Son magot initial n'atteignait plus dix mille dollars. Et est-ce que Forsythe partageait son sort ? Bien sûr que non ! Cet enfoiré avait vendu à la seconde où le prix de l'action atteignait trois chiffres et s'en était mis plein les poches. Et Grimes n'y pouvait rien. Pis encore, continuer avec Forsythe était sa seule chance de regagner son argent. Voilà pourquoi il était là, à obéir aux ordres du petit professeur.

À cet instant, son téléphone bipa. Grimes tapa sur un bouton de sa console et le MP3 qu'il était en train d'écouter fit place à la voix agaçante de Dr Jimmy.

« Vous avez déjà le son ? demanda celui-ci sans même un bonjour.

– Vous excitez pas, Dr Jimmy, répondit Grimes, encouragé par les ricanements des autres gars de l'équipe. Augy y travaille. On devrait l'avoir dans quelques minutes.

– Bon, grommela Forsythe. Quand ce sera fait, je veux que tout soit accessible sur Ethernet. »

Il raccrocha et Grimes reporta son attention sur l'écran, qui montrait un vieux bonhomme dans un resto. Il se demandait ce que Tversky avait de si important pour que Dr Jimmy le fasse surveiller pendant son déjeuner.

CHAPITRE 10

La porte du restaurant préféré de Doc était surmontée d'une enseigne au néon vantant ses «célèbres hamburgers et soupe». Caine avait toujours trouvé cette association étrange – il ne se rappelait pas avoir jamais mangé un hamburger et une soupe au même repas –, mais la cuisine était très bonne.

Tandis que Doc l'informait sur les derniers articles parus en revue, il se prépara psychologiquement à demander du travail à son ancien professeur. Il se sentait nerveux. Il y avait chez Doc quelque chose qui semblait… différent. Il avait failli arracher les yeux de la serveuse lorsqu'elle s'était trompée sur leurs boissons. Ça ne lui ressemblait pas.

Caine se dit qu'il était juste en train de se chercher des excuses et s'arma de courage. Malheureusement, avant qu'il ait pu placer sa question, un homme entra et regarda Doc d'un air interrogateur ; aussitôt, ce dernier lui fit signe d'approcher. L'apparence du nouveau venu était l'exact opposé de celle de Doc ; habillé très comme il faut, il portait un costume trois-pièces gris et un nœud papillon rouge foncé. Caine le reconnut – il collaborait de temps à autre aux recherches de Doc – mais il n'arrivait pas à se rappeler son nom.

« Tu te souviens de David, je pense ? demanda Doc à son collègue, qu'il omit de présenter.

– Bien sûr, ravi de vous revoir », fit l'autre.

Sa poignée de main était aussi fuyante qu'un poisson glissant ; il dévisageait Caine comme s'il avait affaire à un animal de zoo.

«Eh bien, qu'est-ce qui te tracasse? demanda Doc. Tu as l'air énervé.»

L'homme au nœud papillon passa une main dans son épaisse chevelure et maugréa:

«Juste une mauvaise journée. Je me suis disputé avec quelqu'un sur Heisenberg. Ça m'a donné la migraine.

– Raconte, dit Doc, soudain pensif. En ce qui me concerne, je n'ai jamais été un fan. Et toi, Rain Man?

– Hein? fit Caine, surpris que Doc l'inclue dans la conversation. Oh, je ne sais pas... Heisenberg m'a toujours paru un peu obscur.

– Ah bon? demanda Doc, les yeux brillants. Qu'est-ce que tu n'as pas compris?»

Caine aurait voulu se gifler. Il avait oublié le goût immodéré de Doc pour l'explication des phénomènes complexes. Au fil des ans, il avait passé des heures coincé dans son bureau à écouter ses discours enflammés sur les sujets les plus variés, allant du Big Bang à la théorie du chaos.

Il implora Nœud Papillon du regard, mais celui-ci était déjà penché sur le menu et ne faisait plus attention à eux. Pour finir, Caine répondit:

«Ce que je n'ai jamais compris, je pense, c'est que les physiciens affirment qu'une particule n'a pas de position précise simplement parce qu'ils n'arrivent pas à la déterminer. Elle ne peut quand même pas se trouver à deux endroits à la fois.

– En fait si, d'une certaine manière, fit Doc, visiblement heureux que la discussion lui fournisse l'occasion de disserter sur quelque chose. Les physiciens ont utilisé pour le montrer l'expérience de la double fente.

– OK, je t'écoute», dit Caine.

Il savait que rien ne pourrait plus arrêter Doc, donc autant en profiter pour apprendre quelque chose.

«Qu'est-ce que l'expérience de la double fente?

– Supposons que tu projettes de la lumière sur cette assiette en la faisant passer par une fente pratiquée dans une feuille de papier. Qu'est-ce que tu verrais?»

Caine haussa les épaules.

«Un trait de lumière, je suppose.

– Exactement.»

Doc traça une fine ligne de ketchup au milieu de son assiette vide.

«Les photons qui traversent la fente frapperont l'assiette et formeront un trait continu.»

Il fit une pause pour boire une gorgée d'eau.

«Maintenant, supposons que tu projettes de la lumière à travers une feuille de papier percée de *deux* fentes. Qu'est-ce que tu verrais?

– Deux traits de lumière.

– Faux, répondit Doc. Tu verrais un ensemble flou de traits et d'ombres, comme ceci.»

Il traça sur son assiette d'autres lignes de ketchup, parallèles à la première, puis les brouilla avec une de ses frites.

«Si on considère la lumière comme une onde, ce résultat n'est pas très surprenant: on peut concevoir que les différentes ondes lumineuses interfèrent l'une avec l'autre entre la feuille et l'assiette, brouillant ainsi le motif final. Et, même si on considère la lumière comme un ensemble de particules, le résultat reste explicable: comme chaque photon possède sa propre fréquence, les photons peuvent également interférer pour aboutir à ce motif.

– OK, donc c'est explicable. Mais qu'est-ce que ça prouve?» demanda Caine.

Doc mit un doigt en l'air.

«J'y viens. Des physiciens ont récemment mis au point une source de lumière qui n'émettait qu'*un seul* photon à la fois et ont refait l'expérience. Et devine quoi? Ils ont obtenu *exactement* la même figure d'interférence de l'autre côté.»

Caine fronça les sourcils.

«Comment peut-il y avoir figure d'interférence si un seul photon passe à travers la fente? Avec quoi est-ce qu'il interfère?

– Chaque photon interfère avec *lui-même* de l'autre côté de la feuille, parce qu'au cours de l'expérience il passe simultanément à travers les deux fentes.»

Doc eut un sourire triomphant.

« Comment ça ?

– C'est dû au fait que le photon, qu'on considérait auparavant comme une particule, est *également* une onde. Quand il n'y a qu'une seule fente, il se comporte comme une particule, mais, quand il y en a deux, il se comporte comme une onde. Et la raison en est que le photon possède à la fois les propriétés d'une particule *et* d'une onde. C'est ce qu'on appelle la dualité onde-particule. En réalité, toute matière est deux choses à la fois, avec des propriétés différentes et dans des lieux différents, jusqu'à ce qu'on la mesure.

– Mais ça n'a pas de sens, fit Caine.

– Bienvenue dans la physique quantique », répliqua Doc en mastiquant une frite.

Nœud Papillon se manifesta enfin.

« Si tu veux vraiment lui en boucher un coin, dit-il à Doc comme si Caine n'était pas là, parle-lui du chat de Schrödinger. »

Caine leva la main :

« Vraiment, c'est assez —

– Allez, ça ne prendra qu'une minute, l'interrompit Doc. Rapide et sans douleur, c'est promis.

– D'accord, dit Caine. Mais après, c'est fini. »

Il avait oublié quel plaisir on éprouve à causer tranquillement, sans se demander si l'autre est ou non en train de bluffer. C'était la deuxième fois aujourd'hui qu'il s'autorisait à oublier ses problèmes et à vivre pleinement l'instant présent. Et c'était agréable – même si la conversation roulait sur la physique quantique.

« Erwin Schrödinger était l'un des pères de la physique quantique, mais il avait bien conscience de tout ce qu'elle comportait d'illogique, surtout lorsqu'on voulait l'appliquer à la vie quotidienne. Il a donc pris l'exemple de son chat pour poser un problème philosophique. C'était à peu près à l'époque où Heisenberg achevait de développer son principe d'incertitude.

« Grosso modo, voici le raisonnement : imaginons un

atome radioactif qui oscille entre deux états – des phases d'"excitation", durant lesquelles il émet de l'énergie ; et des phases de "non-excitation", où il reste inactif. La physique quantique nous enseigne que, lorsque nous *observons* l'atome, il est soit dans un état soit dans l'autre, mais que, tant que nous ne l'observons *pas*, il est en fait dans les deux états à la fois – de même que, dans l'exemple précédent, le photon se trouvait en deux endroits à la fois.

« Le problème philosophique posé par Schrödinger est le suivant : que se passerait-il si l'on mettait un chat dans une boîte contenant un flacon de gaz de cyanure, un atome radioactif et un marteau programmé pour frapper quand il détecte de l'énergie ? Si l'atome radioactif est excité, le marteau frappera sur la bouteille, la bouteille libérera le gaz et le chat mourra. Mais si l'atome est au repos, le marteau ne bougera pas et le chat survivra. Cependant, tant qu'on n'a pas ouvert la boîte pour *observer* l'atome, il n'est ni excité ni au repos, mais dans une combinaison probabiliste des deux. La question est donc : qu'advient-il du chat pendant que la boîte est fermée ? »

Caine réfléchit un instant.

« J'imagine… »

Il laissa sa phrase en suspens. Puis, un sourire éclaira son visage.

« Oh, j'y suis : puisque l'atome est théoriquement dans deux états à la fois, le chat l'est aussi – il est simultanément vivant *et* mort – jusqu'à ce qu'on ouvre la boîte et qu'on observe l'atome : alors, le chat passe définitivement dans un état ou dans l'autre. »

Doc sourit.

« Voilà. Et tu me disais que tu ne comprenais pas la physique quantique ?

– Le problème, évidemment, interrompit Nœud Papillon en s'adressant cette fois à Caine, c'est que, même si la mécanique quantique a théoriquement raison, elle est encore plus illogique qu'elle n'en a l'air lorsqu'on essaie de l'appliquer à la vie quotidienne, et non à d'invisibles particules subatomiques.

– Tu veux donc dire que tu ne crois pas aux théories de Heisenberg ? demanda Doc.

– Tu y crois, toi ? » rétorqua Nœud Papillon.

Doc haussa les épaules.

« D'une manière générale, je ne crois que ce que je vois de mes propres yeux. Le reste, c'est de la théorie. »

Puis il revint à Caine :

« Désolé, tu allais me demander quelque chose, mais nous nous sommes égarés. »

Caine se mit à tripoter l'une des frites de Doc, gêné de devoir lui demander de l'aide, particulièrement en présence d'un tiers.

« Eh bien, je suis un peu dans le pétrin…

– Oh, fit Doc, l'air soucieux. Qu'est-ce qui se passe ?

– J'ai un petit problème de liquidités.

– Tu sais bien que s'il ne tenait qu'à moi, tu récupérerais immédiatement ton poste de chargé de cours, mais après tes… euh, tes problèmes, le chef du département ne me laisserait pas faire. En tout cas, pas ce semestre. Mais il reste toujours l'année prochaine.

– Ouais, je sais, c'est juste que mes besoins sont un peu plus immédiats. »

Caine se sentait d'autant plus mortifié que l'ami de Doc n'avait pas la délicatesse de s'excuser. Le biostatisticien se contentait de le regarder fixement, comme s'il sentait mauvais. Caine s'efforça de l'ignorer et se dépêcha d'en finir :

« S'il y a des missions privées sur lesquelles tu as besoin d'aide, même si c'est du travail de routine, je suis preneur. Mon cas est un peu désespéré. »

Doc contempla un instant le plafond, perdu dans ses pensées. Lorsqu'il regarda à nouveau Caine, son visage n'était pas très optimiste. Lentement, il secoua la tête.

« Si je voyais un moyen de t'aider, je le ferais. Mais, en ce moment, je n'ai rien. »

Caine se retint à grand-peine de s'affaisser dans sa chaise.

« Je suis désolé, dit Doc.

– Ce n'est pas grave, répondit Caine, tout en se disant que sa situation l'était, et au plus haut point. Je savais que c'était peu probable. Ne t'inquiète pas, je vais trouver autre chose. »

Il baissa les yeux vers la table pour ne pas avoir à regarder Doc et fit glisser la dernière frite à travers l'assiette, balayant au passage le ketchup qui avait servi à illustrer l'expérience de la double fente. Alors qu'il la portait à sa bouche, une goutte de ketchup se détacha et tomba dans l'assiette, projetant de minuscules lignes rouges autour de son point d'impact.

Absorbé par ce spectacle, Caine sentit le temps ralentir.

…

Les lignes rouges grossissent et s'étendent jusqu'aux bords de l'assiette. La petite goutte est à présent une flaque écarlate qui s'élargit et palpite de vie. Elle enfle tant que l'assiette déborde et que le liquide dégouline sur la table, projetant en l'air des gouttelettes rouges.

(Probabilité : 92,8432 %)

Les gouttes volent au ralenti vers le visage de Doc et de son collègue, marquant de traits rouges leur front et leurs joues, éclaboussant leur chemise. Elles transpercent leurs vêtements et leur peau. À présent, les deux professeurs saignent ; du sang rouge foncé coule sur leur visage et jaillit de leur poitrine.

(Probabilité : 96,1158 %)

Caine se lève. Il n'arrive pas à reprendre son souffle. La bouche de Doc forme des mots, mais il n'en sort aucun son. Sa gorge déverse du sang qui se répand sur ses lèvres. Caine a l'impression qu'on a aspiré tout l'oxygène de la pièce. Il halète, mais il n'y a rien – rien que le vide et une douleur intense dans son crâne.

(Probabilité : 99,2743 %)

Ça y est. Une nouvelle crise. Mais cette crise ne ressemble à aucune autre. Il a déjà eu des hallucinations visuelles, mais aucune n'était semblable ni même comparable à celle-ci. Il aimerait crier, il aimerait faire cesser ce qui est en train de se produire, mais il ne peut pas —

Tout s'arrête.

Doc, son ami et les autres clients semblent pétrifiés ; le sang est suspendu en l'air comme des gouttes scintillantes de pluie rouge. Puis, lentement, le monde se remet à bouger. Mais il y a quelque chose qui cloche. Au bout d'un moment, Caine comprend : les choses bougent à l'envers.

(Probabilité : 98,3667 %)

À toute vitesse, les gouttes rouges retournent vers leur source. Les blessures rétrécissent et disparaissent, non sans avoir éjecté de minces éclats de verre qui filent devant le visage de Caine pour rejoindre la grande baie vitrée, devenue un trou béant dans le mur.

(Probabilité : 94,7341 %)

Les éclats fendent l'air tandis que le pick-up, dont la calandre toute tordue a surgi de nulle part, commence à se retirer du restaurant en roulant sur leur table. À présent, le véhicule est parti. Les minuscules éclats de verre s'assemblent à la manière d'un puzzle géant, puis se ressoudent, rendant à la baie vitrée son aspect initial.

…

Il suffoquait.

Doc et son ami étaient comme avant – inchangés, indemnes. Caine regarda l'assiette : la mare de sang avait disparu. Il n'y avait plus qu'une petite goutte de ketchup. Sous le choc, il ouvrit la bouche ; la frite lui glissa des doigts et tomba par terre.

« David. David ? »

C'était Doc. Sur son visage, l'enjouement habituel avait fait place à de l'inquiétude.

« Est-ce que ça va ?

– Hein ? fit Caine, secouant la tête comme si on le tirait du sommeil. Qu'est-ce qui s'est passé ? »

Le sang… tellement de sang.

« Tu as eu quelques secondes d'absence. »

Doc le dévisageait.

Caine cligna rapidement des yeux et lui rendit son regard. Il n'arrivait pas à chasser l'image du sang dégoulinant sur son visage. D'un geste lent et mal assuré, il

146

avança la main. Doc ne bougea pas. Caine se raidit, prêt à entrer en contact avec la consistance fluide, poisseuse, unique du sang. Mais lorsque ses doigts tremblants se posèrent sur le visage de Doc, il ne sentit qu'un soupçon de barbe. Le sang avait disparu.

«Rain Man?» appela Doc, plus doucement cette fois, comme s'il craignait de réveiller un fauve endormi.

Tout à coup, Caine comprit. Le pick-up. Le pick-up avait défoncé la vitre et les avait tous tués. *Avait?* Non, il ne les *avait* pas tués. Tout était si embrouillé, si confus dans sa tête. Pas *avait – allait*. Le pick-up *allait* défoncer la vitre. La question était juste de savoir s'ils seraient toujours assis à la même place.

(Probabilité: 94,7341 %)

…

« Il faut partir d'ici, chuchota-t-il d'une voix rauque.

– Comment ça? demanda Doc.

– Le pick-up… le sang», dit Caine.

Il avait conscience de tenir des propos incompréhensibles.

«On va mourir si on ne s'en va pas.

– OK, David, bien sûr, fit Doc du ton rassurant qu'on emploie pour s'adresser aux malades. Le temps de payer l'addition et on y va, d'accord?»

Caine secoua lentement la tête.

«Non, pas d'accord. Il faut partir maintenant! s'exclama-t-il en élevant la voix, parce qu'il savait – c'était bien le mot, n'est-ce pas? *savait* –, parce que, d'une manière ou d'une autre, il savait qu'ils risquaient, à 94,7341 %, de n'avoir plus que dix secondes à vivre.

– Je crois que vous avez besoin de respirer un grand coup et de vous calmer, dit Nœud Papillon en fronçant le nez. Vous êtes en train de provoquer un esclandre. »

Caine ferma les yeux et tenta de réfléchir. Tout était si déroutant, si insensé. Était-ce un épisode schizophrénique? Ça paraissait si réel – mais c'est bien ce que Jasper lui avait prédit. Pourtant, quelque chose dans sa tête lui hurlait qu'il restait moins de cinq secondes. En un éclair, Caine se décida. Il ouvrit les yeux et se leva.

Plus que quatre secondes.

D'un geste vif, il attrapa les deux vieux professeurs par le bras et les força à se lever.

Trois secondes.

Il recula et se heurta à quelqu'un —

…

C'est une serveuse, elle s'appelle Helen Bogarty, elle vit dans un immeuble de quatre étages de la 13e Rue, elle décide d'adopter une petite Chinoise.

…

— en entraînant Doc et son ami.

Deux.

«Hé!» s'écria la serveuse en faisant tomber quatre tasses à café en porcelaine.

Caine s'en fichait. Après l'accident, elle s'en ficherait aussi.

«À terre!» hurla-t-il en les tirant tous vers le sol.

Une.

Un bruit de métal et de verre brisé emplit la pièce. Caine ne vit rien, car il fermait les yeux de toutes ses forces, mais il savait. Il se représentait la scène aussi clairement qu'un extrait de film qu'il connaîtrait par cœur : les milliers d'éclats de verre (19 483 exactement) projetés en l'air, la calandre de la Chevrolet Silverado Z71 avançant dans l'ouverture, leur table broyée sous les pneus, qui avaient explosé après le bond du pick-up par-dessus le bord du trottoir.

Ensuite, le scénario se modifia. Ce n'était plus ce que Caine avait vu. Les éclats de verre suivirent des trajectoires différentes, privés qu'ils étaient de la chair fraîche où ils s'étaient logés avant… Mais ce n'était pas avant. C'était maintenant. Mais pas *ce maintenant-ci*. Un autre maintenant. Un maintenant qui aurait pu se produire, mais qui ne s'était pas produit.

C'est alors que Caine s'évanouit. S'il était resté conscient une seconde de plus, il aurait tout compris. Mais il ne l'était pas, donc il ne sentit rien – et ça ne valait pas plus mal… pour le moment.

☆

La fumée.

Ce fut la première chose que Caine sentit tandis qu'il luttait pour reprendre connaissance. La fumée lui brûlait les poumons et lui piquait les yeux. Il percevait la chaleur tout autour de lui. Puis il sentit quelqu'un le tirer à travers les restes du restaurant. Il devina de la lumière derrière ses paupières closes. L'air était frais et pur quand son sauveur le déposa sur le sol.

Il aspira timidement une petite bouffée et découvrit avec soulagement qu'il pouvait à nouveau respirer. Il toussa, puis emplit d'air frais ses poumons.

«David, ça va?»

Caine lorgna la silhouette qui se profilait au-dessus de lui. C'était Doc.

«Ouais, je crois.»

Doc lui tendit une main et l'aida à s'asseoir. Caine regarda autour de lui. Il ne voyait pas Nœud Papillon.

«Où est…?

– Je vais bien, dit l'ami de Doc en s'approchant. Grâce à vous.

– Hein?»

La tête lui tournait toujours.

«Si vous ne nous aviez pas obligés à bouger, cette camionnette nous aurait tués.»

Le professeur inclina légèrement la tête et reprit en baissant la voix: «Comment avez-vous su?»

Caine le dévisagea; l'homme avait les cheveux en bataille et sa veste de tweed à la coupe impeccable était méchamment roussie. Il ne savait que répondre. Il ferma les yeux et tenta de se souvenir. Les images qui lui revenaient étaient tout emmêlées, comme un vidéo-clip formé d'instantanés grossièrement assemblés. Ketchup. Sang. Verre. Camion. Mort.

«Je… je ne sais pas», dit-il, soudain pris de nausée.

Non sans peine, il se remit sur pied. En entendant le hurlement des sirènes, il songea qu'il ferait mieux de quitter les lieux avant que la police commence à poser des questions.

« Il faut que j'y aille. »

Il s'apprêtait à partir quand une main lui saisit fermement le bras.

« David, je pense qu'il faut que nous parlions de ce qui vient de se passer », dit le professeur.

Caine le regarda droit dans les yeux, et ce qu'il vit lui déplut.

« Il ne s'est rien passé. J'ai juste aperçu le pick-up du coin de l'œil. C'est tout. Et maintenant, laissez-moi partir. »

Lentement, Nœud Papillon lâcha prise, mais l'expression de son regard ne changea pas.

Caine se tourna vers Doc :

« Je t'appellerai plus tard. »

Puis, à Nœud Papillon :

« Au revoir, professeur.

– Trêve de formalités, David. Appelez-moi simplement Peter. »

Sans se donner la peine de répondre, Caine tourna les talons.

☆

Caine ne savait pas depuis combien de temps il errait dans la ville. Il déambulait le long des rues et des avenues, laissant aux feux de signalisation le soin de décider de sa prochaine direction. Tout en marchant, il repassait inlassablement dans sa tête les événements du restaurant.

Il n'y avait pas d'explication rationnelle. Enfin, ce n'était pas tout à fait vrai, si ? Il y avait une explication très rationnelle et très plausible, même s'il ne voulait pas l'admettre : le médicament antiépileptique l'avait fait basculer de l'autre côté. Il devenait fou. Ce n'était qu'un épisode schizophrénique, une hallucination d'un réalisme incroyable.

Mais *c'était* arrivé. Un simple coup d'œil à ses vêtements noircis suffisait pour s'en convaincre… Et si c'était une illusion, ça aussi ? S'il était en train d'errer sans but à travers la ville dans des vêtements impeccables et qu'il les *croyait* barbouillés de suie ? N'était-ce pas plus vraisemblable que… Il ne voulait même pas s'autoriser à y penser. Oh, et puis zut, pourquoi pas ? Il suffisait de lâcher le mot : prescience.

Et voilà l'alternative à laquelle il était confronté. Qu'est-ce qui était le plus plausible : qu'il soit fou ou qu'il soit voyant ? Il fallait qu'il reprenne ses esprits. Il avait besoin de parler à quelqu'un. En traversant la rue, il ouvrit son portable. L'écran indiquait trois appels manqués. Ce n'était pas tout à fait exact – il ne les avait pas «manqués», mais évités.

Qui appeler quand on devient fou ? Une seule réponse possible : Caine fit défiler son répertoire, sélectionna un nom et appuya sur APPEL. Au bout d'une sonnerie, une voix répondit : «Salut, c'est Jasper et vous êtes sur mon répondeur.» *Bip.*

Caine songea à laisser un message, puis renonça. Que pouvait-il dire ? *Salut, Jasper, je perds la boule, rappelle-moi ?* Il referma son téléphone d'un coup sec. Aussitôt, celui-ci se mit à vibrer. Caine vérifia l'affichage avant de répondre, craignant un nouvel appel de Nikolaev. Ce n'était pas lui. Il ne connaissait pas le numéro, mais il identifia les premiers chiffres : l'appel venait de Columbia.

«Allô ? fit-il d'une voix hésitante.

– David, je suis content de vous avoir. C'est Peter.»

Caine resta silencieux.

«Écoutez, je vais aller droit au but. J'ai sans doute une proposition intéressante à vous faire. Ce serait payé deux mille dollars.»

Caine s'arrêta net.

«Vous avez dit deux mille ?

– Oui.

– Je vous écoute.

– J'ai une étude clinique en cours et je pense que vous feriez un bon candidat…»

Les yeux rivés au plafond, Caine commença le compte à rebours à partir de cent. Il détestait les seringues, mais ça valait le coup – d'ici environ dix minutes, il aurait deux mille dollars de plus. L'infirmière lui retira l'aiguille hypodermique du bras et la remplaça par un morceau de gaze.

«Tenez ça là une minute», dit-elle d'un air absent en étiquetant les trois éprouvettes pleines de sang.

Caine fit ce qu'on lui disait; il se réjouissait d'en avoir bientôt terminé. Il ne se rappelait pas avoir jamais subi autant d'examens, même lorsqu'on avait diagnostiqué son épilepsie. Quatre IRM, trois scanners, une analyse d'urine et une prise de sang. Peter s'était montré très réservé quand il l'avait interrogé sur l'objet de son étude et, malgré sa curiosité, Caine n'avait pas insisté. La seule chose qui comptait, c'est qu'il était payé en liquide.

Après sa conversation téléphonique de la veille avec Peter, il avait appelé Nikolaev et conclu un accord: Vitaly acceptait de relâcher la pression et Caine s'engageait à lui payer deux mille dollars par semaine pendant sept semaines, soit quatorze mille dollars en tout. Il ignorait totalement où trouver les deux mille dollars suivants, mais du moment que Nikolaev n'était pas au courant… Il avait simplement besoin de temps. Si on lui en laissait suffisamment, il trouverait un moyen de s'en sortir.

Une heure après la prise de sang, Caine fit son entrée au Chernobyl; Nikolaev et Kozlov l'attendaient. Kozlov le foudroya du regard, comme s'il cherchait une raison d'attaquer. Caine s'efforça de l'ignorer et se concentra sur Nikolaev.

«Bonjour, Vitaly.

– Caine! Ravi de te revoir sur pied, dit l'autre avec un grand sourire. Mais tu as l'air un peu pâle, non?

– Juste une grosse journée», répondit Caine, qui n'était pas encore tout à fait remis de ses cinq heures d'examens.

Nikolaev hocha la tête. Caine savait qu'il se fichait comme d'une guigne de son état de santé du moment qu'il récupérait son argent. Le Russe posa une main vigoureuse sur son épaule : « Allons causer dans mon bureau. »

Caine le suivit dans la cave en se courbant pour descendre l'étroit escalier, Kozlov sur les talons. Lorsqu'il entra dans le *podvaal*, Caine cligna des yeux plusieurs fois pour s'accoutumer à la pénombre. On jouait dans un coin de la pièce – des habitués, pour la plupart. Il leur fit un signe de tête. Ceux qui avaient déjà jeté leurs cartes le lui rendirent.

Il pénétra dans le bureau exigu de Nikolaev, qu'occupaient entièrement un sofa, une minuscule table de travail et un fauteuil pivotant. Le sofa était couvert de brûlures de cigarettes. Caine s'y assit. Nikolaev s'installa derrière son bureau. Quant à Kozlov, il resta debout, son imposante carcasse appuyée contre le mur, comme s'il soutenait le bâtiment.

Sans attendre la requête, Caine sortit une épaisse liasse de billets et en dénombra vingt de cent dollars chacun. Nikolaev en prit un au hasard et le tint à la lumière pour vérifier le filigrane. Une fois rassuré, il plia les billets et les fit disparaître dans la poche de sa veste.

« Désolé pour ton appartement, dit-il, mais les affaires sont les affaires.

– Bien sûr », répondit Caine, comme si les « affaires » obligeaient couramment à voler la télévision, la vidéo et la stéréo des gens.

Nikolaev se pencha en avant, les mains à plat sur son bureau.

« Alors, où vas-tu trouver l'argent pour me rembourser ? Je te demande juste ça parce que je… j'aimerais que cet échelonnement soit le premier et le dernier. »

Caine se leva en souriant et répondit sans se démonter : « Ne t'inquiète pas, j'ai tout prévu. »

Nikolaev hocha la tête. Caine se doutait qu'il ne le croyait pas, mais c'était sans importance. S'il ne dénichait pas deux mille dollars supplémentaires d'ici une semaine,

Kozlov lui casserait un bras. C'était aussi simple que ça. Nikolaev se leva et lui serra la main ; il serra juste un peu trop fort, en le regardant de son œil froid et pénétrant.

« Tu veux rester déjeuner ? C'est la maison qui régale.

– Merci, j'ai déjà mangé, répondit Caine, qui ne tenait pas à passer avec Nikolaev une seconde de plus que nécessaire. La prochaine fois, peut-être.

– Bien sûr, fit Nikolaev. La prochaine fois. »

CHAPITRE 11

Le Dr Tversky parcourut le dossier médical de Caine pour la cinquième fois. Il le connaissait presque par cœur, mais éprouvait un irrésistible besoin de le relire. Il se concentra sur le taux de dopamine de Caine et l'analyse chimique de l'antiépileptique expérimental. Tout était là. Le médecin de Caine était tombé sur l'agent déclencheur sans même s'en apercevoir. Tversky n'avait plus qu'à modifier légèrement la formule, et puis…

Il éprouvait quelques réticences à essayer le nouveau médicament sur Julia avant d'effectuer des tests animaux, mais le temps était compté. Elle l'avait dit elle-même : toute seconde qui passait pouvait modifier le précaire équilibre chimique de son cerveau, et Tversky laisserait alors passer sa chance. L'erreur résidait dans l'inaction, et non l'inverse. Il fallait commencer tout de suite.

Il revint au dossier et le relut pour s'assurer qu'il n'avait rien négligé. Il n'aurait qu'une seule chance : il fallait être absolument sûr du succès de l'expérience. Si elle réussissait, il saurait quoi faire ensuite. À vrai dire, il saurait plus que cela.

Il saurait tout.

☆

« Vous êtes prêt ? »

M. Sheridan était si excité que son costume bon marché semblait proche d'éclater. Tommy eut un haut-le-cœur en contemplant l'énorme sourire refait qu'exhibait l'attaché de presse du Powerball.

Tu as le trac, c'est tout. Tu es nerveux parce que, dans quelques minutes, tu seras célèbre.

Mais il savait que ce n'était pas ça. Il avait eu envie de vomir à la seconde où il s'était réveillé, bien avant d'apprendre qu'il allait passer à la télé. L'acidité qui lui barbouillait l'estomac n'était pas liée à sa gloire imminente, mais au sommeil sans rêve de la nuit précédente.

Il y avait eu un temps où il voyait ses rêves comme une malédiction ; il aurait donné n'importe quoi pour passer une nuit sans que les grands chiffres flamboyants viennent le hanter. Mais à présent, il se sentait vide et seul sans eux. Il tenta de se raisonner :

C'est logique qu'ils ne soient plus là. Je n'ai plus besoin d'eux. J'ai gagné.

Il savait que c'était vrai, mais ça ne le consolait pas.

« Venez, allons-y », fit M. Sheridan en souriant de toutes ses dents et en lui donnant une grande claque dans le dos. Tommy le suivit. Ils passèrent la porte et montèrent sur le podium miniature que la Loterie fédérale avait fait édifier pour l'occasion. Tommy jeta un coup d'œil à la horde de photographes, mais avant d'avoir pu bien regarder, il fut aveuglé par l'explosion simultanée d'une vingtaine de flashs, aussitôt suivie du bruissement et du cliquètement des appareils.

Il afficha son plus beau sourire ; soudain, il était reconnaissant à la maquilleuse des vingt minutes qu'elle avait passées à camoufler ses boutons. Hypnotisé par les lumières, il faillit faire un bond lorsqu'il sentit la main de M. Sheridan sur son épaule.

« ... Notre gagnant a vingt-huit ans. Il est caissier et vit à Manhattan. Et le voici riche de plus de 247 MILLIONS DE DOLLARS ! » L'énorme sourire de M. Sheridan s'élargit encore un peu. « Enfin, jusqu'à ce que l'oncle Sam prélève sa part. » Les reporters rirent poliment. « Et maintenant, trêve de cérémonies : j'ai le plaisir de vous présenter M. Thomas DaSouza ! »

Il fit un pas de côté et entraîna Tommy vers la gerbe de micros qui dépassait du podium. Il y eut d'autres flashs et vingt reporters qui l'interpellaient en criant son nom.

M. Sheridan se pencha devant lui. «S'il vous plaît, une personne à la fois.» Il balaya la foule du regard et désigna quelqu'un du doigt. «Nous entendrons d'abord Penny, puis Joel.»

Une blonde platinée vêtue d'un tailleur-pantalon rouge vif se leva de sa chaise en souriant. «Quel effet ça fait d'être millionnaire?»

Tommy lança un regard à M. Sheridan, qui hocha la tête en désignant les micros. Il se pencha légèrement, faisant de son mieux pour se placer au centre du lot. «C'est plutôt chouette.»

Rires.

«Comment avez-vous choisi vos numéros? cria un homme à moitié dégarni.

– Je les ai rêvés.»

À peine avait-il prononcé ces mots qu'il comprit son erreur, mais il était trop tard. Les reporters se mirent à crier tous à la fois.

«Un par un, un par un! glapit M. Sheridan. Curtis, Bethany, Mike et ensuite Bruce.»

Un gros homme noir se leva pour attirer l'attention de Tommy.

«Depuis combien de temps faites-vous ces rêves?

– Depuis presque toujours, en fait.

– À quoi ressemblaient-ils?» demanda une femme qui s'était fait faire un lifting de trop.

Tommy ferma les yeux un moment et revit les orbes géants qui flottaient dans sa tête.

«Ils étaient magnifiques.»

Pendant le quart d'heure qui suivit, il eut droit à toutes les questions, depuis «Croyez-vous en Dieu?» jusqu'à «Êtes-vous républicain ou démocrate?». Il répondit quand il avait une réponse et balbutia des «Je ne sais pas» quand il n'en avait pas. Lorsque M. Sheridan fit taire les reporters, il avait la sensation de voler.

Il était heureux. Pour la première fois depuis qu'il était en âge de se souvenir, Thomas William DaSouza se sentait heureux. Mais en rentrant chez lui dans la limousine fournie par les braves types de la Loterie fédérale, il ne put s'empêcher de s'interroger sur ses rêves, et sur ce que sa vie deviendrait s'ils avaient définitivement disparu.

☆

Nava voulut afficher la photo de Tversky, mais elle n'y parvint pas. Grimes devait être en train de mettre à jour les images sur le serveur ; il faudrait revenir plus tard pour savoir à quoi ressemblait sa proie.

Elle se pencha ensuite sur les détails de sa vie personnelle. Deux fois marié et deux fois divorcé, Tversky habitait un modeste studio. Si le premier mariage avait pris fin pour cause de «divergences irréconciliables», la seconde épouse de Tversky l'avait accusé de cruauté mentale et d'adultère en invoquant une liaison avec une de ses étudiantes.

Ce genre d'histoire n'aurait pas dû trop surprendre la deuxième Mme Tversky dans la mesure où elle-même était une ancienne étudiante du professeur et avait probablement causé la rupture de son premier mariage. Nava fit une note à Grimes, lui demandant de contrôler les appels téléphoniques de toutes les étudiantes de Tversky afin d'identifier celle avec qui il couchait actuellement. D'après ce qu'elle avait entendu dire sur lui, Grimes serait trop heureux d'aller mettre son nez dans la vie sexuelle de ces demoiselles.

Nava n'aurait sans doute pas besoin de l'information, mais elle croyait fermement aux vertus d'une préparation exhaustive. Si elle devait enlever Tversky, une connaissance approfondie de sa vie personnelle pourrait servir à le déstabiliser.

Elle examina ensuite son CV. À l'âge de dix-neuf ans, il avait obtenu avec mention une licence de mathématiques et une maîtrise de biologie au California Institute of Technology. Il avait fait ses études de troisième cycle sur la côte Est, à l'université Johns Hopkins, et en était sorti avec un doctorat en biostatistiques alors qu'il n'avait pas vingt-quatre ans. Par la suite, son CV se réduisait à une sorte de *Who's Who* des meilleurs établissements – Stanford, Penn, Harvard et enfin Columbia. Chemin faisant, il avait obtenu des allocations de recherche du NIH, de l'OMS, du CDC et, tout naturellement, de la NSA.

Nava secoua la tête. Encore un génie qui croyait pouvoir changer le monde avec l'aide de l'État. Oui, l'État lui donnait de l'argent, mais aux seules fins de l'utiliser politiquement. Elle aussi, dans sa naïveté, avait autrefois servi d'arme au gouvernement de son pays natal. Heureusement, grâce aux aléas de la conjoncture internationale, cette situation avait pris fin plus de dix ans auparavant.

Son statut d'agent indépendant avait quelque chose de piquant étant donné son éducation communiste. Elle doutait que Dmitri l'aurait approuvée – mais l'aurait-il blâmée ? Elle en doutait aussi. D'ailleurs, cela n'avait pas d'importance. Dmitri Zaïtsev était mort depuis longtemps, tout comme Tania Alexandrovna, la petite fille qu'elle avait été avant de devenir Nava Vaner.

Changer d'identité n'avait pas été plus compliqué qu'enfiler un nouveau jean. L'habit n'était pas très confortable au départ – trop raide à certains endroits, trop lâche à d'autres. Mais, avec le temps, il épousait si bien vos formes qu'il devenait comme une seconde peau. Au bout d'un moment, Nava commença à oublier Tania, et celle-ci ne fut bientôt plus qu'un lointain souvenir, comme une amie d'enfance qu'elle aurait perdue de vue.

Aujourd'hui, Nava n'était plus personne. Pas d'appartenance, pas de famille, pas de pays, pas de conséquences. Elle vivait ainsi depuis si longtemps qu'elle avait oublié jusqu'à la sensation que procurent ces choses. Elle voulait changer, mais elle savait que c'était impossible à moins de partir. Une fois de plus, elle commencerait une nouvelle vie – mais, cette fois, elle s'y prendrait bien. Il n'y avait plus qu'un seul obstacle sur sa route : le Dr Tversky et son sujet Alpha.

Elle avait trente-six heures pour découvrir l'identité du sujet. Si elle n'arrivait pas à rassembler assez d'informations à partir du fichier, elle serait obligée de filer Tversky. Et si ça ne suffisait pas, elle devrait lui soutirer le renseignement de force. Toutefois, si les choses en arrivaient là, il faudrait garder le professeur prisonnier jusqu'à ce qu'elle ait mis la main sur le sujet Alpha. Ou bien le tuer. Et aucune de ces deux solutions ne lui plaisait.

Il devait y avoir un moyen plus simple, un indice quelconque dans les notes de Tversky qui mènerait Nava au sujet Alpha. Il était là, il suffisait de le trouver. Pendant les trois heures qui suivirent, elle s'absorba dans l'examen des mille et quelques pages du fichier, en quête d'une réponse. Au moment où elle allait abandonner, elle trouva ce qu'elle cherchait :

```
On a alors administré au sujet Alpha 5 mg de
phénytoïne (soit 1 mg pour 10 kg de masse
corporelle).
```

Ça y était. Puisque le dosage était de 1 milligramme pour 10 kilos de masse corporelle, le sujet Alpha pesait approximativement 50 kilos. Nava sourit. Évidemment : le sujet Alpha était une femme. Après ce qu'elle avait lu sur le passé sentimental de Tversky, elle aurait dû s'en douter. Sans doute quelqu'un de son labo. Elle attrapa son manteau et sortit précipitamment de son bureau, à la recherche d'une étudiante de troisième cycle pesant 50 kilos.

☆

Avec son énorme bide, son visage variolé et sa tignasse pleine de nœuds, Elliot Samuelson n'avait pas une vie sociale très développée et, quand il ne dormait pas, il passait presque tout son temps au labo. C'était exactement ce que cherchait Nava. Elle le trouva près d'un kiosque à hot dogs, à la sortie d'un des bâtiments de sciences de Columbia.

En temps normal, elle aurait noué une relation de plusieurs semaines avec Samuelson et lui aurait soutiré petit à petit l'information dont elle avait besoin, sans éveiller ses soupçons. Mais, dans le cas présent, elle n'avait pas de temps à perdre en subtilités. Elle prétendit donc être une détective privée employée par l'une des ex-femmes de Tversky. Elliot rechigna d'abord à répondre aux questions, mais quand Nava lui eut glissé un billet de cent, il devint intarissable. Elle l'écouta détailler les caractéristiques physiques de presque toutes les femmes du labo avant de l'interrompre :

« Y a-t-il des femmes menues ? Autour de cinquante kilos ?

– Hmmm, réfléchit Elliot en se grattant le bras. Il y a Mary Wu, elle est plutôt riquiqui. Mais je ne l'ai pas beaucoup vue ces derniers temps parce qu'elle est à Cambridge pour cosigner un article avec une huile de *Haaar-vaard*. »

Nava raya mentalement Wu de la liste d'étudiantes que Grimes lui avait donnée. À en croire les fichiers de Tversky, il avait réalisé au moins deux expériences par semaine sur le sujet Alpha au cours des trois derniers mois. Elliot poursuivit :

« Candace Rappaport et Marla Parker sont minuscules toutes les deux, mais Candace est fiancée et j'ai entendu dire que Marla était lesbienne. »

Contrairement à Elliot, Nava n'exclut aucune des deux femmes. L'expérience lui avait appris qu'être fiancé n'empêchait pas d'avoir des liaisons, et elle ne faisait pas grand cas des théories d'Elliot sur la sexualité de Marla. Elle énuméra les noms qui restaient, mais, d'après Elliot, aucun ne correspondait au portrait. Elle allait le quitter lorsqu'il l'arrêta :

« Attendez, il y a quelqu'un d'autre.

– Ah oui ?

– Ouais. Elle ne fait pas réellement partie du labo parce qu'elle est étudiante à la NYU, mais ça fait deux ans qu'elle travaille ici grâce à un programme d'échange. En tout cas, elle est minus, dans les un mètre cinquante-cinq ou soixante. Mais ça m'étonnerait que ce soit elle.

– Pourquoi ?

– Sais pas, fit Elliot en haussant les épaules. Elle est bizarre. Surtout ces derniers temps. Genre, depuis quinze jours, elle porte en permanence une casquette de base-ball. Je sais que ça la soûle parce qu'elle passe son temps à se gratter la tête et à la changer de position pour ne pas être gênée quand elle se sert du microscope, mais elle ne l'enlève jamais.

– Autre chose ?» demanda Nava, dont le cerveau tournait à toute vitesse.

Il se pouvait que cette fille n'aime pas sa coupe de cheveux, mais Nava soupçonnait son soudain engouement pour les couvre-chefs d'être dû à tout autre chose.

«Rien, à part les rimes.»

Nava se figea. Tversky avait écrit que le sujet Alpha présentait quelques signes de schizophrénie, dont des troubles du langage – et, en particulier, la manie de la rime.

«Qu'est-ce que vous voulez dire ?

– Ces derniers temps, quand elle cause, elle dit des trucs comme : "Eh, je vais déjeuner-*ré-pré-clé*." C'est bizarre, putain.»

Nava sentit son cœur s'emballer, mais elle feignit l'indifférence. Elle ne voulait pas qu'Elliot l'ait vue s'intéresser à cette fille le jour même où elle comptait la faire disparaître.

«Je vérifierai, même si ce n'est sans doute pas elle. Comment dites-vous qu'elle s'appelle ?»

☆

En apercevant son visage dans le miroir, Julia fit un bond ; un instant, elle craignit qu'un horrible étranger ne se soit introduit dans sa salle de bains.

Ça n'est que toi. C'est à ça que tu ressembles maintenant. Tu te rappelles ?

Julia se mordit la lèvre ; sa bouche tremblait. Elle n'avait jamais été vaniteuse, mais elle avait toujours considéré ses cheveux – pourtant rebelles et d'un châtain terne – comme ce qu'elle avait de mieux. Il n'en restait plus rien. Elle passa un doigt sur son crâne dégarni, hérissé de poils ras et bruns.

On voyait distinctement les huit cercles bleu foncé que Petey avait tracés sur sa tête pour savoir où poser les électrodes. Au centre de chaque cercle apparaissait une petite marque rouge. Julia en tâta une doucement et fit la grimace. La douleur n'avait pas disparu depuis les tests de la veille au soir. Elle renifla bruyamment, retenant ses larmes. Dans sa tête, la voix qu'elle appelait sa conscience se mit à la réprimander.

Comment a-t-il pu te faire ça ?

– *Il ne fait rien que nous ne voulions tous les deux.*

Tu plaisantes ? Regarde-toi dans le miroir ! Tu voulais *te raser la tête ? Tu voulais qu'il te fasse ressembler à un jeu de coloriage ?*

– *Arrête. Il m'aime et je l'aime. En plus, nous sommes si proches du but —*

La seule chose dont tu sois proche, c'est de te faire tuer. Ton organisme est déjà tellement détraqué par les médicaments que tu dors la moitié de la journée. Tu ne manges presque plus, tu n'as que la peau et les os. Arrête avant qu'il ne soit trop tard. Je t'en prie —

– *NON. J'ai enfin quelqu'un et je suis heureuse. Tu ne peux pas me laisser tranquille ?*

Julia ferma les yeux et s'employa à refouler ses doutes en se répétant inlassablement : *Il m'aime. Il m'aime. Il m'aime.*

Lorsqu'elle eut un peu recouvré ses esprits, elle ouvrit les yeux et mit sa perruque. Elle n'était pas tout à fait identique à sa propre chevelure, mais assez ressemblante. Cela faisait deux semaines que Julia la portait et, jusqu'ici, personne n'avait rien remarqué. À part Petey, personne ne la regardait jamais – enfin, pas vraiment.

Elle quitta son appartement et traversa la rue au pas de charge. Au passage, elle croisa une grande brune avec une cigarette à la main. Dégoûtant. Elle n'avait jamais compris les fumeurs, encore moins quand c'étaient de belles femmes comme celle-ci. Ce genre de comportement autodestructeur la dépassait complètement. Elle regarda sa montre – 14 :19. Il fallait qu'elle se dépêche si elle voulait être à l'heure au labo.

Petey n'aimait pas qu'on le fasse attendre.

☆

Nava termina sa cigarette et l'écrasa sous sa botte. Elle décida de laisser à Julia Pearlman quelques immeubles d'avance. Elle ne craignait pas d'être repérée – la fille semblait bien trop crevée pour accorder la moindre attention à son environnement extérieur. En outre, il ne s'agissait pas d'une mission de surveillance au long cours : à la minute où l'occasion se présenterait, Nava mettrait la main sur elle.

Elle traversa sept rues à la suite de Julia et, depuis le trottoir d'en face, la regarda pénétrer dans le bâtiment de neuf étages qui abritait le laboratoire de Tversky. La jeune femme montra sa carte au garde posté à l'entrée et disparut à l'intérieur. Nava attendit quelques minutes avant de la suivre. Elle s'avança vers le garde d'un pas nonchalant, armée de son sourire le plus aguicheur.

« Excusez-moi, je devais retrouver ma copine ici il y a vingt minutes, mais je ne l'ai pas vue. Est-ce qu'il y a d'autres sorties dans le bâtiment ?

– Non, m'dame, fit le garde en essayant de rentrer le ventre. À moins d'emprunter les sorties de secours, il faut passer par ici.

– Merci, répondit Nava. J'ai dû la manquer. »

Elle sortit par la porte tambour, traversa la rue et s'arrêta au kiosque à journaux pour acheter un nouveau paquet de Parliaments. Tout en gardant un œil sur le bâtiment, elle le tapota pour en extraire une cigarette. Lorsque la nicotine afflua dans ses veines, elle se laissa aller. Elle savait qu'elle avait un bon bout de temps à attendre, mais ça ne la dérangeait pas : elle avait trouvé le sujet Alpha.

Ses derniers doutes s'étaient dissipés à la minute où elle

avait aperçu cette méchante perruque sous la casquette de Julia. Tout concordait. Si Tversky voulait contrôler en permanence ses ondes cérébrales, il devait insérer les électrodes au même endroit à chaque fois. Et le meilleur moyen d'y parvenir était bien sûr de lui raser la tête.

Quand Julia quitterait le labo, Nava la suivrait, la ferait entrer de force dans le fourgon qu'elle avait garé plus loin dans la rue et la livrerait au RDEI avec le disque contenant la version inédite de l'étude de Tversky. Puis elle prendrait le premier avion pour São Paulo, changerait d'identité, trouverait un vol pour Buenos Aires et disparaîtrait. C'était aussi simple que ça.

Il n'y avait qu'à attendre que Julia sorte de l'immeuble. Ensuite, les choses se feraient toutes seules.

☆

Caine feignait d'être juste sorti se promener, mais il savait que c'était un mensonge. À la tombée de la nuit, il se retrouva dans Mott Street, face au Wong's Szechwan Palace, à contempler les néons clignotants figurant des nouilles jaunes entassées dans un énorme bol rouge. Il tâta son portefeuille, qui contenait tout ce qu'il avait. Il pouvait y arriver. Il le savait. S'il se forçait à jouer lentement et à faire une pause quand il sentait qu'il allait s'énerver, il pouvait gagner.

Bien sûr, c'est aussi ce qu'il s'était dit le soir où il était entré chez Nikolaev et avait perdu onze mille dollars. Mais c'était différent. Des choses aussi improbables n'arrivaient pas deux fois. Après une telle déveine, il ne pouvait plus qu'avoir de la chance. Simple question de juste milieu. Il expira lentement.

Il aurait préféré ne pas jouer, mais il n'avait pas trop le choix. Dans six jours, il devrait deux mille dollars de plus à Nikolaev, et ce n'est pas avec le peu qu'il avait qu'il empêcherait Kozlov de l'expédier à l'hôpital. S'il gagnait deux cent soixante-sept dollars par jour pendant ces six jours, il pourrait effectuer le prochain versement et garder quarante dollars pour manger. Il avait déjà fait bien mieux que ça. Un jour, quand il était encore accro, il avait gagné plus de trois mille dollars au cours d'un marathon de Hold 'Em qui avait duré trente-six heures.

Quand il était accro.

Marrant. Comme s'il ne l'était plus. OK : à l'exception de son parrain des Joueurs anonymes, personne n'était dupe. Et encore, même lui ne l'était sans doute pas – non que Caine y attachât beaucoup d'importance. Mais, grâce à Nikolaev, il avait enfin retenu la leçon. Juste après ça, il arrêtait. S'il jouait intelligemment, tout irait bien. Et une fois qu'il aurait remboursé sa dette, il décrocherait pour de bon. Il irait à cinq réunions par jour s'il le fallait.

Caine hocha la tête, satisfait de son plan. Un peu nerveux, mais confiant sur le fond, il traversa la rue et entra dans le restaurant. La fille qui travaillait à l'accueil leva à peine la tête lorsqu'il passa près d'elle. Il se fraya un chemin à travers la bruyante cuisine pour accéder à la salle de derrière.

Malgré son aspect un peu rudimentaire, Caine savait que le club de Billy Wong était l'un des plus sûrs de la ville. Personne n'ignorait que son frère, Jian Wong, était le *dai lo dai* – ou chef – des Ghost Shadows, le gang chinois le plus nombreux et le plus dangereux de New York. Avec les Flying Dragons, les Ghost Shadows contrôlaient tout ce qui se passait à Chinatown – du trafic de drogues à la prostitution en passant par le jeu et l'usure. Non, Caine ne courait aucun risque.

« Ça en faisait du temps ! » s'exclama Billy Wong en le voyant approcher de la porte blindée. En dépit de ses origines chinoises, il avait un accent typique de Brooklyn. « Entre donc ! ajouta-t-il en entourant de son bras les épaules de Caine.

– Content de te revoir, moi aussi, Billy, dit Caine, surpris de constater qu'il l'était réellement.

– T'as du fric ? fit Billy d'un ton aussi dégagé que s'il demandait l'heure.

– Tu me connais, Billy.

– Ouais, et je connais aussi Vitaly Nikolaev. Paraît que tu lui dois vingt mille dollars.

– Plus que douze, intérêts compris, et je les lui rendrai.

– Bien sûr, dit Billy, dont les yeux pétillaient. Mais je dois te prévenir tout de suite que je ne pourrai pas faire de crédit. Ça n'a rien de personnel. »

Caine hocha la tête. La gravité de la situation l'oppressait. Billy et Vitaly étaient tout sauf copains ; en fait, ils se méprisaient ouvertement. Si Billy savait que Caine devait de l'argent à Nikolaev, toute la ville devait être au courant. Pour éponger sa dette, il ne pourrait compter que sur ses propres finances.

« Je me sens en veine aujourd'hui, Billy. Je n'aurai pas besoin de crédit. »

Billy rejeta la tête en arrière et se mit à rire.

« Mais non, bien sûr ! – Il lui donna une tape dans le dos. – Et donc, tu en veux pour combien ? »

Caine mit la main dans sa poche et sortit tout son magot – 438 dollars. Il n'en garda que 20 – assez pour boire quelques coups au Cedar's si les choses tournaient moins bien que prévu. Billy lui donna ses jetons et le conduisit vers la table, poussant le zèle jusqu'à lui tirer une chaise.

Lorsque Caine s'assit, les joueurs levèrent vers lui des yeux pleins de curiosité. Ils espéraient contempler le visage angélique d'un jeune yuppie de Wall Street ou d'ailleurs, un nouveau venu au portefeuille bien garni. Ils furent déçus de voir Caine. La plupart d'entre eux ne le connaissaient pas, mais ses yeux cernés et son visage épuisé leur disaient tout ce qu'ils voulaient savoir. Ce n'était pas un bleu : il était des leurs. Peut-être bon joueur, peut-être moins bon, mais rien d'une proie toute désignée.

Ils lui adressèrent un signe de tête pour la forme et retournèrent à leurs cartes. Caine regarda la fin du coup, espérant apprendre deux ou trois choses sur les joueurs avant de rejoindre la partie. Le pot fut remporté par un type à tête d'oiseau assis à un coin de la table, qui avait misé gros à l'ouverture et éliminé tout le monde après le flop. Avec un sourire en coin, il ratissa les jetons en montrant bêtement sa paire de dames à tout le monde.

À en juger par la rapidité avec laquelle chacun se retirait quand Tête d'Oiseau misait, ça devait être un frimeur qui restait rarement dans le coup à moins d'avoir une bonne main. Caine n'avait plus qu'à cerner les autres, tomber sur de bonnes mains, jouer à la cool et gagner. Il arrêterait à la seconde où il aurait empoché deux cent soixante-sept dollars. Il ne s'emballerait pas, ne chercherait pas à pousser son avantage – il se lèverait et partirait.

Du gâteau.

CHAPITRE 12

Les mains tremblantes, Tversky observait l'électroencéphalogramme de Julia. Il était déjà si près du but avant les examens de Caine qu'il ne lui avait fallu que quelques heures pour mettre au point un sérum capable de stimuler simultanément les ondes cérébrales. Il baissa les yeux vers Julia, dont le corps alangui était étalé sur la table. La dernière injection remontait à près de dix minutes. La chimie de son cerveau devait à présent être quasi identique à celle de Caine. Il n'avait plus qu'à attendre. Dans sa tête se bousculaient toutes les théories, toutes les énigmes qui l'avaient amené jusqu'ici. La relativité d'Einstein. Le principe d'incertitude de Heisenberg. Le chat de Schrödinger. Le multivers de Deutsch. Et, bien sûr, le démon de Laplace.

De tous ces grands penseurs, seul Laplace aurait cru ceci possible. Bien sûr, aucun d'entre eux n'avait vu ce que Tversky avait vu. Ils n'étaient pas dans ce restaurant. D'ailleurs, Maxwell n'avait-il pas prouvé que les lois de la physique n'étaient pas absolues ? Qu'aurait-il dit de la théorie de Tversky ? Infiniment improbable, mais pas impossible ?

Soudain, Julia se tourna vers lui et, les yeux toujours fermés, se mit à parler à voix basse : « Qu'est-ce que c'est que cette horrible odeur ? »

☆

L'odeur ne ressemblait à rien de ce que Julia avait connu. Elle était si forte que le mot «odeur» ne convenait sans doute même pas.

Ça devait être ça. Ça devait être le début, l'aura. Un instant, le cœur de la jeune femme cessa de battre. Elle savait qu'elle devait se concentrer, mais l'odeur l'accablait ; elle s'agrippait à ses narines, à ses yeux, à sa gorge. Soudain, les restes de son déjeuner lui emplirent la bouche ; elle cracha en toussant le liquide grumeleux, goûtant son goût amer sur sa langue, heureuse d'être distraite un instant de l'odeur.

Elle roula sur la table et tomba par terre. Elle entendit Petey crier quelque chose, mais il était trop loin. Elle poussa sur ses membres pour se mettre à quatre pattes ; la mare de vomi jaunâtre n'était qu'à quelques centimètres de son visage. Tout en gardant les yeux fermés, elle voyait la flaque en train de coaguler. Derrière ses paupières closes, ses pupilles suivaient à la trace les mouvements de chaque bactérie, de chaque molécule.

Elle sentait sa conscience lui échapper. Touchait-elle au but, ou bien était-elle en train de s'évanouir ? Non, elle ne pouvait pas laisser tomber Petey. Elle était allée si loin – elle ne pouvait pas abandonner sans réponse. Il fallait qu'elle se concentre. Son cerveau embrumé tentait de lui obéir, mais en vain. Elle cherchait désespérément à se rappeler la question qui l'avait amenée ici, dans cet endroit. Et alors, elle vit... et elle sut.

...

C'est plus que compliqué, parce que c'est infini. C'est l'éternité qui s'étend dans toutes les directions à la fois ; c'est une route sinueuse, au tracé si alambiqué qu'on dirait un plan plutôt qu'une ligne. Et ce plan n'est pas le seul : à l'intersection avec chacun des quatrillions de nœuds qui composent sa surface, il y a un autre plan, qui se déploie suivant des angles impossibles, qui tourne, s'enroule et se replie sur lui-même à l'infini.

...

Julia hurlait. Une douleur stupéfiante avait pris possession de tout son être. Son dos se cambra et sa tête fut pro-jetée en arrière, puis s'écrasa sur le sol. C'est alors qu'elle entendit la Voix. La Voix lui revenait de très loin. Julia connaissait maintenant des trillions de voix, mais elle connaissait celle-ci différemment.

La Voix lui parlait en chuchotant. Elle lui promettait de la laisser partir si elle voulait bien regarder une parcelle de la grande éternité. Juste un bout et ce serait fini. Juste un petit bout.

…

Donc elle regarde. Et comme chaque chose est partout, elle le voit partout où elle pose les yeux. La gageure, c'est d'arriver à le démêler de tout le reste. Et alors elle le voit, juste là… mais il n'est pas un, il est un million, un mil-liard. Tellement sont semblables, mais tellement sont diffé-rents, de l'extrême à l'infime.

Elle pourrait écrire un millier de livres sur le Quand *qu'elle cherche à connaître. Et pourtant, le temps n'existe pas. Pas de temps… Bizarre. Ici le temps n'existe pas, mais là-bas, dans le* Quand *d'où elle vient, elle sait qu'elle n'a plus beaucoup de temps. Là-bas, dans le* Quand, *elle n'a plus que le temps de lui dire ce qu'il doit faire.*

…

Julia leva la tête pour délivrer son message. Sa voix était à peine audible. Petey approcha son oreille si près de sa bouche que ses cheveux lui chatouillèrent le visage. Et pendant qu'elle parlait,

…

elle voit les plans se déplacer en réaction à ses paroles, elle voit le Toujours *changer. Et c'est le* Toujours, *qui bouge et se reconfigure pour épouser la forme fluide de ses mots, qui finit par emporter sa raison. C'en est trop pour elle, le* Toujours *qui évolue sous ses yeux, et elle au centre. Trop pour elle, trop pour elle, trop pour…*

…

Julia se sentit expirer et pensa – non, pas *pensa*, sut —

…

car à présent elle se voit, au milieu du Toujours…

...

— que son temps était compté.

Il fallait qu'elle tienne bon. Elle avait encore tant de choses à faire. Il fallait trouver le temps. Alors,

...

parce que Julia le souhaite, Elle lui montre comment faire en sorte que cela se produise.

...

☆

Dans ses bras, Julia devint toute molle. Tversky frissonna. Il chercha son pouls : il était là, faible, mais bien réel. Il lui souleva une paupière, puis l'autre, mais il ne vit que du blanc. Les yeux de Julia avaient disparu à l'intérieur de son crâne. Il lui tapota le visage pour tenter de la ranimer, mais il savait que c'était inutile.

Son instinct lui criait qu'elle était partie. Il la remit sur la table et refixa les électrodes, qui s'étaient détachées dans sa chute. Il crut d'abord qu'elles avaient été endommagées, puis il comprit – il n'y avait pas d'activité cérébrale. Rien. La conscience qu'avait un jour été Julia Pearlman avait disparu ; le cœur de la jeune femme battait encore faiblement, mais son esprit était détruit.

Tversky jeta un regard éperdu autour de lui, se demandant ce qu'il allait faire. Il aurait voulu s'asseoir pour reprendre son souffle, mais il n'avait pas le temps. Comment allait-il expliquer ceci ? Aussitôt, son corps se couvrit d'une sueur froide et il se mit à hyperventiler.

Il consulta la pendule murale – 23 :37. L'équipe d'entretien arrivait aux alentours de minuit : plus que vingt-trois minutes. Il fallait réfléchir. Il pouvait appeler une ambulance. Elle était encore vivante, peut-être réussiraient-ils à la sauver. Mais un simple coup d'œil à Julia lui rappela que ce n'était pas envisageable. Son crâne était encore couvert de marques de stylo. Et, si elle mourait, il y aurait une autopsie. Ils comprendraient la vérité.

Le médecin légiste découvrirait les substances chi-

172

miques dans son sang. À partir de là, pas besoin d'être un génie pour deviner que Tversky était impliqué. S'il appelait une ambulance, il était sûr de devenir suspect. Il mourait d'envie de s'enfuir du labo aussi vite que possible, mais le garde de sécurité était là. Il se souviendrait que Tversky avait quitté le bâtiment si tard.

Seigneur. À quoi avait-il donc songé ? Il avait toujours pris tant de précautions – pourquoi n'avait-il pas élaboré de plan d'urgence ? Il regarda Julia avec haine. Cette foutue salope allait mourir sous son nez, dans son labo, et tout faire foirer.

Vingt et une minutes.

Tversky passa ses mains moites dans ses cheveux et se mit à arpenter la pièce. Pas moyen de s'en sortir. Il était foutu. À l'aube de la découverte scientifique la plus importante de tous les temps, il était bon pour la prison.

Vingt minutes.

Le temps passait trop vite. Il fallait trouver une issue. Il fallait… une fenêtre. Il fonça vers la fenêtre et se mit à tirer ; elle grinça en signe de protestation, mais finit par céder. En se tenant au chambranle, Tversky se pencha et tendit le cou pour examiner le passage situé cinq étages plus bas. Ça pouvait marcher. S'il était malin et qu'il ne paniquait pas, il pouvait faire en sorte que ça marche.

Il se précipita vers l'évier et s'emplit les mains d'un produit lavant rose surpuissant. Il fallait effacer les marques sur sa tête. Tout en frottant le crâne de Julia, il énuméra mentalement les choses qui lui restaient à faire…

Dix-huit minutes.

… avant l'arrivée du personnel d'entretien. Une fois qu'elle serait propre et qu'il aurait nettoyé le vomi sur le sol, il faudrait dissimuler les données – l'enregistrement vidéo, les tracés EEG, ses notes : il devait tout supprimer après en avoir fait une copie.

Tversky, qui maîtrisait enfin sa respiration, fit un pas en arrière pour contempler le résultat de son travail. Les marques avaient disparu. Malheureusement, il ne pouvait rien faire concernant les petits points rouges. Peut-être que, si son crâne se brisait dans la chute, on ne les remarquerait pas. Il ne pouvait qu'espérer.

Il la hissa sur son épaule et traversa la pièce. Elle était déjà appuyée contre le rebord de la fenêtre quand il entendit quelque chose. Un long et sourd gémissement. Il examina le visage de Julia, y cherchant un signe de lucidité retrouvée, mais rien n'avait changé – elle n'avait fait que desserrer les mâchoires.

Neuf minutes.

Il s'immobilisa un instant, comprenant qu'une fois accompli cet acte ultime, il ne pourrait plus revenir en arrière. Alors, elle gémit à nouveau. Le bruit était faible, mais affreux. Il n'aurait jamais cru qu'un son pouvait contenir autant de tristesse. Le râle d'un animal à l'agonie.

Huit minutes.

C'était insupportable. Il deviendrait fou s'il devait continuer à l'écouter. Rassemblant toutes ses forces, il fit basculer le corps par-dessus le bord de la fenêtre. Une seconde plus tard, on entendit un choc suivi d'un craquement sonore. Puis, plus rien. Tversky poussa un profond soupir de soulagement.

Remettre la pièce en ordre et graver les données sur un CD ne devrait pas lui prendre plus de quelques minutes. Il serait dehors avant l'arrivée de l'équipe de nettoyage, et chez lui une demi-heure plus tard. Il mourait d'impatience de voir la vidéo. Elle avait dit tant de choses qu'il avait eu peine à tout saisir, mais l'une de ses phrases repassait inlassablement dans sa tête :

« Tue-le, avait murmuré Julia. Tue David Caine. »

DEUXIÈME PARTIE

Minimiser les erreurs

Parce que nous pénétrons tant de mystères,
nous cessons de croire à l'inconnaissable.
Il n'en est pas moins là, à se lécher tranquillement les babines.

HENRY LOUIS MENCKEN, écrivain

Il m'est arrivé, avant d'avoir pris le petit
déjeuner, de croire jusqu'à six choses impossibles.

La Reine Blanche,
monarque au pays des merveilles.
LEWIS CARROLL, *De l'autre côté du miroir*
(trad. Henri Parisot, GF Flammarion, 1979)

CHAPITRE 13

En entendant la chute, Nava se mit à courir. Il faisait trop sombre pour voir ce qui était tombé, mais elle avait l'horrible pressentiment qu'il s'agissait d'une personne. Lorsqu'elle pénétra dans le passage, elle fut assaillie par une mauvaise odeur de viande avariée. Elle se couvrit le nez de la main et se fraya un passage parmi la ronde de sacs-poubelle éventrés qui entourait les bennes à ordures, ignorant les grattements et les couinements des rats qui détalaient sur son passage.

C'est alors qu'elle vit le corps. La femme était nue et entièrement rasée, à l'exception d'une petite touffe de poils pubiens. Ses membres formaient des angles contre nature et lui donnaient l'apparence d'un mannequin. Seule, la balafre sanguinolente qui lui barrait le ventre indiquait qu'elle avait été un être vivant.

Nava tourna doucement la tête de la morte. Son visage était déformé par l'angoisse, mais son identité ne faisait aucun doute. C'était Julia Pearlman – le sujet Alpha. Nava sentit son cœur s'affaisser. Les Nord-Coréens ne laisseraient pas passer un nouveau raté. Si elle ne leur livrait pas le sujet Alpha, ils la feraient tuer ou la dénonceraient au SVR.

Aussitôt, un sentiment de culpabilité l'envahit : elle n'avait pas eu une seule pensée pour le triste sort de la jeune femme. Comment en était-elle arrivée là ? Depuis quand était-elle devenue si froide qu'elle ne pensait qu'à elle-même ? Mais une autre partie de son cerveau – celle qui abritait son instinct de survie – continuait à travailler, cherchant désespérément une issue.

Elle prit un mouchoir en papier dans sa poche et l'appliqua sur la blessure de Julia, puis l'enveloppa dans un morceau de plastique arraché à un sac-poubelle. Un échantillon de sang ferait peut-être patienter le RDEI jusqu'à ce qu'elle trouve autre chose.

Alors, elle entendit un bruit qui la figea sur place : la morte parlait.

☆

Julia avait dit ce qu'elle avait à dire.

Maintenant, le moment était enfin venu de se reposer.

Maintenant. Le mot tournoyait dans sa tête ; il lui semblait si dérisoire. Elle se souvenait combien tout cela lui avait paru important. Mais ce temps était révolu. Dans 3,652 secondes, il n'y aurait plus de *Maintenant*. Il n'y aurait plus que le pur, le merveilleux *Toujours*. Et dans le *Toujours*, il n'y avait pas d'odeur. Rien que pour ça, elle se sentait soulagée.

Dans un dernier halètement, Julia ouvrit les yeux.

☆

En quelques heures, Caine avait gagné trois cent soixante dollars. Presque cent de plus que ce qu'il avait prévu. Il savait qu'il aurait dû se lever et partir, mais il n'y arrivait pas. À la place, il se répétait les bonnes vieilles histoires : il avait le vent en poupe. Il était au top. Et, bien sûr, le mensonge numéro un de tous les joueurs : *À la seconde où les cartes sont contre moi, j'arrête*.

Puis il perdit bêtement un pot de quatre-vingts dollars – son brelan de dix fut battu par une quinte à la rivière. Alors, il fit exactement ce qu'il s'était promis de ne pas faire : il perdit son sang-froid. Il était si furieux d'avoir laissé passer ces quatre-vingts dollars qu'il refusa de se coucher aux cinq coups suivants alors que ses cartes étaient merdiques. Il savait qu'il jouait comme un pied, mais il ne pouvait pas s'arrêter. Sa grosse pile de jetons, amassée grâce à des heures de jeu conventionnel, disparut en moins de trente minutes.

Lorsqu'il eut perdu le dernier, Caine se leva en silence et sortit. Dans la rue, il faisait froid ; il fourra les mains dans ses poches pour les réchauffer. Il sentait sous ses doigts la présence moqueuse de son unique billet de vingt dollars. Il n'avait même plus envie de l'utiliser comme prévu – pour se saouler.

Il rentra chez lui en empruntant des détours. Il marcha ainsi deux heures, offert au froid, sans cesser de se flageller. Comment avait-il pu être aussi con ? Ça ne lui suffisait pas de devoir douze mille dollars à Nikolaev ? Il fallait en plus qu'il joue les quatre cents qui lui restaient ?

Distraitement, il se demanda si Peter avait d'autres expériences à lui proposer.

☆

Au pied de l'immeuble où habitait son frère, Jasper consulta sa montre pour la cinquième fois en une minute – 00 :19 :37. Déjà sept heures depuis que David était parti pour le club de poker. D'après la Voix, ils n'allaient pas tarder. Jasper avait d'abord voulu prendre son pistolet, mais la Voix l'en avait dissuadé, et il l'avait laissé sur la table basse.

Il regarda à nouveau sa montre, juste à temps pour voir l'affichage digital passer à 00 :20 :00. Il était presque l'heure. En dépit du froid, il transpirait abondamment à l'idée de la raclée qu'il s'apprêtait à subir. Il avait déjà pris des raclées, mais toutes lui avaient été administrées par des garçons de salle de Mercy et s'étaient achevées par une divine piqûre de Thorazine. Jamais il n'avait pris part à une bagarre de rue – et, cette fois, il n'aurait certainement pas droit à une petite gâterie pharmaceutique pour se consoler. Mais la Voix lui disait qu'il le fallait pour protéger David, donc il était prêt.

Ils arrivent. Détends-toi. Ce sera bientôt fini.

Au même moment, une Lincoln Town Car noire fit halte

au bord du trottoir, phares allumés. Le conducteur sauta dehors sans prendre le temps d'arrêter le moteur. Une seconde plus tard, il était devant Jasper et le regardait d'un air mauvais. Jasper eut juste le temps de se souvenir de son nom avant de recevoir un coup de poing dans l'estomac. Il suffoqua, plié en deux. Kozlov le força à se redresser en le tirant par les cheveux, puis le frappa violemment à la mâchoire. Tout devint noir.

Quand les ténèbres se dissipèrent, Jasper avait le visage écrasé entre le trottoir glacé et la semelle de Kozlov.

«Vitaly m'a demandé de te passer un message, Caine. Il veut que tu te souviennes que ton argent n'est pas fait pour jouer, mais pour *rembourser*. Si tu as de l'argent en trop, tu paies Vitaly. Tu ne vas pas le claquer chez les Chinetoques, OK?»

Il appuya plus fort sur le crâne de Jasper. Celui-ci finit par comprendre qu'il était censé répondre.

«OK, OK! J'ai pigé!

– Bon.»

Kozlov retira son pied; Jasper aurait juré que son crâne se distendait. Le Russe lui fit les poches et en sortit un portefeuille, qu'il lui jeta à la figure d'un air dégoûté en s'apercevant qu'il ne contenait qu'un billet d'un dollar. La Voix avait prévenu Jasper qu'il ferait bien de le vider avant la rencontre.

Kozlov se pencha alors tout près de son visage. «On se voit dans cinq jours», dit-il en le cognant à la bouche pour faire bonne mesure. La tête de Jasper rebondit sur le trottoir et il perdit connaissance.

☆

En entendant le déclic de sa serrure à pêne dormant, Tversky s'autorisa enfin à souffler. Il y était arrivé. Il laissa tomber son sac marin par terre et s'effondra dans une bergère à oreilles. Les yeux fermés, il s'efforça d'assimiler tout ce qui s'était passé au cours de la précédente demi-heure. Il réfléchissait à toute vitesse, s'arrêtant pour examiner un détail, puis déroulant le fil de sa chronologie personnelle pour s'imprégner d'un autre.

Il lui fallait se recentrer. Tout était arrivé si vite. Il avait besoin d'un verre. Il se dirigea vers le meuble à liqueurs, se versa quatre doigts de scotch single malt et avala une longue lampée en savourant la chaleur du liquide dans sa gorge. Il resta debout pour finir son verre et s'en versa rapidement un autre. Quand il retourna s'asseoir, le monde avait pris un lustre chaleureux.

« Voilà qui est mieux, dit-il tout haut. Beaucoup mieux. »

Il finit son deuxième verre, puis glissa la cassette dans le magnétoscope et se servit à nouveau en retournant s'asseoir. Une demi-bouteille plus tard, il saisit la télécommande d'une main mal assurée, la dirigea vers le pavé noir et appuya sur PLAY.

Fasciné, il se vit apparaître sur l'écran brillant. Il s'entendit énoncer l'heure et la date, puis présenter le sujet Alpha (c'était plus facile comme ça, y penser comme à un instrument de travail parmi d'autres, et non comme à une personne... une personne qu'il avait assassinée). La jeune femme était déjà étendue sur la table, inconsciente. Il lui injecta alors une dose de sérum qui, il le savait à présent, serait la dernière.

Dans un coin de l'écran, on voyait onduler doucement les courbes de l'électroencéphalogramme. Au début, seules les ondes thêta crûrent de manière significative ; les autres languissaient comme de petites rides à la surface d'un étang. Puis l'électrocardiographe se mit à biper furieusement et toutes les ondes s'élancèrent vers le haut, balayant la surface comme un raz-de-marée. Tversky ralentit le défilement de la cassette et, les yeux rivés sur l'écran, tenta de comprendre en quoi il avait bien – ou mal – agi.

Mais il n'y avait rien à voir. Rien qu'un tracé EEG théoriquement impossible et une femme dont les yeux bougeaient si vite derrière ses paupières closes qu'ils semblaient vouloir sortir de leurs orbites. Ensuite, elle vomit, se retourna d'un mouvement saccadé et tomba par terre, hors du champ de la caméra. L'image, désormais statique, ne montrait plus qu'une table métallique vide.

Tversky appuya sur PLAY pour revenir à la vitesse normale et augmenta le volume afin d'entendre une fois de plus les dernières paroles de Julia. Elle chuchotait à peine et sa voix, combinée au sifflement de la cassette, donnait des frissons. Elle parla exactement trois minutes et douze secondes ; son discours s'accélérait, puis ralentissait, comme si elle s'adressait à lui depuis des montagnes russes.

Certains passages étaient complètement incohérents ; d'autres, d'une lucidité incroyable, comportaient des instructions détaillées pour chaque scénario possible. Après l'avoir réécoutée cinq fois, Tversky éteignit la télévision. La pièce devint silencieuse, mais les tout premiers mots du sujet Alpha continuaient à résonner dans sa tête.

Tue-le. Tue David Caine.

Il avait d'abord espéré qu'il s'agissait d'autre chose, qu'il avait mal entendu. Mais après avoir écouté tant de fois ce chuchotement rauque, il ne pouvait plus nier. S'il voulait obtenir le savoir, il n'avait d'autre choix que de suivre les instructions du sujet Alpha.

Il gagna son bureau d'un pas trébuchant et se connecta à Internet. Une fois la page chargée, il tapa les mots de sa recherche sous le logo coloré de Google. 0,63 seconde plus tard, l'écran afficha les dix premiers des 175 000 résultats trouvés. Il cliqua sur le septième lien répertorié, comme Julia lui avait dit de le faire. Sur la page d'accueil du site, on pouvait lire :

Les informations publiées sur ce site concernent des activités et des dispositifs qui peuvent être prohibés par les lois fédérales ou locales. Les webmasters ne sont pas partisans de la violation de ces lois et se dégagent de toute responsabilité. Ce site a UNIQUEMENT VALEUR D'INFORMATION.

Après avoir lu et accepté les termes et conditions exposés ci-dessus, cliquez sur ENTRER.

Tversky se hâta de cliquer sur le lien. Une nouvelle page s'afficha et il commença à lire.

☆

Nava s'effondra dans sa chaise Aeron noire, qui rebondit doucement sous son poids. Puis elle alluma sa lampe de bureau. Une douce lumière blanche éclaira l'ordinateur, plongeant le reste de la pièce dans une obscurité plus profonde encore.

Elle mit son pouce sur la vitre carrée du scanner. Il y eut un bref flash de lumière et son doigt prit une teinte rosée. Deux mots s'affichèrent sur l'écran plat :

```
EMPREINTES CONFIRMÉES
```

Nava était identifiée. Elle ne prit pas la peine de lire les dernières données provenant de l'ordinateur de Tversky, mais navigua pour trouver l'application communément dénommée «L'Annuaire». Ce programme était relié à toutes les bases de données utilisées par l'État, dont celles de la CIA, du FBI, de la Sécurité sociale, des services de l'Immigration et, bien sûr, de l'administration fiscale. Si l'homme qu'avait mentionné Julia Pearlman existait, L'Annuaire le saurait.

Comme elle n'était pas sûre de l'orthographe de son nom, elle en entra plusieurs.

```
NOM :
     cane, cain, caine, kane, kain, kaine
PRÉNOM :
     david
VILLE :
     new york city
ÉTAT :
     ny
```

183

Elle appuya sur la touche RETOUR et patienta tandis que l'ordinateur effectuait la recherche dans les bases de données. Elle n'eut pas à attendre longtemps.

SIX FICHIERS CORRESPONDENT À VOTRE RECHERCHE

```
1. Cane, David L. - 14 Middaugh Street, Brook-
lyn, NY
2. Cain, David P. - 300 West 107th Street, Man-
hattan, NY
3. Caine, David M. - 28 East 10th Street, Man-
hattan, NY
4. Caine, David T. - 945 Amsterdam Avenue, Man-
hattan, NY
5. Kane, David S. - 24 Forest Park Road, Woodha-
ven, NY
6. Kain, David - 1775 York Avenue, Manhattan,
NY
```

NOUVELLE RECHERCHE

Nava se concentra sur le deuxième et le quatrième nom car les adresses correspondantes n'étaient qu'à quelques rues de l'université de Columbia. Elle cliqua sur «Cain, David P.». Au bout d'un bref instant, l'écran se remplit. Elle parcourut rapidement la page, mais rien ne lui sauta aux yeux : c'était juste un New-Yorkais moyen habitant un appartement hors de prix et endetté jusqu'au cou.

Elle passa le troisième nom et cliqua sur «Caine, David T.». Ses yeux s'agrandirent lorsqu'elle vit qu'il était étudiant à Columbia. Ça devait être la personne dont Julia lui avait parlé. Elle observa la photo de son passeport. David T. Caine la dévisagea en retour, le regard dur, un soupçon de sourire au coin des lèvres, comme s'il savait qu'elle était en train de le regarder. Nava fit défiler le reste du fichier, mémorisant au passage les informations, puis, lorsqu'elle eut terminé, revint à la photo.

«Qu'est-ce que vous avez de si important, monsieur Caine ?» demanda-t-elle tout haut. Elle regrettait de n'avoir pas eu plus de temps avec Julia.

Elle entendit alors un bruit feutré de pas. Quelqu'un venait. Elle eut juste le temps de masquer le fichier avant de voir Grimes émerger de la pénombre, une Granny Smith à la main. Il croqua un énorme morceau de sa pomme, s'assit en face d'elle et, tout en mâchant, lui décocha un sourire jaunâtre.

« Z'en voulez un bout ? demanda-t-il en lui tendant le fruit entamé.

– Non merci, répliqua Nava en tentant de dissimuler son dégoût. J'ai déjà mangé. »

Il gonfla les joues, puis déglutit bruyamment. « Comme vous voudrez. » Il prit une nouvelle bouchée, encore plus grosse que la précédente, et continua à manger. En même temps, il se laissa aller dans son siège et posa ses pieds nus sur le bureau de Nava.

« Je peux vous aider ? fit-elle.

– Peut-être. Qui sait ? » répondit-il entre deux bruits de mastication.

Ce type était incroyable.

« Disons les choses autrement : qu'est-ce que vous voulez ?

– Rien. Je suis juste là à bosser en pleine nuit, comme vous, alors je passais dire bonjour.

– Bonjour », rétorqua-t-elle.

Grimes croqua un autre morceau et se mit à mâcher la bouche ouverte en regardant le plafond. Visiblement, il ne captait pas.

« Bon, eh bien, s'il n'y a rien d'autre, je vais me remettre au travail, déclara Nava.

– Bien sûr, pas de problème », répondit-il sans faire le moindre geste pour partir.

Nava lui lança un regard méprisant.

« D'accord, d'accord, j'y vais. Bon Dieu, j'essayais juste d'être sociable. »

Il se leva et commença à s'éloigner, puis s'arrêta en pleine foulée.

« Au fait, fit-il en se retournant, comment vous avez entendu parler de David Caine ? »

Nava resta impassible.

« Qu'est-ce que vous voulez dire ? demanda-t-elle calmement.

– Ben, vous étiez en train de regarder son fichier, non ?

– Et qu'est-ce qui vous fait penser ça ?

– Je le *pense* pas, je le *sais*, poupée, répliqua Grimes en mordant dans sa pomme. Je balise tous les fichiers sur lesquels je travaille pour savoir qui les ouvre et quand.

– Et qu'est-ce que *vous* faisiez dans le fichier de David Caine ? demanda Nava, éludant la question.

– Dr Jimmy – Forsythe, je veux dire – veut voir toutes les infos disponibles sur Caine avant que vous le preniez demain. »

Nava était troublée. Elle laissa tomber la main le long de sa jambe et palpa le pistolet qu'elle avait à la cheville. Résistant à l'envie de le lui braquer sur la tempe, elle dit d'un ton nonchalant :

« Je n'étais pas au courant que j'étais censée "prendre" quelqu'un demain – sans même parler de David Caine.

– Eh bien, ce n'est pas encore officiel, mais je connais Dr Jimmy. Il va vouloir Caine ici dès que possible.

– Pourquoi ? »

Grimes la regarda comme si elle était idiote.

« Parce que c'est le sujet Bêta. »

Il mordit une dernière fois dans sa pomme et lança le trognon vers la corbeille à papier de Nava. Celui-ci rebondit sur le bord et tomba par terre. Grimes ne fit pas un geste pour le ramasser.

« L'autre jour, j'ai collé un virus à l'ordinateur de Tversky, expliqua-t-il, pas peu fier. À chaque fois qu'il supprime définitivement un fichier après l'avoir sauvegardé ailleurs, je le reçois automatiquement par mail. Ce soir, j'ai touché le jackpot. Apparemment, il a liquidé tous les fichiers qui contenaient ses données vers minuit. J'avais déjà la majorité des trucs, mais, parmi les nouveaux fichiers, il y en a un qui contient tout un dossier médical sur David Caine et qui parle de lui comme du sujet Bêta. Comme je n'ai donné l'info à personne, je me demandais comment vous saviez.

186

– Surveillance physique, fit Nava, comme si cela répondait à toutes les questions de Grimes.

– Oh, vous l'avez vu rencontrer Tversky, hein? demandat-il, impressionné. Je kiffe les trucs d'espionnage. Cool. En tout cas, Dr Jimmy est tellement furax de ne pas savoir qui est le sujet Alpha qu'il va vouloir mettre la main illico sur le sujet Bêta, j'en suis sûr. »

Nava hocha la tête.

« Bon, faut que je retourne à ma bécane. J'ai un tournoi Halo qui commence dans cinq minutes. À plus. »

Et, sans attendre la réponse, Grimes s'éloigna dans l'obscurité pour rejoindre une autre poche de lumière située plus loin dans le couloir.

Nava passa une main dans son épaisse crinière. Si Grimes avait vu juste à propos de Forsythe, les choses devenaient nettement plus compliquées. Elle regrettait de ne pas avoir plus de temps pour réfléchir à ce qu'elle devait faire, mais l'heure tournait. Elle consulta rapidement les plans de l'immeuble de Caine sur le site du département des bâtiments de la Ville de New York, prit son manteau, un sac à dos et un grand sac marin noir et se dirigea vers la sortie. Une fois dans la rue, elle héla un taxi.

« 945 Amsterdam », dit-elle au chauffeur.

La voiture accéléra brutalement, la projetant en arrière sur le siège. Elle vérifia son pistolet, puis ferma les yeux. L'appartement était à une centaine de rues de distance. Elle avait au moins un quart d'heure pour prendre une décision.

☆

En approchant de chez lui, Caine vit un sans-abri affalé sur le perron. Il se sentit ému par le type – au moins en partie parce qu'il se disait qu'il risquait lui-même de vivre dans la rue dans pas si longtemps. En arrivant près des marches, il se pencha et, délicatement, entreprit de retourner l'homme sur le dos.

«Eh, mon pote, ça v— » Les mots moururent sur ses lèvres lorsqu'il aperçut le visage ensanglanté : c'était *son* visage. L'espace d'une seconde, il sentit sa raison lui échapper, puis elle lui revint d'un coup, comme un élastique distendu qui se remet en place. Ce n'était pas lui-même qu'il voyait ; c'était Jasper.

«Mon Dieu. Jasper, mais qu'est-ce qui s'est passé ?

– Je suis tombé sur un de tes copains russes, répondit Jasper en toussant et en essuyant le sang qui coulait sur son nez. Vitaly te salue, au fait.

– Oh, mec, je suis vraiment désolé. »

Caine passa un bras de son frère sur son épaule et le conduisit jusqu'à la porte. À tâtons, il introduisit la clé dans la serrure, puis aida Jasper à monter les marches, priant pour que d'autres surprises ne l'attendent pas à l'intérieur.

☆

Postée sur un toit de l'autre côté de la rue, Nava abaissa ses lunettes de vision nocturne tandis que Caine aidait l'étranger à gagner la porte. L'homme avait quelque chose de familier, mais elle n'arrivait pas à mettre le doigt dessus. Le sang qui lui couvrait le visage empêchait de bien distinguer ses traits. Elle sortit prestement son petit appareil photo numérique, également adapté à la vision nocturne, et prit quelques clichés en faisant la mise au point sur le visage de l'étranger. Elle les analyserait plus tard.

Elle se tourna ensuite vers le trépied qu'elle avait installé. Elle regarda dans la lunette, la dirigea vers la fenêtre du quatrième étage et attendit qu'elle s'éclaire. Près d'une minute s'écoula ; la vitre était toujours sombre. Nava commençait à se demander si elle ne s'était pas trompée d'appartement lorsqu'elle entrevit un mince rai de lumière.

Caine venait sans doute d'ouvrir la porte ; la lumière provenait du couloir. Il serait en vue d'ici quelques secondes. Tendue, elle attendit.

☆

Caine poussa la porte, appuya sur l'interrupteur, et les deux frères pénétrèrent en trébuchant dans l'appartement. Il se retint à la poignée pour leur éviter de se casser la figure.

« Allez, Jasper. On y est presque. »

Jasper grogna et ouvrit vaguement l'œil droit – le gauche était déjà trop enflé. Revenant momentanément à la vie, il fit quelques pas chancelants et s'effondra sur le canapé. Caine s'adossa contre la porte et écouta la respiration laborieuse de son frère.

Après avoir lui-même repris son souffle, il rejoignit Jasper et déboutonna avec précaution sa chemise pour inspecter ses blessures. Il avait un hématome sur la poitrine, mais pas de côte fracturée. C'était son visage qui était vraiment amoché. Son œil gauche avait viré au violet foncé ; au-dessous, la joue était ouverte en plusieurs endroits et couverte de sang séché. Son nez était enflé et sanguinolent, mais ne semblait pas cassé. Enfin, il avait à l'arrière du crâne une vilaine bosse qui ressemblait à un énorme bonbon.

Caine se dirigea vers la minuscule alcôve qui lui servait de cuisine. Il remplit un bol d'eau tiède, attrapa un rouleau d'essuie-tout et revint nettoyer le visage de son frère. Sans les traces de sang, il n'était plus aussi horrible à voir. On avait l'impression qu'il venait de faire un round avec Mike Tyson, mais pas qu'il était à deux doigts d'y passer.

Caine songea à l'emmener à l'hôpital, mais il savait qu'un médecin ne pourrait rien faire de plus que lui – à part prescrire des analgésiques plus puissants. Ce dont son frère avait besoin, c'était d'une bonne nuit de repos, et non de cinq heures d'attente aux urgences.

« Coucou », marmotta Jasper.

Caine sursauta.

« Comment tu te sens ?

– Pas super, mais sans doute mieux que je n'en ai l'air,

répondit Jasper en s'asseyant et en mettant les pieds par terre.

– Eh, tu vas où comme ça ? demanda Caine en le retenant par les épaules.

– Aux toilettes. Tu veux voir ? » fit Jasper en repoussant les mains de son frère.

Il se leva, faillit tomber et s'agrippa au bras de Caine.

« Et si je t'aidais juste à aller jusque-là ? suggéra celui-ci.

– Bonne idée. »

Caine attendit à l'extérieur. Quelques minutes plus tard, Jasper ouvrit la porte de la salle de bains. Il avait toujours une sale tête, mais, au moins, il souriait un peu – ou il essayait.

« Je me suis regardé dans la glace et j'ai changé d'avis : en fait, je me sens exactement comme j'en ai l'air. »

Il palpa avec précaution l'arrière de son crâne.

« Tu as de bons médocs ? »

Caine secoua la tête.

« Rien de plus fort que l'Advil. À moins que tu ne veuilles essayer un antiépileptique expérimental.

– Je vais m'en tenir à l'Advil.

– Sage décision. »

Caine passa devant son frère pour entrer dans la salle de bains.

« Tu en veux combien ? demanda-t-il en montrant le flacon.

– Tu en as combien ? »

Caine secoua le flacon et fit tomber quatre comprimés dans sa main. Jasper les avala à sec, comme un pro. Son frère l'aida ensuite à rejoindre le canapé. Ils s'assirent.

« Dis donc, ça t'ennuierait de m'expliquer dans quoi tu t'es fourré ce soir ? demanda alors Jasper.

– Rien d'irréparable, répondit Caine d'un ton qui se voulait confiant.

– C'est sans doute pour ça que le Russe m'a mis le visage en compote.

– Il t'a pris pour moi, hein ?

– Ouais. »

Caine regarda ses mains, ne sachant trop comment poser la question suivante.

« Et il a dit pourquoi il voulait me passer un savon ?

– Un truc à propos des Chinetoques avec lesquels tu traînes.

– Merde. »

Il n'arrivait pas à croire que Nikolaev avait appris si vite son passage chez Billy Wong. Un autre joueur avait dû cafter.

« Bon Dieu, je suis désolé, mec. »

Jasper balaya ses excuses d'un revers de main.

« Tu ne pouvais pas prévoir.

– Je sais, mais bon. Ce serait peut-être mieux pour toi de t'éloigner quelque temps. En ce moment, New York n'est pas un endroit très sûr pour moi – ni pour les gens qui me ressemblent.

– C'est aussi ce que je me disais. Je vais rentrer à Philly demain, dit Jasper en se grattant le nez avec précaution. Pourquoi tu ne viendrais pas avec moi ?

– J'aimerais bien, mais il faut que je reste pour les tests du Dr Kumar. Jusqu'ici, j'ai l'impression que son nouvel antiépileptique fonctionne. »

Jasper secoua la tête.

« Il faut que tu partes d'ici.

– Impossible. »

Caine se leva et se passa les mains dans les cheveux.

« Je n'aurai pas de vie si je n'arrive pas à surmonter les crises. C'est ma dernière chance.

– Tu n'auras pas de vie non plus si ce type te tue.

– Sans blague ? fit sèchement Caine.

– Écoute, j'essaie juste de t'aider. »

Pendant un moment, aucun des deux ne parla. Puis, Caine rompit le silence :

« Désolé, Jasper, mais là, j'ai le dos au mur. En temps normal, j'arriverais à trouver une solution pour le fric, mais, avec toutes mes histoires de santé, sans compter… »

Caine laissa sa phrase en suspens. Il ne voulait pas parler de ce qui s'était passé au restaurant.

« Je ne sais pas ; je me sens juste paumé. »

Il se laissa tomber sur une chaise. Il était soudain complètement accablé. Lorsqu'il regardait le visage meurtri de son frère, tout lui semblait trop réel.

« Allons dormir, dit Jasper en fermant les yeux et en s'étalant de tout son long sur le canapé. Qui sait… Peut-être qu'un rêve te donnera la solution. On a déjà vu plus étrange.

– Ouais, fit Caine en repensant à la scène du restaurant. Ça, c'est vrai. »

CHAPITRE 14

Quand le bruit de leur respiration lui indiqua qu'ils s'étaient endormis, Nava retira ses écouteurs et commença à démonter le micro directionnel tout en réfléchissant à la suite. Elle pouvait attendre que les deux hommes quittent l'appartement, mais il restait encore quatre heures avant l'aube. Elle songea à prendre un peu de repos et à revenir au point du jour, mais quelque chose la perturbait. Elle avait l'intuition que l'identité de l'ami de Caine était importante. Au lieu de rentrer chez elle, elle retourna donc une dernière fois au labo du STR.

Une fois devant son ordinateur, elle téléchargea les photos numériques où figurait l'étrange visiteur de Caine. Il y en avait neuf en tout, présentant toutes des angles légèrement différents, car l'homme n'avait cessé de bouger pendant qu'elle les prenait. Elle agrandit son visage sur chacune d'entre elles, mais les images étaient sombres, floues et déformées.

Nava pressa quelques touches pour lancer le logiciel de reconnaissance faciale et, comme par magie, les neuf photos fusionnèrent pour reconstituer un visage d'homme en trois dimensions. Peu à peu, le nez prit forme, ainsi que les yeux et l'ossature d'ensemble. L'un des yeux était méchamment enflé, et le visage était couvert de sang. Elle tapa quelques commandes supplémentaires : le sang disparut et fut remplacé par de la chair rose pâle, de la même couleur que le reste du visage. Celui-ci commençait à lui devenir familier.

Elle supprima alors la portion de visage qui contenait

l'œil enflé et la remplaça par une image inversée de l'œil droit. Puis elle étroitisa le nez, à l'évidence enflé lui aussi. Lorsqu'elle eut terminé, elle fit pivoter le visage de manière à le regarder de face. Elle crut d'abord qu'elle avait fait une erreur, mais après une rapide vérification, elle s'aperçut que non : l'homme qu'elle avait vu à l'entrée de l'immeuble était le sosie parfait de David Caine.

Nava eut alors une subite illumination. Elle rouvrit le fichier de Caine et le vit, écrit noir sur blanc : un frère jumeau. Elle réfléchit à toute vitesse à la manière dont elle pourrait tourner ce détail inattendu à son avantage. Elle doutait que Grimes eût examiné le fichier d'assez près pour remarquer que Caine avait un jumeau. Si elle se trompait, son subterfuge serait vite découvert. Mais si elle voyait juste...

Il fallait faire un choix : attendre au risque de perdre l'initiative, ou passer à l'acte au risque de se trahir. Dans ce genre de situation, Nava faisait toujours confiance à son instinct. À ses yeux, tout choix pouvait avoir des répercussions négatives. L'important, c'était d'analyser les risques et de les minimiser. On ne pouvait jamais les éliminer – jamais complètement.

Elle se décida à agir.

Elle n'avait pas l'autorisation de modifier le fichier maître de la NSA, mais elle connaissait un autre moyen. Quelques mois plus tôt, elle avait soudoyé l'un des administrateurs système de la Sécurité sociale pour obtenir un nom d'utilisateur et un mot de passe lui permettant de créer de faux alias. Elle n'avait pas utilisé le mot de passe frauduleux depuis près de six semaines, mais il devait encore être valide.

Elle s'identifia dans la base de données de la Sécurité sociale et appuya sur RETOUR. L'écran devint noir. Pendant une seconde, Nava crut que le système avait été nettoyé et son mot de passe supprimé. Elle s'imagina la scène – l'alarme silencieuse, les portes de sécurité forcées, des hommes en armes se précipitant vers son poste de travail. Mais un menu finit par s'afficher.

Elle appuya sur F10 pour modifier les données du fichier maître. Cela ne lui prit que cinq minutes. Lorsqu'elle eut terminé, elle revint dans la base de données de la NSA, sélectionna le fichier de Caine et commanda à l'ordinateur de le mettre à jour. L'écran afficha EN COURS tandis que le programme accédait aux bases de données mères qui lui servaient à établir ses fichiers. Trente secondes plus tard, la modification était faite.

Tous les champs étaient restés identiques à l'exception d'un seul. Le tour était joué. Si Grimes ouvrait une sauvegarde faite la veille au soir, il comprendrait le stratagème, mais c'était sans importance : à ce moment-là, Nava aurait déjà pris une avance décisive.

Pour la deuxième fois cette nuit-là, elle se mit en chemin vers l'appartement de Caine. Elle savait que, quoi qu'il arrive, ce serait la dernière.

☆

James Forsythe était plus que furieux : il fulminait. S'il ne crucifiait pas Grimes sur-le-champ, c'était uniquement parce qu'il avait encore besoin de lui. Il se força à fermer les yeux pour maîtriser ses émotions et se concentra sur sa respiration. *Inspire. Expire. Inspire. Expire.*

« Ça va, Dr Jimmy ? demanda Grimes en se curant machinalement l'oreille.

– Dr Forsythe. *FOR-SYTHE*, répondit-il en serrant les dents et en ouvrant les yeux.

– Vous savez bien que je rigole, dit Grimes en souriant. Écoutez, désolé de ne pas vous avoir réveillé la nuit dernière, mais je ne savais pas.

– Vous ne vous êtes pas dit que j'aimerais être prévenu si le chercheur que nous surveillions *disparaissait* ?

– Au sens propre, il n'a pas disparu – on n'a juste pas réussi à le trouver depuis qu'on le cherche.

– Mais ça fait *trois heures* qu'on le cherche. Et sous *votre* responsabilité. »

Grimes frotta ses semelles contre le sol.

«Qu'est-ce que vous voulez que je vous dise ? Ce qui est fait est fait. »

Forsythe allait répliquer lorsqu'il prit conscience que ce crétin avait raison. Il aurait bien le temps de se venger plus tard.

«Bon, d'accord, soupira-t-il en se laissant aller dans son siège. Racontez-moi tout ce que vous savez. Depuis le début. »

Grimes appuya sur une touche de son PDA et se mit à lire :

«Selon le rapport de police, une étudiante de troisième cycle du nom de Julia Pearlman est décédée entre vingt-trois heures et minuit. Manifestement, elle avait fait une chute depuis la fenêtre du cinquième étage. C'est un sans-abri qui l'a trouvée vers deux heures, nue, dans une benne à ordures. Le médecin légiste n'a pas déterminé la cause de la mort, mais on a constaté une fracture de la colonne vertébrale. Pour l'instant, ils traitent l'affaire comme un suicide, mais ils n'ont pas totalement exclu l'homicide.

– Et ils pensent que Tversky pourrait être impliqué ? »

Grimes hocha la tête.

«Ils veulent l'interroger parce que la fille a sauté de son labo et que, d'après plusieurs étudiants, elle travaillait souvent tard avec lui. »

Forsythe retint son souffle ; il venait de comprendre.

«C'était le sujet Alpha.

– Ouais, il semblerait. J'ai reçu des fichiers de l'ordinateur de Tversky quand il a essayé d'effacer le disque dur. Il testait un nouveau mélange chimique sur la fille juste avant qu'elle casse sa pipe. Apparemment, il l'a mis au point grâce à un type sur lequel il a fait des analyses hier à son labo et qui présentait des, euh… des aptitudes similaires. Il l'appelle le sujet Bêta.

– Bon Dieu, fit Forsythe, encore un sujet inconnu.

– En fait, on l'a identifié. Il s'appelle David Caine. »

Forsythe se ragaillardit.

«Comment avez-vous trouvé son nom ? »

Grimes sourit.

« Quand je me suis aperçu que Tversky recevait tous ces nouveaux résultats d'analyses, j'ai recoupé le numéro de référence avec ceux de la comptabilité. Ce jour-là, ils ont établi un chèque avec la même référence à l'ordre de David T. Caine.

– Attendez une minute – vous avez dit "*on* l'a identifié". Qui, *on* ? »

Grimes se renfrogna.

« L'agent Vaner, même si elle est restée plutôt vague sur la manière dont elle s'y était prise. Encore un truc d'espionne, j'imagine.

– Où est-elle en ce moment ?

– La dernière fois que j'ai regardé, elle était devant l'appartement de Caine. »

Forsythe se réjouit d'entendre au moins une bonne nouvelle.

« Bien. Dites-lui de garder l'œil sur Caine et, pendant ce temps, localisez Tversky.

– À vos ordres, cap'taine Jimmy. »

Grimes fit claquer ses talons l'un contre l'autre, pivota sur lui-même et quitta la pièce.

Soulagé de se retrouver seul, Forsythe se pencha sur les dernières notes prises par Tversky au labo. Quoique lacunaires, elles étaient stupéfiantes. Le témoignage de Tversky sur les facultés de Caine restait anecdotique, mais les analyses chimiques semblaient corroborer sa thèse. De plus, le tracé EEG de Pearlman ne ressemblait à rien de ce que Forsythe avait vu à ce jour. Moins d'une minute après l'injection du mélange, les ondes cérébrales du sujet Alpha avaient toutes bondi de manière parfaitement synchrone. Certes, l'expérience avait tué la fille, mais ses implications scientifiques étaient révolutionnaires.

Le plus simple aurait été que Tversky travaille pour lui, mais ce n'était pas nécessaire. Ce qui l'était vraiment, c'était de conduire d'autres tests sur David Caine. Toutefois, si les théories de Tversky étaient exactes, capturer un homme comme Caine allait s'avérer fort périlleux. Forsythe consulta son Rolodex, décrocha le téléphone et composa un numéro. Il patienta près de cinq minutes avant d'être mis en relation avec la personne qu'il cherchait.

«Bonjour, général, dit-il en se redressant sur son siège. Je voudrais vous demander une faveur…»

☆

Tandis qu'il traversait la rue, portant avec précaution deux gobelets de café et un sac de bagels, Caine eut le sentiment que quelque chose était sur le point de se produire. Il balaya cette impression et tenta de se concentrer sur la musique qui retentissait dans ses écouteurs. Lorsqu'il était tendu, son Walkman lui servait toujours de refuge. Il changea de fréquence, essaya les stations les plus éclectiques, mais se décida finalement pour du rock classique. Il entendit la fin de *Comfortably Numb*; puis les Jefferson Airplane se mirent à chanter les aventures d'Alice au pays des drogues.

Alors, l'odeur commença à s'infiltrer dans son cerveau.
Oh, non.

Il s'arrêta net et un grand type qui parlait dans son portable le heurta. Caine trébucha vers l'avant, lâchant un des cafés et se cognant à son tour contre une femme noire d'une obésité avancée, qui portait une robe bleue et deux énormes sacs de provisions. La femme vira à gauche et perdit l'équilibre; les sacs se renversèrent, répandant des oranges et des pommes sur le trottoir.

La chute des fruits accrut le chaos ambiant. Un chauve vêtu d'un débardeur blanc moulant aspergea de son frappuccino une vieille femme en chemisier jaune vif. Une Asiatique en jupe violette chuta et se cassa deux ongles. Un ouvrier en bâtiment baraqué fit tomber sa boîte à outils sur le pied d'un homme d'affaires élégant, lui brisant le gros orteil et saccageant ses mocassins Gucci.

En un clin d'œil, Caine avait modifié le cours de leur existence. Le chauve irait s'acheter un autre frappuccino. La vieille rentrerait chez elle se changer. L'Asiatique aurait besoin d'une nouvelle manucure. L'ouvrier en bâtiment serait obligé de prendre un avocat pour se défendre

198

au cours du procès intenté par l'homme d'affaires, lequel manquerait sa réunion du personnel en attendant aux urgences que quelqu'un s'occupe de son orteil.

Chacun de ces changements causerait à son tour d'autres changements, et Caine les voyait tous s'enchaîner sous ses yeux, comme des ondulations se propageant à la surface d'un lac calme après un jet de pierre. Il savait que quelque chose n'allait pas, mais il n'arrivait pas à mettre le doigt dessus. Puis il comprit – il comprit que rien de tout cela n'était censé se produire.

Le chauve était censé se rendre à la salle de gym où il rencontrerait un homme qui deviendrait son ami, puis son amant. La vieille était censée tomber et se casser le col du fémur sur le chemin du métro – mais il n'en serait rien finalement. L'Asiatique était censée prendre part à un déjeuner d'affaires qui lui aurait valu une promotion. L'ouvrier était censé avoir un deuxième fils – mais le stress provoqué par son procès avec l'homme d'affaires le conduirait au divorce. L'homme d'affaires était censé mourir deux mois plus tard – mais, durant sa visite impromptue, son médecin lui découvrirait un souffle au cœur et prescrirait une opération préventive, lui épargnant ainsi une fatale crise cardiaque.

Les images traversèrent l'esprit de Caine en un éclair, puis disparurent. Il sentait son cœur prêt à exploser. La sueur dégoulinait sur son visage. Il s'aperçut qu'il avait les yeux fermés. Il les ouvrit lentement et s'efforça de desserrer les poings. Respire, respire profondément. Essaie de comprendre ce qui vient de se passer. Était-ce de l'intuition ? De la prescience ? Non, non. Juste un incroyable rêve éveillé – une étrange répétition du jeu qu'il faisait avec Jasper quand ils étaient enfants : ils choisissaient quelqu'un au hasard et s'amusaient à prédire ce qui lui arriverait dans la journée.

Respire, respire. Oui, ce n'était que ça. Un rêve éveillé qui commençait déjà à s'évanouir. Caine se retourna en entendant l'homme d'affaires tonner contre l'ouvrier – puis il n'y eut plus que du noir. Un noir rafraîchissant.

...

Une douleur lancinante. Son crâne semblait se distendre et se contracter à chaque battement de cœur. Il ouvrit les yeux. Il était allongé sur le dos. Un cercle de visages le surplombait.

« Je crois qu'il revient à lui, dit une blonde grassouillette.

– Ça va, mon pote ? » s'enquit un visage basané.

Caine luttait pour se remettre sur pied, mais une paire de fortes mains le força à se rallonger sur le trottoir.

« Le laissez pas se lever, il s'est peut-être cassé la colonne, ordonna un homme à l'arrière de la foule.

– Détends-toi, mon pote. »

C'était le visage basané ; il ne semblait pas sans rapport avec les bras qui le maintenaient à terre.

« Les secours vont arriver. »

Caine ferma à nouveau les yeux. Tous ces visages qui parlaient lui donnaient la nausée. Il préférait le noir, et se réfugia donc dans cet antre familier.

Demande à Alice, quand elle mesure trois mètres[1].

☆

« Eh bien ? »

La voix de Forsythe crépita dans l'écouteur.

« Nous sommes en train d'analyser les images satellite, mais apparemment, il vient de s'effondrer au milieu du trottoir », répondit Grimes en jetant un œil à la rangée de moniteurs qui se trouvait devant lui.

L'écran situé en bas à droite repassait en boucle l'incident. Grimes avait déjà vu les images dix fois, mais elles l'enchantaient toujours autant.

---

1. « *Go ask Alice. When she's ten feet tall* » : paroles tirées de la chanson *White Rabbit*, du groupe Jefferson Airplane (1967). La chanson s'inspire des aventures d'*Alice au pays des merveilles* pour évoquer une expérience psychédélique.

« Racontez-moi exactement ce qui s'est passé.

– La cible s'est arrêtée net et un type lui est rentré dedans. Du coup, la cible s'est cognée à cet *énorme* tas, et la nana a fait tomber des fruits partout. Plusieurs personnes se sont pris les pieds dans sa merde, et puis la cible a regardé autour d'elle, s'est pris la tête à deux mains et s'est écroulée.

– Et il va bien ?

– Il est OK, sauf qu'il a sûrement un méga mal de crâne. Quelqu'un a appelé une ambulance, mais il a refusé de partir avec. J'ai capté leur fréquence radio et l'ambulancier a dit qu'il n'avait rien de grave, au pire une légère commotion cérébrale.

– Repassez la vidéo une ou deux fois et prévenez-moi si vous voyez autre chose. En même temps, gardez-le à l'œil.

– Roger, Roger. »

Y a-t-il un pilote dans l'avion ? était l'un des films préférés de Grimes et il adorait le citer, surtout quand il se moquait de Dr Jimmy. Visiblement, il avait réussi à le mettre en boule, car Forsythe resta silencieux pendant dix bonnes secondes. Grimes aurait parié que s'il réécoutait l'appel, augmentait le volume et supprimait le bruit de fond, il entendrait ce bon professeur jurer entre ses dents. Il ne manquerait pas de vérifier ça plus tard.

« Bon, et où est-il maintenant ?

– Il rentre chez lui à pied. Nous le suivons avec le camion et Vaner est sur le terrain. J'ai aussi deux satellites qui l'observent et un micro directionnel braqué sur son appart. Vous inquiétez pas, Dr Jimmy, on a les choses en main.

– Faites savoir à Vaner qu'une équipe d'assaut se rend sur les lieux pour faciliter la prise. »

Grimes émit un petit sifflement. Une équipe d'assaut ? On allait bien s'amuser.

☆

Caine lança un bagel enveloppé dans du papier alumi-nium à son frère et laissa tomber le *New York Post* sur la table basse.

« À l'oignon et au fromage frais, légèrement toasté.

– Comment, pas de café ? » demanda Jasper.

Caine hésita à répondre : *J'ai encore eu une vision, je me suis évanoui et j'ai renversé ton café sur le trottoir.* Mais il se contenta de :

« Désolé, j'ai oublié.

– Pas de problème », marmonna Jasper, la bouche déjà pleine.

Il mastiqua pensivement sa bouchée, puis déglutit.

« Alors, est-ce que le marchand de sable t'a donné la solution ?

– Je crains que non. La seule nouveauté, c'est que j'ai un jour de moins pour rembourser à Nikolaev deux mille dollars que je n'ai pas.

– Dommage que tu ne sois pas ce type-là », fit remarquer Jasper en s'emparant du journal.

La première page titrait en énormes capitales : « MIL-LIONNAIRE GRÂCE AU POWERBALL !!! » Au-dessous, on voyait la photo d'un homme brandissant un chèque de 247,3 millions. Caine ne savait pas bien pour-quoi il avait acheté ce journal – il lisait généralement le *New York Times*. En voyant la manchette, il n'avait pas pu résister.

« Merde alors… C'est Tommy DaSouza, dit Jasper en lui mettant la photo sous les yeux. Tu te rappelles, le type de notre quartier ?

– Waouh, je ne l'avais même pas reconnu », répondit Caine en examinant la photo.

Tommy avait pris au moins quinze kilos depuis la der-nière fois qu'il l'avait vu.

« Tu es sûr que c'est lui ? »

Jasper se pencha sur l'article et hocha la tête.

« "Thomas DaSouza, 28 ans, habite toujours Park Slope, à cinq rues de la maison où il a grandi."

– C'est super pour lui, mais ça ne m'avance pas.

– De quoi tu parles ? Mais ce gamin t'adulait ! Pendant un an, il nous a suivis partout dans la cour parce que tu l'avais sorti d'une embrouille. »

Caine haussa les épaules en repensant au jour où il était intervenu pour qu'une petite brute particulièrement mesquine cesse de persécuter Tommy.

« Ça fait un bout de temps, Jasper.

– Ouais, mais tu as toujours été un bon copain pour Tommy. Bon Dieu, si tu ne l'avais pas aidé en algèbre, il aurait sans doute dû arrêter le lycée. »

Le lycée. En ce temps-là, Caine mourait d'impatience de le quitter. Aujourd'hui, il aurait donné n'importe quoi pour revenir à cette période innocente. À l'époque, il s'était bien marré avec Tommy. Mais après le bac, ils s'étaient perdus de vue. Tommy avait trouvé du travail ; Caine, lui, était entré à l'université. Au bout d'un ou deux ans, il s'était aperçu qu'il ne partageait plus grand-chose avec son vieil ami.

« Ça fait presque cinq ans que je ne lui ai pas adressé la parole. »

Jasper saisit le téléphone sans fil sur la table basse et le lança à son frère.

« Eh bien, ça me paraît un excellent moment pour reprendre contact.

– Qu'est-ce que tu veux que je fasse ? Que je l'appelle pour lui dire : "Salut, Tommy, bravo pour le loto, je peux t'emprunter douze mille dollars ?" Pas question. »

À son tour, Caine lança le téléphone à son frère.

« Très bien », fit Jasper.

Il appuya sur la touche APPEL, composa un numéro, patienta deux secondes et dit : « Brooklyn. Thomas DaSouza. » Il nota le numéro sur une feuille de papier et la poussa vers son frère avec le téléphone. Caine la regarda comme s'il avait affaire à un rat mort.

« Écoute, dit Jasper, si tu ne le fais pas, je m'en chargerai. Où est le mal ? Ce type vient de gagner plus d'argent qu'il n'en dépensera jamais et toi, tu es sur le point de te faire tuer si tu ne dégotes pas douze mille misérables dollars.

S'il dit non, tu ne t'en trouveras pas plus mal. S'il dit oui, tu es sorti d'affaire. Tu n'as rien à perdre.

– Et qu'est-ce que tu fais de mon orgueil ?

– Tu t'en soucieras *après* avoir remboursé la mafia russe, rétorqua Jasper. Et maintenant passe… ce… foutu… coup de fil-*pile-cil-bile*. »

En entendant la rime, Caine sentit son estomac se nouer. Mais il savait que son frère avait raison. À contrecœur, il prit le téléphone et composa le numéro. Une voix impatiente répondit dès la première sonnerie :

« Oui ?

– Tommy DaSouza ?

– Écoutez, je ne sais pas ce que vous vendez mais je n'en veux pas, OK ? Je suis manifestement dans l'annuaire, donc envoyez-moi votre catalogue par la poste et je vous appellerai si je suis intéressé. Au plaisir.

– Attendez, je n'ai rien à vendre ! » s'écria Caine, désespéré.

Il comprenait soudain qu'il s'agissait peut-être, en effet, de sa dernière chance.

« Euh, c'est David. David Caine. »

Il y eut un instant de silence et il crut que Tommy allait raccrocher. Puis :

« Waouh, Dave ! Ça alors, comment tu vas ?

– C'est marrant que tu me poses la question », dit Caine.

Il regarda son frère en haussant les sourcils et fit passer le combiné d'une oreille à l'autre.

« En fait, c'est un peu pour ça que je t'appelle… »

☆

« T'as l'argent ? »

Tversky faillit faire un bond. Il se retourna, mais ne vit dans le passage qu'un gamin efflanqué. Il ne devait pas avoir beaucoup plus de douze ans, et sa casquette des Yankees[1], qu'il portait visière sur le côté, lui donnait l'air plus jeune encore.

---

1. Équipe de base-ball de New York.

«T'as l'argent ou pas, papy?

– Vous êtes Boz?» s'étonna Tversky.

Le gamin éclata de rire.

«T'es ouf? Boz va pas s'amuser à rencontrer un putain de Blanc dont il a jamais entendu parler. Moi, c'est Trike.

– On m'a dit que j'avais rendez-vous avec Boz.

– Ah ouais? Ben tu sais quoi? Rendez-vous annulé. Maintenant t'as rendez-vous avec *moi*.»

Les mains du gamin disparurent dans ses énormes poches.

«Et maintenant, fais voir le fric ou je me casse.»

En s'efforçant de maîtriser le tremblement de ses mains, Tversky sortit une enveloppe blanche de la poche de son manteau. Trike voulut lui arracher l'argent, mais il le tint hors de sa portée.

«Montrez-moi d'abord ce que je suis venu chercher.»

Trike lui décocha un sourire, découvrant deux dents en or. «Ça marche, papy», dit-il, et il lui fit voir un sac en papier brun.

Tversky jeta un coup d'œil à la ronde pour vérifier que personne ne les regardait, mais le passage était désert. Il prit le sac des mains de Trike et fut surpris de sentir son poids.

«Et maintenant, fais péter la tune.»

Tversky tendit l'enveloppe au gamin. Celui-ci se lécha le doigt, compta rapidement les billets et les fourra sous son pantalon.

«Content d'avoir fait affaire avec toi», dit-il en s'éloignant dans le passage.

Tversky se retrouva seul. Il rangea le sac en papier brun dans sa serviette et, d'un pas vif, prit la direction de Broadway. Il n'osa sortir le sac qu'une fois de retour dans sa chambre de motel miteuse. Il avait quitté son appartement juste après avoir visionné la vidéo. Julia lui avait dit de s'installer ici, et il avait obéi.

Il tira les stores et posa le sac au milieu du lit. En déglutissant, il passa la main à l'intérieur et palpa les cylindres de plastique. Leur surface était lisse et fraîche sous ses doigts moites. Il inspira profondément et, lentement, sortit une à une les cartouches de fusil, qu'il aligna proprement sur le lit. Il y en avait dix en tout. Pendant une minute, Tversky se contenta de les regarder. Il se demandait comment il avait fait pour en arriver là – à cet instant, dans cet endroit.

Mais il était trop tard pour faire marche arrière. Après ce qui était arrivé à Julia – après ce qu'il avait *fait* à Julia –, il n'y avait plus de retour possible. Il fallait aller jusqu'au bout. Il consulta sa montre ; il lui restait encore pas mal de temps jusqu'à dix-huit heures. Si David ne se montrait pas, il en conclurait que Julia s'était trompée. Mais il doutait que ce fût le cas.

Jusqu'ici, tout s'était passé comme elle l'avait prévu – tout, depuis l'endroit où il devait s'asseoir au restaurant jusqu'à la façon dont il dénicherait le petit revendeur d'armes. Après tant de prédictions exactes, il avait toutes les raisons de penser que les autres se réaliseraient aussi. Il n'avait plus le choix.

Mais était-ce si vrai que cela ? Il n'était pas *obligé* de suivre les instructions de Julia. Il pouvait changer d'avis, choisir une autre voie. Mais il savait que, même si cette autre voie existait, il ne la suivrait pas. Dommage qu'il faille essayer de tuer David Caine pour obtenir ce qu'il voulait, mais il le ferait.

Il était trop tard pour rebrousser chemin.

Chapitre 15

Nava entra l'identifiant et cliqua sur RECHERCHER. Les mots inscrits sur le fond d'écran bleu firent aussitôt place à un plan des rues de New York où figuraient deux points clignotants : l'un indiquait la position de Nava, l'autre celle de Caine. Le GPS fonctionnait parfaitement.

Plus tôt ce matin-là, elle avait «taggé» la veste en cuir de Caine à l'aide d'un minuscule traceur. À présent, elle n'avait plus qu'à attendre le jumeau. Une fois qu'elle aurait taggé Jasper Caine, elle se servirait de lui pour appâter Grimes pendant qu'elle s'occupait de David. Après ça, elle pourrait disparaître.

Elle regarda sa montre. Il était près de onze heures. Si Jasper ne sortait pas bientôt, elle était foutue. Alors qu'elle observait le trottoir d'en face, un camion FedEx s'arrêta devant elle, lui masquant la vue. Le conducteur se pencha par-dessus le siège passager pour lui ouvrir la portière.

Nava grimpa dans le camion, claqua la portière, puis fit coulisser le panneau qui séparait la cabine de l'arrière. Grimes et son collaborateur levèrent à peine les yeux lorsqu'elle entra ; ils pianotaient furieusement sur leurs claviers respectifs en faisant courir leur regard sur les trois moniteurs à écran plat installés devant eux.

Comme elle n'avait pas de place pour s'asseoir, Nava resta debout à attendre que Grimes ait fini. Au bout d'une minute environ, il tendit la main vers elle sans prendre la peine de se retourner.

«Donnez-moi votre PDA, je dois mettre des infos à jour.»

Sans réfléchir, elle lui tendit le bloc métallique. À la seconde où elle l'eut lâché, elle comprit son erreur, mais il était trop tard. Grimes inséra le PDA dans une fente verticale pratiquée dans sa console et appuya sur un bouton. Un plan des rues de New York remplaça le fond d'écran du moniteur central.

« Ah, super, vous l'avez déjà repéré. Je vais envoyer ses coordonnées GPS à l'équipe de surveillance. »

Ses doigts se mirent à courir sur le clavier.

« Voilà. Maintenant, tout le monde sait où se trouve la cible, au cas où vous la manqueriez.

– C'est une cible maintenant ?

– Ouais. »

Grimes pivota d'un coup sur son siège.

« Dr Jimmy a donné son feu vert officiel à l'opé ce matin. Vous vous occupez de la tactique ; une équipe d'assaut est en route.

– Quoi ?

– Voyez vous-même », fit Grimes en désignant le moniteur de droite et le clavier auxiliaire.

Le descriptif du premier commando était déjà affiché à l'écran. Comme la NSA n'avait pas d'unité de combat, Nava avait cru qu'on lui enverrait en renfort des spécialistes de la surveillance électronique sachant juste manier une ou deux armes à feu. Elle s'était trompée.

NOM :	Spirn, Daniel R.
UNITÉ :	Forces spéciales
RANG :	Lieutenant
ARMES :	Pistolet (9 mm, cal .45, cal .38), M16A2 / M4A1, fusil à pompe (cal .12), fusil de sniper M24, lance-grenades M203, mitrailleuse M249 SAW, grenade à main, lance-roquettes antichar AT-4, mitrailleuse M240B, mitrailleuse M2HB, mitrailleuse / lance-grenades MK-19, mortier (60 mm, 81 mm, 120 mm), pièces pyrotechniques, mines claymore M18A1 / A2, mines (général),

```
missile TOW, Dragon, fusils sans recul (RCLR -
84 mm, 90 mm, 106 mm), armes légères antichars.
Combat à mains nues: Aïkido,   choi   kwangdo,
hapkido,   judo,   ju-jitsu,   boxe  thaï,   tae
kwon-do.
```

Nava parcourut le fichier des trois autres soldats. À l'exception de Gonzalez, l'expert en explosifs, ils avaient tous reçu une formation similaire et fait l'expérience du terrain – pour la plupart en mission secrète. Elle retint un soupir. Voilà qui rendait les choses beaucoup plus compliquées.

Elle jeta un coup d'œil à Grimes.

« Vous ne croyez pas que c'est un peu excessif ? Quatre hommes de combat pour s'emparer d'un civil ?

– Qu'est-ce que vous voulez que je vous dise ? fit Grimes en haussant les épaules. Dr Jimmy est dans tous ses états. Il ne veut prendre aucun risque.

– Et comment a-t-il eu accès aux forces spéciales ?

– Sais pas. Sans doute un retour d'ascenseur, comme quand il vous a eue. Il remue ciel et terre sur ce coup-là. »

Grimes sortit un bonbon gélifié du sac en plastique qu'il avait entre les jambes et l'offrit à Nava, qui secoua la tête. Sans broncher, il le fourra dans sa bouche et ajouta entre deux mâchonnements :

« Ils seront ici dans quelques minutes. Quand les présentations seront faites, Dr Jimmy veut que vous le capturiez. »

Son terminal se mit alors à biper. Il se retourna et appuya sur un bouton.

« Oui ? Elle est juste là, quittez pas. »

Il retira son casque sans fil et le tendit à Nava.

« C'est Forsythe.

– Professeur ?

– Agent Vaner, je voulais juste m'assurer que M. Grimes vous avait donné toutes les informations dont vous aviez besoin.

– Je crois que oui, professeur. Si j'ai bien compris, je suis censée diriger l'équipe qui capturera M. Caine et le conduire au laboratoire du STR.

– C'est exact. Je veux que ceci se fasse sous votre responsabilité, car l'opération doit rester discrète. Les hommes que je vous envoie ne sont pas réputés pour leur subtilité ; malheureusement, ce sont les seuls que j'ai pu obtenir en si peu de temps. J'espère que vous saurez les contrôler.

– Je ferai de mon mieux, professeur.

– Bien. Prenez toutes vos précautions quand vous aurez affaire à M. Caine – il est plus dangereux qu'il ne le paraît.

– Compris, fit Nava, tout en se demandant ce qu'il voulait dire exactement.

– Bonne chance, agent Vaner.

– Merci, professeur. »

Il y eut un clic et la ligne fut coupée. Nava retira le casque ; elle allait le rendre à Grimes lorsqu'elle s'aperçut qu'il en portait un autre.

« J'en emporte toujours un de rechange, déclara-t-il avec un sourire. Dr Jimmy est une vraie tapette, hein ? *Prenez toutes vos précautions quand vous aurez affaire à M. Caine* », dit-il en prenant soin, comme Forsythe, de bien articuler chaque mot.

Nava ne savait pas ce qui la surprenait le plus – qu'il ait écouté leur conversation ou qu'il le reconnaisse aussi effrontément.

« Ça devrait être du gâteau, pas vrai ? ajouta-t-il sans rien remarquer. Vous n'avez qu'à enfoncer sa porte pour le prendre. »

Elle sortit du camion sans répondre. Le problème, c'était que Grimes avait raison. Son plan d'attaque était le meilleur de tous – simple, direct, sans danger extérieur – et, si les agents des forces spéciales avaient la moindre jugeote, ils s'en rendraient compte comme elle. Or, une fois que la NSA aurait capturé Caine, elle n'aurait plus jamais aucune chance de l'approcher.

Il fallait qu'elle trouve une solution.

☆

210

Quand les employés eurent compris qui était Tommy, le directeur d'agence prit la ligne. Il lui donna même du « Monsieur ». Tommy ne se souvenait pas qu'on l'ait jamais appelé « Monsieur ». Monsieur Tommy. Ça sonnait bien.

Maintenant qu'il était riche, peut-être qu'il ferait bien de s'en tenir à « Thomas » ? Naaan. Jamais il n'arriverait à dire : « Bonjour, je m'appelle Thomas. » Il s'était très bien porté avec Tommy toute sa vie, et Tommy il resterait. Il prit le téléphone et appela Dave pour lui annoncer la bonne nouvelle.

« Je ne sais pas comment te remercier, dit celui-ci avec effusion.

– Je t'avais promis que je te revaudrais ça un jour, tu te souviens ? demanda Tommy, le sourire aux lèvres. Sans toi, je me serais fait tabasser tous les jours au collège. Et je n'aurais jamais dépassé la classe de Mlle Castaldi. Je te dois vraiment une fière chandelle.

– Je ne sais pas, mais… de toute façon, ton geste va bien au-delà. Je ne sais pas quoi dire.

– Il n'y a rien à dire.

– Bon, eh bien, rendez-vous ce soir à six heures ?

– Ouais. J'ai hâte de te revoir. »

Dave le remercia encore deux fois avant de se résoudre à raccrocher. Tommy était ravi. Radieux, même. Jamais il n'avait eu la possibilité d'aider quelqu'un. Mais, à présent, il était l'homme de la situation, et il remboursait ses dettes. À partir d'aujourd'hui, tout serait différent. Il allait faire des choses, de grandes choses. Il allait se rendre utile.

Le téléphone sonna à nouveau, mais il laissa le répondeur fonctionner. C'était encore une télévendeuse. Celle-ci voulait se charger de sa planification financière. Elle se mit à lui débiter à toute allure la liste interminable des choses auxquelles il devait songer – planification successorale, portefeuille de valeurs, assurance-vie, abris fiscaux, exécuteurs testamentaires – *BIP*. Le répondeur l'avait coupée.

Tommy jeta un coup d'œil à la pendule murale : il

n'avait que deux heures pour passer à la banque et se rendre à Manhattan. Dave avait proposé de venir à Brooklyn, mais Tommy voulait aller dans le centre et faire la fête. Il se dirigea vers la cuisine pour prendre son manteau. Il souriait encore. Dave avait toujours été si bien avec lui. Il espérait ne plus le perdre de vue. C'était juste le genre de personne dont il avait besoin – un type intelligent et droit, qui ne chercherait pas à profiter de la situation. Soudain, il lui vint une idée.

Il prit une feuille de papier, écrivit une longue note et la fixa au réfrigérateur avec un aimant en forme de ballon de football[1]. Il savait que son geste pouvait paraître étrange, mais maintenant qu'il était multimillionnaire, il devait penser à ces choses-là. Agir de manière responsable et tout le bazar. En regardant la note, il se sentit heureux, comme lorsqu'il avait annoncé à Dave qu'il allait l'aider. Oui, les choses allaient enfin changer. Il était impatient de commencer sa nouvelle vie.

Il mit son manteau et sortit. Il devait se dépêcher s'il voulait être à la banque à temps – mais quelque chose lui disait que le directeur de l'agence la garderait ouverte, quelle que soit l'heure de son arrivée.

Tommy était un homme important à présent. Avec des ambitions d'homme important.

☆

Jasper avait toujours le visage un peu enflé, mais il paraissait nettement mieux en point que la veille au soir.

«Tu es sûr que tu veux que je parte? demanda-t-il à Caine. Je veux dire, si Tommy tient parole, tous ces sales types devraient te lâcher, non?

– En théorie, oui.

– Alors pourquoi tu veux que je m'en aille?

– Je ne sais pas», mentit Caine.

1. Le football américain se joue avec un ballon ovale.

Bien sûr, il ne *savait* pas. Mais il avait le pressentiment que la situation allait encore pas mal se corser avant de s'améliorer.

« Je crois juste que tu ferais bien de partir.

– Bon, d'accord. »

Jasper se leva et enfila sa vieille veste militaire. Elle était couverte de taches brun sombre. Caine allait faire une remarque lorsqu'il s'aperçut qu'il s'agissait de sang séché. Il prit sa veste en cuir sur la chaise et la lança à son frère.

« Ta veste est dégueulasse. Prends ça. »

Jasper considéra avec surprise la veste coûteuse de Caine.

« Sérieux ?

– Ouais. Je te la donne. Disons que c'est un prix de consolation pour le match de boxe d'hier soir.

– Merci, frangin, dit Jasper, tout excité, en troquant sa veste contre celle de son frère. Dis donc, tu sais quoi ? Elle me va.

– Pas possible ! »

Caine sourit. Il avait l'impression qu'il n'avait pas souri depuis une éternité. Il passa un vieux trench-coat et ferma la porte derrière eux. Les jumeaux chaussèrent deux paires de lunettes de soleil identiques, descendirent l'escalier et sortirent de l'immeuble. Aucun d'entre eux ne remarqua le camion FedEx blanc ni le fourgon noir garé à côté.

☆

« Restez en position, dit Nava en voyant les deux frères sortir de l'immeuble.

– Mais, m'dame, on a un terrain dégagé —

– *Restez en position*. C'est un ordre, lieutenant.

– À vos ordres. »

Nava écrasa sa cigarette et suivit les jumeaux. Tout en marchant, elle réfléchissait à la suite. Elle avait réussi à faire patienter Grimes en lui expliquant qu'elle ne voulait pas capturer Caine en présence de témoins qui le connaissaient – comme son invité. Toutefois, à la seconde où Jasper se séparerait de son frère, elle ne pourrait plus empêcher ses hommes de s'emparer de David.

«Merde alors, Caine et son copain se ressemblent carrément, fit la voix de Grimes dans son écouteur. On dirait des jumeaux.

– Cessez de jacasser ! » aboya Nava.

Elle ne voulait surtout pas que quelque chose lui revienne en mémoire.

«Comme vous voudrez, marmonna Grimes.

– Concentrez-vous sur la cible. L'autre n'a aucune importance.

– Mais lequel des deux *est* la cible, m'dame ? » demanda Spirn.

Nava vit tout à coup l'occasion qui s'offrait à elle. Tant que les jumeaux seraient ensemble, les hommes ne sauraient pas lequel des deux portait le traceur GPS, puisque la marge de précision était d'un mètre. Elle songea un instant à désigner Jasper comme étant son frère David. Pendant la bagarre, elle était sûre de réussir à se débarrasser du traceur ; le temps que les autres s'aperçoivent de leur erreur, elle aurait mis la main sur David et disparu. Mais elle avait invoqué la proximité des deux hommes pour retarder l'attaque, et ne pouvait donc plus faire marche arrière. Si seulement elle était parvenue à tagger Jasper, comme elle en avait l'intention, elle pourrait maintenant les orienter vers lui. Si —

Elle examina attentivement l'homme qu'elle avait pris pour David Caine. Sur le pourtour de ses lunettes de soleil, la chair était légèrement décolorée. Elle regarda l'autre frère pour s'assurer qu'elle ne se trompait pas. Son visage était intact. Pour une raison ou pour une autre, ils avaient échangé leurs vestes : le traceur était maintenant sur *Jasper*, et non sur David.

«Il faut que je regarde de plus près», répondit-elle, échafaudant déjà un nouveau plan.

Elle continua à avancer en attendant que les deux frères traversent la rue. Ils ralentirent au croisement suivant. Quand le feu passa au rouge, ils s'engagèrent sur la chaussée ; elle traversa en sens inverse. Ils voulurent s'écarter pour la laisser passer entre eux, mais Nava prit bien soin de se heurter à David.

« Oh, désolée, fit-elle en lui attrapant le coude d'une main et en s'accrochant de l'autre à son épaule.

– Pas de problème », répondit-il.

Elle hocha la tête et se remit en marche.

« La cible porte la veste en cuir noir.

– C'est noté, veste en cuir noir.

– Dès qu'ils se sépareront, tenez-vous prêts à intervenir, ordonna Nava.

– À vos ordres. »

Les deux frères firent halte au croisement suivant. Ils échangèrent quelques mots, puis s'étreignirent brièvement et se séparèrent. David traversa la rue tandis que son frère tournait le coin. C'était le moment.

« Allez-y. Michaelson, mettez-vous sur sa route. Brady, sur son flanc droit. Gonzalez, arrêtez le fourgon près de nous quand nous serons sur lui. Spirn, vous venez avec moi. »

Rapidement, tous les hommes se mirent en place. Habillés en civil, ils ressemblaient aux autres passants de cette rue animée de Manhattan.

« En place. » Michaelson se trouvait deux mètres devant Jasper.

« En place. » Brady était à un mètre sur sa droite.

« Attendez, fit Gonzalez. Une minute, il y a un peu de circulation. »

Tandis qu'il manœuvrait pour dépasser un taxi garé en double file, les autres membres de l'équipe continuèrent à serrer de près la cible. Puis le fourgon noir les dépassa et se rangea environ dix mètres devant Jasper.

« J'y suis.

– On va attendre que la cible soit à un mètre du fourgon. Spirn et moi nous chargeons de l'approcher. Michaelson et Brady, restez en position pour le cas où il chercherait à s'échapper. »

Tout en rattrapant Jasper par-derrière, Nava sortit de sa

poche un mince tube de métal. Il allait falloir agir vite. S'il lâchait que David était son frère jumeau, tout était fini. Elle pressa le pas lorsqu'il approcha du fourgon. Elle aurait presque pu le toucher. Par-dessus son épaule, elle vit Michaelson adossé à une voiture garée trois mètres devant lui.

Elle tendit la main pour lui saisir le bras.

«Pardon : monsieur Caine ?»

Il se retourna, interloqué.

«Oui ?»

Elle lui fit voir son faux badge.

«Si vous voulez bien vous diriger vers le fourgon, monsieur. J'ai quelques questions à vous poser.»

Jasper regarda Nava, puis Spirn.

«Euh, bien sûr, dit-il en se rapprochant du bord du trottoir, le dos tourné au fourgon.

– Merci, ça ne durera qu'une seconde.»

Et, sans un mot de plus, elle lui enfonça l'extrémité du tube dans la cuisse. Les yeux de Jasper s'élargirent et il lâcha un bref «Ahh !». Spirn resserra sa prise sur son bras pour s'assurer qu'il ne pouvait s'enfuir, mais la précaution était superflue. Deux secondes après que l'aiguille hypo-dermique eut percé son jean et pénétré dans sa chair, la benzodiazépine affluait dans ses veines.

Le sédatif eut un effet presque immédiat. Le regard de Jasper, qui un instant plus tôt exprimait l'affolement, devint vague et rêveur. Nava jeta un coup d'œil à Michaelson, qui répondit par un bref hochement de tête. Les passants n'avaient rien remarqué.

«Monsieur Caine, je vais devoir vous demander de nous accompagner», dit Nava en lui tenant le bras pour l'empê-cher de tomber.

Jasper ouvrit la bouche; il n'en sortit qu'un long et inintelligible cafouillage. Nava et Spirn l'aidèrent alors à rejoindre l'arrière du fourgon. Spirn ouvrit la portière et le hissa à l'intérieur tandis que Nava les abritait tant bien que mal du regard des passants.

Elle grimpa dans le fourgon après eux, suivie de

Michaelson et de Brady. Tous deux paraissaient déçus que la cible n'ait pas résisté. Brady claqua la portière et Gonzalez mit le moteur en marche.

«Nous avons la cible et rentrons à la base, dit Nava dans son micro.

– Bien reçu. Je vais annoncer la bonne nouvelle à Dr Jimmy.»

Nava se pencha alors vers l'avant.

«Gonzalez, déposez-moi à la prochaine rue.

– Vous ne venez pas avec nous?» demanda Michaelson, déconcerté.

Elle secoua la tête et feignit un bâillement.

«J'ai été en reconnaissance toute la nuit. Je rentre chez moi. Spirn, vous êtes aux commandes. Chargez-vous de la coordination avec Grimes une fois que vous serez au labo.»

Le lieutenant hocha la tête. Quand le fourgon s'arrêta, Nava ouvrit la portière et sortit d'un bond, attrapant négligemment son sac à dos pour le jeter sur son épaule. Elle claqua la portière et y donna une petite tape. Le fourgon s'éloigna et disparut.

Elle sortit alors son PDA, entra le nouvel identifiant GPS et attendit que l'appareil se connecte au satellite. Une carte familière sur laquelle clignotaient deux points se substitua au texte. David Caine n'était qu'à deux kilomètres et se dirigeait vers l'ouest. Il était 17:37. Elle n'avait que vingt-trois minutes.

Elle renonça à l'idée de prendre un taxi : à cette heure-ci, elle aurait plus vite fait de courir.

☆

Tversky orienta la caméra vidéo vers la Chevrolet rouillée. Par cette nuit glaciale, il n'y avait pas grand monde dans la rue, mais, en raison de travaux, plusieurs camions et deux bidons d'essence apparaissaient à travers l'échafaudage qui couvrait la façade de l'immeuble. Il régla l'objectif de façon à bien voir le trottoir. Parfait.

Il n'avait plus qu'à attendre. Il essayait de se dire que, quoi qu'il arrive, ce serait pour le mieux – mais il n'arrivait pas à s'en convaincre.

Il voulait que David Caine se montre. Il le *fallait*. Si Caine venait, ce serait la preuve qu'il avait eu raison tout du long – et, surtout, que tout ce qu'avait prédit Julia allait se réaliser. S'il ne venait pas, eh bien… Tversky soupira et secoua la tête. Il ne fallait pas y penser. Pas maintenant. Il avait besoin de se concentrer.

Il ouvrit l'étui de cuir et examina le mécanisme électronique. Il en avait vérifié le fonctionnement au moins dix fois dans l'après-midi, mais il craignait encore que quelque chose ne marche pas. Il s'efforça de chasser cette idée en songeant aux événements qui l'avaient amené jusqu'ici. Ses recherches. L'incident du restaurant. Sa découverte. Le refus de Forsythe. La vision de Julia.

Chacune de ces étapes était un maillon de la chaîne qui conduisait à l'instant présent. Quelle était la probabilité d'un tel enchaînement de circonstances ? Un sur mille ? Sur un million ? Sur un milliard ? Jamais il ne pourrait faire le calcul. C'était la beauté de la vie : tout était possible, mais infiniment improbable ; et parmi la myriade d'événements improbables, il y en avait toujours un qui devait être choisi, qui devait se produire.

Soudain, un homme portant une grosse mallette gris métallisé apparut sur son petit écran vidéo et passa près du grand camion-citerne garé en double file non loin de la Chevrolet. Le cœur de Tversky se mit à battre plus vite. Il attendit que l'homme se retourne pour voir son visage. Sans quitter l'écran des yeux, il essuya ses mains tremblantes sur son pantalon, puis effleura le clavier avec précaution.

L'homme se retourna lentement, révélant son profil. Tversky soupira, déçu : ce n'était pas Caine. L'homme avait le visage joufflu et couvert de traces d'acné. Il semblait impatient, comme s'il attendait quelqu'un. Tversky espérait pour lui qu'il ne resterait pas longtemps. Ce serait dommage s'il était encore là au moment de l'explosion.

☆

La voix dure de Spirn retentit dans l'écouteur de Grimes :

« Je crois que nous avons un problème, chef.

– Génial. Vous pouvez m'en dire un peu plus ?

– L'homme que nous venons de capturer. Il ne s'appelle pas David Caine – il s'appelle Jasper Caine.

– Hein ?

– Il s'est mis à marmonner quelque chose sur David. J'ai trouvé ça bizarre, ce type qui parlait de lui à la troisième personne, donc j'ai fouillé son portefeuille. Sur son permis de conduire, le prénom est Jasper. Je lui ai demandé qui était David, et il m'a dit que c'était son frère. »

Grimes donna un coup sur la paroi intérieure du camion.

« Merde !

– Qu'est-ce qu'on doit faire, chef ?

– Attendez une seconde. »

Les doigts de Grimes se mirent à courir sur le clavier. Il ouvrit le fichier de Caine et le fit défiler jusqu'à la rubrique *Parents*. Aucune mention de Jasper Caine. Aucune mention d'un frère ou d'une sœur, à vrai dire. Bizarre : il n'avait parcouru le fichier qu'une seule fois, mais il aurait juré qu'il y avait quelque chose à cet endroit. Une étrange sensation lui étreignit l'estomac. Se fiant à son intuition, il afficha les dernières modifications faites au fichier.

Le seul changement intervenu était une mise à jour des données. Malheureusement, depuis le camion, il ne pouvait vérifier quelles rubriques avaient été modifiées. Il appuya sur une touche de son téléphone satellite ; aussitôt, il se retrouva en ligne avec l'un des mordus d'informatique de son département.

« Ouaip. »

C'était Augy.

« Salut, c'est Grimes. J'ai besoin de la dernière sauvegarde du fichier de Caine, David T. Référence Cat-Delta-Tiger-6542.

219

– Sans problème, quitte pas. »

Une minute plus tard, Augy revint en ligne.

« Je viens de te l'envoyer. Il a dû arriver.

– Je l'ai. »

Grimes double-cliqua sur l'icône du fichier joint et le parcourut du regard. Ses yeux s'agrandirent. Quelqu'un avait modifié les données. David Caine avait bien un frère – un jumeau du nom de Jasper.

« OK, dit-il alors, le cœur battant, sors l'historique de toutes les mises à jour du fichier et envoie-le-moi.

– Ça marche. »

Grimes raccrocha. Quelques secondes plus tard, son ordinateur émit un *ping* pour l'avertir qu'il avait reçu du courrier. Il ouvrit le fichier, et ce qu'il vit lui donna un choc. Le pirate avait réussi à dissimuler son identité sous un faux nom d'utilisateur, mais il reconnaissait le code de l'ordinateur. C'était celui de Vaner. Il repassa les quinze dernières minutes dans sa tête : elle avait identifié la cible, l'avait mise KO, puis s'était séparée de l'équipe. Il ne savait pas bien ce que cela signifiait, mais il était sûr d'une chose : Forsythe allait piquer une *putain de crise*.

Il appuya sur un bouton pour parler à Spirn.

« Lieutenant, on vient de me confirmer que votre coco était le frère de la cible.

– Vu. Que dois-je faire ? »

Grimes réfléchit à toute allure. Forsythe allait se foutre en rogne quoi qu'il arrive, mais il serait encore plus furax s'il apprenait qu'ils détenaient un civil innocent.

« Quand va cesser l'effet du sédatif ?

– D'ici une vingtaine de minutes, il devrait commencer à se remettre. Il sera encore un peu sonné et aura sans doute un sacré mal de crâne, mais rien d'autre.

– OK. Larguez-le.

– Chef ?

– Vous m'avez bien entendu ! aboya Grimes. – Il sentait la sueur couler dans son dos. – Arrêtez-vous au prochain banc et laissez-le là.

– À vos ordres », répondit calmement Spirn.

Grimes discerna dans sa voix une pointe de mécontente-ment. Tant pis. Qu'il aille se faire foutre.

Cinq minutes plus tard, le fourgon noir s'éloignait à toute vitesse du passage où les hommes avaient déposé Jasper, suivi de près par le camion FedEx. Grimes appuya sur la touche de numérotation automatique et la voix de son patron retentit dans ses oreilles.

« Houston, dit Grimes, on a un problème [1]. »

☆

Le portable de Nava vrombit sur sa hanche. L'appel pro-venait directement du bureau de Forsythe. Ils avaient dû la démasquer. Elle éteignit le téléphone et se concentra sur ce qu'elle avait à faire. Elle se demandait combien de temps il leur faudrait pour retrouver sa trace.

Alors, elle comprit que c'était déjà fait.

Avant l'appel de Forsythe, Grimes avait dû envoyer un signal à son téléphone afin de la repérer. Ils savaient déjà où elle était. Il fallait filer en vitesse. Perdre Caine était certes fâcheux – mais, s'ils l'arrêtaient, elle n'aurait plus aucune chance.

Elle ralluma son portable, qui se mit aussitôt à sonner. Ignorant l'appel, elle s'engagea sur la chaussée, le bras levé, consciente que son sort dépendait du premier chauf-feur de taxi qui voudrait bien s'arrêter.

☆

« Vous l'avez localisée ? demanda Forsythe.

– Ouais. Nous avons perdu le signal une seconde, mais maintenant, nous le recevons parfaitement. Elle se dirige vers le sud à 55 km/h.

– Vous pouvez relier le signal aux données satellite ?

---

1. Célèbre formule de l'astronaute John Swigert après l'explosion d'un réservoir d'oxygène à bord de la navette Apollo 13.

– C'est déjà fait. Elle est dans un taxi. Il vient de prendre la West Side Highway.

– Envoyez l'équipe pour l'intercepter.

– Ils sont en route. Ils devraient la pincer d'ici quelques minutes.

– Faites-moi signe dès qu'ils l'auront. »

Forsythe coupa la communication et se mit à marcher de long en large dans son bureau. Vaner savait-elle quelque chose de plus que lui ? Si c'était le cas, cela signifiait sans doute que les thèses de Tversky sur David Caine étaient justes. Et voilà qu'ils l'avaient perdu. Mais, au moins, ils tenaient Vaner. Quand il en aurait fini avec elle, elle regretterait de l'avoir trahi. Amèrement.

CHAPITRE 16

Abdul Aziz ne fut que modérément surpris lorsque le conducteur du fourgon noir, actionnant sirène et gyrophare, lui fit signe de s'arrêter. Il aurait dû se douter que la femme avait des ennuis quand elle lui avait tendu le billet de cent dollars.

Il jeta un rapide coup d'œil à son étrange passager, puis regarda à nouveau la route et se rangea sur le côté. Quatre hommes sautèrent du fourgon et entourèrent son taxi, arme au poing. Aziz vit les autres conducteurs ralentir pour observer la scène au passage.

« Descendez tous les deux et mettez les mains sur la tête. Tout de suite ! »

Aziz ne se le fit pas répéter deux fois. Il savait comment les policiers se comportaient généralement avec les gens de sa couleur de peau – sans parler de circonstances comme celles-ci. Au ralenti, il déverrouilla la portière et tira la poignée, puis sortit du taxi en levant ostensiblement les mains en l'air.

« À genoux ! »

Il obéit. À la seconde où son genou droit touchait la chaussée, une paire de mains le précipita brutalement face contre terre tandis qu'une autre lui menottait les poignets dans le dos. Un pied se posa sur sa nuque, lui écrasant la joue contre le gravier.

« Ça alors, putain !

– Mais où est-ce qu'elle est passée ?

– Oh, merde ! »

Quelques secondes plus tard, un homme lui redressa la tête en le tirant par les cheveux.

«Où tu as déposé la fille ?

– Nulle part », répondit Aziz.

Il reçut un coup de pied dans l'abdomen et grogna de douleur.

«Je déconne pas. Je recommence : où tu l'as déposée ?

– S'il vous plaît, ne me faites pas de mal ! Je dis la vérité ! haleta Aziz. Elle n'est jamais montée dans mon taxi ! Elle m'a juste donné le —

– Chef ! interrompit une voix. Regardez ça. »

La main lâcha Aziz, dont le menton retomba violemment sur le bitume. Il sentit le goût du sang dans sa bouche. Avant qu'il ait pu faire un mouvement, la main le tira à nouveau par les cheveux.

«Ça ? C'est ça qu'elle t'a donné ? »

Aziz regarda le petit téléphone gris argent dans la main de l'homme.

«Oui. Elle l'a mis sur le siège arrière, et puis elle m'a dit de rouler vers le sud et de le déposer dans des bureaux de Broad Street. Est-ce que j'ai fait quelque chose de mal ? »

☆

Caine eut soudain envie de s'enfuir – de sauter dans un taxi pour La Guardia, de prendre n'importe quel avion et de ne plus jamais regarder en arrière. Ce serait si facile de tout laisser derrière lui. De recommencer dans un lieu nouveau, où les gens ne connaîtraient ni son nom ni le fiasco de son existence.

Mais comme tous les rêves d'évasion, celui-ci était irréalisable. Nulle part il ne pourrait vaincre sa maladie. Où qu'il aille, la bombe à retardement qu'abritait son cerveau l'accompagnerait. Il se jura que, si le traitement de Kumar continuait à fonctionner, il prendrait le temps de regarder sa vie en face et d'y opérer de sérieux changements. Mais il fallait d'abord qu'il s'occupe d'une ou deux choses – nommément, rembourser Nikolaev et ne jamais remettre les pieds dans un club de poker.

Il soupira et se mit en marche vers le magasin de disques

où Tommy et lui traînaient autrefois quand ils venaient à Manhattan. En tournant le coin de la rue, il vit que son ami était déjà là.

Ce bon vieux Tommy, toujours à l'heure. Adossé à une vieille Chevrolet, il portait un manteau d'hiver usé aux couleurs des New York Giants[1] – sans doute celui qu'il avait déjà au lycée – et tenait une grosse mallette gris métallisé. Le salut de Caine. Il se demanda si ce trésor valait qu'il lui sacrifie son estime personnelle. Mais il savait qu'il avait déjà répondu à cette question.

Tommy se retourna et un sourire éclaira son visage. D'instinct, Caine le lui rendit. Il fit un petit signe à son vieil ami et pressa le pas pour parcourir la distance qui les séparait. En arrivant près de Tommy, il tendit la main, et les deux hommes s'étreignirent un moment avant de laisser retomber leurs bras.

Soudain, une terrifiante sensation de déjà-vu envahit Caine. Il se força à l'ignorer. Tommy était là et il avait l'argent. Que pouvait-il arriver de mal ?

☆

En apercevant David Caine, Tversky expulsa tout l'air de ses poumons : Julia avait raison. Certes, il s'y attendait, mais il se rendait compte que, jusqu'à cette minute, il n'y avait pas vraiment cru. Cette fois, la preuve était là, à quinze mètres au-dessous de lui. Si le reste des prédictions de Julia se réalisait, il obtiendrait ce qu'il voulait.

D'une main tremblante, il composa le code à six chiffres. Le mécanisme était activé. La facilité avec laquelle il avait fabriqué la bombe télécommandée l'avait à la fois surpris et horrifié. Le mode d'emploi trouvé sur Internet contenait l'ensemble des instructions nécessaires et il avait pu se procurer tout ce dont il avait besoin chez Radio Shack. Enfin, tout sauf la poudre, qui provenait des cartouches de fusil achetées à Trike.

1. Équipe de base-ball de New York.

Il vérifia à nouveau les trois caméras vidéo braquées sur la portion de trottoir qui entourait la voiture. Chacune était reliée à son ordinateur portable. Tversky contemplait l'écran comme on regarde un film – en sachant que le meilleur restait à venir. Il se surprit alors à chuchoter des excuses.

«Désolé, David. Je regrette qu'il n'y ait pas d'autre moyen.»

Il consulta sa montre. Plus que dix secondes. Il respirait régulièrement. Si l'explosion devait tuer David, il espérait qu'elle le tuerait vite.

☆

Nava ôta le cran de sûreté de son pistolet. Depuis l'autre côté de la rue, elle regarda Caine prendre la mallette des mains de l'homme au manteau New York Giants. Elle tendit l'oreille dans l'espoir d'entendre ce qu'ils se disaient, mais son GPS émit soudain un sifflement aigu.

Elle tenta d'ignorer cette anomalie, mais son expérience comme son instinct l'en empêchaient. Il se passait quelque chose de grave. Des ondes électriques aussi puissantes que celles-là ne se baladaient pas par hasard : elles avaient un but. Elle rejoua le son dans sa tête tout en scrutant la façade de l'immeuble voisin, que couvrait un échafaudage. C'est alors qu'elle le vit.

Debout sur le toit, presque exactement au-dessus d'elle, un homme tenait à la main un appareil surmonté d'une mince antenne. Un sentiment de terreur lui noua l'estomac. Ce que l'homme avait enclenché se trouvait probablement à proximité de Caine. Alors, elle l'aperçut – une forme sombre et de petite taille cachée sous la Chevrolet. Ça ne pouvait pas être une coïncidence. Le message délivré par Julia, le rendez-vous de Caine, l'homme à la télécommande, et ce paquet.

Il ne pouvait s'agir que d'une seule chose.

☆

«BOMBE!»

Caine regarda la femme qui hurlait de l'autre côté de la rue et eut une incroyable sensation de déjà-vu. Sans réfléchir, il recula d'un pas et brandit la mallette devant lui comme un bouclier. Soudain, un violent souffle d'air chaud et un bruit retentissant firent bondir son cœur et se dresser ses cheveux sur sa tête.

Une gerbe enflammée jaillit du trottoir et le souleva de terre. Projeté dans les airs, il tournoya, bras déployés, à la manière d'un Superman de bande dessinée qu'une main monstrueuse aurait envoyé valser. Il atterrit brutalement, la paume de ses mains labourant le sol, et ne cessa de déraper que lorsque son genou gauche se fracassa contre le trottoir.

Face contre terre, Caine respirait péniblement. Il avait mal partout. Il roula sur le dos et tenta de s'asseoir, ignorant la douleur qui lui brûlait les mains. La rue était devenue un enfer. Il plissa les yeux, cherchant à discerner quelque chose à travers l'épaisse fumée noire que dégageait une carcasse de métal tordue située au coin de la rue, quelques immeubles plus loin. Il distingua dans les flammes trois formes isolées qui n'allaient pas tarder à se fondre en une seule grosse masse. Plusieurs petits feux s'étaient déclenchés autour de l'explosion initiale et crépitaient en voltigeant en tous sens.

«*Tommy!*» hurla Caine. La fumée lui brûlait les yeux. Il tenta de se lever mais, lorsqu'il s'appuya sur sa jambe gauche, sa rotule brisée céda et il s'effondra. Le monde se couvrit d'un voile noir. Lorsqu'il put voir à nouveau, il était couché sur le côté et enserrait son genou blessé de ses mains sanglantes.

Il sentit la deuxième déflagration une demi-seconde avant de l'entendre. Un souffle d'air chaud et rougeâtre lui fouetta le visage, le trottoir s'ébranla et, une fois de plus, un vacarme apocalyptique emplit la rue. Il se tordit le cou pour regarder.

Une autre voiture avait explosé, faisant fuser des débris de métal et de verre incandescents. Caine s'abrita le visage tandis qu'ils retombaient autour de lui. Quand il regarda à nouveau, il vit une plaque d'immatriculation plantée dans le trottoir à quelques centimètres de sa tête. Il fallait qu'il foute le camp d'ici. Sa chance n'allait pas durer éternellement : la prochaine pluie de métal enflammé aurait sans doute raison de lui.

Une fois de plus, il entreprit de se lever. Cette fois, il mit tout son poids sur sa jambe droite et utilisa comme béquille une bouche d'incendie voisine. Il était presque debout quand il se prit le pied gauche contre le bord du trottoir et se tordit méchamment le genou.

Caine n'avait jamais ressenti pareille douleur ; il lui semblait que sa jambe se déformait comme du caramel mou. Trempé de sueur, il se mordit la langue si fort qu'elle se mit à saigner. Puis il se força à regarder vers le bas. Perplexe, il examina son pied droit, puis son pied gauche. Alors, il manqua s'évanouir. Il se sentit partir, mais refusa de se laisser faire et se mordit la langue de plus belle. Un flot de sang salé lui emplit la bouche.

Tordu à 180 degrés, son pied gauche regardait maintenant son dos. Il n'arriverait jamais à se traîner jusqu'au coin de la rue dans cet état. Il fallait remettre sa jambe à l'endroit. Cette pensée lui donna un haut-le-cœur ; le liquide acide brûla sa langue lacérée, et il cracha sur le trottoir un mélange visqueux de bile et de sang.

Il sautilla jusqu'à l'immeuble, gémissant de douleur à chaque fois que sa jambe tordue touchait terre. Puis il s'écroula contre le mur, submergé par la nausée et le vertige. Il regarda sa jambe, mais cela ne lui faisait plus aucun effet : il était en état de choc.

Alors, une autre voiture explosa dans un bruit assourdissant. Il se mit à pleuvoir du métal et Caine se couvrit la tête. Lorsqu'il rouvrit les yeux, il s'aperçut qu'un pare-chocs entourait la bouche d'incendie qui lui avait servi de béquille. S'efforçant de ne pas penser à la douleur, il s'appuya de tout son poids contre le mur, prit sa jambe à deux mains et, d'un geste brusque, la remit en position normale.

C'était une agonie. Une agonie pure et simple. La sueur lui brouillait la vue, comme s'il contemplait la rue depuis l'intérieur d'un aquarium. La voiture qui était devant lui prit feu. Il ne put rien faire d'autre que la fixer, hypnotisé. Les flammes progressaient sur les luxueux sièges de cuir noir comme un vieux chat qui s'étire paresseusement. Puis, elles semblèrent acquérir une vie propre : elles se mirent à lécher le volant, le tableau de bord, le toit. Le volant commença à fondre en se recroquevillant sur lui-même. Sous le regard de Caine, les sièges se liquéfiaient, perdant leur forme et leur substance.

Tout à coup,

…

La voiture explose. Au ralenti, elle se désintègre. Du verre brisé s'envole dans toutes les directions et quarante-sept petits éclats lui lacèrent le visage, les bras, les jambes. Les portières s'arrachent de leurs gonds, projetant à travers la fumée des fragments de métal pareils à des missiles miniatures. L'un d'entre eux, tournoyant sur lui-même, se dirige à l'horizontale vers le ventre de Caine.

L'arête coupante pénètre dans sa chair et lui perfore l'estomac comme du beurre. Même au ralenti, cela se passe si vite que c'est indolore. Enfin, jusqu'à ce que le métal lui sectionne la colonne vertébrale. Là, une douleur fulgurante lui déchire le dos avec la force d'un javelot poussé par un train de marchandises.

Les yeux de Caine s'écarquillent ; un instant, il craint qu'ils ne sortent de leurs orbites. Puis il entend un affreux craquement. Poursuivant sa trajectoire, le projectile de métal vient se loger dans le mur de briques auquel il est adossé, et ses organes internes achèvent de se désintégrer dans son sillage.

Caine meurt.

☆

La première déflagration déclencha une réaction en chaîne telle que Nava n'en avait jamais vu. Les flammes se propagèrent comme une tornade, avivées par le fioul que le camion-citerne avait répandu.

Elle s'élança vers l'emplacement où elle avait vu Caine pour la dernière fois, mais la fumée l'empêchait de le distinguer, et trois véhicules impossibles à identifier lui barraient le passage. Ils avaient atteint différents stades de décomposition : le premier, informe carcasse ramollie, ressemblait à un morceau de chocolat oublié au soleil ; le deuxième était chauffé à blanc, mais on voyait encore la silhouette sombre des sièges et des roues ; quant au troisième, ce n'était plus qu'un morceau de métal tordu et méconnaissable au milieu d'une colonne de feu.

Nava lutta pour se frayer un chemin parmi les décombres, mais un mur de flammes bloquait partout le passage. Elle tournait en rond comme une lionne en cage, cherchant un moyen de parvenir jusqu'à Caine : à moins qu'un pont ne lui tombe du ciel, elle n'arriverait jamais à le rejoindre à temps.

☆

Caine ouvrit les yeux et inspira à fond. L'air était enfumé et il se mit aussitôt à tousser. Qu'est-ce qui avait bien pu se passer ? Tout à l'heure, il était mort, et voici qu'il était vivant. Il baissa les yeux : son torse était intact. Par contre, son genou était toujours en charpie. Quant à la voiture garée devant lui, elle était entière, même si quelques flammes commençaient à se frayer un passage à travers le siège.

Il avait dû s'évanouir... ou avoir une autre vision. Mais cette vision lui paraissait si nette, si réelle. Il se rappelait le métal lui perforant l'estomac, lui brisant la colonne, et la douleur indescriptible qu'il avait ressentie. Seigneur. Peut-être qu'il était fou. Peut-être —

La voiture était envahie par les flammes. Le spectacle l'hypnotisait : à nouveau, ce n'était que du déjà-vu. Il ferma les yeux pour tenter de chasser cette impression. Vision ou pas, si la voiture explosait, il mourrait. Il voulut s'éloigner, mais un nouvel accès de douleur lui foudroya le genou. Impossible. Il faudrait un miracle pour qu'il parvienne à sortir d'ici – un miracle, et vite.

Caine avait toujours été athée, mais il se dit qu'il n'était jamais trop tard. Il ferma les yeux pour prier et découvrit quelque chose de tout à fait inattendu : il voyait encore.

…

L'incendie, la rue et lui au milieu, blessé et en sang. Il se voit lancer un objet rectangulaire —

…

Une nouvelle explosion ébranla la rue, arrachant Caine à sa transe. Soudain, il sut quoi faire. Sans réfléchir, il saisit la poignée de la mallette métallique. De toutes ses forces, il recula le bras puis le projeta vers l'avant, lâchant la mallette

…

— de couleur grise.

En retombant, la mallette s'écrase sur le capot d'une voiture voisine de celle qu'il a devant lui. Caine s'affale contre le mur, prêt à accepter son sort. Alors, la voiture explose. Le toit se soulève et la mallette métallique fuse de l'autre côté de la rue à la vitesse d'un scud. Elle rebondit contre la façade de l'immeuble et aboutit sous un utilitaire sport, projetant des étincelles dans son sillage. Les étincelles mettent le feu à la mare d'essence et provoquent une nouvelle explosion. L'utilitaire sport est soulevé de terre et vient heurter de plein fouet l'échafaudage.

C'est le commencement de la réaction en chaîne.

☆

Un objet gris métallisé fendit l'air et l'utilitaire sport explosa. Un énorme vacarme se fit entendre lorsqu'il percuta le bâtiment, projetant des briques et des morceaux d'échafaudage sur le trottoir. Si Nava n'avait pas assisté à la scène, elle aurait juré qu'on venait de tirer avec un RPG.

Soudain, un grincement métallique la fit tressaillir. Elle leva les yeux, mais il n'y avait rien à voir – à l'exception du gigantesque escalier de secours qui serpentait le long de la façade. Il y avait tant de fumée qu'il semblait osciller légèrement. Nava entendit un nouveau grincement. Elle regarda plus attentivement, et ce qu'elle vit lui coupa le souffle : l'escalier de secours avait l'air d'osciller parce que, *de fait*, il oscillait.

Certaines de ses attaches avaient dû se rompre quand l'échafaudage s'était effondré, et la chaleur avait sans doute contribué à fragiliser la structure. Encore un gémissement, plus fort cette fois. L'escalier de secours semblait prêt à s'effondrer à n'importe quel —

Dans un ultime hurlement de métal, l'escalier se détacha de la façade et, sans cesser d'osciller, s'abattit vers le sol.

☆

Le temps circule en boucle.

L'escalier de secours poursuit sa chute vers le sol.

Il atterrit au milieu du brasier et commence à fondre.

(boucle)

Caine lance la mallette. La voiture explose. La mallette rebondit contre la façade. Les étincelles mettent le feu à l'essence sous l'utilitaire sport. Nouvelle explosion. L'échafaudage s'écroule. L'escalier de secours tombe et le choc le casse en deux.

(boucle)

Caine lance la mallette. La voiture explose. La mallette rebondit contre la façade. Les étincelles mettent le feu à l'essence sous l'utilitaire sport. Nouvelle explosion. L'échafaudage s'écroule. L'escalier de secours commence à tomber, puis s'arrête net : toujours accroché à la façade, il reste suspendu dans les airs, incliné à 45 degrés.

(boucle)

Les images s'accélèrent ; son cerveau peine à interpréter ce qu'il voit à chaque nouvelle boucle. Encore et encore, Caine revit l'enchaînement de circonstances qui provoque la chute de l'escalier de secours, jusqu'à ce que finalement il tombe… pour de bon.

Nava évita de peu l'escalier de secours lorsqu'il dégringola dans la rue avec un bruit assourdissant. Par miracle, l'ouvrage de métal était toujours d'un seul tenant, juste un peu courbé à l'endroit où il traversait la rangée de camions en flammes. Nava le contempla un moment, stupéfaite. Alors, elle se rendit compte que son pont était là.

Elle ôta son mince pardessus et, d'un rapide coup de poignard, y découpa trois longues bandes de tissu. Elle s'en enveloppa les deux mains et le visage en couvrant son nez et sa bouche. Sans prendre garde à l'incendie qui faisait rage au-dessous, elle grimpa sur l'escalier de secours et se mit à ramper le long des barreaux de métal fracturés.

Ils avaient déjà commencé à chauffer, mais les lambeaux de son pardessus lui protégeaient les mains. Elle progressa rapidement vers le sommet de la courbe, se félicitant de l'entraînement qu'elle avait acquis en escaladant la montagne Narodnaïa, dans le nord de l'Oural. La fumée et la sueur qui coulait sur son front l'aveuglaient presque entièrement, mais elle continua d'avancer à tâtons sur l'échelle métallique brisée. Puis elle s'arrêta, s'accroupit en se tenant aux barreaux brûlants et regarda droit devant elle. Elle était à moins d'un mètre du sommet. Son objectif se trouvait de l'autre côté du rideau de flammes.

Nava chercha un endroit sûr où sauter, mais il n'y en avait pas. L'incendie faisait rage des deux côtés ; elle ne pouvait que continuer devant elle. Elle examina à nouveau l'échelle. Sans en être sûre, elle crut apercevoir l'autre partie du pont derrière le rideau de flammes. Le métal commençait à rougir, mais n'était pas encore en feu. C'était la seule voie possible.

Elle résista à l'envie de respirer un grand coup, car l'air était noir de fumée. Puis elle se ramassa sur elle-même, concentra toute sa force dans ses mollets et bondit vers l'avant, bras tendus.

Le monde tangue.

Il y a une magnifique acrobate.

Elle grimpe sur l'escalier de secours et bondit à travers un rideau de flammes de six mètres de haut. Elle tend les mains pour attraper une barre de métal chauffée à blanc, mais rate son coup et tombe sur la carcasse enflammée d'un camion en hurlant de douleur.

(boucle)

Il lance la mallette. S'ensuit la réaction en chaîne. L'escalier de secours tombe, créant un pont. L'acrobate l'escalade, mais trébuche avant d'entreprendre son saut, dégringole en battant des mains et atterrit dans un brasier mugissant.

(boucle)

Il lance la mallette. S'ensuit la réaction en chaîne. L'escalier de secours tombe, créant un pont. L'acrobate l'escalade et bondit à travers les flammes, puis effectue un saut de mains sur un barreau chauffé à blanc. Au même moment, l'un des camions explose, criblant son corps de fragments de métal.

(boucle)

Caine voit la femme mourir cent fois. Mille fois. Un million de fois. Et puis —

☆

Bien que l'appui métallique eût remué sous son élan, Nava prit un bon départ. Une fois en l'air, elle se redressa, bandant ses muscles. Les flammes lui léchaient les bras, le ventre, les jambes… puis elles furent derrière elle. Elle ouvrit grand les mains, prête à entrer en contact avec le métal. Alors —

Elle referma les doigts sur ce qui lui parut être une barre de feu. Sans lâcher, elle desserra légèrement sa prise, se cambra, accomplit un mouvement circulaire par-dessus la barre. Elle fut projetée en avant, pieds vers le bas. Le sol n'était distant que de trois mètres : tout irait bien à moins qu'elle n'atterrisse sur un morceau de métal déchiqueté.

Elle toucha la terre ferme et s'accroupit aussitôt, mais, avant d'avoir pu reprendre son souffle, elle entendit le métal gémir. Elle se mit à courir, slalomant entre les débris d'acier brûlants. Une fois en terrain dégagé, elle jeta un coup d'œil par-dessus son épaule et vit l'escalier de secours s'affaisser dans les flammes.

Elle continua à courir.

☆

L'acrobate, qui avait survécu à son épreuve du feu, courait à présent vers lui. Caine se demanda s'il était déjà mort et si cette femme était une forme d'ange.

« Vous pouvez marcher ? » demanda l'ange, qui se trouvait soudain devant lui.

Caine la dévisagea. Comment parle-t-on à un ange ? Sans attendre sa réponse, elle se pencha et le hissa sur son épaule. Une violente douleur déchira son genou blessé et le fit hurler, mais elle ne sembla pas le remarquer. Elle se remit à courir.

Caine vit la voiture exploser derrière eux, comme il l'avait prévu. Cette fois, elle explosa en temps réel et non au ralenti. Les vitres se brisèrent et des morceaux de métal acérés furent projetés contre le mur – mais Caine n'y était plus.

Il serait mort si l'ange ne l'avait pas emmené. Son genou se tordit à nouveau, envoyant des décharges de douleur dans tout son corps. Maintenant qu'il était dans les bras de l'ange, il pouvait se permettre de perdre connaissance.

Il se laissa donc partir.

CHAPITRE 17

Caine paraissait plus lourd depuis qu'il s'était évanoui, mais Nava continua à courir. Elle savait que c'était de l'adrénaline pure : si elle s'arrêtait, elle risquait de s'évanouir elle-même. Il fallait qu'elle les mette tous les deux en sûreté.

Sans s'arrêter, elle arracha le minuscule traceur GPS qu'elle avait fixé sur l'épaule de Caine une heure auparavant et le lança dans les flammes. À présent, Grimes ne pouvait plus les localiser. Il n'y avait plus qu'une question : où se cacher ?

Elle ne pouvait pas retourner à son appartement, et celui de Caine était également exclu. Voler une voiture n'était pas plus envisageable, car il saignait abondamment. Il fallait trouver un endroit où elle pourrait s'occuper de ses blessures. En réfléchissant, elle leva les yeux vers le panneau vert indiquant le nom de la rue.

L'appartement où elle avait rencontré Tae-Woo n'était qu'à quelques rues de distance. Elle ignorait si le RDEI l'utilisait de façon régulière ou s'en était servi juste une fois. S'il y avait plus de deux agents sur place, y aller équivaudrait à un suicide. À ce moment, Caine gémit sur son épaule. Elle n'avait pas le choix. Il fallait prendre le risque.

Elle continua d'avancer. Plus que trois rues. Il y avait peu de passants, et ceux qu'ils croisaient étaient des New-Yorkais purs et durs, habitués à ne pas se mêler de ce qui ne les regardait pas. Aucun n'arrêta la belle brune portant sur son épaule l'homme à la jambe ensanglantée. Soit il y avait une bonne explication, soit ils préféraient ne pas la connaître.

Lorsqu'ils atteignirent l'immeuble, Nava était épuisée. Pendant l'ascension des cinq étages, elle sentit ses épaules et son dos ployer sous la charge. Elle se traîna pour monter le dernier escalier et parvint au sommet par la seule force de sa volonté.

Elle déposa Caine dans le couloir, puis s'approcha sans bruit de l'appartement, brandit son SIG Sauer 9 mm à deux mains, prit du recul et ouvrit la porte d'un coup de pied. Elle balaya la pièce obscure du regard, comme elle l'avait fait quelques soirs plus tôt : cette fois, les lieux étaient déserts. Elle poussa un soupir de soulagement et traîna Caine à l'intérieur.

En refermant la porte, elle chercha à tâtons l'interrupteur et fit jaillir la lumière de l'ampoule nue qui pendait au plafond. La pièce était comme elle l'avait laissée : murs austères, parquet sale, minuscule cuisine et frigo jaune. Rien n'avait été touché. Elle cessa de retenir son souffle et déversa le contenu de son sac à dos sur le sol.

La sécurité était son premier souci. Elle enduisit de mastic le bas et le haut de la porte. Une saloperie à enlever quand ils quitteraient l'appartement, mais, pour le moment, ça empêcherait qu'on les surprenne. Puis elle se retourna pour examiner Caine. Il n'était pas beau à voir.

Son visage était blanc comme un linge et la sueur plaquait sa chemise contre sa poitrine. Ses mains étaient à vif, mais, après les avoir inspectées brièvement, Nava estima qu'il s'agissait de blessures superficielles et sans gravité. Le vrai problème, c'était sa jambe gauche. De la vraie charpie. À l'aide de son poignard, elle fendit le jean de Caine en suivant la couture.

Son mollet était couvert de sang, mais n'avait que quelques bleus et égratignures. Le sang provenait de son genou. Nava le palpa doucement et sa première impression se confirma : la rotule était en miettes. À travers les chairs déchirées, elle apercevait le cartilage d'un blanc jaunâtre.

Elle ôta le bandage qui entourait ses mains et étala ce qui restait de sa veste sur le sol. On avait vu plus stérile, comme environnement, mais il faudrait faire avec. Elle sortit différentes sortes de scalpels et de seringues de sa trousse à pharmacie, et allait injecter à Caine cent milli-grammes de Demerol quand les mots de Forsythe lui revinrent à l'esprit : *Dans cette mission, dites-vous que tout est possible et que rien n'est improbable.*

La probabilité était faible, mais elle existait quand même. Nava jura à voix basse. Elle ne pouvait pas courir ce risque. Elle posa la seringue, déboucha un flacon de sels et l'agita sous le nez de Caine. Il fit machinalement le geste de le repousser et, deux secondes plus tard, ouvrit les yeux. Nava le regarda en face pour la première fois.

Malgré son état de faiblesse, son regard, d'un vert éme-raude profond, était farouche et provocant. Il tourna rapi-dement la tête des deux côtés pour se repérer, puis revint à Nava.

« Qui êtes-vous ? demanda-t-il en toussant.

– Je m'appelle Nava. Je suis là pour vous aider, mais il faut que je vous pose une ou deux questions —

– M'aider comment ? »

Il voulut s'asseoir, mais Nava lui cloua les épaules sur le sol. Sa jambe frotta contre le parquet et il fit la grimace.

« Mon genou… »

Nava hocha la tête.

« Vous êtes allergique au Demerol ?

– Peux pas en prendre, haleta Caine.

– Et du —

– Non, répondit-il en respirant bruyamment. Je ne peux rien prendre. Je suis… – Il battit des paupières et serra les mâchoires. – Je suis sous traitement expérimental. Je ne peux rien prendre d'autre à cause… à cause du risque d'interaction.

– Merde, marmonna-t-elle tout bas. Il va falloir arrêter le saignement et mettre une attelle à votre jambe. Ça va faire mal. »

Caine hocha la tête.

«Faites ce que vous avez à faire. Mais pas de médicaments.

– OK», répondit-elle d'un air hésitant.

Elle allait se mettre au travail quand la fatigue la terrassa. Elle prit une autre seringue dans la trousse à pharmacie et se planta l'aiguille dans la cuisse. Son cœur cessa de battre un instant lorsque les métamphétamines affluèrent dans ses veines. Soudain, elle se sentit pleine d'énergie. Elle saisit un scalpel sur son drap de fortune et pratiqua la première incision.

☆

«Où est-il?»

Forsythe était furieux.

«On le cherche partout, mais, comme je vous l'ai dit, il a disparu, répéta Grimes pour la cinquantième fois.

– Redites-moi ce qui s'est passé.

– Quand j'ai compris que l'agent Vaner avait blousé l'équipe d'assaut, j'ai fait une recherche sur tous ses traceurs GPS, parce que je me disais qu'elle avait dû en utiliser un autre pour tagger la vraie cible. Ensuite, j'ai visionné les données.»

Il remit en marche la vidéo de surveillance, qui provenait d'un satellite de la NSA situé à deux cent cinquante kilomètres de la Terre – heure indiquée : 18 :01 :03.

«OK, voici David Caine, dit-il en indiquant la tête d'un homme sur l'écran. Vous voyez l'autre type lui tendre une mallette.

– Est-ce qu'on sait qui il est ou pourquoi ils avaient rendez-vous?

– Ça pourrait être le livreur de pizzas. Qu'est-ce que vous voulez que j'en sache? Ça fait seulement une heure qu'on a ces images.»

Sans mot dire, Forsythe le foudroya du regard.

Grimes reprit :

«Quoi qu'il en soit, vingt secondes après leur échange, cette voiture explose. Mais si vous utilisez l'infrarouge…»

Il arrêta l'image, revint quelques plans en arrière et agrandit un petit carré situé près des pieds de Caine.

« … Vous vous apercevez que ce n'est pas la voiture qui explose, mais cette boîte. Quand je m'en suis rendu compte, j'ai élargi le champ. »

Il fit un zoom arrière, puis agrandit une forme sombre située au sommet d'un toit.

« Je n'en suis pas sûr à 100 %, mais j'ai l'impression que ce type tient une sorte de télécommande.

– Vous voulez dire…

– Que quelqu'un a voulu faire sauter David Caine. Ouais, c'est exactement ce que je veux dire.

– Nom de Dieu, fit Forsythe, perdant un instant son sang-froid. C'était Vaner ?

– Non, mais elle était peut-être là. »

Grimes montra à nouveau l'écran du doigt ; l'image défilait au ralenti.

« Apparemment, l'explosion initiale a déclenché une réaction en chaîne à la Rube Goldberg. À cause des travaux, il y avait une tonne de camions garés dans la rue, et un ou deux bidons d'essence pour le ravitaillement. Pas génial en cas d'incendie. »

L'un après l'autre, les camions explosèrent silencieusement à l'écran.

« C'est là qu'elle fait son apparition. »

Grimes arrêta l'image sur une silhouette de femme vue d'en haut.

« Malheureusement, on ne voit jamais distinctement son visage. Ça pourrait être Vaner comme ça pourrait être ma mère. C'est impossible à déterminer. »

Il appuya sur une touche et la vidéo se remit en marche.

« Vous voyez ? Maintenant, elle tourne le coin en courant comme une dératée.

– Peut-être qu'elle essaie d'échapper à l'incendie », suggéra Forsythe.

Grimes secoua la tête.

« Faux ! Elle court *vers* le feu. À moins que cette nana soit complètement pyro, elle cherche à rejoindre notre homme. »

Il traça du doigt une ligne imaginaire entre la femme et Caine, qui était adossé contre une façade au milieu du pâté de maisons.

«Et ensuite?»

Grimes haussa les épaules.

«Sais pas. Sur la dernière image, on la voit courir vers cette rangée de camions en flammes. Après, il y a trop de fumée pour voir.

– Et avec l'infrarouge?»

Grimes fit pivoter sa chaise pour regarder Dr Jimmy en face, l'air de dire: *Vous n'allez pas m'apprendre mon boulot.*

«Ça alors, j'y avais pas pensé! J'ai essayé, bien sûr. À cause de la chaleur dégagée par le feu, l'infrarouge ne servait à rien. Et le temps que la fumée se dissipe, ils avaient disparu tous les deux.

– Et le traceur GPS dont s'est servie Vaner?

– Il a cessé de fonctionner deux minutes après l'explosion.»

Forsythe resta silencieux une seconde, puis décida que tout était la faute de Grimes.

«Personne, j'ai bien dit: *personne* ne rentre chez lui avant que vous ayez trouvé le sujet. C'est compris?

– Comme vous voudrez», soupira Grimes.

Forsythe sortit de la pièce d'un pas lourd en claquant la porte derrière lui.

Grimes le suivit des yeux. «Enfoiré.»

☆

«Tommy, haleta Caine. Il est mort, n'est-ce pas?

– Je ne sais pas», répondit la femme.

Caine savait qu'elle mentait. Elle évita son regard et continua à s'occuper de son genou. La douleur physique était presque un soulagement – elle émoussait le choc provoqué par la mort de Tommy. Caine se sentait terriblement coupable. S'il ne l'avait pas appelé, Tommy ne serait jamais allé là-bas. Il aurait continué à vivre sa vie. Et maintenant… maintenant, il était mort.

«L'explosion vous a projetés dans des directions opposées. Il s'en est peut-être sorti. C'est bien votre cas.»

Leurs regards se croisèrent.

«Je suis désolée pour votre ami. Mais si vous survivez à vos blessures, il faut arrêter d'y penser. Pour le moment, en tout cas.»

Il la foudroya du regard. De quel droit lui interdisait-elle d'avoir de la peine? Soudain, l'émotion le submergea. Culpabilité, confusion, gratitude, chagrin, peur, colère – ces sentiments l'envahirent tour à tour à la manière de vagues successives. Il respira à fond et s'essuya le nez. L'étrange créature fit preuve de délicatesse: malgré l'obscurité, elle feignit de regarder par la fenêtre tandis qu'il ravalait ses larmes. Quand il se fut repris, elle se remit au travail. Curieusement, le genou de Caine ne lui faisait plus aussi mal.

«Qu'est-ce que vous avez fait?

– Un bloc nerveux régional. Ça devrait apaiser la douleur, du moins pendant que je répare le cartilage.»

Caine la regarda attentivement pour la première fois. Il n'avait sans doute jamais vu de femme en aussi bonne condition physique. Son débardeur noir moulant laissait voir les muscles fermes de ses épaules et de ses bras. Son ventre était parfaitement plat et ses jambes longues et athlétiques, sans un gramme de graisse. Elle avait le teint cuivré, couleur olive, une peau impeccable, des traits fermes et prononcés. Ses longs cheveux châtains, commodément relevés en queue-de-cheval, dégageaient un visage qui aurait été beau si elle avait souri. Mais elle avait les lèvres pincées et ses yeux bruns étaient froids et vides.

«Qui êtes-vous? finit-il par demander.

– Je m'appelle Nava Vaner.

– Non, je veux dire… qui êtes-vous? Pourquoi m'avez-vous sauvé? Que voulez-vous?

– Ça, c'est plus compliqué, soupira Nava en s'essuyant le front avec le dos du poignet. Je ne me l'explique pas tout à fait moi-même.»

242

Caine resta un moment silencieux, puis ajouta un seul mot :

«Essayez.»

☆

Nava regarda David et eut soudain un intense désir de tout lui raconter. Elle était seule depuis si longtemps, et vivait si complètement son mensonge, qu'elle avait presque oublié la vérité. Elle prenait un risque en parlant à Caine ; pourtant, pour une obscure raison, elle sentait que c'était la chose la plus sûre à faire.

La voix intérieure qui l'avait conservée en vie pendant toutes ces années la pressait de mentir, mais quelque chose de plus instinctif lui disait que tout irait bien si elle avouait. Et puis, il y avait Julia. Jusqu'ici, tout ce qu'elle avait prédit s'était réalisé. Or, elle lui avait dit que David Caine était la seule personne à qui elle pouvait faire confiance. Elle continua à nettoyer la blessure tout en réfléchissant.

Caine parut comprendre. Il ne la pressa pas, n'essaya pas de meubler le silence par un vain bavardage. Il attendit, serrant les mâchoires pour résister aux assauts de la douleur. Pendant ce temps, Nava retirait délicatement les morceaux de métal et de verre brisé qui s'étaient logés dans sa chair. Enfin, elle leva les yeux vers lui. Elle était prête.

«Je vous ai menti, dit-elle d'une voix ferme. Nava Vaner n'est pas mon vrai nom, même si je le porte depuis plus de dix ans. Quand je suis née, mes parents…»

Elle s'interrompit, surprise de l'émotion qui la gagnait dès qu'elle pensait à eux.

«… Ma mère m'a appelée Tania Kristina.»

Elle respira profondément, enfin décidée à raconter son histoire.

«J'avais douze ans quand elle est morte.»

CHAPITRE 18

« Un avion a explosé en vol », dit Nava.

Elle se souvenait de ce soir-là comme si c'était hier.

« Toute la famille devait partir en voyage. Ç'aurait été mon premier voyage en avion, mais, une semaine avant, j'ai fait un cauchemar et… j'ai refusé de partir. Mon père est resté avec moi, mais ma mère et ma sœur ont pris cet avion. »

Nava marqua un temps d'arrêt.

« Elles ne sont jamais revenues.

– Je suis désolé », dit Caine.

Elle hocha la tête, acceptant en silence ses condoléances. Elle était surprise de la douleur qu'elle éprouvait à en parler après toutes ces années. Mais, en un sens, elle était soulagée de pouvoir s'épancher, même auprès d'un étranger. Curieusement, leur échange lui paraissait sincère – pour elle, c'était le premier en douze ans qui ne fût pas fondé sur un tissu de mensonges.

« Le premier mois est passé comme un mauvais rêve. Tous les jours, en rentrant à la maison, je m'attendais à trouver ma mère dans la cuisine, mais… »

Elle s'interrompit un instant.

« Mais c'était à chaque fois la même chose. Elle n'était toujours pas là… Et j'étais toujours seule.

– Mais votre père ——

– En un sens, lui aussi est mort ce jour-là, dit-elle amèrement. Après leur disparition, il n'a plus jamais été le même. J'avais l'impression de vivre avec un fantôme. »

Nava se remémora cette année qu'elle avait passée seule

avec son père, alors qu'elle s'appelait encore Tania. Il ne s'était jamais pardonné d'avoir laissé partir sa femme et sa fille. Mais, au lieu de s'en accuser, il accusait Tania. Si bien que, lorsque la bombe avait détruit l'appareil, elle n'avait pas seulement perdu sa mère et sa sœur, mais également son père.

Chaque nuit, elle demandait à Dieu pourquoi Il les avait rappelées. Ensuite, elle pleurait. Elle pleurait parce qu'elles étaient parties, parce que son père ne la prenait plus dans ses bras et parce que sa mère ne chasserait plus jamais les monstres en l'embrassant. Mais elle pleurait surtout parce qu'en secret, au fond d'elle-même, elle était soulagée de n'avoir pas été rappelée à leur place. Et cela, jamais elle ne pourrait se le pardonner.

« Ah ! cria soudain Caine en serrant les dents.

– Désolée », fit Nava.

Elle était si perdue dans ses pensées qu'elle avait par inadvertance heurté son genou. Elle essuya une larme.

« Vous êtes sûr que vous voulez entendre tout ça ?

– Oui, dit Caine, le regard pensif. Je crois que c'est important. »

Nava hocha la tête : ça l'était, en effet. Elle poursuivit son histoire :

« J'étais en colère. J'avais douze ans et je cherchais un responsable. Et puis, une nuit, j'ai entendu mon père parler au téléphone avec un cadre du Parti. Alors, j'ai appris que c'étaient des terroristes afghans qui avaient commis l'attentat. Le lendemain, j'ai pris le bus pour Moscou, marché jusqu'à la place Loubianka et rendu visite au KGB. »

Malgré son amertume, Nava esquissa un sourire en revoyant Tania, la petite fille effarouchée qui voulait tuer les terroristes. Elle se demandait comment les choses auraient tourné si elle n'avait pas surpris la conversation de son père. Elle n'aurait sans doute jamais rencontré l'homme qui allait devenir un second père pour elle. Il s'appelait Dmitri Zaïtsev et lui avait appris bien des choses au cours des années suivantes. Entre autres, il lui avait appris à tuer.

☆

Un jour, quelques semaines après qu'on l'eut refoulée de la Loubianka, Tania rentrait chez elle lorsqu'un bras puissant enserra sa poitrine et un autre son cou. Affolée, elle se mit à donner des coups de pied et de griffes avec la sauvagerie d'un puma acculé. Les bras ne firent que la serrer davantage.

Elle ignorait que, dès cet instant, Dmitri cherchait à l'éprouver, à voir si sa bravoure s'évanouissait quand elle était menacée de mort. Or, Tania ne fléchit pas : elle se défendit plus férocement que jamais, envoyant des coups de tête répétés dans la poitrine de l'homme invisible. Puis elle perdit connaissance sous la pression de ses bras.

Lorsqu'elle ouvrit les yeux, son poignet gauche était menotté à une colonne de lit en bois. Elle se trouvait dans un minuscule studio dominé par le Kremlin. À cette vue, elle sauta du lit et manqua s'arracher le bras. Aussitôt, elle s'attaqua aux menottes, mais sans succès. L'homme lui donna quelques minutes pour se pénétrer de la futilité de sa tentative, puis se mit à parler :

«Calme-toi. »

Tania se retourna brutalement et lui fit face, le visage plein de haine. Elle inspira profondément et cracha. La salive atterrit sur l'épaule de l'homme, qui baissa les yeux, puis la regarda en souriant.

«Bien visé. »

Elle ne répondit pas, mais desserra légèrement les mâchoires.

«Je m'appelle Dmitri. Et toi ? »

Tania ramena son bras droit sur sa minuscule poitrine.

«Je vais t'aider. Tu t'appelles Tania Alexandrovna. Ta mère et ta sœur se sont fait tuer il y a trois mois. Une bombe de la rébellion afghane a détruit leur avion. »

Tania devint toute pâle.

«Je suis du KGB – je combats ces terroristes. Un ami m'a dit que tu voulais les combattre aussi. C'est vrai ? »

Tania le fixa, cherchant des yeux son regard froid. Puis, lentement, elle hocha la tête.

« Bien. Si tu veux nous aider, tu dois promettre de faire tout ce que je te dirai.

– Ça dépend de ce que vous me demandez.

– Très bien, grommela Dmitri. Si tu avais accepté de faire tout ce que je te disais, j'aurais su que tu étais une imbécile ou une menteuse. Je suis content que tu ne sois ni l'un ni l'autre.

– Et moi, je serai contente quand vous m'aurez relâchée, dit-elle en secouant les menottes.

– Si je le fais, accepteras-tu au moins de m'écouter ? » Elle acquiesça d'un signe de tête.

Dmitri s'approcha du lit en prenant garde à rester hors de sa portée, puis fit tourner une clé dans la serrure et la libéra. Elle ramena son bras à elle d'un coup sec et se mit à masser son poignet rouge et enflé.

« C'est ta première leçon : assure-toi que les menottes sont bien serrées, ou la personne que tu retiens risque de s'échapper. »

Tania ne souffla mot, mais elle ne s'enfuit pas non plus. Elle était curieuse de la suite.

« Et maintenant, leçon n° 2. »

Dmitri se pencha vers l'avant. D'une main, il lui retira doucement une barrette à cheveux ; de l'autre, il referma les menottes sur son poignet.

« Eh ! s'écria Tania. Vous avez promis de me relâcher !

– Et toi, tu as promis de m'écouter, répondit Dmitri en brandissant la barrette devant ses yeux. Donc, leçon n° 2 : comment crocheter une serrure. »

Pendant dix minutes, Dmitri lui expliqua le fonctionnement interne d'une serrure, lui montrant comment une simple barrette pouvait servir de clé. Lorsqu'il eut terminé sa démonstration, il lui tendit la barrette. Tania se mit aussitôt au travail. Après plusieurs tentatives, elle entendit enfin un clic et les menottes tombèrent bruyamment sur le sol. Elle releva les yeux, rayonnante ; c'était la première fois qu'elle souriait depuis plusieurs mois.

« C'est très bien, Tania. Et maintenant, parle-moi de ton père, ordonna Dmitri.

– Il s'appelle Yegor — »

Dmitri lui donna une claque si forte qu'elle tomba du lit. « Leçon n° 3 : ne raconte jamais rien à personne. – Il haussa le sourcil. – Rien de vrai, en tout cas. »

Tania se releva lentement en se frottant la joue. Celle-ci commençait déjà à rougir.

« Assez de leçons pour aujourd'hui. Si tu veux en savoir plus, retrouve-moi dans la ruelle demain après l'école. Sinon, oublie tout ça. Quelle que soit ta décision, ne parle jamais à personne de ce qui s'est passé aujourd'hui… surtout pas à *Yegor*. – Il lui lança un regard moqueur. – Sauf si tu veux recevoir plus qu'une claque. »

☆

« Tenez-moi ça », dit Nava, qui était en train de lui entourer la cuisse d'un garrot.

Caine fit la grimace, mais obéit. Nava savait combien il devait avoir mal ; sa résistance à la douleur l'impressionnait.

« Continuez à parler, fit-il, le front couvert de sueur. Que je pense à autre chose qu'à…

– D'accord », répondit-elle.

Et elle se mit à évoquer les mois qui avaient suivi sa rencontre avec Dmitri.

« On se retrouvait dans la ruelle tous les jours après l'école. On marchait dans les rues de Kitai-Gorod et Dmitri m'apprenait l'histoire russe. Ça pouvait être la conquête de l'Estonie par Pierre le Grand pendant la guerre du Nord, la révolution socialiste de Lénine ou la philosophie marxiste moderne… Mais je ne m'en lassais pas. Quand j'y repense, je me rends compte qu'il me bourrait le crâne avec la propagande du Parti. Mais en ce temps-là… Eh bien, je buvais chacune de ses paroles. Il était comme un père et un professeur à la fois, et j'étais la plus zélée de ses élèves.

« Ensuite, Dmitri m'a appris le métier d'espionne. Il a commencé doucement, en me posant des questions sur les gens que nous croisions. De quelle couleur était la robe de la grosse bonne femme ? Combien avait-elle d'enfants ? Que proposait le marchand moustachu dans son chariot ? J'étais naturellement douée et j'ai vite appris à m'imprégner du monde extérieur. Dmitri était impressionné. Moins de six mois plus tard, il m'envoyait dans les tavernes écouter les conversations des membres du Parti que le KGB soupçonnait de déloyauté. Un jour, il a décidé que j'avais "le don" et il a commencé à introduire d'autres professeurs. C'est alors que j'ai appris à voler. »

Nava dut resserrer le garrot. Caine haleta, mais se reprit très vite.

« Ne vous arrêtez pas, dit-il, les poings crispés. J'ai besoin de vous entendre. »

Nava hocha la tête. Tout en continuant à soigner son genou, elle reprit son histoire :

« Mon professeur s'appelait Fiodor, dit-elle en se remémorant le petit homme noiraud aux sourcils broussailleux. Il parlait peu et, à première vue, il était tout à fait quelconque. Le genre d'homme qu'on oublie tout de suite quand il pénètre dans une pièce. Mais c'est justement cette aptitude innée à se fondre dans son environnement qui le rendait différent des autres. Passer devant Fiodor était aussi mémorable que passer devant un mur de briques. Sauf que le mur de briques ne vous volait pas vos affaires quand vous passiez devant lui. »

En fin d'après-midi, quand les Moscovites rentraient du travail, Fiodor et Tania se mêlaient à la foule des passants. Le soir venu, ils se réfugiaient dans une ruelle et Fiodor ouvrait sa sacoche pour exhiber les fruits de son labeur – des portefeuilles, des bagues, des montres, des pinces à billets, et tout ce qu'il avait pu ramasser durant ses déambulations avec son élève préférée. Petit à petit, il lui inculqua ses talents.

« Pourquoi vous a-t-il appris à voler ? demanda Caine.

– Fiodor disait que la plus grande qualité d'un espion,

c'est de savoir prendre ce qu'il n'est pas censé avoir dans des lieux où il n'est pas censé être. En réalité, il n'y a aucune différence entre un espion et un pickpocket. Il s'agit toujours de vol. Simplement, il y en a un qui vole des bijoux, et l'autre des secrets. Fiodor a donc fait de moi une maîtresse voleuse. Il m'a d'abord appris à faire les poches. Puis à crocheter les serrures – les cadenas, les serrures à pêne dormant, les serrures à combinaison, les serrures de voiture et tout le reste. Il lui fallait moins de vingt secondes pour venir à bout de n'importe quelle serrure. Je n'avais pas son habileté, mais, après quelques semaines, j'étais capable d'en crocheter la plupart en une ou deux minutes.

« Quand j'ai eu quatorze ans, Dmitri a décidé de m'envoyer étudier à plein temps auprès du KGB. À ce moment-là, mon père et moi nous parlions à peine, donc quand je lui ai annoncé que je partais, je pense… je pense qu'il a été soulagé. Ma présence ne faisait que lui rappeler des souvenirs. Sans moi, il pouvait faire comme s'il n'avait jamais eu de famille. »

Nava s'interrompit. Caine devina son chagrin et l'aida à poursuivre.

« Donc vous êtes allée à l'école des espions ?

– Oui, répondit Nava en esquissant un rire. Je suis allée à "l'école des espions". Ça s'appelait le *Spetsinstitute*. Je faisais partie d'un groupe pilote avec dix autres élèves doués. J'avais huit heures de cours par jour, sept jours par semaine. D'abord, il y avait les langues. Tout le monde apprenait l'anglais, mais à cause de mon teint mat, le Parti a décidé que j'étudierais en plus l'hébreu et le farsi, de façon à pouvoir travailler au Moyen-Orient. J'avais aussi des cours de technologie, de politique, d'histoire, de communisme, de sociologie et d'anthropologie. Après la classe, je passais quatre heures avec mon professeur de combat qui m'apprenait le *systema* – l'art martial russe. »

Chaque soir après l'entraînement, Nava dînait et, tout endolorie, clopinait jusqu'à sa chambre où elle révisait ses leçons pendant trois heures. Puis elle s'écroulait, dormait ses sept heures quotidiennes et enchaînait sur une nouvelle journée. Les premières semaines, en se réveillant, elle se sentait physiquement et mentalement épuisée ; mais comme il n'y avait pas un instant pour se reposer, elle n'avait d'autre choix que de continuer. Les cours étaient difficiles, mais infiniment moins que les séances d'entraînement.

Nava sourit en repensant à Raïssa, une beauté sculpturale au teint de porcelaine et aux longs cheveux d'un noir de jais. Raïssa ne pesait que cinquante-cinq kilos, mais était habituée à combattre des hommes qui avaient le double de sa taille, et s'acquittait de cette tâche avec une précision redoutable. Elle appartenait aux forces spéciales soviétiques, également connues sous le nom de *Spetsnaz*.

Pendant des mois, Tania travailla les coups de poing et de pied, les prises et les techniques d'étranglement. Mieux elle les maîtrisait, plus Raïssa devenait offensive. Lorsqu'elle eut appris à se défendre contre un adversaire isolé, son instructrice l'obligea à se mesurer à deux ou trois attaquants à la fois.

L'entraînement était impitoyable. Tania dut développer son propre style. Elle apprit à se mouvoir de façon imprévisible, afin de parer des attaques répétées dans n'importe quelle position. Dès qu'elle se sentit à l'aise au combat à mains nues, Raïssa passa au combat armé.

Tania découvrit alors ce qui allait devenir son arme favorite – un petit *kindjal* du Daghestan à lame courbe, long de dix-huit centimètres. Avec son poignard, Raïssa lui apprit à trancher le talon d'Achille de l'adversaire pour l'immobiliser, à lui sectionner la moelle épinière et, bien sûr, à lui enfoncer la lame dans le scrotum avec un mouvement tournant, de façon à l'invalider complètement.

« Quand j'ai maîtrisé le *systema* et su me débrouiller avec un poignard, on m'a envoyée au champ de tir. »

☆

Son instructeur, un homme dégingandé du nom de Mikhaïl, insista pour qu'elle comprenne la mécanique de chaque pièce d'artillerie et les principes physiques qui en gouvernaient l'action avant d'effectuer le moindre tir. Il lui expliqua la différence entre un pistolet (alimenté par un chargeur) et un revolver (où chaque balle doit être chargée manuellement). Elle apprit qu'il fallait armer manuellement le chien d'un revolver à simple action avant de tirer, alors qu'un revolver à double action le faisait automatiquement. Elle découvrit que le calibre d'une arme n'était rien d'autre que le diamètre de ses balles : ainsi, un calibre .38 avait des cartouches de 0,38 pouce de diamètre. Elle comprit aussi que les balles de plus gros calibre se déplaçaient plus lentement, mais causaient des blessures plus graves.

Elle mémorisa les avantages du pistolet semi-automatique 9 mm – balles rapides, tir relativement silencieux, précision quasi parfaite, faible recul et magasin important –, mais aussi ses inconvénients – blessures superficielles n'occasionnant que de faibles pertes de sang, enrayage plus fréquent.

Elle apprit les trois manières dont une balle pouvait provoquer la mort d'un homme – perte de sang, traumatisme crânien ou perforation d'un organe vital tel que le cœur ou le poumon. Cela entraîna d'autres leçons : par exemple, si Tania voulait tuer un homme avec un calibre .22, il fallait qu'elle vise la tête, parce qu'une balle de faible calibre parviendrait à pénétrer dans le crâne, mais pas à en ressortir : une fois à l'intérieur elle rebondirait et détruirait le cerveau de la victime. Mais, avec un .45, une blessure au torse serait fatale, car une balle de ce calibre était assez puissante pour éjecter les organes d'un homme par la blessure de quinze centimètres de large qu'elle provoquerait en ressortant dans son dos.

Elle apprit que l'extrémité concave des balles à tête creuse leur permettait de déchiqueter les organes en pénétrant dans le corps, et qu'une Glaser était une simple enveloppe de cuivre remplie de Teflon liquide et de grenaille de plomb, scellée par un opercule de plastique. Au moment de l'impact, l'opercule se désintégrait, transférant une énergie maximale au contenu ; le Teflon et le plomb se répandaient alors dans le corps. Cela augmentait les chances de toucher une artère majeure, tout en évitant que la balle rebondisse ou ressorte par-derrière, et faisait de la Glaser un choix « sûr » pour tout le monde, excepté la cible.

Mikhaïl l'instruisit enfin sur les différents modèles : le Glock autrichien, le Heckler & Koch allemand, le SIG Sauer suisse ; les pistolets américains – Smith & Wesson, Colt, Browning –, le Beretta italien et, bien sûr, le Gyurza et le Tokarev russes.

Au bout d'un moment, elle en savait plus sur les armes à feu qu'elle n'eût cru qu'on pouvait en savoir. Alors et alors seulement, Mikhaïl lui mit entre les mains un Nagant russe simple action à l'ancienne mode. Tania inséra avec précaution les cartouches de 7,62 mm dans le barillet à sept chambres, se mit en position, visa, arma le chien et pressa la détente. Le recul fut si fort qu'elle perdit l'équilibre et tomba, atterrissant brutalement sur le dos.

Ce fut la première et la dernière fois qu'elle entendit rire Mikhaïl. « La voilà, la différence entre la théorie et la pratique ! »

Furieuse, elle se releva et réessaya. Elle ne tomba plus jamais.

Comme dans les autres matières, son apprentissage fut extrêmement rapide. Elle maîtrisa bientôt tous les calibres de pistolet et passa à d'autres armes à feu. Il y eut d'abord les mitrailleuses, Uzi et Browning M2HB et M60, qui lui laissaient les bras flageolants comme de la gelée. Puis les fusils à pompe, comme le Baikal MP-131K et le Heckler & Koch CAWS, au recul si puissant qu'il lui fit un méchant bleu à l'épaule. Enfin, Mikhaïl lui apprit à calculer les distances ainsi que la vitesse et la force du vent pour ne jamais manquer sa cible avec un fusil de sniper Dragunov.

Nava s'interrompit. Elle avait fini de poser l'attelle. Caine était trempé de sueur.

« Ça devrait aller, dit-elle en contemplant son œuvre.

– Merci », fit Caine.

Nava hocha la tête. Soudain, elle se sentait intimidée. Comment se faisait-il qu'elle soit aussi à l'aise avec un homme qu'elle connaissait à peine ?

« Et qu'est-ce qui s'est passé ensuite ? C'est quoi, l'examen final du *Spetsinstitute* ?

– On m'a demandé de tuer un homme, répondit-elle d'un ton neutre. C'était un terroriste – un rebelle afghan du nom de Khalid Myasi.

– Et vous l'avez tué ?

– Oui. Je lui ai mis deux balles dans la poitrine et une dans la tête. Exactement comme on m'avait appris. »

Elle se rappelait très clairement la scène. Les trois détonations sèches quand les balles avaient fusé du canon. Le cri d'agonie de Myasi, interrompu par l'afflux du sang dans sa gorge. La torpeur qui l'avait envahie quand elle avait contemplé son corps sans vie.

Ce n'était pas ce qu'elle avait imaginé. Elle n'éprouvait aucun sentiment de triomphe, et son désir de vengeance n'était en rien diminué. Mais les hommes du KGB n'en avaient cure. Ils avaient réussi à faire d'elle une tueuse et étaient impatients de tirer parti de leur nouvelle arme.

Tania avait alors dix-sept ans. On lui faisait jouer tantôt le rôle d'une écolière, tantôt celui d'une jeune prostituée. En général, il s'agissait de missions de surveillance, mais, quand la situation l'exigeait, l'adolescente recevait l'ordre de tuer. Et elle s'exécutait.

☆

Comme Tania parlait couramment l'hébreu, le farsi et l'anglais, le Parti décida, le jour de ses dix-huit ans, de l'envoyer à Tel-Aviv. Elle y vivait depuis près d'un an lorsque Zaïtsev lui ordonna de tuer Moishe Drizen, un tranquille agent du Mossad. Pour la première fois, Tania commit un meurtre dont le bien-fondé devait plus tard lui sembler discutable.

Pour tous les autres, il y avait eu des raisons évidentes.

C'étaient des ennemis du Parti – et eux-mêmes des assassins. Mais le cas de Drizen était différent. Une fois effectué le travail de surveillance préliminaire, il devint clair qu'il n'était ni hostile à la Russie ni favorable aux terroristes – son métier d'agent consistait même à les combattre.

Mais quand elle demanda à Zaïtsev ce que Drizen avait fait pour mériter la mort, elle obtint pour toute réponse : « Ne mets pas en doute le Parti. » Elle fit donc ce qu'on lui avait appris à faire, et lui trancha la gorge dans une ruelle. Elle ne le savait pas encore, mais il s'agissait de son dernier test : le lendemain, Zaïtsev lui apprit qu'elle était enfin prête pour devenir espionne sous couverture aux États-Unis.

On lui assigna pour famille d'accueil un couple de compatriotes russes que le Parti avait envoyés en Amérique vingt ans plus tôt. Les Gromov se faisaient passer pour des Israéliens venus aux États-Unis pour fonder une famille. Peu de temps après leur arrivée, ils avaient donné naissance à une fille prénommée Nava.

Celle-ci mena une existence ordinaire jusqu'au 7 mai 1987 : ce jour-là, elle disparut mystérieusement. Denis et Tatiana Gromov – alors connus sous le nom de Reuben et Leah Vaner – étaient dans tous leurs états. Craignant, s'il prévenait la police, d'attirer l'attention sur eux, le père demanda de l'aide à son correspondant du KGB. Zaïtsev lui promit de faire tout ce qui était en son pouvoir pour localiser la jeune fille, alors âgée de dix-sept ans. Mais entre-temps, pouvaient-ils lui rendre un service ?

Craignant pour la sécurité de leur fille, les Vaner firent ce que Zaïtsev leur demandait : ils quittèrent leur ville-dortoir en Ohio pour une banlieue de Boston, laissant derrière eux la vie qu'ils s'étaient créée. Un mois plus tard, ils apprirent que leur fille était en sécurité en Russie et resterait saine et sauve s'ils acceptaient d'« adopter » Tania. Celle-ci arriva le lendemain. C'est alors que Tania Kristina Alexandrovna cessa d'exister et que naquit une nouvelle Nava Vaner.

Les Vaner jouèrent leur rôle. Ils gardèrent leur fille adoptive chez eux le temps de faire d'elle une Américaine. À la fin de l'été, la nouvelle Nava entra au lycée. Quand vint le temps de poser sa candidature à l'université, elle se débrouilla fort bien et fut acceptée dans six établissements du pays. Zaïtsev jugea que le plus indiqué, parce que le plus « américain », était l'université de Southern California. Quatre ans plus tard, Nava obtint sa licence de russe, option arabe, avec la mention très bien.

La CIA fut aux anges lorsqu'elle reçut sa candidature pour un poste d'agent de terrain. Après avoir minutieusement enquêté sur son passé – notamment par le biais d'entretiens avec ses amis de lycée et d'université, ses parents et ses voisins –, le service clandestin de l'Agence lui offrit une place dans son programme de formation d'élite.

Après tout, Nava était la candidate idéale.

☆

Au cours des deux années suivantes, Nava reçut une formation intensive. Tandis que ses camarades peinaient à intégrer les techniques de combat et de lutte armée comme les éléments de culture étrangère, elle réussissait haut la main. Ses instructeurs de Langley n'avaient jamais vu d'élève aussi « naturellement » douée. Et c'est ainsi que, pour la deuxième fois de sa vie, elle fut jugée digne de tuer pour son pays.

Mais désormais, Nava ne savait plus quel était son pays.

Certes, elle avait grandi en Russie, mais les six ans passés aux États-Unis lui en avaient appris bien plus sur la culture occidentale que les cours du *Spetsinstitute*. Tout à coup, elle ne situait plus très bien son camp. Son désir de servir la mère Russie s'était émoussé – mais elle ne brûlait pas non plus de servir l'Amérique.

Or, un mois seulement après ses débuts comme agent antiterroriste de la CIA chargé du Moyen-Orient, l'impensable se produisit : huit hauts responsables tentèrent un coup d'État en URSS. Chaque jour, Nava se plongeait dans l'*International Herald Tribune*, abasourdie par les nouvelles qui lui parvenaient : Guennadi Ianaev, le vice-président de Gorbatchev, avait pris le contrôle du pays avec l'aide du directeur du KGB, Vladimir Krioutchkov, du Premier ministre, Valentin Pavlov, et du ministre de la Défense, Dmitri Iazov.

Puis le peuple se révolta. Conduit par Boris Eltsine, il reprit le Kremlin et la « Bande des huit », Krioutchkov inclus, fut arrêtée. Nava comprit que son monde avait basculé le jour où elle vit la statue de Felix Dzerjinski, le fondateur de la police secrète, se faire déboulonner devant le siège du KGB. Elle envoya un message à Zaïtsev en lui demandant ce qu'elle devait faire.

Après quatre mois d'attente, elle apprit par le biais de la CIA que Dmitri Zaïtsev, son professeur, mentor et père d'adoption, s'était donné la mort. Sans son bien-aimé KGB, il ne voyait plus de raison de vivre. Nava était accablée de chagrin, mais, comme toujours, elle s'accrocha.

Elle continua donc d'attendre. Ce n'est que lorsque le premier anniversaire du coup d'État manqué passa sans nouvelles du SVR – le nouveau service d'espionnage russe – qu'elle comprit qu'on l'avait « égarée » : les rares membres du KGB qui connaissaient sa véritable identité étaient morts, et son statut n'était nulle part formellement consigné.

Pour la première fois de sa vie, Nava était libre de faire ce qu'elle voulait. Mais, comme elle ne savait que tuer, elle resta à la CIA. Au cours des cinq années suivantes, elle assassina un nombre incalculable de terroristes. Aucune de ces missions ne parvint à effacer la culpabilité d'avoir survécu à sa mère et à sa sœur. Elle avait beau savoir qu'à chaque fois qu'elle tuait un homme, elle sauvait d'innombrables vies, cela ne suffisait pas à combler son vide intérieur.

Malgré tout, elle persévéra dans sa vendetta personnelle, tant et si bien qu'un matin torride de l'été 1999, alors que la CIA lui demandait de laisser la vie sauve au terroriste qu'elle poursuivait, elle décida d'ignorer les ordres. Avec l'appui du Mossad, elle exécuta l'homme elle-même. Elle fut ensuite étonnée de recevoir de l'argent du gouvernement israélien en échange d'un service qu'elle lui aurait volontiers rendu gratuitement.

Commença alors un nouveau chapitre de sa carrière : désormais, Nava vendait des informations et effectuait des missions secrètes pour le compte de tout gouvernement prêt à éliminer les terroristes que l'Amérique ne supprimait pas elle-même. D'abord, elle travailla uniquement pour le Mossad ; puis elle se fit connaître dans certains milieux, et le MI-6 britannique comme le *Bundesnachrichtendienst* allemand eurent bientôt recours à ses services pour se débarrasser de leurs citoyens indésirables.

Nava faisait très bien son boulot et gagnait ainsi de coquettes sommes d'argent. Mais, après cinq années supplémentaires, elle se sentit usée. Elle décida donc d'accepter une dernière mission, puis de disparaître en un lieu où ni la CIA ni le SVR ne viendraient jamais la chercher. Cette mission consistait à localiser une cellule de terroristes islamistes que le RDEI nord-coréen souhaitait démanteler.

Malheureusement, les choses ne se passèrent pas aussi bien que prévu.

CHAPITRE 19

Lorsqu'elle eut terminé, Nava alluma calmement une cigarette et exhala un long souffle de fumée. Caine ne savait pas quoi dire. Son récit était si tiré par les cheveux qu'il inclinait à le croire. Personne n'irait raconter une histoire aussi extravagante si elle n'était pas vraie. Et, malgré leur épreuve du feu – ou au contraire grâce à elle –, il se sentait déjà un lien très fort avec cette femme.

Soudain, l'accablante vérité lui apparut. Le *Spetsinstitute*; des terroristes; des agents francs-tireurs… Comment n'avait-il pas compris plus tôt?

« Bon Dieu, marmonna-t-il tout bas. Ça y est.

– Pardon ? »

Caine ferma les yeux, priant pour que l'illusion disparaisse; mais, quand il les rouvrit, elle était toujours assise près de lui.

« Ça va ? demanda-t-elle.

– Vous n'êtes pas réelle.

– Quoi ?

– Vous n'êtes pas réelle. Rien de tout ça n'est réel, c'est impossible. Je suis en plein épisode schizophrénique. C'est la seule explication rationnelle.

– David, je vous assure —

– NON ! fit Caine en élevant soudain la voix. Ceci n'est *pas réel*. C'est un délire et vous en faites partie.

– Mais de quoi parlez-vous ? »

Sans répondre, il lui rendit son regard. Il ne savait pas quoi faire. Qu'avait donc dit Jasper ? Il plissa le front et cligna des yeux, fouillant sa mémoire.

Dans le monde que tu t'es créé, quel qu'il soit, essaie de prendre les bonnes décisions. Tu finiras par revenir à la réalité.

OK. Ça, c'était possible. Se laisser porter par le courant. S'il n'arrivait pas à retrouver la réalité, il n'avait qu'à attendre que ça passe. Le conseil de Jasper était raisonnable : la meilleure façon de ne pas dérailler dans le monde réel, c'était d'agir le plus sensément possible dans le monde des illusions. Et si, par extraordinaire, ce qu'il vivait *était* la réalité – bien qu'il eût la certitude du contraire –, au moins, il aurait pris des décisions rationnelles.

Réconforté par cette analyse pragmatique des événements, il regarda à nouveau Nava. Que devait-il dire ? La réponse surgit aussitôt dans son esprit : ce qu'il dirait si ceci *était* la réalité. Il ouvrit la bouche, puis resta un instant silencieux, terrassé par l'absurdité de la situation. Mais il ne voyait rien d'autre à faire.

« Hmm, désolé. Je me suis juste, euh… égaré un instant.

– Et là, ça va ? demanda l'illusion – *Nava, elle avait dit qu'elle s'appelait Nava.*

– Ouais, ça va. »

Il se sentait toujours bizarre, mais commençait à mieux appréhender son nouvel état. Il persévéra dans son effort pour retrouver le chemin de la raison.

« Eh bien, c'est une histoire incroyable, mais elle ne me dit toujours pas comment vous connaissez mon nom. Ni pourquoi vous m'avez sauvé. »

Le visage de Nava s'assombrit ; elle était troublée.

« C'est à cause de… d'une femme. Elle m'a parlé de vous – elle m'a dit qui vous étiez, où vous seriez et tout le reste. Et le moment précis de votre mort si je n'étais pas là pour vous sauver. »

Cette réponse le dérouta plus qu'elle ne l'éclaira.

« Mais ça n'explique pas comment cette femme savait des choses sur moi – ni pourquoi vous avez décidé de me sauver.

– Pour être franche, mon projet initial n'était pas de vous sauver, mais de vous enlever.

« – Pour me livrer au RDEI ? demanda Caine.

– Exact.

– Et qu'est-ce qui vous a fait changer d'avis ?

– La fille. Elle connaissait… elle connaissait mon nom. Mon *vrai* nom. Et elle savait… eh bien, des choses impossibles à savoir, à moins que les théories du professeur ne soient justes. »

Un frisson le parcourut.

« Quel professeur ? Quelles théories ?

– Celui qui vous a fait faire ces examens il y a deux jours. »

Caine sentit son sang se glacer. Nava hocha la tête et reprit :

« La NSA le surveille depuis quelque temps. Récemment, elle a intercepté des données suggérant qu'il avait progressé vers… vers son objectif.

– Quel objectif ? demanda Caine – bien qu'une partie de lui connût déjà la réponse.

– Il est persuadé qu'il a trouvé un moyen de prédire l'avenir. »

Caine avait envie de vomir. Ce délire commençait à lui paraître bien trop réel. Une fois de plus, les paroles de Jasper résonnèrent dans sa tête.

Ça ne fait rien de spécial. C'est pour ça que ça fout tellement la trouille.

Et, de fait, Caine n'avait jamais eu aussi peur de sa vie. Il éprouvait soudain un respect tout neuf pour son frère.

« Ça va ? » demanda Nava.

Il répondit par une autre question :

« Et cette théorie… elle porte un nom ?

– Oui. Le démon de Laplace. Ça vous dit quelque chose ? »

Caine hocha la tête, mais il avait l'esprit ailleurs. Il essayait d'assembler les pièces du puzzle.

« J'ai parcouru tous les résumés du projet au labo du STR, poursuivit Nava. Pour la plupart, ils parlaient de physique, de biologie et de statistiques, mais, à la fin, il y avait toute une section sur le démon de Laplace. Je n'ai

261

pas eu le temps de la lire attentivement, mais j'ai eu l'impression qu'il s'agissait de sciences occultes.

– Non, pas de sciences occultes. De la théorie des probabilités. »

Nava le regarda, interdite.

« Je ne vous suis pas. »

Caine soupira, se demandant par où commencer – se demandant même pourquoi il devait expliquer ces choses à une hallucination qui n'était qu'une création de son subconscient. Mais peut-être était-ce *lui* qui avait besoin d'une explication.

Son regard se perdit au loin. Il cherchait le meilleur moyen de se faire comprendre. Bien qu'il eût étudié le démon de Laplace pendant des années, il ne savait pas trop comment l'aborder. Finalement, il se lança :

« Au début des années 1700, il y avait à Londres un statisticien français du nom d'Abraham de Moivre. Les statistiques n'en étaient qu'à leurs premiers balbutiements, et il arrivait à vivre en calculant pour les joueurs locaux leurs chances de gagner. Après avoir fait ce métier pendant dix ans environ, il a consigné ses théories dans un ouvrage intitulé *The Doctrine of Chances*[1]. Le livre ne faisait que cinquante-deux pages, mais c'était l'un des textes mathématiques les plus importants de son temps : il posait les bases de la théorie des probabilités, en les expliquant par des exemples tirés des dés et autres jeux de hasard. En réalité, contrairement à ce que le titre semble indiquer, Moivre ne croyait *pas* au hasard.

– Qu'est-ce que vous voulez dire ?

– À ses yeux, le hasard était une illusion. Son hypothèse était que rien n'arrivait jamais par hasard – que tout événement en apparence fortuit pouvait en fait être ramené à une cause physique. »

---

1. *The Doctrine of Chances, or a Method of Calculating the Probability of Events in Play* (1718). Pourrait se traduire par « Théorie du hasard ».

Nava semblait perplexe. Caine recourut donc à son bon vieil expédient – quand ça ne passe pas, parler de pile ou face.

«OK.»

Il introduisit avec précaution la main dans sa poche et laissa échapper un grognement. Puis il sortit une pièce de 25 cents.

«Si je tire cette pièce à pile ou face, vous pensez sans doute que le résultat relève entièrement de la chance ou du *hasard*, n'est-ce pas?»

Nava acquiesça d'un signe de tête.

«Eh bien, vous avez tort. Si vous étiez capable de mesurer tous les facteurs physiques qui entrent en compte dans le tir – l'angle de ma main, sa distance par rapport au sol, la force que j'utilise pour lancer la pièce, les courants d'air, la composition de la pièce, et cætera, et cætera – vous pourriez prédire le résultat avec une totale certitude, parce que cette pièce est soumise aux lois de la physique newtonienne, qui sont absolues.»

Nava fit une pause pour allumer une cigarette et réfléchir à ses paroles.

«Je suis peut-être un peu dépassée, David, mais est-ce qu'il n'est pas impossible de mesurer parfaitement tous ces facteurs?

– Pour nous? Si. Mais ce n'est pas parce que nous ne savons pas mesurer ces facteurs que le résultat est dû au hasard. Cela signifie juste que nous, êtres humains, n'avons pas la capacité d'évaluer certains aspects de l'univers. Les événements peuvent donc nous *paraître* fortuits alors qu'ils sont entièrement déterminés par des phénomènes physiques. Cette école de pensée porte le nom de *déterminisme*. Les déterministes affirment que rien n'est incertain, que tout ce qui arrive est l'effet d'une cause – même si elle nous reste inconnue.

– Donc si je marche dans une rue bondée et que je tombe sur un de mes amis, ce n'est pas un hasard? demanda Nava.

– Non, fit Caine. Réfléchissez-y. Vous n'allez jamais

nulle part par hasard, n'est-ce pas ? Vos déplacements sont la conséquence directe d'une combinaison de forces physiques, émotionnelles et psychologiques. Et c'est la même chose pour tout le monde. Donc, même si un événement tel que la rencontre "fortuite" d'un ami peut vous *sembler* un hasard, il n'en est pas un. Imaginez un ordinateur qui lirait dans vos pensées et dans votre corps, à vous et à votre ami. Si cet ordinateur connaissait également toutes les données physiques de la planète dans les minutes ou les heures qui précèdent votre rencontre, il pourrait prédire quand, où et comment vous allez vous rencontrer. Donc la fameuse "rencontre fortuite" n'est en fait pas fortuite du tout : c'est un fait prévisible.

– Mais dans le monde réel, dit lentement Nava, une rencontre fortuite *est* imprévisible. »

Caine secoua la tête.

« Non. Parce qu'il n'existe pas d'ordinateur tel que celui que j'ai décrit, nous ne pouvons pas prédire ce genre d'événement – mais ce n'est pas que l'événement est *imprévisible*, c'est que nous sommes *incapables de le prévoir*. Vous voyez la différence ? »

Nava hocha lentement la tête ; elle commençait à comprendre.

« C'est très joli en théorie, déclara-t-elle alors, mais ça ne marche pas dans la réalité.

– Eh bien, Moivre n'aurait pas été d'accord avec vous. Il utilisait sans cesse des données physiques pour prédire des événements en apparence imprévisibles – y compris la date de sa propre mort.

– Comment s'y est-il pris ?

– Durant les derniers mois de sa vie, il s'est aperçu qu'il dormait quinze minutes de plus chaque nuit. En bon déterministe, il a poussé ce constat jusqu'à son ultime conclusion : si son temps de sommeil continuait à s'accroître au même rythme, alors la nuit où il était "programmé" pour dormir vingt-quatre heures d'affilée, il mourrait. Selon ses calculs, cela devait se produire le 27 novembre 1754. Et ce jour-là, en effet, il est mort.

– Ça ne prouve pas grand-chose, dit Nava, sceptique.

– Non, c'est vrai. Mais vous admettrez que c'est quand même intéressant, cet homme qui pensait que tout était prévisible à condition de faire les bonnes mesures, et qui a su trouver un instrument de mesure pour prédire la date de sa mort», répliqua Caine, qui s'était soudain assombri.

Tous deux restèrent silencieux un moment, puis il reprit :
«Quoi qu'il en soit, sa *Doctrine of Chances* a servi de point de départ à un autre mathématicien français célèbre, Pierre Simon Laplace.»

En prononçant ce nom, il revit la salle lambrissée et étouffante de Columbia où avaient lieu les séminaires destinés aux bons étudiants. Plus de deux ans après, il se souvenait encore de son cours sur le statisticien du XVIIIe siècle.

☆

«Comme la plupart d'entre nous, Laplace était incompris de ses parents, avait dit Caine en marchant de long en large devant le tableau. Son père aurait voulu qu'il devienne soldat ou prêtre, mais il préféra la voie universitaire. À dix-huit ans, donc, il se rendit à Paris, l'épicentre universitaire du pays. Il trouva du travail dans une école militaire où il enseignait la géométrie à de futurs officiers, parmi lesquels un gamin du nom de Napoléon Bonaparte qui, je crois, a fait par la suite des choses assez extraordinaires.»

Les douze étudiants rassemblés autour de la table laissèrent échapper un petit rire.

«En 1770, Laplace présenta ses premiers travaux à la prestigieuse Académie des sciences de Paris. Il devint alors clair pour tout le monde qu'il était un mathématicien génial. Et il consacra le reste de sa vie à l'étude de deux domaines – les probabilités et l'astronomie. En 1799, il fit converger ces deux domaines dans son *Traité de mécanique céleste*, l'ouvrage d'astronomie le plus important de l'époque. Ce livre comportait une description analytique du système solaire ainsi que de nouvelles méthodes pour calculer les orbites planétaires.

« Toutefois, si le *Traité de mécanique céleste* est toujours considéré comme important, ce n'est pas en raison des découvertes astronomiques de Laplace, mais parce qu'il a été le premier à appliquer la théorie des probabilités à l'astronomie. Il a montré que des observations multiples de la position d'une étoile aboutissaient à une courbe en cloche, comme celle que décrivait Moivre dans sa *Doctrine of Chances*. Pour résumer, Laplace, en utilisant la théorie des probabilités, est parvenu à prédire la position des planètes et à faire progresser la compréhension de l'univers.

– Que voulez-vous dire par "observations multiples de la position d'une étoile" ? demanda un étudiant aux cheveux bruns et ternes.

– Ah, bonne question, fit Caine en s'approchant du tableau. À l'époque, l'un des plus gros problèmes rencontrés par l'astronomie était que toutes les mesures étaient faites à la main. Et, comme les gens font des erreurs, les données n'étaient pas très précises. Si vingt astronomes mesuraient la position d'une même étoile, ils aboutissaient à vingt résultats différents. Là-dessus, Laplace a recueilli ces vingt résultats et en a fait un graphique. Il s'est alors aperçu qu'il obtenait une courbe en cloche, comme ceci. »

Caine montra au mur une courbe de distribution normale.

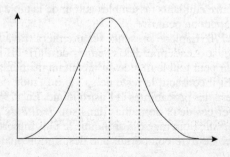

«En voyant ça, il s'est dit : "Ah ah, si les observations suivent une distribution normale et que le sommet de la courbe en cloche indique le résultat le plus *probable*, il correspond probablement à la vraie position de l'étoile." Ça paraît assez évident aujourd'hui, mais, à l'époque, c'était révolutionnaire. Il s'agit du premier exemple d'application de la théorie des probabilités à une autre discipline. Laplace affirmait que, s'il était impossible de connaître exactement la position de l'étoile, on pouvait la déterminer avec un certain degré de probabilité.»

Il fit une pause pour vérifier que tout le monde suivait.

«Mais Laplace ne s'est pas arrêté là. En 1805, il a publié le quatrième volume de sa *Mécanique céleste*, qui développait une approche nouvelle, philosophique, de la physique. Son hypothèse était que tous les phénomènes naturels peuvent être expliqués grâce à l'étude des forces agissant entre les molécules. Il a ainsi analysé une foule de choses, de la pression de l'air à la réfraction – et, une fois de plus, il a utilisé pour mesurer ces différents phénomènes des outils empruntés aux probabilités, tels que les courbes en cloche. Mais la contribution majeure de Laplace a été sa *Théorie analytique des probabilités*, publiée en 1812. C'est là qu'il a développé la méthode des moindres carrés et montré la nécessité de minimiser les erreurs — »

Un étudiant joufflu prénommé Steve leva la main.

«Je ne suis pas.»

Caine se souvint alors que ce séminaire sur les «Statisticiens modernes» figurait également parmi les cours d'histoire et qu'il n'y avait donc pas de prérequis en statistiques. Comme il y avait trois autres étudiants d'histoire dans la salle, il fallait qu'il explique ce qu'il entendait par «minimiser les erreurs». Il se gratta la tête, se demandant par où commencer.

«Vous connaissez la différence entre les *statistiques* et les *probabilités* ?»

Steve secoua la tête, imité par les autres non-mathématiciens.

« OK. La *théorie des probabilités* sert à étudier des événements dits "aléatoires", comme lorsqu'on jette des dés ou qu'on tire à pile ou face ; tandis que les *statistiques* servent à mesurer des événements "réels", comme le font les taux de natalité et de mortalité. En d'autres termes, la théorie des probabilités permet d'établir des équations qui *prédisent* les statistiques. »

Caine crut voir le visage de Steve s'éclairer, mais il ne pouvait en dire autant des trois autres. Il en revint donc à sa bonne vieille recette.

« Commençons par un exemple simple. Supposons que je tire à pile ou face quatre fois de suite. Selon vous, combien de fois est-ce que j'obtiendrai face ?

– Deux, répondit Steve.

– Pourquoi ?

– Parce que ça tombe sur face la moitié du temps, et que la moitié de quatre est deux. »

Caine hocha la tête.

« En gros, vous venez d'utiliser la théorie des probabilités pour prédire une statistique – le nombre de faces. Que vous en ayez conscience ou non, vous avez créé une équation pour résoudre le problème. »

Il écrivit :

F = nombre de faces obtenues
L = nombre de lancers de pièce
Prob. (F) = probabilité d'obtenir face en lançant une pièce

Combien de faces prédisez-vous pour quatre lancers ?
F = prob. (F) x L
F = 0,5 x 4
F = 2

« Nous savons donc que le résultat le plus probable, avec quatre lancers, est d'obtenir deux faces et deux piles ; mais pensez-vous que le nombre de faces sera deux à chaque fois ?

– Non.

– Exact. En fait, la *plupart* du temps, on n'obtiendra *pas* deux faces. »

Steve parut perplexe.

« Mais vous venez bien de dire que deux faces était le résultat le plus probable ?

– Oui.

– Alors je ne comprends pas. Est-ce qu'il n'y aura pas deux faces au moins la moitié du temps ?

– Non. Il y a seize résultats possibles lorsqu'on lance une pièce quatre fois de suite. Je vais vous montrer. »

F = nombre de faces obtenues
P = nombre de piles obtenues
n = nombre de résultats possibles pour quatre lancers

F = 0 → PPPP (n = 1)
F = 1 → FPPP, PFPP, PPFP, PPPF (n = 4)
F = 2 → FFPP, FPFP, FPPF, PFFP, PFPF, PPFF (n = 6)
F = 3 → FFFP, FFPF, FPFF, PFFF (n = 4)
F = 4 → FFFF (n = 1)

Donc :
n = 1 + 4 + 6 + 4 + 1
n = 16

« Vous voyez ? Parmi les seize possibilités différentes, six seulement comportent deux faces et deux piles. Donc, dix fois sur seize, soit 62,5 % du temps, on n'obtiendra *pas* deux faces. Maintenant, je vous repose la question : si je vous dis que je vais lancer la pièce quatre fois de suite, combien de fois pensez-vous que j'obtiendrai face ? »

Steve, le front plissé, se concentra sur ce qui était écrit au tableau.

« Je dirais encore deux.

– Pourquoi diriez-vous deux alors que je viens de vous montrer que vous auriez tort 62,5 % du temps ?

– Parce que si je choisis un autre chiffre, j'aurai tort plus de 62,5 % du temps.

– Précisément, dit Caine en faisant claquer ses doigts. Si

269

vous aviez dit une ou trois faces, vous auriez tort 75 % du temps, et si vous aviez dit zéro ou quatre faces, vous auriez tort 93,75 % du temps. – Il sourit. – En répondant deux faces, vous *minimisez* la probabilité d'avoir tort. C'est la raison d'être de la théorie des probabilités : minimiser les erreurs. Certes, le résultat des lancers sera probablement autre que deux faces, mais votre équation initiale ($F = 0,5 \times L$) reste valide, parce que c'est la *meilleure* description possible du phénomène. Comme vous le voyez, on a ici une courbe en cloche naturelle, et le sommet de cette courbe reflète la tendance naturelle du phénomène. »

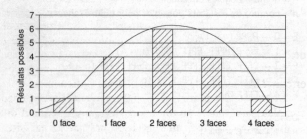

« En gros, Laplace a fait la même chose que nous, mais en l'appliquant à d'autres phénomènes : il s'est appuyé sur des milliers d'observations astronomiques pour développer des équations permettant de prédire les orbites planétaires.

– OK, j'y suis, dit Steve. Mais je ne comprends toujours pas pourquoi c'est important.

– C'est important parce que ça illustre le fonctionnement de la théorie des probabilités. Laplace a montré que le meilleur moyen de prédire la réalité n'était pas de calculer la réponse exacte, mais de déterminer la réponse *la moins inexacte*. Dans l'exemple de la pièce, même si la probabilité d'obtenir deux faces en quatre lancers n'est que de 37,5 %, la probabilité d'en obtenir un autre nombre est encore plus faible, donc votre prédiction, à savoir que j'obtiendrai deux faces, est la *moins inexacte* et par conséquent *la plus juste*.

« C'est ainsi que Laplace a réussi à prédire les orbites planétaires là où d'autres avaient échoué. Il a établi des équations qui minimisaient les différences entre les données obtenues par les différents astronomes, de façon à déterminer les orbites qui avaient le moins de chances d'être fausses.

– Donc les plus grandes chances d'être justes, ajouta Steve.

– Exactement, fit Caine, heureux de constater que le jeune homme semblait comprendre. Ce qu'il faut retenir, c'est qu'avec cette méthode, comme à chaque fois qu'on utilise les probabilités, on ne peut jamais être absolument sûr de rien, parce que le but des équations prédictives est de *minimiser* les erreurs, pas de les *éliminer*.

– Et pourquoi est-ce qu'on n'essaie pas d'éliminer les erreurs ? demanda une brune du nom de Colleen.

– Ce serait l'idéal, mais il est impossible de les éliminer complètement, parce qu'on ne possède jamais assez d'informations pour créer une équation prédictive parfaite.

– Pourquoi ?

– Pensez aux sondages que vous lisez dans le journal avant une élection – ils ne sont jamais justes à 100 %, parce qu'il est impossible de sonder tous les votants. Cependant, en étudiant un petit échantillon de gens représentatifs des différents milieux socioéconomiques, les sondeurs développent des équations qui permettent de prédire avec un certain degré de probabilité le candidat gagnant. Ainsi, les sondages présentent toujours une marge d'incertitude de 1 ou 2 % – parce que leurs résultats sont des probabilités, pas des certitudes.

« Pour en revenir aux scientifiques, la théorie des probabilités leur permet de considérer qu'un résultat est "juste" même s'ils n'en sont pas sûrs à 100 %, parce qu'elle stipule que, lorsque les chances de faire une erreur sont très faibles, on a probablement découvert la vérité. »

271

Caine se tut un instant pour laisser ses propos faire leur chemin, puis reprit :

« Tout ceci nous amène à la théorie la plus controversée de Laplace – celle qu'on a appelée son "démon". Deux ans après avoir publié sa *Théorie analytique des probabilités*, Laplace a écrit un *Essai philosophique sur les probabilités*. C'est là qu'on trouve une de ses phrases les plus célèbres. »

Il prit ses notes et lut la citation à voix haute :

Une intelligence qui pour un instant donné connaîtrait toutes les forces dont la nature est animée et la situation respective des êtres qui la composent, si d'ailleurs elle était assez vaste pour soumettre ces données à l'analyse, embrasserait dans la même formule les mouvements des plus grands corps de l'univers et ceux du plus léger atome : rien ne serait incertain pour elle, et l'avenir, comme le passé, serait présent à ses yeux.

« En d'autres termes, poursuivit Caine, Laplace, qui avait une vision déterministe de l'univers, a émis l'hypothèse que, si quelqu'un comprenait toutes les lois de la physique et connaissait la position de toutes les particules subatomiques de l'univers à un moment donné, alors ce quelqu'un saurait tout ce qui est advenu dans le passé et tout ce qui adviendra dans l'avenir.

– Mais c'est impossible de tout savoir, objecta Colleen.

– Rien n'est impossible, répliqua Caine. Simplement, certaines choses sont infiniment improbables. »

Il but une gorgée de Coca pendant que les étudiants réfléchissaient.

« Pour désigner cette théorie, on parle aujourd'hui du "démon de Laplace".

– Pourquoi "démon" ? demanda Steve. Parce que ça le tourmentait ?

– Non : c'est une interprétation courante, mais erronée. Cette théorie ne tourmentait pas Laplace, parce qu'il était convaincu de sa justesse. Après sa mort, les scientifiques ont adopté l'expression "démon de Laplace" pour désigner une intelligence omnisciente qui serait capable de tout connaître dans le présent, donc également dans le passé et dans l'avenir.

– On dirait Dieu, fit remarquer Colleen.

– Ouais, dit Caine, songeur. Quelque chose comme ça. »

☆

Nava eut droit à une version abrégée de ce cours. Quand Caine eut terminé, elle resta silencieuse pendant près d'une minute avant de prendre la parole :

« David, les chercheurs du STR pensent que *vous* êtes le démon de Laplace. »

Caine secoua la tête.

« Ça n'a pas de sens. Le démon de Laplace n'est pas réel : ce n'est pas un être, mais une théorie. C'est juste une expression qu'on emploie pour parler d'une intelligence omnisciente et capable de prédire l'avenir. »

Caine s'interrompit. La tête lui tournait.

« En plus, son impossibilité a été démontrée au début du XXe siècle.

– Comment ça ? demanda Nava.

– Un physicien, Werner Heisenberg, a montré que les particules subatomiques n'avaient pas de position déterminée tant qu'elles n'étaient pas observées. »

Nava haussa les sourcils et il ajouta :

« Ne me demandez pas comment. C'est de la physique quantique, ça n'est pas censé tenir debout.

– Bon, d'accord. Mais en quoi est-ce que ça rend impossible le démon de Laplace ?

– Eh bien, si les particules subatomiques occupent plusieurs positions simultanées, il est impossible pour un esprit – même omniscient – de connaître la position précise de chaque particule, parce qu'elle n'en a pas. Et comme cette connaissance est une condition nécessaire pour prédire l'avenir, prédire l'avenir est impossible – et le démon de Laplace également.

273

«Par ailleurs, poursuivit Caine, je ne suis pas omniscient et je suis incapable de prédire l'avenir.

– Et que faites-vous du restaurant?»

Il frissonna.

«Comment savez-vous ça?

– La NSA vous observait.»

Elle se pencha vers lui.

«David, j'ai vu ce qui s'est passé. Je vous ai vu mettre tout le monde à l'abri une seconde avant que la camionnette n'enfonce le mur. Si ça ne s'appelle pas prédire l'avenir, alors qu'est-ce que c'est?

– Écoutez, je ne sais pas ce qui s'est passé dans ce resto. Appelez ça de l'intuition – appelez même ça de la prescience si ça vous fait plaisir. Mais ça ne fait pas de moi un esprit omniscient.»

Caine passa une main dans ses cheveux en bataille.

«Bon Dieu, si je savais tout, vous croyez que je devrais douze mille dollars à la mafia russe? Nava, je ne suis même pas capable de prédire la prochaine *carte*, alors ne parlons pas de l'avenir.»

Mais en s'écoutant parler, il se rendit compte qu'il n'était pas tout à fait honnête. N'avait-il pas su que l'explosion le tuerait s'il ne trouvait pas un moyen de s'en aller? N'avait-il pas lancé la mallette, déclenchant ainsi la réaction en chaîne qui allait permettre à Nava de le rejoindre à temps? Fallait-il donc croire à l'impossible?

Il lui apparut soudain plus clairement que jamais que tout ceci était une illusion. Peut-être que l'exercice fonctionnait… Peut-être qu'il commençait à recouvrer la raison. Il se sentait déjà plus lucide, plus alerte. Il fallait persévérer.

«Très bien, supposons que je sois… ce que vous dites que je suis. On fait quoi?

– Que vous le soyez ou non, il faut partir, répondit Nava en montrant du doigt une flaque de lumière sur le sol. Il est presque neuf heures. Si nous restons ici trop longtemps, ils vont nous trouver.

– Qui c'est, "ils", exactement?

« – Le FBI, la NSA, le RDEI – vous avez le choix »,
déclara-t-elle gravement.

Il acquiesça d'un signe de tête. De toute façon, ça
n'avait aucune importance. Ce n'était qu'un rêve. Il ferait
aussi bien d'écouter l'instinct de Nava et de la suivre.

Celle-ci s'accroupit et passa le bras de Caine sur son
épaule. « Appuyez-vous sur moi et essayez de vous lever. »

Il obéit et prit appui sur sa jambe droite. Dans le même
temps, Nava le souleva d'un mouvement souple. Elle était
encore plus forte qu'elle ne le paraissait. Caine fit alors
passer un peu de poids sur sa jambe gauche : aussitôt, la
pièce devint sombre et floue.

« Eh ! » Nava l'agrippa avec sa main libre et le serra
contre elle. Le décor se remit en place.

« Qu'est-ce qui s'est passé ? demanda-t-il.

– Vous avez failli vous évanouir. Si je vous lâche maintenant, vous croyez que vous tiendrez debout ? »

À nouveau, Caine s'appuya doucement sur son pied
gauche, puis il hocha la tête. Nava desserra lentement son
étreinte et fit un pas en arrière. Il vacilla légèrement, mais
parvint à rester debout. Quand le vertige le reprit, il ferma
les yeux et laissa passer la vague en s'accrochant au réfrigérateur.

« Vous risquez encore de vous évanouir ?

– Non, je ne crois pas. – Il fit deux pas timides et sautil-
lants. – Mais je ne vais pas pouvoir me déplacer très vite
sans canne. »

Nava hocha la tête.

« Accordé. Je reviens tout de suite. »

Elle sortit de l'appartement et Caine entendit du bruit
comme si l'on fendait du bois.

« Voilà, essayez ça », fit Nava en revenant avec un bâton
de fortune.

Il le lui prit des mains en évitant soigneusement les
bords déchiquetés.

« Ouais, dit-il. Ça ira. »

CHAPITRE 20

« Ah ! » fit Caine en montrant du doigt la rampe d'escalier.

Il manquait trois barreaux, qui lui servaient désormais d'attelle et de canne. Nava hocha simplement la tête et l'aida à manœuvrer le long des étroites volées de marches. Ils atteignirent enfin le rez-de-chaussée. Elle se raidit en poussant la porte d'entrée, prête à affronter ce qui les attendait au-dehors.

Elle retint son souffle un instant – si, d'une manière ou d'une autre, la NSA savait qu'ils étaient ici, c'était maintenant que cela se passerait. Elle se demandait si elle sentirait la balle lui perforer le front.

Mais rien. Tout ce qu'elle sentait, c'était la pluie. La pluie qui tombait fort, plaquant ses vêtements contre son corps et la glaçant jusqu'aux os. Elle jeta un coup d'œil au ciel et vit une étendue gris ardoise parsemée de lourds nuages noirs.

Elle était toujours en vie, et c'était déjà beaucoup. Ils avaient franchi le premier obstacle. Elle fit alors le point sur la situation.

La NSA tiendrait à ce que l'opération reste aussi discrète que possible, d'autant qu'il y avait déjà eu au moins un mort. Cependant, s'ils croyaient réellement à la thèse de l'« intelligence omnisciente », ils ne laisseraient pas Caine leur échapper sans se battre. Elle regarda sa montre : 09 :03. Ils avaient perdu la trace de Caine depuis près de quinze heures. Forsythe n'allait pas tarder à appeler des renforts – si ce n'était déjà fait.

La priorité était de quitter New York, le centre de cette chasse à l'homme. Elle caressa un instant l'idée de sortir du pays, mais elle ne voulait pas s'exposer aux contrôles de sécurité des aéroports de l'après-11 septembre. Restaient trois autres moyens de fuite : la voiture, le car ou le train.

Elle pouvait facilement voler un véhicule, mais elle craignait de passer les péages, qui étaient certainement surveillés. Ils pouvaient aussi prendre le métro pour sortir de Manhattan et faucher une voiture dans un autre district. Mais, là encore, elle redoutait les caméras installées dans les stations. Si une équipe d'assaut les coinçait au sous-sol, ils ne parviendraient jamais à s'enfuir.

Prendre le car ne lui disait rien non plus : ils risquaient d'être coincés dans les embouteillages ou arrêtés à un barrage. Bien sûr, on pouvait également arrêter un train, mais, au moins, il y avait assez de place pour se cacher si quelqu'un montait à bord.

Nava se frotta la tête. Que faire ? Elle était si décidée d'habitude – mais il y avait chez Caine quelque chose qui la perturbait, la forçait à se remettre en question. Elle tenta de balayer son hésitation.

La sentant indécise, Caine lui lança un regard. Quand leurs yeux se rencontrèrent, il fit quelque chose de très étrange : il ferma les siens comme si une lumière éclatante venait de l'aveugler. Nava lui prit le bras.

« David, qu'est-ce qui ne va pas ? »

Il mit un moment à répondre. Il était comme frappé de stupeur. Puis il se reprit et ouvrit les yeux, haletant.

« Qu'est-ce qui s'est passé ? demanda Nava.

– Rien, dit-il en vacillant un peu sur ses jambes. Tout va bien. Mais il faut qu'on quitte la ville.

– Je sais. La seule question, c'est comment.

– Le train, lâcha Caine. Il faut prendre le train.

– Pourquoi ?

– Je ne sais pas, mais c'est ça qu'il faut faire.

– Vous êtes sûr ?

– Oui, fit Caine, visiblement contrarié. Mais ne me demandez pas pourquoi. »

Nava hocha la tête.

« OK, mais il faut d'abord vous trouver d'autres habits. »

Elle montra du doigt le pantalon déchiré de Caine, qui laissait voir son genou. Autour du bandage sanglant, la chair avait pris une teinte violet foncé.

« Très juste, dit Caine. Vous-même, de nouvelles fringues ne vous feraient pas de mal. »

Nava baissa les yeux vers son pantalon taché de sang et acquiesça. Elle conduisit alors Caine, aussi vite que son état le permettait, jusqu'à un magasin de surplus militaire situé deux rues plus loin. Dix minutes plus tard, ils quittaient les lieux dans leurs nouveaux vêtements.

Nava portait un blouson d'aviateur sur un débardeur noir moulant ; ses longs cheveux bruns disparaissaient sous un bandana vert. Quant à Caine, il avait revêtu pour cacher ses blessures un ample pantalon de camouflage et une vieille veste militaire. Il avait aussi troqué son bâton improvisé contre une canne noire dont le pommeau en argent, poli par le temps, représentait une tête de serpent. Enfin, malgré la pluie, il portait une paire de lunettes de soleil à cinq dollars. Le duo n'avait pas fière allure, mais, au moins, ils ne ressemblaient plus à des rescapés.

Nava leva la main et héla un taxi tout proche.

« Vous allez où ? demanda le chauffeur avec un fort accent indien.

– À Penn Station, dit-elle. Le plus vite possible. »

☆

Forsythe faisait les cent pas dans son bureau. Voilà presque quinze heures que Caine avait disparu. Quinze heures, putain ! Il n'arrivait pas à croire que le sujet leur avait glissé entre les doigts. C'était la faute de Grimes. Il n'aurait jamais dû laisser ce petit con boutonneux diriger l'équipe de surveillance.

Il n'était pas trop tard pour nommer un autre commandant tactique, mais, une fois qu'il aurait passé le coup de fil, il ne pourrait plus revenir en arrière. Il décida de ne rien faire avant que Grimes lui ait communiqué les dernières nouvelles. Il se dirigea donc vers le Centre de surveillance. C'était une vaste pièce circulaire sans plafonnier où la lumière provenait de la centaine de moniteurs éclairés – trois par poste de travail. Les bureaux étaient disposés en cercles concentriques autour de celui de Grimes, lequel était assis, environné d'écrans plasma et de claviers, dans un énorme fauteuil en cuir.

« Vous avez progressé ? » aboya Forsythe.

Grimes pivota d'un coup sur son siège, l'air furieux, et se passa la main dans les cheveux. Ils étaient encore plus gras que d'habitude. Il avait des cernes noirs sous les yeux et deux nouveaux boutons s'épanouissaient sur son menton.

« Impossible de le localiser. Pas d'appels sur ou depuis son portable. Il n'est pas retourné chez lui depuis l'incident. J'ai vérifié son e-mail, mais il ne l'a pas utilisé. J'ai enregistré son empreinte vocale sur le serveur et fait une comparaison avec les appels passés dans la région des trois États[1]. Rien ne correspondait. Ensuite, j'ai fait le tour des amis qu'on lui connaît en ville. Visiblement, il n'a eu aucun contact avec eux. »

Les mains dans le dos, Forsythe regardait fixement le sol.

« Avez-vous pu déterminer si la femme de l'explosion était Vaner ? »

Grimes hocha la tête.

« J'ai réexaminé la photo satellite. Nous n'avons pas d'image de son visage, mais une bonne vue du dessus de sa tête et de sa main.

– Et ? »

Forsythe détestait que Grimes fasse traîner les choses en longueur. Il ne pouvait jamais se contenter de dire ce qu'il savait – il fallait qu'il force son auditeur à le suivre dans ses digressions.

1. La région des trois États, ou *tristate area*, comprend l'État de New York, le New Jersey et le Connecticut.

Grimes montra sur un de ses écrans la photo d'une femme vue d'en haut.

« J'ai comparé la couleur de cheveux et la pigmentation avec les cassettes de sécurité que nous avons enregistrées hier. Ça correspond parfaitement à l'agent Vaner. »

Il appuya sur quelques touches et le dossier de Nava apparut à l'écran.

« Vous saviez qu'elle était responsable de l'assassinat de plus de deux douzaines d'hommes d'Al-Qaida, du Hamas et de l'OLP — »

Forsythe l'interrompit :

« Je connais son passé. La question, ce n'est pas *qui*, mais *pourquoi*. »

Grimes avala une gorgée de café et haussa les épaules.

« Ça, faudrait le lui demander. Peut-être qu'elle est toujours aux ordres de la CIA. »

Sans prendre la peine de répondre, Forsythe sortit en trombe et rentra dans son bureau en claquant la porte. Il fallait qu'il reste calme.

Il ferma les yeux et compta jusqu'à dix. Puis il les rouvrit, s'assit et décrocha le téléphone.

Lorsqu'il eut exposé la situation à Doug Nielsen, le directeur adjoint des opérations de la CIA, ce dernier soupira.

« Zut alors, James, je ne sais pas quoi vous dire, déclarat-il avec son accent traînant du Sud. Vaner était un de nos meilleurs agents. Très franchement, je suis choqué que quelque chose de pareil ait pu se produire.

– Et vous n'y êtes pour rien ?

– Laissez-moi vous dire une chose, James. – La colère perçait dans sa voix. – La CIA a mieux à faire que de s'amuser avec vos joujoux scientifiques. »

Forsythe allait répliquer, mais, à son ton méprisant, il comprit que Nielsen disait la vérité. À son tour, il soupira.

« OK. Et comment je la trouve ?

– Vous ne la trouvez pas, fit Nielsen avec impatience.

– Ça ne me convient pas.

– Eh bien, il faudra faire avec, mon ami. Vous n'avez pas assez d'hommes pour —

– Moi, non, mais *vous*, oui. »

Nielsen resta silencieux un moment, puis demanda d'une voix étouffée :

« Qu'est-ce que vous voulez que je fasse ? Que j'envoie une équipe d'assaut, comme le général Fielding ?

– Comment savez-vous —

– C'est *mon boulot* de le savoir, James. Et c'est aussi mon boulot de savoir que, d'après le sénateur MacDougal, vous n'en aurez plus, vous, d'ici environ trois semaines. »

Forsythe s'enfonça les ongles dans la paume de la main. Si MacDougal se mettait à parler, personne n'accepterait de l'aider. Il était à court d'arguments. Heureusement, ce n'était pas le cas de Nielsen :

« Écoutez, James, peut-être que je peux encore faire quelque chose. Tout ce que je vous demande, c'est de vous en souvenir quand je prendrai ma retraite. Dans ce cas, je vous laisserai passer entre les gouttes.

– À quel propos ?

– Toutes les lois que vous avez violées. Sans parler du magot que vous avez amassé en douce auprès des investisseurs de capital-risque. »

Forsythe eut soudain la bouche sèche. Apparemment, Nielsen n'ignorait rien sur lui. Il n'avait d'autre choix que d'obtempérer.

« Je vous serai reconnaissant de tout ce que vous pourrez faire, dit-il finalement.

– Bien. – On entendait presque le sourire satisfait de Nielsen au bout du fil. – Voici ce que je vous conseille. D'abord, appelez Sam Kendall. Je ne pense pas qu'il ait entendu parler de votre changement de statut imminent, et, si vous ne lui dites rien, je me tairai aussi. Il devrait pouvoir vous prêter des hommes, sans compter son talent naturel pour se concilier les autorités locales.

– Excellente idée, Doug. Merci. »

Forsythe ne comptait pas trop sur les renforts que pourrait lui fournir le sous-directeur exécutif du FBI et connaissait l'absence de diplomatie notoire dont il faisait preuve dans ses rapports avec la police. Mais c'était mieux que rien.

« Autre chose ?

– Eh bien, si vous tenez tant que ça à retrouver Vaner et votre homme, je connais un traqueur qui pourrait vous être utile. Il a été au FBI, mais maintenant, c'est le citoyen lambda. Entre nous, il a travaillé pour l'Agence en free-lance et fait de l'excellent boulot. Je suis sûr qu'il vous dépannerait – pour le juste prix, bien sûr.

– Bien sûr, dit Forsythe, dont les pensées s'emballaient déjà. Comment s'appelle-t-il ? »

Nielsen fit une pause avant de répondre :

« Martin Crowe.

– *Ce* Martin Crowe-*là* ?

– Vous voulez les trouver, oui ou non ?

– Bien sûr, mais —

– Alors vous feriez bien de passer un coup de fil à M. Crowe, et plus vite que ça. Il n'y a pas de temps à perdre, James. »

Quarante minutes et mille dollars plus tard, Forsythe était en tête à tête avec Martin Crowe – l'homme le plus effrayant qu'il eût jamais rencontré.

☆

Crowe écouta le Dr Forsythe en silence ; son visage basané restait insondable. Il avait pour politique de laisser les gens lui exposer la situation d'une traite : les interruptions leur faisaient souvent perdre le fil de leurs pensées et omettre des détails cruciaux. Quand il avait une question, il la mémorisait et restait à l'écoute. Forsythe passa dix minutes à lui conter sa rocambolesque histoire d'enlèvement perpétré par une traîtresse de la CIA.

« Vous n'avez rien oublié ? » demanda alors Crowe.

Forsythe secoua la tête.

« Non. Vous savez tout. »

Crowe se leva et lui tendit la main.

« Ravi de vous avoir rencontré.

– Attendez ! dit Forsythe en se levant d'un bond. Que dites-vous de la mission ?

– Dr Forsythe, je réussis dans mon travail parce que je me donne beaucoup de mal pour ne jamais avoir de surprise. C'est ce qui me permet de rester en vie. Je ne me lancerai pas dans une opération si je ne sais pas ce qui m'attend. Et, pour l'instant, je ne le sais pas.

– Que voulez-vous dire ? Je vous ai tout raconté.

– Non », répondit simplement Crowe.

Forsythe eut l'air indigné.

« Monsieur Crowe, je vous assure — »

Crowe lui coupa la parole en frappant du poing sur le bureau.

« Ne me sous-estimez pas, professeur. Je sais que vous m'avez menti. Et maintenant, si vous voulez que je vous aide, donnez-moi la raison *véritable* de votre intérêt pour David Caine. »

Forsythe contracta les mâchoires, hésitant. Enfin, il se mit à parler et Crowe se rassit.

Quand le silence revint, ce dernier hocha lentement la tête en évaluant la situation. À l'évidence, Forsythe croyait à tout ce qu'il lui avait raconté. Pour sa part, il était sceptique. Le « démon » qu'avait décrit Forsythe ne pouvait pas exister. Son existence signifierait que l'homme n'avait pas de libre arbitre – et cela, Martin Crowe ne pourrait jamais l'admettre.

Il avait assez d'ouverture d'esprit pour croire que Caine possédait des facultés paranormales ou des dons de voyance, mais rien au-delà. Cependant, même si cet homme avait moitié moins de pouvoirs que Forsythe ne lui en attribuait, la mission pouvait s'avérer fort difficile – d'autant qu'il fallait compter avec l'agent de la CIA.

Tout cela lui semblait de très mauvais augure. S'il lui arrivait quelque chose, il n'y aurait plus personne pour s'occuper de Betsy. Mais s'il ne se débrouillait pas pour trouver de l'argent, Betsy, avec ou sans lui, ne survivrait pas bien longtemps. Crowe savait que, malgré les risques, il ne pouvait pas se permettre de refuser un bon salaire.

« Mon tarif est de 15 000 dollars par jour, avec un bonus de 125 000 dollars quand j'aurai capturé la cible – et de

250 000 dollars si j'y arrive en moins de vingt-quatre heures. Non négociable.»

Forsythe resta un instant sans voix, puis répondit d'un ton geignard :

«Je peux payer.

– Bien.»

Crowe se leva et lui tendit une main imposante. Cette fois, Forsythe la prit et la serra timidement. Quand leurs yeux se croisèrent, il se détourna. Crowe n'aima pas ce qu'il vit dans son regard. Tant pis. Voilà longtemps qu'il avait cessé de se battre pour les gentils. Maintenant, sa seule raison de se battre, c'était Betsy. Tant qu'elle aurait besoin de lui, il n'y aurait pas de morale qui vaille.

En songeant à sa nouvelle mission, il sentit monter l'adrénaline. Cette sensation magique lui rappelait l'époque où il était entré au FBI. L'époque où il voyait encore clairement la frontière entre le bien et le mal.

Avant sa rencontre avec Sandy.

Avant la naissance de Betsy.

Et avant qu'elle ne tombe malade.

☆

Aussi loin que remontaient ses souvenirs, Martin Crowe avait toujours voulu servir son prochain. Sa mère espérait qu'il s'y emploierait en devenant prêtre, mais il se savait bien trop agressif pour devenir homme d'Église. Au lieu d'aller au séminaire, il s'inscrivit donc à la faculté de droit de Georgetown, persuadé que le caractère contradictoire du débat judiciaire conviendrait parfaitement à sa personnalité combative.

Néanmoins, une fois son diplôme en poche, Crowe choisit d'entrer au FBI plutôt qu'au bureau du procureur fédéral. Lorsqu'il eut débuté sa formation à Quantico[1], il ne regarda plus jamais en arrière. Il réussissait sans effort, stimulé par l'atmosphère d'intense compétition qui lui

1. Ville de Virginie qui abrite la FBI Academy.

manquait depuis les exploits sportifs de ses premières années à l'université.

Un ardent désir de justice l'animait, et il eut maintes occasions de prouver à ses supérieurs qu'il était une denrée rare : un agent exceptionnel, sans aucun passe-temps extérieur, capable de travailler quinze heures par jour et sept jours sur sept pendant plusieurs mois d'affilée sans montrer le moindre signe de fatigue.

Il était volontaire pour les travaux les moins qualifiés et les pires missions de surveillance, et peu lui importait d'être stationné à Milwaukee ou à Miami. Quels que fussent les ordres du Bureau, il les exécutait avec précision et excellence. Et quand vint le temps de procéder à une arrestation, il fut le premier à pénétrer sur les lieux, arme au poing.

Les premières années, rien ne comptait plus à ses yeux que son travail. Puis il rencontra une collègue du nom de Sandy Bates et tout changea. Après une idylle éclair de trois mois, il la demanda en mariage. Un an et demi plus tard, Sandy donna naissance à une ravissante petite fille. Au baptême de Betsy, Martin Crowe versa les premières et dernières larmes de sa vie d'adulte. Il n'avait jamais été aussi heureux.

Son accession au rang de chef de famille donna à son travail un sens nouveau. Il était moins pressé de partir en mission pour des semaines d'affilée, mais il savait qu'il rendait le pays plus sûr pour sa femme et sa fille. Et puis, un jour, la Terre s'arrêta de tourner. Il se rappelait encore la voix étouffée de Sandy quand elle lui avait annoncé que Betsy était atteinte de leucémie myélomonocytaire juvénile. Soudain, le monde de Crowe bascula pour devenir un lieu effrayant où le mal ne se mesurait plus à l'aune du Code pénal, mais des cellules cancéreuses et des numérations sanguines.

Pour la première fois, il se retrouvait face à un adversaire qu'il ne pouvait maîtriser : il ne pouvait rien faire d'autre que le regarder dévorer sa petite fille. Sandy quitta son poste au FBI pour s'occuper de Betsy. Quant à Crowe, il se mit à faire des heures supplémentaires pour compenser le manque à gagner. Malheureusement, il avait beau travailler dur, ce n'était jamais assez, d'autant que sa mutuelle ne prenait en charge qu'une petite partie des traitements expérimentaux que les médecins voulaient essayer sur Betsy.

Au bout de six mois, ils avaient dépensé toutes leurs économies, et Betsy se mourait toujours. Crowe avait le dos au mur. Il en perdait peu à peu la raison. Il aurait dû prendre un congé, mais il avait besoin d'argent, et se porta volontaire pour travailler encore davantage.

C'est ainsi qu'il se retrouva sur l'affaire Duane.

« Big Daddy » Duane avait kidnappé et assassiné sept enfants, qu'il avait gardés une semaine chacun avant de les renvoyer par la poste, en petits morceaux, à leurs parents éplorés. Les médias l'avaient surnommé le « Tueur FedEx » – au grand déplaisir de la société de transport express – et Crowe s'était juré qu'un jour ou l'autre, il mettrait la main sur lui.

Lorsqu'il rejoignit l'équipe, celle-ci était à la recherche de Bethany O'Neil, une petite fille de six ans originaire de Falmouth, dans le Massachusetts, enlevée dans un parc quatre jours plus tôt. L'heure tournait, chacun en était conscient. Alors, pour la première fois, la chance leur sourit : Stephen Chesterfield, l'un des pervers avec qui Duane chattait souvent en ligne, se fit choper lors d'un coup de filet de routine dans les milieux pédophiles. Mais en vingt-quatre heures d'interrogatoire, les agents du FBI chargés de l'enquête ne purent rien tirer de lui.

Ils firent alors appel à Martin Crowe.

On débrancha toutes les caméras et on laissa Chesterfield seul avec Crowe dans une pièce insonorisée et fermée à clé. C'est là, face à Stephen Chesterfield, avec la claire conscience que la vie d'une petite fille était en jeu – alors que la sienne gisait, mourante, à l'hôpital –, que Crowe finit par déraper.

Au bout d'une heure, il sortit de la pièce avec une feuille de papier tachée de sang indiquant le lieu où se cachait

Big Daddy. Les autres agents ne posèrent pas de questions sur la manière dont il s'y était pris. Ils ne voulaient pas le savoir. Tout ce qu'ils voulaient, c'était attraper Big Daddy avant qu'il ne renvoie la fille O'Neil à ses parents par la poste.

Deux heures plus tard, ils faisaient irruption dans la cabane en rondins du pédophile et le tuaient d'un coup de feu. On dit que Big Daddy Duane avait une arme ; elle ne fut jamais retrouvée. Pourtant, les deux agents qui l'avaient descendu furent encensés, tandis que les médias fustigeaient Crowe pour avoir porté atteinte aux droits civiques de Chesterfield.

S'il s'était agi d'un criminel lambda, on aurait pu étouffer l'affaire. Malheureusement pour Crowe, Stephen Chesterfield était le frère d'un procureur fédéral ; quand on le découvrit battu et contusionné, il fallut donc trouver un coupable. Des photos de son visage en sang furent divulguées aux médias et toutes les unes se mirent à stigmatiser Martin Crowe, le citant comme l'exemple même des abus commis par les forces de l'ordre. Le *New York Post* l'affubla d'un nouveau sobriquet qui fit fortune – « Black » Crowe [1]. Il fut aussitôt renvoyé du FBI et mis en examen.

Huit mois plus tard, son avocat fit une vaine tentative pour mettre en cause ses collègues du FBI. Crowe aurait sans doute écopé du maximum – dix ans dans une prison fédérale – sans le soutien de la famille O'Neil, dont les membres étaient présents chaque jour à l'audience. Ils s'asseyaient juste derrière Crowe, si bien qu'à chaque fois qu'un juré regardait l'homme accusé de sadisme, il voyait en même temps la ravissante petite fille qu'il avait sauvée. Il ne fallut que trois heures pour aboutir au verdict.

Non coupable.

Malgré l'acquittement, la tension provoquée par le procès acheva de ruiner l'existence de Crowe. Quand le jugement fut rendu, il se retrouva sans travail, sans assu-

---

1. Jeu de mots exploitant la ressemblance entre *Crowe* et *crow* (« corbeau »).

rance, sans argent et à deux doigts du divorce. Et ces soucis n'étaient rien en comparaison de ceux que lui causait sa fille : Betsy menait contre la maladie un combat impossible, qu'elle n'avait aucune chance de gagner sans une coûteuse transplantation de moelle osseuse. Les médecins n'avaient pas encore trouvé de donneur compatible, mais Crowe avait promis que, lorsqu'ils le trouveraient, il aurait assez d'argent pour financer l'opération.

C'est ainsi qu'il devint mercenaire. Il savait que, pour la plupart, ses employeurs étaient impliqués dans des activités illégales, mais il s'en moquait. Tous ses principes religieux, éthiques et philosophiques étaient suspendus tant que Betsy était malade. De plus, s'il avait commis des actes immoraux au cours des derniers mois, il s'était arrangé pour ne tuer personne. Et il se disait que, pour tout l'or du monde, il n'irait jamais jusque-là.

Mais au fond de lui, il savait qu'il franchirait cette limite s'il pouvait ainsi sauver sa fille unique. Et que cela finirait bien par se produire.

☆

Il y avait dans le regard éteint de Crowe quelque chose qui collait à Forsythe la chair de poule. Craignant de l'interrompre dans ses réflexions, il fit semblant d'étudier l'écran de son ordinateur. Crowe avait joint le bout des doigts et posé le menton dessus. Il resta silencieux pendant ce qui sembla à Forsythe une éternité. Enfin, il leva les yeux et se mit à donner des ordres.

« Ils doivent chercher à quitter la ville. Les contrôles d'aéroport sont trop risqués, donc ils vont prendre la voiture ou le train. S'ils sont partis hier soir, on est foutus. Sinon, on aura peut-être de la chance. Vous avez des agents à Penn Station ? »

Forsythe se ragaillardit, heureux de pouvoir répondre par l'affirmative. Nielsen avait vu juste : Kendall ignorait qu'il allait être remplacé, et avait donc accepté de lui prêter quelques hommes pour la battue.

«Il y a des agents du FBI sur tous les quais de Penn Station et à tous les terminus de la gare routière.»

Crowe secoua la tête.

«La gare routière, c'est du gâchis. Un agent expérimenté n'irait jamais se coincer dans un car. Qui est responsable des communications ici ?

– Grimes.

– Faites-le venir.»

Forsythe convoqua Grimes dans son bureau. À la seconde où il passa la porte, Crowe prit les commandes.

«Retirez les hommes de la gare routière et envoyez-les en renfort à Penn Station.

– Autre chose ? demanda Grimes.

– Oui, dit calmement Crowe. Faites la liste de toutes les personnes que connaît la cible dans un rayon de huit cents kilomètres et surveillez toutes leurs communications jusqu'à ce que nous l'attrapions.

– Vous pensez qu'ils seraient assez bêtes ?

– Si c'est Vaner qui mène la danse, sans doute pas, mais nous ne pouvons pas en être sûrs. Les civils en cavale se tournent généralement vers une personne de confiance. Si nous avons une chance de l'attraper, ce sera grâce à ses amis. Ou à sa famille.

«Et maintenant, ajouta-t-il en revenant à Forsythe, parlez-moi du jumeau.»

CHAPITRE 21

Caine allait demander à Nava pour où elle comptait prendre le train lorsqu'il se souvint que tout ceci n'était qu'un rêve. Un instant, il l'avait presque oublié, et pris son délire pour la réalité. Peu importait où il allait puisque c'était en rêve. Pourtant, au fond de lui, une petite voix insistait.

Mais où devait-il aller? Il ne s'était pas plus tôt posé la question que la réponse surgit dans sa tête. C'était évident. Une fois de plus, les mots de son frère étaient là pour lui servir de guide.

Cherche des moyens de t'ancrer, des lieux ou des gens qui te sécurisent.

Il fallait rejoindre Jasper à Philly. C'était la seule personne capable de l'aider. S'il parvenait à orienter son délire vers son frère, il avait peut-être une chance d'en sortir. Oui, c'était la meilleure chose à faire. Caine se laissa aller sur la banquette de vinyle et regarda la ville défiler par la fenêtre. À la radio, le DJ annonça qu'il était neuf heures quarante-sept du matin, puis Jim Morrison entonna *People Are Strange* de sa voix la plus suave. À la fin de la chanson, Nava passa aux instructions:

«Gardez la tête baissée en entrant dans la gare. Il y a des caméras au plafond. Quand on sera à l'arrêt, faites semblant de lire ça.» Elle ramassa un journal détrempé qui traînait à ses pieds dans le taxi et le lui fourra dans les mains. «Compris?»

Caine hocha la tête.

« Allez-y en premier, poursuivit-elle. Je serai juste derrière vous. En cas de problème, sauvez-vous. Ne m'attendez pas. Je suis capable de me débrouiller seule. L'important, c'est que vous disparaissiez. »

Elle lui glissa un téléphone portable dans la poche.

« Si nous sommes séparés, ajoutez 1 à la fin du premier numéro enregistré dans le répertoire. Si n'importe qui d'autre que moi répond, dites-vous que je suis morte. Raccrochez et fichez le camp. C'est clair ?

– Comme de l'eau de roche. »

Ils sortirent du taxi au coin de la 34e Rue et de la 8e Avenue, puis descendirent l'escalator en silence. Quand ils furent au sous-sol, Caine se dirigea en boitant vers les départs grandes lignes. Il avait déjà fait ce chemin cent fois et savait, sans décoller les yeux du sol, devant quelles boutiques il passait. Pendant toute la durée du trajet, il sentit la présence de Nava derrière lui.

Il s'arrêta au centre de la gare, sous l'énorme panneau d'affichage qui indiquait les horaires, mais résista au réflexe naturel de lever les yeux. Le souffle de Nava lui effleura la nuque. Elle marmotta : « Le prochain train est dans huit minutes, direction Washington. On le prend. »

Parfait : Philadelphie était sur la route de Washington. Une fois dans le train, il pensait réussir à convaincre Nava de descendre à Philly. Sinon, il la larguerait – à supposer qu'on puisse larguer une illusion. Quelques minutes plus tard, sur fond de friture, une voix annonça que le train n° 183 à destination de Washington DC, départ 10 :07, entrait en gare voie 12.

Nava l'attrapa fermement par le coude, l'orienta vers le flot de voyageurs et le poussa en avant. Ballotté par le courant, Caine se laissa entraîner vers l'escalator qui descendait sur le quai.

☆

L'agent Sean Murphy se coltinait toujours les boulots les plus chiants. Parfois, il avait envie de se coller sur le front un Post-it avec l'inscription : « Spécialiste des missions inutiles ». Il n'arrivait pas à croire qu'on lui demandait de passer toute la journée debout sur la putain de voie 12 pour guetter quelqu'un qui était sans doute déjà au Mexique. Il jeta un nouveau coup d'œil sur sa feuille de papier : on y voyait une grille de treize centimètres sur vingt remplie d'images de synthèse. Il y en avait deux séries de vingt, représentant David Caine et Nava Vaner dans tous les déguisements possibles et imaginables.

Caine avec une barbe et sans moustache. Caine avec une moustache et sans barbe. Vaner avec des lunettes. Caine avec des lunettes. Vaner avec les cheveux courts. Vaner avec les cheveux longs. Caine chauve. C'était parfaitement ridicule. Les informations les plus importantes étaient la taille et le poids. La taille était impossible à changer, et le poids difficile à dissimuler. Pourtant, la plupart des suspects s'appliquaient à camoufler leur visage, ce qui était du temps perdu. Leurs yeux les trahissaient toujours.

Le regard des fugitifs rappelait à Murphy celui du lapin domestique qu'il avait quand il était gamin. Dès qu'il fallait nettoyer sa cage, le pitoyable Bugs se blottissait dans un coin en roulant des yeux avec un effroi si flagrant que son propriétaire avait envie de dégueuler. Il détestait ce foutu lapin. Sa mère le forçait à s'en occuper pour lui apprendre les responsabilités, mais tout ce qu'il avait appris, c'est qu'il détestait les lapins.

Murphy contempla le flot de passagers en scrutant leurs visages. Il en avait vu mille depuis sept heures du matin, et, comme il était encore tôt, 50 % d'entre eux avaient le regard vitreux des gens mal réveillés. 40 % étaient simplement renfrognés : les New-Yorkais se croyaient les rois du monde et avaient l'impression d'être environnés d'imbéciles. Seuls les 10 % restants semblaient vraiment de bonne humeur et excités à la pensée de leur voyage. À n'importe quel autre endroit du pays, ces 10 % auraient été 60. Mais voilà, on était à New York – terre des libres, patrie des grincheux [1].

Encore des yeux. Blasés, fatigués, fermés, grincheux, grincheux, blasés, grincheux, entrouverts, épuisés, injectés de sang… Ils se succédaient sans relâche. De temps à autre, Murphy jetait un coup d'œil sur sa feuille de papier, puis relevait la tête pour contempler l'humanité grincheuse.

«T'as quelque chose, Murph?» La voix crépita dans son écouteur, le tirant brutalement de sa rêverie.

Il baissa le menton pour parler dans son micro-cravate, sans même chercher à se dissimuler. Autrefois, quand il avait l'impression, à chaque mission, de combattre pour la Vérité, la Justice et l'Amérique, il suivait les instructions à la lettre. Mais après dix-sept années passées à surveiller les gares routières et ferroviaires, les aéroports, les toilettes publiques (ça, c'était le pompon), les parcs et les hôtels, l'attrait de la nouveauté s'était émoussé – tout comme les règles de l'art.

«Rien. Et toi?

– Nada.»

Murphy ouvrit grand la bouche et bâilla en silence. Des yeux, des yeux, des yeux. Bon Dieu, c'était une putain de perte de temps. Impossible que David Caine se pointe. Il regarda sa montre. Encore une heure et il pourrait faire une pause. Il se mit à tripoter avec convoitise le paquet de cigarettes qu'il avait dans la poche et continua à regarder passer les yeux en rêvant à sa première taffe.

☆

Nava le repéra instantanément. Il enfreignait toutes les règles et ne faisait aucun effort pour se fondre dans la foule. Il était grand et massif, sans doute un mètre quatre-

1. «*Land of the free, home of the pissed*», d'après les derniers mots de l'hymne national américain : «*Land of the free, home of the brave*».

vingt-dix et cent dix kilos environ, avec des cheveux gris acier coupés en brosse. Un blazer bleu tentait lamentablement de dissimuler son holster épaule.

L'agent ne cherchait même pas à cacher le papier qu'il avait à la main – le portrait de Caine, à n'en pas douter. Il ne les avait pas encore repérés et se contentait d'examiner les passagers qui arrivaient sur le quai. Nouvelle erreur. Douze personnes seulement les séparaient de lui. Nava se maudit d'avoir écouté Caine et accepté de prendre le train. Elle aurait dû arrêter la voiture d'un touriste, le fourrer dans le coffre, foncer jusqu'au Connecticut et, une fois là-bas, aviser.

Plus que dix personnes.

Elle se pencha pour murmurer à l'oreille de Caine : « Mettez-vous sur le côté et suivez-moi quoi qu'il arrive. »

Sans lui laisser le temps de se retourner, elle le poussa fermement sur le côté et se faufila près de lui. Caine suivit le mouvement et recula pour monter sur la marche qu'elle venait de quitter.

Plus que quatre personnes.

Aussi incroyable que ce fût, l'agent n'avait pas repéré leur manège. Pathétique. Nava aurait dû s'en réjouir, mais elle était irritée par l'incompétence du bonhomme. L'Amérique disposait peut-être de forces de renseignement considérables, mais, pour la plupart, leurs hommes étaient piètrement formés.

Deux personnes.

Nava prit la pose, les yeux pleins d'assurance, un grand sourire plaqué sur le visage. S'ils ne recherchaient que Caine, son plan devrait fonctionner. S'ils la cherchaient aussi – et si l'agent était aussi rapide que sa fonction l'exigeait –, ils étaient foutus.

Une personne.

Elle cambra le dos, seins pointés vers l'avant, et regarda l'agent d'un air aguicheur. S'il avait été du KGB, il aurait remarqué que l'homme qui se tenait derrière elle portait des lunettes de soleil malgré la pénombre. Mais il n'était pas du KGB – et à vrai dire, en cet instant, il n'avait plus grand-chose de commun avec un agent de renseignements. C'était juste un mâle excité.

Il parcourut Nava des yeux, s'arrêtant sur ses seins, puis remontant jusqu'à son visage. Alors, son regard vacilla. Il fallait prendre l'initiative avant lui. Nava fit semblant de trébucher et de tomber sur lui, et son pitoyable adversaire la reçut dans ses bras. La main de la jeune femme remonta le long de sa poitrine et, d'un mouvement rapide, lui arracha son micro-cravate.

« Hé, vous êtes — » Il s'interrompit brutalement en sentant quelque chose contre son aine.

« Ne bougez pas, chuchota Nava sans cesser de sourire. Ce que vous sentez là, c'est le bout d'une lame de dix-huit centimètres. Si vous ne voulez pas sentir le reste, mettez gentiment les bras autour de moi, comme si on s'enlaçait, et reculez de deux pas vers le mur. Tout doucement. »

L'agent obéit. Les prenant pour deux tourtereaux, les gens passaient devant eux sans remarquer le moins du monde le poignard.

« Combien êtes-vous ?

– Écoutez, Vaner — »

D'une petite secousse, Nava lui piqua la cuisse.

« J'ai dit combien ?

– OK, OK, dit-il en essayant de reculer le bassin – mais il avait déjà le dos contre le mur. Il y a dix autres hommes dans la gare.

– Et combien sur ce quai ? »

Nava inclina la tête en arrière comme pour l'embrasser. Elle sentait son haleine chargée de tabac.

« Un autre.

– À quoi il ressemble ? »

Comme il hésitait, il eut droit à un petit rappel.

« Nom de Dieu ! glapit-il. Je vais vous le dire, mais faites gaffe avec ce truc. À peu près un mètre quatre-vingts, maigre, sans doute soixante-dix kilos. Cheveux blonds, coupés court comme moi.

– Pour qui travaillez-vous ?

– La CIA, répondit-il avec trop de hâte – il mentait.

– OK. »

Nava tourna la tête et la posa sur sa poitrine pour souffler à Caine : « Prenez le *stylo bleu* dans la poche zippée du bas et mettez-le-moi dans la main. » Elle revint face à l'agent et leva les yeux vers lui tandis que Caine fourrageait dans son sac à dos. « Eh, regardez-moi. » L'agent obéit à contrecœur. Elle vit de la peur dans ses yeux. « Vous survivrez, soyez tranquille. »

Caine lui mit dans la main gauche un tube de plastique long de huit centimètres. Nava l'enfonça dans la cuisse de l'agent et le tube se rétracta, actionnant le ressort qui commandait la seringue. Les muscles de l'homme se raidirent lorsque l'aiguille pénétra dans sa chair. Cinq secondes plus tard, comme la benzodiazépine affluait dans ses veines, il se relâcha, un vague sourire aux lèvres. Nava laissa tomber le tube de plastique vide et posa la main gauche sur sa poitrine pour éviter qu'il ne tombe.

« Votre nom ?

– Sean Murphy. »

Il avait la voix d'un homme qui rêve.

« Comment vous vous sentez, Sean ?

– J'ai sommeil. »

Et, comme pour souligner cette affirmation, il appuya sa tête contre le mur et ferma les yeux.

« Sean. Sean ! » Nava rengaina son poignard et donna une petite secousse à Murphy.

Il sursauta et ouvrit les yeux, la regardant sans comprendre.

« Je veux dormir.

– Je sais. J'ai juste un service à vous demander, d'accord ?

– D'accord, marmonna-t-il comme un grand gamin.

– Si quelqu'un vous réveille, dites-lui juste que vous étiez fatigué et que vous avez fait une petite sieste après le départ du train. Vous ne m'avez jamais vue. Vous avez dû vous endormir.

– OK. Vous ai jamais vue. »

Il cligna rapidement des yeux, comme pour les empêcher de se fermer tout seuls.

« Je peux dormir maintenant ?

– Juste une dernière question. Pour qui est-ce que vous travaillez *vraiment* ? »

Il balbutia quelque chose tandis que ses yeux se fermaient. Agacée, Nava crispa les mains sur ses épaules. Avec ou sans son autorisation, il serait complètement parti d'ici dix secondes.

« Pour qui travaillez-vous ? »

Elle approcha l'oreille de sa bouche – sa voix n'était qu'un murmure : « Le… F… B… Iiiiiiii. »

La tête de Murphy s'affaissa sur sa poitrine. Un filet de salive pendait à ses lèvres. Nava lui ferma la bouche et, doucement, l'appuya contre un pilier.

« *Votre attention, s'il vous plaît. Le train n° 183 à destination de Washington DC va entrer en gare voie 12.* »

Nava fit glisser son sac à dos le long de son bras et en sortit un tube de plastique identique au premier, mais de couleur jaune. On entendait à présent le tintement de cloche annonçant l'arrivée du train. Elle jeta un rapide coup d'œil à la ronde pour vérifier qu'on ne les observait pas, mais les voyageurs étaient bien trop occupés à se bousculer pour avoir la meilleure place sur le quai. Elle se tourna vers Caine, qui la regardait d'un air horrifié.

« Est-ce qu'il est… Enfin, est-ce que vous…

– Il n'est pas mort. Si je l'avais tué, ils sauraient où nous allons. »

Elle prit le minuscule écouteur de Murphy et se le mit dans l'oreille ; de l'autre main, elle rattacha son micro-cravate. Au même moment, l'écouteur se mit à crépiter.

« Murphy, on fait le point.

– J'écoute, bougonna Nava dans le micro en contrefaisant sa voix.

– Quelque chose ?

– Nan.

– Moi non plus. T'avais sans doute raison, c'est une perte de temps.

– Ouais. »

297

Nava savait que tout irait bien si elle se limitait à des monosyllabes.

« OK. Je te rappelle dans cinq minutes.

– Ouaip. »

Elle laissa passer cinq secondes, puis replaça l'écouteur dans l'oreille de Murphy et régla le volume au maximum sur le boîtier à piles.

« Votre attention, s'il vous plaît. Dernier appel pour le train n° 183 à destination de Washington DC. Ce train partira dans deux minutes voie 12. »

Nava piqua Murphy à la cuisse avec la deuxième seringue – un mélange de flumazénil et d'amphétamines pour contrer l'effet de la benzodiazépine. Puis elle se retourna vivement, saisit Caine par le bras et l'entraîna dans la queue. Une minute plus tard, ils étaient à bord et quittaient la gare.

Nava respira un grand coup tandis que le train accélérait pour sortir de la ville. Elle se demandait s'ils avaient vraiment réussi à semer leurs poursuivants – mais elle savait que la réponse ne se ferait pas attendre longtemps.

☆

« Billets ! cria une grosse femme en traînant des pieds dans l'allée. Merci de préparer vos billets. Billets ! »

Nava glissa quelques billets de vingt dollars dans la main de Caine. « Achetez un aller simple pour Washington. »

Quand la contrôleuse arriva à sa hauteur, Caine fit ce que Nava lui avait dit. Il ne moufta pas lorsqu'il la vit acheter un aller-retour pour Baltimore.

« Au cas où quelqu'un lui poserait la question, je ne veux pas qu'elle sache que nous voyageons ensemble – ça peut nous faire gagner du temps.

– Donc nous allons tous les deux à Baltimore ? »

Nava secoua la tête.

« Non. Nous descendons au prochain arrêt.

– À Newark ? Pourquoi ?

« – Il faut sortir de ce train avant qu'ils retrouvent notre trace.

– J'ai mon mot à dire ?

– Non. C'est la solution la plus sûre. »

Caine inspira profondément. Il fallait qu'il prenne le contrôle de l'illusion. Une fois auprès de Jasper, il serait en sécurité.

« Je veux aller à Philadelphie.

– Pourquoi ?

– Mon frère y habite. »

À peine avait-il prononcé ces mots qu'il s'aperçut de son erreur.

« C'est exactement pour ça qu'il ne faut *pas* y aller. C'est le premier endroit où ils iront nous chercher.

– Qui, *ils* ?

– Ils, c'est le FBI et tout ce que la NSA a pu trouver d'autre pour l'aider à vous attraper, chuchota-t-elle en baissant la voix. J'imagine que ça ne vous a pas échappé ?

– Il faut que j'aille retrouver Jasper.

– C'est impossible pour le moment. Vous ne comprenez donc pas ?

– Mais tout ça n'a aucun sens ! » explosa Caine.

Plusieurs passagers tournèrent la tête.

« Parlez bas », siffla Nava entre ses dents.

Autour d'eux, les gens tendaient l'oreille.

Elle se renversa sur le dossier de son siège, approcha sa tête de celle de Caine et lui chuchota :

« Pas ici. Il y a trop de monde.

– Très bien, chuchota Caine en retour. Mais je vais quand même à Philly.

– Non. Vous avez besoin de moi, David, et je vous dis que rejoindre Jasper serait un suicide. Faites-moi confiance. »

Caine ouvrit la bouche pour répliquer, mais il se rendit compte qu'il ne la ferait pas changer d'avis. Il ferma les yeux, réfléchissant à ce qu'il devait faire. Il savait que Philly était le bon choix, et il avait besoin que Nava vienne avec lui.

Si tout ceci était réel et qu'il était vraiment le démon de

Laplace, il saurait déjà s'il irait ou non à Philly. Au moins, il saurait quoi faire pour que les choses se passent comme il le souhaitait. Au lieu de quoi, la seule idée qui lui venait était d'aller se cacher aux toilettes.

Il rit de lui-même. Quel piètre plan pour une intelligence omnisciente ! Puis il laissa ses pensées dériver, en quête d'une solution. Mais rien ne lui venait, sauf cette image obsédante de lui dans les toilettes, en train de composer —

Caine ouvrit les yeux d'un coup et inspira bruyamment. Nava se tourna aussitôt vers lui, l'air inquiet.

«David, ça va ?»

Sa voix semblait à des millions de kilomètres. Caine regarda sa montre : 10 :13 :43. S'il voulait réussir, il devait rencontrer l'homme d'affaires dans cinquante-huit secondes exactement. Il se leva brusquement.

«Où —

– Aux toilettes», dit-il sans attendre la fin de la question.

Nava le regarda d'un œil soupçonneux, puis se leva et le prit par le coude.

«Je vous accompagne jusque-là.

– D'accord», fit Caine, qui comptait les secondes dans sa tête.

Pas la peine de se presser. Il avait encore le temps. Avec précaution, il fit un pas en avant en exagérant son boitement. Comme prévu, Nava ne remarqua pas ce détail. Il continua d'avancer.

Caine marchait comme dans un rêve. Il avait l'impression de circuler dans un labyrinthe qu'il connaissait par cœur. Au bout du wagon, la porte coulissa pour laisser passer un homme d'affaires d'une trentaine d'années. Pile à l'heure. Il portait à deux mains un plateau-repas en carton. Caine ne voyait pas ce qu'il y avait dessus, mais il le savait déjà : un verre en plastique plein de Coca, un paquet de Doritos et un sandwich au thon.

L'homme approchait. Caine s'arrêta un instant, feignant de perdre l'équilibre. Nava lui prit le bras pour lui éviter une chute qui ne se serait jamais produite. Il la remercia et fit un pas en avant.

À présent, ils étaient presque l'un sur l'autre. Caine se mit de côté pour le laisser passer. Au même moment, le train fit une embardée sur la gauche. Caine trébucha vers l'avant et heurta l'homme d'affaires qui renversa son Coca.

« Mais attention, bon sang ! glapit l'homme en le repoussant rudement.

– Désolé, c'est ma faute », fit Caine.

Et il poursuivit son chemin vers les toilettes, Nava sur ses talons.

Une fois à l'abri derrière la porte fermée, il sortit le portable qu'il venait d'arracher au clip ceinture de l'homme. Il ferma les yeux et se concentra. Au bout d'un moment, le numéro qu'il avait entendu quatre jours plus tôt refit surface.

Il commença à composer.

☆

Jennifer Donnelly garda une main sur le volant de son utilitaire sport Ford et, de l'autre, fourragea dans son sac à main pour trouver le téléphone. Ce foutu portable sonnait toujours au pire moment.

Elle baissa les yeux vers son sac. Au même moment, une Mini Cooper passa en trombe devant elle. Surprise, Jennifer écrasa le frein. Une seconde plus tard, une Lincoln gris métallisé emboutit son pare-chocs, envoyant la Ford valdinguer à travers le croisement. La voiture finit sa course dans la rambarde.

Jennifer fut projetée en arrière sur le siège ; l'airbag s'était gonflé si vite qu'elle avait l'impression d'avoir pris un coup dans la figure. Elle resta un moment immobile, étourdie. Puis elle sentit quelque chose de chaud et de mouillé entre ses jambes.

« Oh, mon Dieu ! » fit-elle en serrant les cuisses, comme si cela pouvait arrêter le processus.

Mais il était trop tard.

Il y eut un bruit de chasse d'eau et Caine sortit des toilettes.

«Venez, allons nous rasseoir», dit-il un peu trop vite.

Nava sentait qu'il avait une idée en tête, mais impossible de savoir laquelle. Elle le suivit en silence jusqu'à leurs sièges. Ils seraient à Newark dans moins de cinq minutes. Elle était impatiente de descendre du train. Elle avait le pressentiment que la NSA était sur leur piste. Si l'agent qu'elle avait drogué se souvenait de leur rencontre, ils risquaient d'aller droit dans la gueule du loup.

Elle regarda autour d'elle, commençant déjà à planifier leur fuite. Que ferait-elle à la place de leurs poursuivants? Attendre qu'ils sortent pour les prendre sur le quai? Monter en gare pour fouiller le train? Non. Elle ferait arrêter le train à un bon kilomètre de la gare et monterait là-bas. C'était le meilleur moyen de contrôler la situation: même s'ils cherchaient à s'enfuir, ils n'auraient nulle part où aller.

Seulement voilà, c'était ce qu'*elle* aurait fait. Et ce n'était pas elle qui dirigeait l'opération, mais des Américains. Or, en Amérique, on se souciait trop des innocents et des otages. Leurs poursuivants pensaient sans doute plus à la une des journaux du lendemain qu'à l'issue de leur mission. Et ça signifiait – quoi? Qu'ils ne monteraient pas dans le train, de peur d'aboutir à une impasse. Qu'ils chercheraient à les surprendre quand ils quitteraient la gare, dans un environnement plus facile à maîtriser.

Elle se mit à élaborer son plan.

☆

Bill Donnelly regardait les rails se dévider sous le train lancé à toute vitesse quand son portable sonna dans son bleu de travail. Il savait que tout le monde se moquait de sa tenue – en denim de pied en cap, y compris la casquette à visière courte –, mais il lui semblait que les conducteurs de train *devaient* porter un bleu. Il garda les yeux rivés sur la voie tout en allant pêcher son téléphone.

«*Allouiii ?*»

Il souriait déjà de sa réponse favorite lorsqu'il entendit quelqu'un haleter à l'autre bout du fil.

«Chérie, c'est toi ?

– Oui, c'est moi. – Sa voix était faible. – J'ai eu un accident.

– Tu vas bien ? Et le bébé ?

– Je viens de perdre les eaux… – Elle respira profondément. – Je vais à l'hôpital.

– Mais il reste six semaines avant le terme !

– Bill, j'ai besoin de toi. Tu arrives bientôt ?

– Merde… On est en train d'arriver à Newark, mais je te promets de foncer, mon chou.»

Elle eut un petit jappement de douleur. «S'il te plaît, Bill. J'ai… j'ai peur. Je ne veux pas recommencer… Pas toute seule…» Et elle éclata en sanglots.

«Là, là, dit-il doucement, tout va bien se passer, mon cœur. J'arriverai avant que tu aies le temps de dire : "C'est un garçon".»

Elle renifla faiblement en ravalant ses larmes.

«Promis ?

– Je te jure que je serai là à te tenir la main quand ce bébé viendra au monde.

– OK. Il faut que je parte pour l'hôpital. L'ambulance est là. Je t'aime.

– Moi aussi, je t'aime.»

Bill entendit un petit clic : elle avait raccroché.

Il se remémora son dernier passage à la maternité, deux ans auparavant. Il avait travaillé tard et n'avait pu arriver aussi tôt que prévu. Pas de quoi en faire un plat, avait-il pensé : de toute manière, il n'y avait rien à voir les deux premières heures. Sa sœur avait eu trois enfants et le travail n'avait jamais duré moins de vingt heures. Il n'imaginait pas que quatre-vingt-dix minutes puissent faire la différence. Il avait tort.

Le travail avait été court, et le bébé… le petit Matthew William… était mort-né. Bill s'était toujours reproché de ne pas avoir été là durant les premiers instants, quand Jennifer s'était retrouvée seule en salle de repos. Lorsqu'il était arrivé avec une boîte de cigares, elle lui avait craché au visage. Il leur avait fallu tout un an de consultation conjugale pour retrouver un semblant de normalité. Trois mois plus tard, elle était à nouveau tombée enceinte.

Il se demandait souvent s'ils avaient eu tort de vouloir un autre enfant. Le stress de la seconde grossesse avait failli détruire leur mariage. Mais ils avaient réussi à s'en sortir. Il s'était même arrangé pour prendre un congé sans solde afin d'être près d'elle quand le terme arriverait. Comment disait-on déjà ? Trop de précaution nuit, ou quelque chose comme ça… Il n'arrivait pas à y croire. Les choses n'auraient pas dû se passer de cette manière. Pas cette fois-ci.

Il regarda sa montre, puis le planning. Ils étaient censés s'arrêter à Trenton pour des manipulations de routine. Ça prendrait vingt minutes. Il fallait aussi recharger la voiture-bar – dix minutes de plus. Qu'y pouvait-il ? Rien. Mais alors il pensa à sa femme. Jennifer, seule dans cette pièce… dans cet hôpital où ils avaient perdu Matthew.

Bill soupira. Il savait ce qu'il avait à faire, et ça risquait de lui coûter son boulot. Il se retourna pour fermer la porte, passa une vitesse et accéléra. Puis il décrocha le micro, prit une profonde inspiration et appuya sur le bouton.

CHAPITRE 22

« *Votre attention, s'il vous plaît. Nous avons le regret de vous informer que ce train ne marquera pas l'arrêt dans les gares suivantes : Newark, Metropark, Princeton Junction et Trenton.* »

On entendit dans le wagon des grognements interloqués.

« *La compagnie Amtrak vous prie de l'excuser pour la gêne occasionnée. Prochain arrêt : 30e Rue, Philadelphie.* »

Cette dernière phrase déclencha une quasi-émeute autour de Nava, qui n'y prit pas garde. Elle savait que les usagers mécontents se contenteraient d'envoyer le lendemain une lettre de réclamation – et encore. Elle concentra toute son attention sur Caine, qui regardait fixement par la fenêtre.

« Qu'est-ce que vous avez fait ? »

Caine se retourna pour la regarder dans les yeux.

« Je ne sais pas de quoi vous parlez.

– Foutaises, siffla Nava. C'est vous qui avez provoqué tout ça, n'est-ce pas ?

– Vous êtes parano, répliqua Caine.

– Menteur. »

Sans répondre, il se tourna à nouveau vers la fenêtre. Nava ne savait pas comment, mais, d'une manière ou d'une autre, il était à l'origine de l'incident. Quand elle avait découvert les théories de Tversky sur le démon de Laplace, elle n'y avait pas cru. Pas vraiment. Sinon, elle n'aurait pas été prête à livrer Julia au RDEI…

Elle frissonna en songeant aux Nord-Coréens et au prix que valait sa tête maintenant qu'elle les avait défiés, mais préféra ne pas trop s'attarder là-dessus et revint à son compagnon de voyage. Elle voulait bien croire qu'il possédait *certains* pouvoirs paranormaux, mais quand même… Il y avait une sacrée différence entre prédire l'avenir et être capable de le contrôler.

Et pourtant, ce train qui ne s'arrêtait pas avant Philadelphie… Quelle était la probabilité d'un événement comme celui-là ? Qu'est-ce qui pouvait bien amener le conducteur à sauter les quatre prochaines gares ? Elle secoua la tête en signe de dénégation. Ça n'avait aucun sens. Tversky avait écrit que Caine ne faisait pas consciemment usage de ses facultés. Mais après ce qui venait de se produire, elle n'en était plus si sûre. Elle avait appris à se fier à son instinct et, en ce moment précis, son instinct la tenaillait plus que jamais.

Elle regarda à nouveau Caine ; cette fois, son regard n'exprimait plus le doute, mais la peur.

☆

Grimes établit la communication avec Fitz et Murphy pour que Crowe les entende. C'est Fitz qui parla le plus ; Murphy intervenait de temps à autre, mais, en général, c'était juste pour se mettre en valeur et tenter de faire oublier qu'il s'était endormi comme une souche. Quand ils eurent terminé, Grimes leva les yeux vers Crowe.

« Qu'est-ce que vous en pensez ?

– Je pense qu'un soudain accès de narcolepsie ne se produit pas si fréquemment. Surtout chez un homme de quarante-trois ans sans antécédents médicaux particuliers, déclara gravement Crowe.

– Mais qu'est-ce que ça veut dire ? Vous pensez que Caine et Vaner sont dans le train ? »

Grimes adorait ces moments-là. Surveiller les gens, c'était chouette, mais traquer une cible, tenter de la repérer parmi la myriade d'emplacements possibles, ça, c'était vraiment top. Et Crowe connaissait bien son truc, pas de doute là-dessus.

« Et ce train ? demanda Crowe. Le voyage s'est déroulé normalement jusqu'ici ?

– Seconde, je vérifie. »

Grimes déjoua le système pare-feu d'Amtrak en moins d'une minute. Une carte des voies ferrées longeant la côte Est apparut alors sur un de ses écrans plasma. « Wouah… Intéressant. » Il augmenta le volume de ses écouteurs. « Semblerait que le conducteur ait perdu la boule et décidé de détourner le train. Un bordel concernant sa femme qui va accoucher et lui qui doit être à Philly dès que possible. Putain, ce mec est *sûr* de se faire virer. »

Crowe se pencha en avant, l'air soudain intéressé.

« Vous pouvez faire une recherche dans la base de données d'Amtrak pour voir combien de fois un employé a détourné un train ?

– Sans problème. »

Il ne fallut que quelques secondes à Grimes pour repérer la commande adéquate et afficher les données.

« Voilà. Sur les quinze ans d'archives, c'est arrivé seulement dix-huit fois.

– Calculez la probabilité. »

Grimes trouva la requête étrange, mais Crowe savait ce qu'il faisait.

« Voyons, si on suppose qu'ils ont les mêmes horaires depuis 15 ans, comme ils organisent 100 trajets par jour, ça en fait 36 500 par an, multiplié par 15, égale… – Grimes tapa les chiffres sur son clavier. – … 547 500 trajets. Avec 18 détournements, ça donne une probabilité de 0,003 %, soit environ 1/30 000. »

Crowe frappa du poing dans sa main d'un air triomphant.

« C'est Caine. Il est dans le train.

– Je fais donner la cavalerie ?

– Attendez, dit Crowe en levant la main. Dans combien de temps arrivent-ils à Philadelphie ?

– Laissez-moi vérifier. »

Grimes naviga dans différents menus pour revenir aux données concernant les arrivées.

«Ils y seront dans quarante-sept minutes environ. – Il sourit. – Ils ont un peu d'avance sur le planning.

– On a un hélico sur le toit ?

– Ouaip, acquiesça Grimes. Prêt à décoller. J'appelle le pilote ? »

Crowe courait déjà vers l'ascenseur. Grimes prit ça pour un oui.

☆

En moins de quatre minutes, ils étaient à mille cinq cents mètres au-dessus de la ville. En progressant à 200 km/h, ils devraient arriver en même temps que le train. Si les vents étaient favorables, ils pourraient même le devancer. Crowe appuya sur un bouton de son casque.

« Grimes, je veux que tous les agents disponibles du bureau de Philadelphie convergent sur la gare. Assurez-vous que tout le monde a des images de synthèse de Caine et de Vaner… »

Pendant une minute, Grimes l'écouta attentivement énoncer son plan. Oh, oui… David Caine allait vite comprendre ce qu'être pourchassé voulait dire.

☆

Caine n'aurait pas su dire à quel instant précis il s'était réveillé. Le roulis du train le berçait d'avant en arrière, donnant au temps la forme d'une boucle perpétuelle. *Clic-clac, clic-clac.* Une fois de plus, une sensation de déjà-vu fourmillait dans son cerveau. Il se sentait dériver sur une mer de coton. Luttant pour reprendre ses esprits, il bâilla, puis ouvrit les yeux.

Alors, tout lui revint d'un coup. À nouveau, une sourde culpabilité l'envahit. Tommy… Jamais il n'aurait dû mourir. C'était entièrement sa faute. S'il s'était tenu à l'écart du *podvaal*, rien de tout cela ne serait —

Non. Ce n'était pas réel. Ni l'explosion, ni la femme, ni ce coup de fil insensé – rien. Il fallait continuer à aller de l'avant. Si son moi illusoire parvenait à rejoindre Jasper, tout s'arrangerait. Il regarda Nava. Dans une autre vie, s'enfuir avec une femme aussi belle l'aurait transporté de joie. Mais dans cette vie – dans ce rêve –, ce n'étaient pas leurs problèmes quotidiens qu'ils fuyaient : c'étaient des assassins.

« *Votre attention, s'il vous plaît. Ce train entrera en gare de Philadelphie, 30e Rue, dans cinq minutes. Une fois de plus, nous tenons à nous excuser pour la gêne occasionnée par les modifications du planning. Merci de votre compréhension.* »

Caine sentit une nouvelle vague de déjà-vu le submerger. Il fallait qu'il aille dans la voiture-bar, et vite.

☆

Nava se demandait si Caine n'avait pas fini par péter un câble. Une seconde plus tôt, il dormait profondément, et voilà qu'il l'entraînait au pas de course vers la voiture-bar. Là, il acheta dix paquets de chips et, sans lui laisser le temps de réagir, se mit à les ouvrir avec ses dents tout en claudiquant vers la sortie.

Il appuya sur le bouton noir commandant l'ouverture de la porte et s'engagea sur les plaques de métal formant charnière entre les deux wagons. Nava voyait les rails défiler à travers les interstices. Alors, Caine se pencha et se mit à verser des chips dans les ouvertures. Lorsqu'il eut vidé le dernier sac, il le jeta à ses pieds, comme les précédents.

« Vous êtes dingue ?

– Oui, Nava, fit Caine. Je crois que oui.

– Pourquoi vous avez fait ça ? insista-t-elle.

– Je… Je ne sais pas vraiment », balbutia-t-il, le regard vague.

Le sang de Nava se glaça.

« Ils savent que nous sommes dans ce train ?

– Ouais… Je crois », dit Caine en hochant la tête.

S'il s'était agi d'une mission normale, elle aurait passé

en revue ses plans d'urgence ; mais, cette fois, elle n'avait pas de filet de sécurité. Pourquoi ne pas utiliser Caine ? Après tout, il avait bien réussi à les emmener jusqu'à Philadelphie. Mais elle craignait que l'inciter à faire usage de… de ses facultés n'ait des conséquences désastreuses. Puis elle repensa à ce qui les attendait et décida de prendre le risque. Elle se tourna vers Caine et plongea son regard dans ses yeux vert émeraude.

« David, je veux que vous nous imaginiez sortant de cette gare indemnes.

– Je ne pense pas que ça marche comme ça, Nava.

– Mais vous n'en êtes pas *sûr*, si ? Allons. Les sportifs professionnels visualisent la partie avant d'aller sur le terrain. Les soldats imaginent la bataille avant de se déployer. S'il vous plaît, David : faites ça pour moi. »

Puis, au bout d'un moment :

« Il faut bien que la confiance commence quelque part. »

Caine allait protester, mais il se reprit et hocha la tête.

« Vous avez raison. »

Il ferma les yeux. Au même instant, le haut-parleur se mit à grésiller :

« *Votre attention, s'il vous plaît. Ce train entre en gare de Philadelphie, 30ᵉ Rue. Nous remercions les passagers qui nous quittent d'avoir choisi Amtrak et leur souhaitons un agréable séjour dans la ville de l'amour fraternel*[1]. »

☆

Un pigeon tacheté noir et gris descendit en piqué du ciel orageux. Il se posa sur les rails quelques secondes après le passage bruyant de la bête de métal et se mit à picorer les morceaux de chips qui jonchaient la voie. Il fallait en profiter avant l'arrivée des autres. Tout à coup, il entendit un couinement. Il tourna la tête et vit cinq créatures poilues se précipiter vers lui. Sans hésiter, il s'envola à tire-d'aile.

1. Sens étymologique de « Philadelphie ».

Quand il aperçut le grand oiseau rugissant, il était trop tard.

☆

Le temps pressait. Dans son casque, Crowe écoutait parler les agents du FBI. Il n'avait aucune idée de la manière dont Forsythe s'y était pris pour obtenir aussi vite une assistance inter-agences – et encore moins pour que des membres du FBI acceptent de se placer sous l'autorité de la NSA. Comme cette dernière l'avait mis en première ligne, il était, *de facto*, l'agent spécial responsable. Quelqu'un perdrait sans doute son boulot au FBI quand on apprendrait qu'il avait dirigé l'opération, mais il n'avait pas le temps de se soucier de ça maintenant : le train entrait en gare dans quatre-vingt-dix secondes. Il devrait arriver juste à temps pour superviser l'assaut.

Au moment où l'hélicoptère entamait sa descente, il se mit à pleuvoir. Pris de nausée, Crowe se cramponna à sa ceinture et se renversa en arrière sur son siège. Soudain, un violent soubresaut ébranla l'appareil, qui se remit à monter en virant brutalement sur la droite.

« Nom de Dieu, mais qu'est-ce qui s'est passé ? » hurla Crowe pour couvrir le bruit assourdissant des pales.

Avant de répondre, le pilote se battit un moment avec le manche pour tenter de redresser l'appareil. « Je crois qu'un oiseau s'est pris dans le rotor de queue ! » Il actionna quelques commandes et l'hélicoptère reprit sa descente, cette fois bien plus lentement. « J'ai des problèmes de direction, chef ! Je vais devoir atterrir dans ce parking. » L'hélicoptère fit une nouvelle embardée et plongea brutalement, puis le pilote parvint à reprendre le contrôle.

« Faites-nous juste atterrir entiers ! » glapit Crowe dans son micro.

L'appareil tanguait d'avant en arrière.

« Ça vous est déjà arrivé ?

– Jamais, chef ! » répondit le pilote en se préparant à atterrir.

Crowe ne croyait pas aux coïncidences. Il ne savait pas comment, mais David Caine avait provoqué l'accident. Pour la première fois de sa vie, Martin Crowe se demanda s'il était le chasseur ou la proie.

☆

Pour aller retrouver Jasper, Caine avait besoin de Nava : il devait donc lui faire confiance. Les yeux fermés, il tenta de visualiser leur fuite. Il les voyait s'éloigner en voiture et semer leurs poursuivants dans une étendue noire. Cette scène repassait inlassablement dans sa tête.

Il avait la même impression que lorsqu'il regardait le March Madness[1] à la télé : la main crispée sur sa canette de bière, il fixait l'écran en rêvant – non, en *voulant* – que le lancer franc réussisse. Pendant que le joueur se préparait, il ne cessait de l'encourager, et il lui semblait que, s'il *voulait* assez fort, s'il *poussait* assez fort, il pourrait influencer le cours des événements.

Le train entra dans le tunnel et Caine eut soudain une conscience aiguë de son environnement – le gémissement des freins, le mouvement rythmique des roues sur les rails, la lumière tremblotante des néons tandis qu'ils pénétraient dans le ventre de la gare : il sentait tout cela. Il était totalement immergé dans l'instant présent – plus qu'il ne l'avait été de sa vie.

Pourtant, il avait aussi l'impression de se voir de l'extérieur. Son double se trouvait dans… une voiture ? Oui, une grosse voiture noire qui s'éloignait à toute allure. Nava était au volant. Un visage familier flottait entre eux. Pour son double, le *Maintenant* était du passé. Caine tenta de lire dans les pensées de son moi futur, de pénétrer dans ses souvenirs pour savoir le *comment*. Mais il ne vit rien.

Il laissa donc son double en paix et revint au présent, mobilisant toutes les ressources de sa volonté pour faire en sorte que son désir se réalise. Ce qu'il voulait était

1. Tournoi national de basket-ball.

possible… Il fallait qu'il le rende *probable*. Mais il ne savait pas comment s'y prendre. Il continua donc à réfléchir, à se concentrer, à *vouloir*.

« David ! David ! » Nava fit claquer ses doigts devant les yeux de Caine. Il battit rapidement des paupières et dégringola dans le présent. La sensation qu'il avait éprouvée – celle de pénétrer dans une autre réalité – se dissipa. Une seconde auparavant, c'était clair comme de l'eau de roche. Maintenant, ce n'était plus qu'un lointain souvenir, comme si on venait de le tirer d'un rêve. Et au bout de quelques secondes, le souvenir lui-même disparut.

« Ça va ? » demanda Nava.

Ses doigts labouraient le bras de Caine. Il avait le sentiment que ce n'était pas la première fois qu'elle lui posait cette question.

« Ouais… Qu'est-ce qui s'est passé ? Je me suis évanoui ? »

Il s'apprêtait à l'interroger davantage quand les portes s'ouvrirent. Nava se pencha vers lui et lui dit à voix basse :

« Ils vont vouloir nous prendre dans un endroit qu'ils contrôlent pour protéger les autres passagers. Nous serons en sécurité sur le quai tant qu'ils croiront que nous ne nous doutons de rien. Quand vous serez dehors, évitez de regarder autour de vous et d'avoir l'air inquiet. Contentez-vous de faire comme moi. Prêt ?

– Aussi prêt que jamais. »

Il avait déjà employé cette expression, mais ce n'est qu'aujourd'hui qu'il en comprenait pleinement le sens : *Pas prêt du tout, putain, mais allons-y.*

Nava lui prit la main et lui donna une petite pression rassurante tandis qu'ils descendaient du train. Caine se dit soudain que Philly n'était peut-être pas une si bonne idée, finalement.

☆

L'hélicoptère se posa sur un espace vide dans le parking d'une banque, à un kilomètre et demi de la gare. L'atterrissage fut rude, mais Crowe s'en fichait : en une seconde, il était dehors. La pluie, qui tombait à torrents, le trempa instantanément.

Il courut vers la voiture la plus proche – une Honda Civic noire – et, avec son Smith & Wesson, assena un coup sec sur la vitre latérale arrière. Des fissures apparurent tout autour du point d'impact. Il donna un coup de coude au centre de cette toile d'araignée et la vitre vola en éclats.

Une fois installé au volant, il ramena ses cheveux en arrière, s'essuya les yeux et passa la main sous le tableau de bord. À la seconde tentative, le moteur démarra. La voiture sortit du parking dans un grand crissement de pneus, manquant percuter un adolescent qui agitait furieusement les bras. Sans doute le propriétaire.

« Rapport ! aboya Crowe dans son casque.

– Nous avons localisé la cible, répondit le chef d'équipe.

– Il est seul ?

– Non, chef. La cible est avec Vaner. »

Merde. Même si tout le monde s'en doutait déjà, savoir qu'elle était avec lui faisait une différence. Pendant le trajet en hélicoptère, il avait briefé l'équipe de Philly sur Vaner. Elle était dangereuse. L'idéal était de la capturer, mais la priorité restait de prendre Caine sain et sauf. Avant de donner l'ordre, Crowe tenta de se raisonner, de se dire que le sort de Vaner était sans importance, qu'elle avait trahi – mais, au fond de lui, il n'était pas dupe.

« Si nécessaire, tirez sur Vaner pour la neutraliser.

– C'est noté, tirer sur Vaner. »

Crowe s'efforça de ne plus y penser et de se concentrer sur sa mission.

« Équipe n° 1, vous êtes en place ?

– Affirmatif.

– Équipe n° 2 ?

– N° 2 en place. »

Occupé à planifier la suite des opérations, Crowe brûla un feu rouge.

« Équipe n° 1, allez-y. »

Il entendit le commandant faire écho à ses paroles. Avec un peu de chance, tout serait fini quand il arriverait à la gare. Mais il savait qu'avec Caine pour adversaire il ne pouvait pas trop compter sur la chance.

☆

Le risque de se faire descendre par un sniper était limité, mais en dehors de ça, être au sous-sol ne présentait aucun avantage. Il n'y avait pas d'autre issue que l'escalator situé à l'extrémité du quai – à moins d'emprunter la voie libre qui le longeait d'un côté. Les rails restaient souterrains pendant environ cent mètres ; au-delà, Nava distinguait la terne lueur du jour.

Elle réfléchit à cette dernière option, mais finit par la repousser : s'ils descendaient sur la voie, ils seraient complètement à découvert. Il allait donc falloir prendre l'escalator, ce qui était presque aussi dangereux. Si des agents les attendaient en haut, ils couraient à leur perte comme du bétail à l'abattoir.

Nava scruta la foule qui encombrait le quai. Personne ne semblait faire très attention à eux. Cela dit, si les agents étaient compétents, c'était ce à quoi il fallait s'attendre. Elle élimina les éléments manifestement inoffensifs – les mères de famille, les enfants, les vieux. Ils représentaient environ 40 % de la cohue. Pas assez. À nouveau, elle songea aux rails.

Elle eut soudain envie d'attraper Caine par le bras, de sauter sur la voie et de détaler. Mais elle savait, même si la perspective ne l'enchantait guère, que le moins risqué était de se mêler aux innocents qui montaient l'escalator. Ils pourraient ainsi repérer plus facilement leurs éventuels assaillants. Nava jeta un coup d'œil par-dessus son épaule et aperçut une jeune mère avec un bébé en poussette et deux jumelles qu'elle s'efforçait de contrôler. Parfait.

Elle ralentit de manière à laisser la famille les rattraper et donna une petite pression au bras de Caine, qui ralentit également. Puis elle se remit à observer la foule, en quête

315

de signes révélateurs. Deux jeunes athlètes la reluquaient, mais leur regard était plus sexuel que professionnel. À quelques pas se trouvait une femme d'allure sportive qui aurait pu être un agent, mais elle était chargée de trois sacs de courses. Nava commençait à se dire qu'ils avaient peut-être réussi à semer leurs poursuivants. C'est alors qu'elle l'aperçut.

Là-bas – le type en jean usé et vieux sweat-shirt à l'encolure un peu déchirée. Il n'allait pas avec ses vêtements. Sa coupe de cheveux était courte et nette, et sa moustache parfaitement taillée. Un rapide coup d'œil à ses baskets trop neuves confirma la première impression de Nava.

Il les regardait du coin de l'œil, mais, maintenant qu'elle l'avait repéré, l'intention paraissait évidente. Elle se pencha tout près de Caine et jeta un nouveau coup d'œil à l'homme à la moustache, qui fixait à présent un point situé au-delà d'elle. Elle suivit son regard et rencontra celui d'une jeune femme en tailleur. Une bonne professionnelle : elle se maîtrisa et laissa passer une seconde avant de se replonger dans le *Philadelphia Enquirer*. Mais Nava eut le temps d'apercevoir le renflement d'une arme avant qu'elle ne relève son journal.

« Moustache au sweat-shirt, sept heures ; blonde au journal, deux heures. »

Caine hocha la tête, mais continua à regarder devant lui. Bien. Il apprenait. Nava respira profondément. Elle savait qu'ils ne se souciaient que de Caine ; elle n'était pas indispensable. Elle fit une courte pause et le calme lui revint. Inutile de paniquer : elle vivrait ou elle mourrait – comme d'habitude.

Elle ralentit l'allure, s'arrangeant pour se placer à la hauteur de la mère de famille et pour laisser les enfants entre Caine et l'homme à la moustache. Son flanc gauche était maintenant couvert ; elle reporta son attention sur la droite. Ils étaient presque à la hauteur de la femme, et la foule les poussait lentement vers l'avant. D'ici quelques secondes, Caine passerait à moins d'un mètre de l'agent.

Elle se retourna et vit l'homme à la moustache s'ébranler pour venir droit vers eux. L'escalator était à moins de trois mètres. La femme pivota de quelques degrés vers la droite et ajusta sa position, prête à combattre. Si les agents voulaient les arrêter sur le quai, c'était maintenant ou jamais.

Et, visiblement, ils n'allaient pas laisser passer leur chance.

☆

Caine ne remarquait rien de spécial chez cette blonde en tailleur, mais Nava disait qu'elle était avec les autres et ça lui suffisait. Il continua à progresser vers l'escalator, attentif à la présence de la femme. Plus que deux mètres. Puis, il fut près d'elle. Elle sentait le parfum. Ils étaient si proches qu'il ne put résister à l'envie de la fixer à travers ses lunettes noires.

Elle lui décocha un sourire enjôleur. Elle n'avait pas l'air dangereuse. Dans d'autres circonstances, il se serait peut-être senti attiré par son charme propret et ce que Jasper aurait appelé son «corps de rêve porno chic». Il lui rendit son sourire, oubliant un instant qu'il était un homme traqué. À ce moment, il vit luire quelque chose dans sa main droite. Quelque chose comme un gros stylo argent.

Il la regarda, pétrifié. Puis il prit conscience que ce stylo ressemblait à la seringue à ressort que Nava avait utilisée à New York. Alors, la femme tendit le bras vers lui.

…

L'aiguille pénètre dans sa chair et —
(boucle)
La femme approche la seringue; il cherche à arrêter son bras, mais il rate son coup. Il ressent une brusque douleur et —
(boucle)
Il projette sa jambe blessée dans la trajectoire de la seringue, la fait dévier et —

…

L'aiguille hypodermique l'atteignit juste au-dessus du

genou et vint se loger dans l'attelle en bois où elle se brisa net. La femme lui prit le bras, lui faisant perdre l'équilibre. Il s'efforça de rester debout, mais c'était impossible : autant faire en sorte que sa chute serve à quelque chose.

Il s'élança vers l'avant et son épaule percuta le menton de la femme.

Celle-ci fut projetée à la renverse et entraîna Caine dans sa chute. En tombant, elle se retourna et atterrit sur le côté, face à lui. Il allait la repousser quand il sentit le canon de son pistolet sur son ventre.

« Je n'ai pas l'intention de vous tuer, mais si vous bougez, je tire. Et si je tire, vous regretterez que je ne vous aie *pas* tué. »

Caine la crut sur parole.

Tout à coup, on entendit une femme hurler, et le paisible troupeau se mua en meute d'animaux affolés. Quelqu'un piétina le genou blessé de Caine et une atroce douleur lui transperça la jambe.

Alors, il entendit le coup de feu.

CHAPITRE 23

Nava vit la femme s'attaquer à Caine, mais elle savait qu'elle ne le tuerait pas ; elle se concentra donc sur l'homme à la moustache, qui, lui, essayait de la tuer. Il fonça vers l'avant en dégainant son arme et en bousculant les gens sur son passage. Nava reconnut son regard – elle avait eu le même un millier de fois. C'était un professionnel. Il ne s'arrêterait pas si personne ne l'arrêtait. Elle montra du doigt le pistolet et hurla aussi fort qu'elle le put :

« OH-MON-DIEU-IL-A-UNE-ARME !!! »

Elle n'eut pas besoin de s'y reprendre à deux fois. Cette phrase, tout habitant des grandes villes s'attendait à l'entendre un jour ou l'autre et la redoutait du fond du cœur. Aussitôt, la foule fut prise d'une hystérie frénétique. Chacun barrait le passage à tout le monde en se précipitant vers la porte donnant sur l'escalator.

Le hasard voulut alors que nos deux jeunes athlètes se prennent pour des héros. Ils se ruèrent sur l'homme à la moustache et parvinrent momentanément à lui immobiliser les mains. Mais ils ne faisaient pas le poids face à un agent entraîné. Il décocha à l'un un coup de coude à l'estomac et frappa l'autre au visage, lui fracturant le nez. Ils se seraient tous deux étalés par terre s'il y avait eu assez de place, mais la foule entraîna leurs corps inertes.

Nava ne se laissa pas abattre et se fraya et un passage vers l'agent. Il la vit venir et se prépara à la recevoir. Il leva son pistolet et, aussitôt, le vide se fit autour de lui : les gens qui se trouvaient du côté de la porte se mirent à

319

pousser de plus belle, tandis que les autres sautaient sur la voie et couraient vers l'air libre.

« FBI, à terre ! » aboya l'homme.

Nava ne s'arrêta pas ; il s'y attendait sans doute, mais avait quand même tenu à respecter les formes. Il appuya sur la détente. Elle vit son geste, mais ne put rien faire d'autre que serrer les dents et continuer sur sa lancée. Chose incroyable, il n'y eut pas de détonation. La perplexité se peignit sur le visage de l'agent. Quand il s'aperçut que l'arme s'était enrayée, il était trop tard : Nava était sur lui.

Elle arriva à toute allure, en position basse, saisit la main qui tenait le pistolet et la leva vers le plafond. Il avait anticipé l'action et, aussitôt, tenta de lui décocher un crochet gauche au menton. Elle vit son poing partir du coin de l'œil et fit alors quelque chose qui allait à l'encontre de tout sens commun – car en cet instant, Nava n'obéissait plus au sens commun, mais à ses instincts de combattante, acquis auprès des meilleurs lutteurs à mains nues du KGB : avant de recevoir le coup, elle se tourna vers lui et pencha la tête. Le poing de l'homme s'écrasa sur le sommet de son crâne, à l'endroit où se trouve l'os le plus dur du corps humain.

Elle eut l'impression de recevoir un grand coup de marteau, mais, à en croire la manière dont sa main avait craqué, l'agent s'était fait bien plus mal qu'elle. Il émit un grognement de douleur. Alors, le bras de Nava bondit vers l'avant. Elle attrapa sa main blessée et la tordit de toutes ses forces en comprimant et broyant les doigts brisés. Le poignet céda comme une brindille. Avant que l'agent ait eu le temps de répliquer, elle lui arracha le pistolet qu'il tenait dans l'autre main et lui en assena un grand coup sur l'arête du nez. Il s'affala et se cogna la tête contre le béton. Il était KO.

Sans prendre le temps de souffler, Nava parcourut la foule du regard pour prévenir d'autres menaces, mais elle n'en vit aucune. Maintenant qu'elle tenait le pistolet, tout le monde cherchait désespérément à s'écarter de son chemin, et un espace se créait autour d'elle à mesure qu'elle avançait. Elle aperçut Caine : il était par terre, cramponné à la femme en tailleur qui lui pointait un pistolet sur le ventre.

Nava évalua la situation en l'espace d'une seconde. Elle n'hésita pas avant d'appuyer sur la détente.

☆

Quand Caine entendit la détonation, le temps s'arrêta.

...

Aussitôt, il est couvert de sang. Le visage de la femme se désintègre : ce n'est plus qu'un trou béant qui laisse voir une mixture grise et sanglante. Son corps s'affaisse et son arme tombe bruyamment sur le sol, dans l'espace laissé libre entre eux. Alors —

(boucle)

Elle est bien vivante devant lui. Puis la balle lui traverse le cou. Ses veines jugulaires projettent des gerbes de sang à la manière d'un geyser. Alors —

(boucle)

L'agent meurt à n'en plus finir – comme si l'on projetait en boucle le film de Zapruder sur l'assassinat de Kennedy. Caine regarde, horrifié, et le temps ralentit encore plus, au point qu'il voit la balle pénétrer dans le corps de la femme. En général, elle entre par une orbite, mais de temps à autre elle lui défonce la mâchoire, faisant pleuvoir sur Caine des morceaux de dents.

Parfois, la balle perfore son propre crâne et il ressent une douleur fulgurante. Mais la sensation, par bonheur, est de courte durée – dès que le plomb pénètre dans son cerveau, il revient au début de la boucle. Enfin, il comprend ce qu'il doit faire et le film commence à changer. De toutes ses forces, il pousse l'avant-bras de l'agent vers le haut et —

...

— la balle traversa le poignet de la femme, dévia de 12,3 degrés vers la gauche et vint se loger dans le mur.

321

Avant que Caine ait pu réagir, une ombre s'abattit sur les yeux de l'agent et sa tête heurta violemment le sol. Elle perdit connaissance.

« Allons-y, fit Nava en le tirant pour le remettre debout. On n'a pas beaucoup de temps. »

★

Le quai s'était presque vidé, les laissant totalement exposés. En entendant les tirs, une partie de la foule s'était jetée sur les rails et mise à courir dans le tunnel en direction du jour brumeux. Nava laissa tomber le pistolet et se baissa.

« Accrochez-vous ! »

Et, sans lui laisser le temps de réagir, elle souleva Caine, le hissa sur son épaule et sauta sur la voie. Ils touchèrent terre brutalement, mais Nava parvint à conserver son équilibre et profita de l'élan pour le reposer sur le sol.

Ils se mirent en marche cahin-caha et, quelques secondes plus tard, rejoignirent la foule affolée qui se pressait vers le bout du tunnel.

★

« Coups de feu ! Je répète : coups de feu ! entendit Crowe dans son écouteur.

– Qu'est-ce qui s'est passé ? Il y a des blessés ? »

Il était encore à huit cents mètres de la gare et la mission était en train de foirer.

« Équipe n° 1, répondez, bordel !

– Ici l'équipe n° 1. Les deux agents sur le quai ne répondent plus.

– Allez voir !

– Impossible, chef. Il y a un tas de gens sur l'escalator. Certains sont blessés. Nous ne pouvons pas descendre avant qu'ils aient dégagé la voie. Mais nous pensons que la cible est toujours sur le quai. »

Si les deux agents ne répondaient plus, c'est qu'ils

étaient soit hors de combat, soit morts. Crowe n'avait jamais perdu d'agent quand il dirigeait une équipe. L'idée que cela venait peut-être de se produire lui donna un coup à l'estomac. Il avait envie de s'arrêter pour réfléchir, mais il savait que toute hésitation de sa part pouvait mettre en péril la vie d'autres personnes. Il était le commandant, il fallait qu'il commande.

Jamais Vaner ne resterait sur le quai à attendre que d'autres agents la rattrapent. Crowe se représenta l'agencement des lieux. Ils avaient condamné l'ascenseur et l'escalier. L'escalator était donc la seule voie praticable. Mais, même en profitant de la débandade générale, Vaner ne prendrait sans doute pas ce risque. Il ne restait qu'une seule issue…

« Le tunnel ! Ils vont essayer de s'enfuir par la voie ! » hurla-t-il.

Il brûla un nouveau feu rouge et frôla une BMW blanche, mais ne ralentit pas.

« Couvrez les deux sorties du tunnel !

– On ne peut pas couvrir correctement la gare *et* le tunnel !

– Et en ce moment vous ne couvrez rien du tout, point barre ! Laissez deux hommes près de l'escalator et envoyez le reste sur les rails. Tout de suite !

– À vos ordres.

– Autre chose, fit Crowe en pesant soigneusement ses mots. Débarrassez-moi de Vaner. Je ne veux plus prendre de risques. Si vous la repérez… tuez-la. »

☆

Tandis qu'ils s'efforçaient de suivre la foule, des rats détalèrent en couinant sur leur passage. Caine ignora les bestioles. Il lui fallait mobiliser toute son énergie pour ne pas tomber. Arrivés au bout du tunnel, ils s'arrêtèrent. Il était midi, mais le ciel chargé d'orage ne diffusait qu'une faible lumière. Nava tenta en vain de repérer les environs : la pluie tombait à torrents et lui brouillait la vue.

À l'extérieur, leur progression se ralentit encore plus. Il y avait un talus de chaque côté de la voie ; il fallut donc se contenter des rails glissants et de la terre boueuse. Des gens dérapaient et tombaient. Certains restaient à terre, appelant à l'aide ou se protégeant la tête de leurs mains, le corps secoué de sanglots hystériques. D'autres se remettaient debout tant bien que mal et, couverts de boue, reprenaient leur marche trébuchante ; on aurait dit des zombies de série B.

Soudain, la foule fit halte : un barrage de police improvisé avait surgi sur la voie. Caine et Nava restèrent à l'arrière. Nava détacha sa queue-de-cheval et laissa tomber ses longs cheveux mouillés sur son visage. Elle ne voulait pas être reconnue par quelqu'un qui l'aurait vue sur le quai. Heureusement, le chaos était tel que personne ne faisait attention à eux.

« Mesdames et messieurs, du calme, s'il vous plaît, cria un policier trapu dans son mégaphone. Il n'y a rien à craindre. Nous voulons juste contrôler vos pièces d'identité. »

La police leur fit former trois files. Après les avoir contrôlés, on les aiderait à franchir l'escarpement boueux. Une ou deux grandes gueules commencèrent à se plaindre de devoir attendre sous la pluie battante, mais, dans l'ensemble, les gens étaient trop choqués pour faire autre chose qu'obéir.

Caine jeta un coup d'œil à Nava. Elle avait la main dans la poche et, à travers l'étoffe trempée de sa veste, il distinguait le contour d'un pistolet. Il savait bien que rien de tout ceci n'était réel, que ce n'était qu'une illusion – mais s'il avait tort ? Il fallait arrêter Nava.

Il ferma les yeux pour réfléchir. Soudain, il sut ce qu'il devait faire.

« Avant que vous ne tiriez sur quelqu'un d'autre, dit-il, j'ai un plan.

– Vous avez trente secondes, répondit Nava. Je vous écoute.

– D'abord, il va me falloir une arme. »

Nava et Caine étaient plutôt en queue du peloton, mais il y avait encore une cinquantaine de personnes derrière eux, sans compter la vingtaine qui errait dans le tunnel pour rester au sec. Lentement, ils revinrent en arrière en scrutant le visage des derniers arrivants. Caine espérait avoir fait le bon choix – mais tout valait mieux que de laisser Nava rouvrir le feu au milieu de la foule.

C'est alors qu'il le repéra. Ce type était parfait. Il fit un signe à Nava, qui hocha la tête et s'approcha de leur victime. Elle lui sourit. L'homme aux cheveux bruns lui rendit son sourire, les yeux rivés sur le T-shirt trempé qui lui moulait la poitrine.

Son sourire disparut quand Caine lui enfonça un pistolet dans les côtes. Terrifié, il se tourna vers Nava pour quémander de l'aide, mais elle sortit également son arme et la lui pointa sur le ventre.

« Venez avec nous, dit-elle. Lentement. »

Elle se mit en marche aux côtés de l'homme, tenant son bras d'une main et, de l'autre, dissimulant le revolver sous sa veste sport. Caine les suivit. Lorsqu'ils eurent rejoint l'obscurité rassurante du tunnel, Nava et Caine entourèrent leur victime.

« Donnez-moi votre portefeuille, fit Caine.

– Vous voulez me *voler* ? demanda l'homme, incrédule. J'arrive pas à y croire, putain ! D'abord quelqu'un pète un câble et se met à tirer, et ensuite je me fais *braquer* ? »

Nava lui donna un petit coup dans l'aine avec son pistolet.

« Le portefeuille, ordonna-t-elle.

– OK, OK. »

L'homme fouilla la poche de son manteau et en sortit un portefeuille Gucci noir qu'il tendit à Caine. Ce dernier s'empara de son permis de conduire.

« Richard Burrows. On vous appelle Rick ou Rich ?

– Rick, répondit l'homme d'un ton courroucé.

« – OK, Rick. C'est votre famille ? » demanda Caine en désignant une photo.

On y voyait l'homme en compagnie d'une jolie blonde qui tenait un bébé dans ses bras.

Rick lança à Caine un regard venimeux et hocha la tête. Nava ouvrit alors son téléphone portable et composa un numéro. Au bout de quelques secondes, elle se mit à parler.

« C'est moi. Va… – Elle regarda le permis de conduire. – … au 4000 Pine Street. Force l'entrée de la maison. Il y aura une blonde avec un bébé. Emmène-les au refuge. Si tu n'as pas eu de mes nouvelles dans une heure, tue-les. »

Elle referma le téléphone d'un coup sec.

Caine étudia la réaction de Rick. Son visage avait pris une expression étrange, oscillant entre l'angoisse et la fureur, mais qui laissait poindre une morne résignation.

« Que voulez-vous ? » demanda-t-il d'un ton implorant.

Caine ne laissa pas à Nava le temps de répondre. Il prit les devants, espérant rassurer quelque peu le pauvre homme qu'il avait choisi pour victime.

« D'abord, je vais vous dire ce que nous ne voulons pas. Nous ne voulons pas faire de mal à votre famille. Vous me croyez ? »

Rick hocha lentement la tête. Ses lèvres tremblaient. Il n'avait pas l'air d'y croire le moins du monde, et c'était très bien comme ça. Caine se détestait, mais il savait que, tant que Rick penserait que sa famille était en danger, il ferait tout ce qu'ils lui demanderaient.

« Si vous faites exactement ce que je vous dis, il n'arrivera rien à vos proches. » Caine regarda Rick droit dans les yeux. Il savait qu'il s'apprêtait à franchir une limite. « Sinon, ce sera *vous* qui les aurez tués, pas moi. Compris ? »

Rick hocha la tête encore une fois. Soudain, Caine eut envie de tout retirer, de lui dire qu'il n'y avait personne chez lui, que sa femme et son fils ne risquaient rien. Mais c'était impossible. Il était allé trop loin. Il tenta de se consoler en se disant que rien n'était réel, mais cette croyance s'effritait à mesure que son délire prenait une vie autonome.

Il chassa ces pensées de son esprit, se tourna à nouveau vers Rick et lui exposa son plan en détail. Rick protesta, mais Caine l'assura que tout se passerait bien s'il suivait ses instructions.

« Et maintenant, tendez la main. » Il déposa le pistolet dans la paume tremblante de Rick, qui regarda l'engin comme s'il tenait une grenade dégoupillée. « Mettez-le dans votre poche. »

Rick tenta d'obéir, mais ses mains tremblaient si fort qu'il lui fallut s'y reprendre à trois fois. Caine lui montra alors la plus courte des trois files. Rick regarda la queue, puis Nava. Celle-ci abaissa son arme et il se mit en marche. On aurait dit un condamné à mort. Quand il fut trop loin pour les entendre, Nava lança à Caine un regard admiratif.

« Vous vous êtes bien débrouillé.

– Ouais… si bien qu'il a failli avoir une crise cardiaque.

– Vous n'aviez pas le choix. »

Caine la regarda fixement. « On a toujours le choix. »

À peine avait-il prononcé ces paroles que leur hypocrisie lui sauta aux yeux. Il se demanda quand son humanité l'avait quitté.

✩

Ils se placèrent dans la queue cinq mètres derrière Rick et attendirent en silence. Dix minutes s'écoulèrent. Nava observait Rick en songeant que ce devaient être les dix plus longues minutes de sa vie. Il suffisait d'un peu d'expérience pour reconnaître en lui tous les signes d'une terreur maladive. Il semblait embarrassé de lui-même et ne cessait de se balancer d'un pied sur l'autre. Mais ce n'était pas cette peur palpable qui préoccupait Nava.

Le problème, c'était la manière que Burrows avait de se retourner, toutes les trente secondes environ, pour regarder ses agresseurs présumés d'un air suppliant et paniqué. Ce regard glaçait Nava jusqu'au sang : les agents chargés du contrôle, s'ils étaient efficaces, ne manqueraient pas de le repérer, et alors, tout serait fichu.

Pourtant, dans les circonstances présentes, le plan imaginé par Caine représentait sans doute leur meilleure chance. Nava se fiait en partie aux qualités intrinsèques de ce plan, mais une part grandissante d'elle-même se prenait tout simplement à *croire* – à croire que, quel que fût le plan de Caine, il réussirait.

☆

«Suivant.» L'agent Sands restait sur le qui-vive. On leur avait fait savoir par radio que Hauser et Kelleher étaient en route pour l'hôpital. Ils ne se seraient pas laissé mettre hors de combat par n'importe qui.

Sands n'arrivait toujours pas à croire à ce que Caine et Vaner avaient fait. Il espérait de tout son cœur que si Caine était dans une des trois files, ce serait lui qui le choperait. Dans ce cas, le visage de Caine pourrait bien rencontrer accidentellement son poing une ou deux fois durant leur trajet vers le QG. Cette pensée le fit sourire. Oui, s'il attrapait Caine, il lui en ferait voir de toutes les couleurs avant de le remettre entre d'autres mains.

«Suivant!» aboya-t-il à nouveau. Il savait qu'on entendait mal sous cette pluie battante, mais l'homme qui était en tête de file ne pouvait pas ignorer que la personne précédente était passée depuis près d'une minute. Il jetait des regards nerveux par-dessus son épaule.

Les soupçons de Sands s'accrurent lorsqu'il le vit approcher d'un pas traînant. Jusqu'ici, tout le monde avait couru se mettre à l'abri sous la bâche. Mais celui-là avançait lentement entre les deux barrières de bois, les yeux rivés sur le sol, comme s'il traversait un champ de mines. Aucun des six policiers qui s'affairaient sur le terrain ne semblait l'avoir remarqué – ça, c'étaient bien les flics municipaux.

Quand le type fut plus près, Sands vit qu'il semblait complètement terrifié. Sa peau avait la couleur du papier mâché et ses mains n'arrêtaient pas de gigoter – dans ses poches, sur le côté, sur ses hanches –, comme s'il cherchait à avoir l'air décontracté. Or, s'il y avait bien une chose dont Sands était sûr, c'est que les innocents n'essayaient pas d'avoir l'air décontractés. Surtout quand ils faisaient la queue sous la pluie.

Certes, l'homme ne ressemblait pas tout à fait au portrait de Caine – il avait le nez un peu trop épais, les yeux d'un brun sombre et terne. Mais la différence n'était pas assez flagrante pour convaincre Sands, d'autant que les autres caractéristiques physiques concordaient – un mètre quatre-vingts, environ quatre-vingts kilos. Il ajusta sa position et se tint prêt à combattre.

«Où avez-vous pris le train, monsieur? demanda-t-il à l'homme sans le quitter des yeux.

– Euh… Je… À New York. J'ai pris le train à New York, balbutia l'autre en regardant ses pieds.

– Je peux voir votre pièce d'identité?»

L'homme hocha la tête et fourragea nerveusement dans la poche de son manteau. Sands se raidit. *S'il sort un flingue, je te le descends d'un coup dans la tête. Rien à foutre de Crowe.* Mais le type ne sortit qu'un mince porte-feuille noir, qu'il lui tendit d'une main tremblante.

Sands l'ouvrit brusquement et chercha son nom tout en essayant de garder un œil sur lui. Il s'appelait David – *putain de merde.* D'un seul geste continu, Sands laissa tomber le portefeuille, dégaina son arme, la prit à deux mains et la pointa sur la tête de David Caine.

«À genoux, les mains derrière la tête! TOUT DE SUITE, CONNARD!»

Caine était tétanisé, comme un chevreuil pris dans les feux d'une voiture. Alors, il fut projeté en arrière par un méchant coup de matraque au genou. L'auteur en était Martin Crowe, qui se tenait soudain près de lui.

Sands recula la jambe et, de toutes ses forces, lui envoya un coup dans le ventre; son pied s'y enfonça comme dans du beurre. Caine se mit à cracher du sang en quantité.

«Ça, c'était pour Kelleher, espèce de petite merde.»

Puis Sands se pencha, l'attrapa par les cheveux et tourna vers lui son visage plein de boue. Une fois de plus, il le compara mentalement à la photo de Caine. Pas exactement ça, mais il savait d'expérience que les gens ne ressemblaient pas toujours à leurs photos d'identité. Ouais, c'était Caine. Il le fouilla rapidement et trouva son pistolet – le même que celui qui avait tiré sur Hauser et Kelleher.

Il recula le poing et frappa aussi fort qu'il le put. Le nez de Caine s'aplatit avec un horrible craquement et du sang en jaillit. Sands allait frapper à nouveau lorsqu'une main vigoureuse lui saisit le bras. Il se retourna et vit Crowe qui le fixait d'un air grave. Il lui avait accordé sa revanche, mais ça suffisait comme ça. Sands hocha la tête et laissa retomber son poing. Puis il se pencha et tira sur les cheveux de Caine jusqu'à ce qu'il ouvre les yeux.

« T'as tiré sur un ami à moi, sale enculé », dit-il en lui crachant au visage. Sa victime gémissait. « Tu vas passer à la chaise électrique, tu le sais, ça ? » Caine ferma les yeux et se mit à brailler comme un bébé. Tous des grands garçons jusqu'à ce qu'ils se fassent prendre. Alors, ils se mettaient à chialer en appelant leur maman. De vraies mauviettes. Sands lui enfonça la tête dans la boue et se leva.

« À vous, Crowe. »

CHAPITRE 24

Nava crut pouvoir s'autoriser à souffler un peu quand les deux agents s'éloignèrent en traînant Rick Burrows ; mais aussitôt après, son cœur s'affaissa. Elle espérait qu'après avoir trouvé « David Caine », le FBI mettrait fin au contrôle. Or, les agents ordonnèrent aux femmes encore présentes de rester dans la queue. Elle jura en silence. C'en était fini de leur chance.

« Il faut que vous partiez, dit-elle à Caine.

– Mais vous allez vous faire prendre.

– C'est ce qu'on verra. S'ils me repèrent, je m'échapperai bien plus facilement si je n'ai pas à me soucier de vous. »

Caine allait protester, mais elle le coupa.

« David, on n'a pas le temps de discuter. Ils me cherchent, ce qui veut dire qu'ils ne vont pas tarder à interroger votre doublure. Et là, il ne leur faudra pas longtemps pour comprendre leur erreur. Maintenant, écoutez-moi : allez dans le pire quartier de la ville et prenez une chambre de motel. Payez en liquide. Ne contactez PAS Jasper. Rendez-vous demain midi dans le hall du musée d'Art de Philadelphie. Si je ne suis pas là à midi cinq, c'est que vous êtes seul. »

Caine resta silencieux quelques secondes, puis cligna des yeux et hocha la tête.

« À très vite », dit-il.

Et, sans un mot de plus, il se dirigea vers l'escarpement boueux.

☆

Caine ne se retourna pas. Il fallait qu'il soit en haut du talus le plus vite possible. Malheureusement, son genou blessé ne lui facilitait pas la tâche. Une lourde main se posa alors sur son épaule. Il jeta un coup d'œil derrière lui et aperçut l'uniforme bleu marine.

« Eh, l'ami, vous avez besoin d'aide ? » lui demanda le gros policier.

Pas moyen de refuser.

« Euh, oui, merci.

– Sans problème. »

Le policier resserra sa prise sur son épaule et l'entraîna vers le haut. Ils progressaient lentement, mais régulièrement. Il ne resta bientôt plus que trois mètres de terre glissante entre eux et la route. Caine planta ses chaussures dans la boue et, s'armant de courage pour la suite, continua d'avancer.

☆

Crowe ne fut pas tranquille avant d'avoir vérifié deux fois toutes les entraves du prisonnier. C'est alors seulement qu'il desserra les mâchoires. Il regarda Caine, qui tremblait sur le siège fixé au plancher du fourgon. Il savait qu'il ferait mieux de le ramener à New York aussi vite que possible, et ce d'autant plus que Vaner courait toujours. Mais quelque chose le retint. Forsythe attachait peut-être moins d'importance à Vaner qu'à Caine, mais Crowe ne pouvait pas se contenter de filer. Elle était dangereuse ; il fallait l'attraper.

En plus, il y avait quelque chose qui clochait. Il n'arrivait pas à croire que l'homme qu'il avait sous les yeux avait contribué à mettre trois agents hors de combat.

« Où est Vaner ? » lui demanda-t-il pour la troisième fois.

Caine ne répondit pas. Il continua à pleurer – des sanglots secs qui lui raclaient la gorge. Ses mains tremblaient si fort que sa bague cliquetait contre l'accoudoir : *cling-cling-cling-cling…*

Crowe redressa la tête et fixa l'annulaire gauche du prisonnier. Alors, son cœur cessa de battre : David Caine n'était pas marié. L'alliance faisait peut-être partie de son déguisement, mais… Il saisit la main tremblante du prisonnier qui sursauta, craignant visiblement d'être maltraité. Crowe se battit un moment avec l'anneau avant de réussir à l'ôter, puis regarda le doigt qui l'avait porté : une marque plus claire apparaissait à sa place. L'alliance n'était pas un déguisement. Crowe sentit son estomac chavirer.

« Vous n'êtes pas David Caine. »

L'homme continua à pleurer et à postillonner. Soudain, tout devenait clair – ce poltron geignard et la facilité avec laquelle ils l'avaient capturé. Crowe dégaina son S&W 9 mm, lui mit le canon sur la tête et, de l'autre main, lui prit le menton. Il pensa à Betsy, seule sur son lit d'hôpital. Sans l'argent, il ne pourrait pas la sauver. Il n'allait pas la laisser tomber. Il ne *pouvait pas* la laisser tomber.

« Regarde-moi. REGARDE-MOI ! »

L'homme ouvrit les yeux ; des larmes coulaient sur ses joues.

« Tu as cinq secondes pour m'expliquer ce qui se passe. Si tu n'obéis pas, j'appuie sur la détente et je fais exploser ta cervelle dans ce fourgon. Regarde-moi dans les yeux et tu verras que je ne bluffe pas.

« Cinq.

« Quatre.

« Trois. »

Leurs yeux se rencontrèrent – froids et déterminés d'un côté, écarquillés de terreur de l'autre.

« B'ont bedacé avec un flinnnngue… *Ils m'ont menacé avec un flingue*, hoqueta l'homme. Z'ont dit qu'ils tueraient ba fab et bon bébééé. *Ils ont dit qu'ils tueraient ma femme et mon bébé.*

– Nom de Dieu ! jura Crowe sans abaisser son arme. Quand ? Où ?

– Làààà… Dans la queuuueeee. »

Crowe le repoussa et sortit d'un bond par la double porte arrière en hurlant dans son casque : « À toutes les équipes ! Le prisonnier était une doublure ! Je répète : le prisonnier était une doublure ! Bloquez toutes les issues ! Tout de suite ! »

☆

Plus que deux mètres cinquante. Deux mètres vingt. Deux mètres.

Le cœur de Caine commençait à battre moins fort. Il était si près du but. Plus que quelques pas et il pourrait se débarrasser du flic. À travers la pluie, il voyait maintenant défiler les voitures. Elles ralentissaient à peine en dépassant les véhicules de police garés sur le côté.

Soudain, l'agent s'arrêta en pleine foulée : quelqu'un s'était mis à crier dans son talkie-walkie.

☆

À l'arrière de la queue, Nava réfléchissait à ce qu'elle devait faire. Il restait quatre femmes devant elle. Elle songea à prendre l'une d'elles en otage, mais cela ne ferait que forcer la main au FBI et, sans abri pour la protéger, ce serait un suicide.

Il n'y avait plus au poste de contrôle que trois agents, accompagnés de six policiers. Elle avait survécu à pire – mais de justesse. Il restait une chance pour qu'on ne la reconnaisse pas et que sa fausse pièce d'identité fasse illusion, mais elle était sceptique.

Tout à coup, les trois agents se figèrent comme un seul homme. L'un d'eux tendit la main vers son arme et Nava sut que la ruse de Caine avait été découverte. Le monde se couvrit d'un voile rouge. En un éclair, elle sortit son Glock et se mit à tirer.

☆

Caine dégagea brutalement son bras de la poigne du policier. Celui-ci perdit l'équilibre. Avant qu'il ait eu le temps de se remettre d'aplomb, la canne décrivit un grand arc de cercle et s'abattit sur son crâne.

☆

Nava se concentra sur les agents du FBI, qu'elle savait meilleurs tireurs que les policiers. Avec une précision chirurgicale, elle tira trois coups rapprochés. Elle n'avait pas entendu le premier que les trois balles fendaient déjà la pluie en direction de leur cible.

Les agents tombèrent, tous trois touchés à l'épaule droite. Alors, ce fut le chaos. Les femmes qui étaient dans la queue se dispersèrent avec des hurlements hystériques tandis que les policiers fonçaient se mettre à l'abri.

Sans leur laisser le temps de reprendre leurs esprits, Nava se mit à courir et escalada tant bien que mal le talus glissant en direction de Caine. Elle le vit alors envoyer à toute volée sa canne sur la tête d'un flic. On entendit un craquement, et la violence du coup projeta les deux hommes à terre dans un enchevêtrement de bras et de jambes.

Nava passa près du flic qui gisait maintenant sur le dos, une entaille sanglante au-dessus de l'oreille droite. Il était KO. Elle se baissa, remit Caine debout et le traîna sur les deux mètres de boue qui les séparaient de l'autoroute.

Il leur fallait une voiture.

☆

Il y avait des véhicules de police partout, mais ils paraissaient vides. D'autres passagers marchaient sur la bande d'arrêt d'urgence, à environ six mètres devant eux. Ils n'avaient pas remarqué l'incident. Caine regarda par-dessus son épaule et regretta aussitôt son geste : six policiers escaladaient le talus à toute allure, arme à la main.

Il évalua à quinze secondes le temps qu'ils avaient pour

disparaître avant que la fusillade n'éclate. Nava était fortiche – putain, elle était même incroyable –, mais il doutait qu'elle soit capable de se battre contre six flics armés à la fois. D'ailleurs, il préférait qu'elle n'essaie pas : une partie de lui craignait qu'elle n'en *soit* capable, justement, et qu'elle ne les tue tous dans la bataille. Il n'y avait qu'une seule issue.

« Donnez-moi un pistolet », dit-il.

Nava obéit sans hésiter. Apparemment, la requête ne lui paraissait pas aussi ridicule qu'à Caine lui-même. Sans attendre, il clopina jusqu'au milieu de la voie en agitant son arme en l'air. Une coccinelle Volkswagen freina bruyamment, dérapa et aboutit dans la rambarde. Une Ford Mustang fit une embardée pour éviter Caine ; il ne put qu'entrevoir le bolide bleu foncé avant d'être aveuglé par l'eau que projetaient ses pneus. Il s'essuya les yeux et aperçut alors une Mercedes noire qui fonçait droit sur lui.

Il pointa son pistolet vers le pare-brise. Ce n'était que du bluff, mais il fut efficace : la voiture s'arrêta dans un hurlement de freins à quinze centimètres de son genou blessé. Comme les vitres étaient teintées, il ne pouvait pas voir le conducteur.

Nava se précipita vers la voiture, ouvrit la portière, prit l'homme par le cou et le tira dehors en lui mettant son pistolet sous le nez. Toute cette artillerie ne sembla pas l'impressionner outre mesure. Ses yeux contournèrent Nava et se fixèrent sur Caine.

« Rain Man ? »

☆

« Doc ? » demanda Caine, incrédule.

Nava lui lança un regard. « Vous le connaissez ? »

Caine hocha la tête en silence.

« Très bien, alors montez », aboya-t-elle.

Et elle poussa Doc sur le siège passager tandis que Caine se glissait à l'arrière. À peine avait-il claqué la portière qu'elle écrasa l'accélérateur. Caine entendit un klaxon beugler et se retourna juste à temps pour voir une voiture compacte emboutir un minivan.

Nava continua d'accélérer, doublant sans effort les voitures qui se trouvaient sur leur chemin. Au bout de deux minutes, elle eut l'air de penser qu'ils étaient momentanément hors de danger et ralentit à 135 km/h.

Caine la regarda, avec la silhouette familière de Doc à ses côtés, et une incroyable sensation de déjà-vu l'envahit.

« Qu'est-ce que tu fais à Philly ? demanda-t-il à Doc.

– Je donnais une conférence à Penn[1], répondit Doc, qui semblait assez nerveux. Mais le plus important, c'est ce que *toi*, tu fais ici… et avec *ça* ! » ajouta-t-il en montrant l'arme qui gisait sur les genoux de Caine.

Ce dernier soupira. Il allait expliquer la situation quand le portable de Doc se mit à sonner.

« Ne répondez pas, ordonna Nava.

– Si, dit Caine d'une voix lointaine. Je pense que tu devrais. »

Doc appuya sur une touche et approcha le téléphone de son oreille. « Allô ? » Caine perçut vaguement le bruit d'une voix et vit le visage de Doc passer de la stupeur à l'ahurissement. « Euh, oui. Ne quittez pas. » Doc lui tendit le téléphone : « C'est pour toi. »

Nava lui lança un regard interrogateur tandis qu'il prenait l'appareil.

« Salut, dit-il calmement. – Il était le seul à ne pas être surpris. – Ouais. Ça va… ouais… Rendez-vous à l'endroit où on a vu les Knicks[2] gagner cette finale. On y sera dès que possible. »

Il ferma le téléphone d'un coup sec et le rendit à Doc.

« C'était qui ? demanda Nava en le regardant dans le rétroviseur.

– Jasper. Il faut qu'on retourne à Manhattan.

– Quoi ?

1. L'université de Pennsylvanie.
2. Équipe de basket-ball de New York.

337

– Faites-moi confiance, dit Caine. Je crois que je sais enfin ce que je fais. »

Il se radossa sur la banquette et ferma les yeux. Il fallait qu'il prenne du repos s'il voulait être prêt.

☆

Quand les secours eurent confirmé qu'il n'avait rien de grave, Crowe saisit Williams au collet et le plaqua contre l'ambulance. « Qu'est-ce qui s'est passé ? »

Le policier n'en revenait toujours pas. Le sang avait séché et formé un étrange motif géométrique sur le côté de son visage.

« Euh, eh bien, j'étais en train d'aider Caine à monter l'escarpement et —

– Vous étiez *quoi* ? demanda Crowe, stupéfait.

– Oui, euh, je veux dire, je l'ai aidé, mais voyez-vous, à ce moment-là, je ne savais pas que c'était *lui*, pendant que je, euh… l'aidais. »

La voix de Williams se perdit lorsqu'il surprit l'expression accablée de Crowe. Il s'éclaircit la gorge et poursuivit ses explications. Crowe détourna la tête, écœuré. Il n'arrivait pas à croire qu'ils avaient été si proches du but et les avaient perdus au dernier moment.

C'est pour ça qu'il détestait les chasses à l'homme à grande échelle. Avec tous ces agents et ces flics lâchés dans la nature, il fallait s'attendre à un nombre incalculable d'erreurs. Et c'est ainsi que la proie s'échappait. Il préférait nettement la chasse en solo. Un homme en traquant un autre. Il regarda le minivan en compote au milieu de l'autoroute et sentit le découragement le gagner.

D'après les deux conducteurs impliqués dans l'accident, un homme et une femme avaient détourné la voiture d'un pauvre type. Le problème, c'est qu'aucun d'entre eux ne se rappelait la marque du véhicule. Le propriétaire de la Hyundai le voyait gros et bleu marine ; celui du Voyager, petit et vert foncé. La seule chose sur laquelle ils tombaient d'accord était sa couleur foncée – ce qui, d'après l'expérience de Crowe, signifiait sans doute que la voiture était jaune vif. Ils n'avaient pas le moindre indice.

Il leva les yeux vers le ciel gris clair. La pluie avait fini par s'arrêter, mais l'air restait humide. Malheureusement, l'orage ne s'était pas dissipé assez vite pour leurs satellites. Un bref coup de fil à Grimes lui confirma ce qu'il savait déjà au fond de lui : la couverture nuageuse avait empêché toute surveillance utile.

Il tira sur sa cigarette en fixant la braise orangée, puis retint la fumée dans sa bouche pendant quelques secondes et expira longuement. Le nuage dériva lentement vers la route et se désintégra en s'élevant dans les airs. Crowe le suivit des yeux, méditatif.

S'il était Caine, que ferait-il maintenant ? Il fallait qu'il réfléchisse comme un civil. D'abord, il voudrait rester en vie, et, à en juger par le CV de Vaner et ses récents exploits, il lui ferait confiance là-dessus. Ensuite, il voudrait retrouver une existence normale. Il aurait peur d'aller voir les flics, mais ne voudrait pas passer le restant de ses jours en cavale. Donc il irait… quoi ? Chercher du réconfort auprès d'un ami – ou d'un frère.

Mais où était le jumeau ? Il n'arrivait pas à croire que Grimes avait laissé filer Jasper après le petit tour de passe-passe de Vaner. S'il avait dirigé l'opération, il aurait utilisé le jumeau. Mais il était trop tard – Jasper Caine était aussi introuvable que son frère. Il avait chargé deux agents de surveiller son appartement à Philadelphie pour voir si quelqu'un se montrait, mais il ne fondait pas beaucoup d'espoirs là-dessus.

Il écrasa sa cigarette et contempla le ciel. Les deux frères ne pouvaient pas se cacher éternellement. Ils finiraient par refaire surface. Et ce jour-là, Crowe les attendrait au tournant.

La prochaine fois, il n'y aurait pas d'erreur.

✩

Le trajet dura deux heures, et Caine passa la majeure partie à fournir à Doc des explications sur Jasper, Nava, Forsythe, Peter et le démon de Laplace. Tandis qu'il parlait, Nava réfléchissait en silence à leur situation. La première fois qu'elle avait lu les fichiers de Tversky, elle les avait pris pour de la science-fiction. Ensuite, les paroles de Julia dans le passage avaient modifié son point de vue. Toutefois, à ce moment-là, elle ne croyait pas à toutes les théories de Tversky sur Caine. Mais aujourd'hui… Après la «chance» qu'ils avaient eue à la gare et leur rencontre «fortuite» avec Doc… Caine devait en être au moins partiellement responsable, même s'il ne savait pas comment. Elle ne connaissait pas les limites de ses pouvoirs et ne voulait pas les connaître. Elle redoutait ce qui pourrait se produire quand il aurait appris à les utiliser.

Elle laissa dériver ses pensées et se souvint du jour où, enfant, elle avait vu pour la première fois des éléphants au cirque. Il y en avait trois, et ces énormes bêtes de six tonnes n'étaient retenues que par une mince corde attachée à l'une de leurs pattes. Ce constat la laissait perplexe. Elle se rappelait avoir demandé à son père pourquoi les éléphants ne rompaient pas leur corde.

«Tout est dans la tête, lui avait expliqué son père. Quand ils sont encore bébés, on attache les éléphants à des poteaux avec de grosses chaînes en acier. Et pendant leurs premiers mois, ils apprennent que, même avec tous les efforts du monde, ils ne pourront pas briser leur chaîne.

– Mais les cordes sont bien moins solides que les chaînes, avait dit Nava. Les éléphants pourraient les casser sans problème.

– Oui. Mais les dresseurs n'utilisent pas de cordes tant que les éléphants n'ont pas appris que la fuite était impossible. Vois-tu, Tania, ce ne sont pas les cordes qui empêchent les éléphants de s'enfuir – c'est leur esprit. C'est pour ça que la connaissance rend si fort. Si on pense qu'on peut faire quelque chose, même si cette chose paraît impossible, on y arrive souvent. Et si on pense qu'on ne peut pas la faire, on n'y arrive jamais, parce qu'on n'essaie même pas. »

Tout Caine était là. Autrefois, il était enchaîné ; à présent, la chaîne avait disparu et fait place à une corde toute fine. Il s'était déjà aperçu que, par moments, il pouvait distendre le lien. Mais quand il découvrirait qu'il pouvait le rompre, qu'il *l'avait* déjà rompu, en fait – alors quoi ? Nava frissonna.

Que se passerait-il le jour où Caine comprendrait que les limites qui s'appliquaient aux autres ne s'appliquaient pas à lui ?

☆

Le juke-box passa *The Real Me* des Who et la voix rugissante de Roger Daltrey emplit la taverne de l'East Village : « *Can you see the rrrrreal me ? Can ya ? Can ya ?* »

Jasper sirotait son Coca en regardant la porte d'un air nerveux. À chaque fois qu'elle s'ouvrait, il s'abritait les yeux pour ne pas être ébloui par la lumière qui pénétrait dans le bar faiblement éclairé. Pendant quelques secondes, les nouveaux arrivants n'étaient que des silhouettes. Ce n'est qu'une fois la porte refermée qu'il parvenait à distinguer leurs traits – et à déterminer si, oui ou non, ils travaillaient pour le gouvernement.

Les conspirateurs étaient partout. Maintenant, il le savait. Il les sentait l'épier, chercher à pénétrer dans ses pensées. Mais il ne les laisserait pas faire. S'il parvenait à conserver une longueur d'avance, David et lui les terrasseraient. Jusqu'à présent, il avait fait ce qu'il pouvait pour tenir David à l'écart de leurs griffes, mais il savait que, bientôt, ce serait à David de le sauver. Et ça lui convenait. C'est à ça que servaient les frères – à se protéger mutuellement.

Il finit son soda et s'attaqua aux glaçons en les faisant craquer sous ses dents. Une serveuse bien roulée remarqua son verre vide et s'approcha d'un pas nonchalant.

« D'autres bulles, mon joli ?

– Oui-*joui-suie-pluie* », répondit-il en essayant de baisser la voix sur la rime.

La serveuse lui lança un regard, puis battit en retraite vers le bar. Jasper expira lentement. C'était presque le moment. Il était si proche qu'il pouvait le goûter… Bon Dieu, il pouvait presque le *sentir*. Mais cette odeur ne ressemblait pas à l'autre. C'était une bonne odeur, fraîche et pure. C'était l'odeur de la victoire – de la réhabilitation.

Il avait eu raison tout du long et ils l'avaient enfermé. Loin, très loin, parce qu'ils avaient peur de la vérité claquemurée dans son cerveau. Mais maintenant… Maintenant, la vérité était libre. *Il* était libre. Il avait fini par comprendre ce que la Voix, depuis tant d'années, essayait de lui dire. C'était si évident ; il se demandait comment il ne l'avait pas vu avant. Mais, maintenant, il savait. Et bientôt, David saurait aussi.

Encore une semaine plus tôt, David aurait résisté. Il lui aurait lancé ce regard inquiet. Quand son frère le regardait ainsi, Jasper avait l'impression de l'entendre marmonner tout bas : *Pas moi, s'il vous plaît… Faites que ça ne m'arrive pas à moi.* Avant, Jasper détestait ce regard, mais, avec le temps, il avait appris à le comprendre. Il n'en voulait pas à son frère. Si les rôles avaient été inversés, il se serait conduit de la même manière.

La serveuse revint avec son Coca (mais *sans* sourire) et il le descendit en trois grandes rasades. L'eau gazéifiée lui brûlait la gorge, mais ça ne le dérangeait pas. C'était si bon qu'il ne pouvait pas se retenir. Depuis qu'il avait vu la vérité, tout lui semblait bon : le relief formé par le graffiti gravé sur le bois de la table ; le verre lisse, humide et froid sous ses doigts ; et même l'air suintant, âcre et chargé de bière de ce bar – tout était si parfait, si réel, si *présent*.

La porte s'ouvrit à nouveau. En plissant les yeux, Jasper distingua trois silhouettes sombres dans la lumière aveuglante. La première était celle de la femme. La Voix lui avait parlé d'elle. Elle deviendrait une alliée de poids, mais, pour le moment, elle restait dangereuse, indéterminée. Près d'elle se trouvait un homme aux cheveux gris et touffus. Ça devait être l'ancien professeur de Caine, Doc. Jasper l'avait rencontré une fois et il lui avait plu. Un type intelligent. Il comprendrait.

La silhouette du dernier arrivant était reconnaissable entre toutes. C'était son autre moi – David, son jumeau. Quand la porte se referma, les yeux de Jasper rencontrèrent ceux de son frère. Ils étaient plus farouches que dans son souvenir et remuaient en tous sens avec une méfiance paranoïaque. Enfin, ils se fixèrent sur Jasper.

Celui-ci avait vu bien des yeux semblables à ceux de David – mais toujours entre les murs blancs et gris des diverses institutions psychiatriques qu'il avait fréquentées ces trois dernières années. Il hocha la tête. C'était la première fois qu'il se détendait depuis son réveil, quatre jours plus tôt.

Son frère était enfin prêt.

TROISIÈME PARTIE

Le démon de Laplace

La mécanique des quanta est tout à fait digne de considération. Mais une voix intérieure me dit que ce n'est pas le vrai Jacob. La théorie a beaucoup à offrir, mais elle ne nous rapproche guère des secrets de l'Ancien. En tout cas, je suis convaincu qu'Il ne joue pas aux dés.

ALBERT EINSTEIN, physicien du XXᵉ siècle.
Lettre à Max Born (1926) in *Pensées intimes*
(trad. Philippe Babo, Éd. du Rocher, 2000)

À l'évidence, non seulement Dieu joue aux dés, mais Il joue les yeux bandés, et les jette parfois là où on ne peut les voir.

STEPHEN HAWKING, physicien du XXIᵉ siècle

CHAPITRE 25

En apercevant Jasper, Caine ressentit un immense soulagement.

Il avait fini par trouver son chemin dans ce délire cauchemardesque. Tout irait bien maintenant. Jasper saurait quoi faire. Il l'aiderait à sortir des ténèbres et à retrouver la raison. Il avait fait le voyage avant Caine ; il connaissait le trajet.

Jasper se leva. Caine le prit dans ses bras et le serra contre lui.

« Je suis content de te voir, tu n'as pas idée, dit-il sans relâcher son étreinte.

– À vrai dire, je crois que si, lui murmura Jasper à l'oreille. Bienvenue-*tu-bu-lu*. »

Et il lui donna une tape sur l'épaule.

Les jumeaux se séparèrent pour aller s'asseoir. Caine se glissa sur le banc juste en face de son frère ; Nava s'assit à sa droite, et Doc à côté de Jasper. Avant qu'ils aient pu dire un mot, la serveuse leur tomba dessus. Ils se dépêchèrent de commander, moins parce qu'ils avaient soif que pour se débarrasser d'elle. Dès qu'elle se fut éloignée, Jasper se tourna vers Nava.

« Soyez tranquilles, il n'y a pas de conspirateurs ici. Nous sommes en sécurité. »

Il se pencha en avant et poursuivit en baissant la voix :

« Ils seront là bientôt, mais ça laisse le temps de dire à David ce qu'il doit savoir-*boire-poire-noir*. »

Nava lança à Caine un regard interrogateur.

« Tout va bien », fit Caine, lui-même à demi convaincu.

347

Un instant auparavant, il croyait fermement que Jasper était le seul à pouvoir le tirer de son rêve ; à présent, en voyant ce regard fou dans ses yeux, il n'en était plus si sûr. Mais il fallait essayer.

« Jasper, je…

– Désolé, David, mais je ne vais pas te dire ce que tu as envie d'entendre. Tout ceci, dit Jasper en décrivant de la main un grand arc de cercle au-dessus de sa tête, est *réel*. Et tout ce qui t'est arrivé au cours des dernières vingt-quatre heures l'est aussi. Je sais que ça paraît dingue, mais, une fois de l'autre côté, tu comprendras.

– Qu'est-ce que tu veux dire ? – Caine avait soudain la bouche sèche. – Que le démon de Laplace est réel, lui aussi ?

– Oui et non », répondit Jasper.

Caine était exaspéré. Jasper avait raison sur un point – il ne lui disait pas ce qu'il voulait entendre. Il ferma les yeux et se mit à se masser les tempes. Ceci n'était pas réel. Il fallait qu'il en sorte. Il fallait qu'il se réveille. Un grand *BAM* lui fit rouvrir les yeux brutalement : le poing de Jasper était planté au milieu de la table. Quelques clients assis au bar se retournèrent pour voir ce qui se passait. Nava paraissait furieuse, et Doc simplement stupéfait.

« David, *il faut que tu m'écoutes*. Laisse tomber tes a priori. Donne-moi vingt minutes. Après ça, si tu penses toujours que je suis fou – ou que tu l'es toi-même –, tu pourras faire ce que tu veux. Mais laisse-moi au moins le temps de m'expliquer. »

Caine aurait voulu résister, mais le regard suppliant de son frère le fit céder.

« OK », dit-il – et il se prépara à envisager l'horrible possibilité que tout ce qui lui était arrivé depuis qu'il suivait le traitement de Kumar était réel.

Au même moment, la serveuse revint avec leurs boissons – deux Coca pour les jumeaux, un Red Bull pour Nava et un café pour Doc. Comme il ne savait pas quand il aurait une autre occasion de le faire, Caine avala en vitesse une de ses pilules.

«Bien, fit Jasper après le départ de la serveuse. Tu m'as demandé si, oui ou non, le démon de Laplace était réel, et je t'ai répondu "oui et non". Admettons, pour le moment, que la réponse soit un franc "oui" et que tu sois la manifestation physique du démon de Laplace.

– Si c'était le cas, dit Caine, je saurais littéralement tout – ce qui n'est pas vrai.

– Mais si tu savais tout, tu serais capable de prédire l'avenir, n'est-ce pas ?

– Oui, mais je pensais que Heisenberg avait prouvé —

– Qu'il aille se faire voir, fit Jasper en balayant l'objection d'un revers de main. J'y reviendrai. Pour l'instant, réponds juste à ma question : *si* tu étais le démon de Laplace et que tu savais tout, *alors* tu serais capable de prédire l'avenir, oui ou non ?

– Oui, répondit Caine, exaspéré, mais même si je savais tout, il faudrait que mon cerveau puisse traiter toute cette information, ce qui est impossible.

– Tu as raison, une fois de plus, fit Jasper en souriant.

– Mais alors, comment pourrais-je être le démon de Laplace ?

– Eh bien, il n'est pas nécessaire que tu puisses traiter l'information, mais juste que tu puisses y accéder. Prenons un autre exemple : si tu voulais discuter avec quelqu'un qui ne parle que japonais, qu'est-ce que tu ferais-*lait-taie-trait* ?

– Je ne sais pas… J'utiliserais un dictionnaire bilingue, j'imagine. Ou j'engagerais un interprète.

– Exactement. Tu n'aurais pas besoin de savoir parler japonais, mais d'avoir accès à un outil qui te permette de traduire tes pensées *en* japonais. En gros, tu déléguerais le traitement de l'information soit à une personne, soit à une chose – un dictionnaire, par exemple.

– D'accord, fit Caine d'un ton hésitant. Je vois où tu veux en venir, mais je ne comprends pas comment tu peux comparer la traduction d'une langue au traitement de toutes les données de l'univers.

– Pourquoi-*bois-toi-moi* ?

349

– Parce que, même si on pouvait accéder aux données, il n'existe pas de cerveau sur terre, homme ou machine, capable de traiter une telle somme d'informations.

– C'est là que tu te trompes. Ça existe.

– Et qu'est-ce que c'est ?

– L'inconscient collectif. »

Caine fixa son frère d'un air interrogateur. Il avait bien entendu parler, à l'université, d'un psychologue allemand du nom de Carl Jung, auteur, au début du XXe siècle, de la théorie de l'inconscient collectif, mais il n'en conservait que de vagues souvenirs. Jasper remarqua son regard hésitant et se lança dans une explication.

« Jung a distingué trois catégories différentes d'inconscient. La première comprend les souvenirs personnels que tu peux faire surgir intentionnellement, par exemple le nom de ton professeur de CM1. Tu ne l'as pas sur le bout de la langue, mais, si tu faisais un effort, tu pourrais sans doute l'extraire de ton inconscient.

– C'est comme la mémoire à long terme.

– Oui-*lui-fui-nuit*, dit Jasper en hochant vigoureusement la tête. La deuxième catégorie comprend les souvenirs personnels qu'on ne peut *pas* faire surgir intentionnellement. Il s'agit soit de choses qu'on a sues un jour mais qu'on ne se rappelle pas, soit de choses telles qu'un traumatisme infantile refoulé. Ces souvenirs ont tous été conscients à un moment donné mais, pour une raison ou pour une autre, ils sont aujourd'hui si profondément enfouis dans l'inconscient qu'on n'y a plus accès. La troisième catégorie est l'inconscient collectif. Et son contenu ne peut jamais devenir conscient, parce qu'il ne l'a *jamais été*. Pour résumer, l'inconscient collectif renferme un savoir qui n'a pas d'origine connue-*rue-jus-cru*.

– Par exemple ? demanda Nava.

– Les nouveau-nés savent téter quand on leur présente un mamelon et pleurer quand ils ont faim. Les faons font leurs premiers pas quelques secondes après leur naissance. Les bébés poissons savent nager quand ils sortent de l'œuf. La liste n'en finirait pas. Toutes les créatures de la

Terre possèdent en naissant des aptitudes physiques complexes et une connaissance élaborée d'eux-mêmes et du monde qui les entoure, sans que l'origine en soit connue. »

Caine plissa le front.

« Mais je croyais que la connaissance était génétiquement programmée.

– C'est ce que croient les *biologistes*, pas les physiciens – et, jusqu'à présent, aucun biologiste n'a su expliquer d'où venaient les instructions *originelles*.

– Je ne suis pas sûr de te suivre.

– Disons les choses autrement : comme des organismes monocellulaires sont à l'origine de toute vie sur la Terre, il faut bien que les instructions avec lesquelles nous sommes nés aient été *apprises* avant d'être codées dans l'ADN. Il y a eu un premier bébé qui a *appris* à pleurer, un premier faon qui a *appris* à marcher. Or, dans l'état actuel de nos connaissances en biologie, tout indique que les expériences apprises ne se transmettent *pas* à la progéniture.

– OK, dit Caine, donc si la biologie ne peut pas l'expliquer, comment fait la physique ?

– Beaucoup de physiciens, et de psychologues, pensent que la connaissance innée des êtres vivants *a* en fait une origine consciente… mais pas dans leur conscience à eux. »

Jasper but une grande rasade de Coca avant de poursuivre.

« OK, tu sais que, pour les physiciens modernes, la matière est constituée d'ondes, autant que de points déterminés dans l'espace et le temps, n'est-ce pas ? »

Caine sentait la tête lui tourner.

« Vaguement. »

Jasper soupira.

« Ce serait bien plus simple si tu avais fait de la physique à la place des stats.

– J'aurais difficilement pu prévoir cette conversation il y a huit ans, quand j'ai choisi ma matière.

– De fait, tu aurais pu, mais nous y reviendrons. Donc, où en étais-je ?

– Tu disais que rien ne se trouve en un point déterminé de l'espace et du temps.

– C'est ça-*rat-tas-pas*. En fait, jusqu'au début des années 1900, tout le monde adhérait encore aux principes de la physique dite classique, formulés en 1687 par Newton dans ses *Principia*. Les fondements majeurs de la physique classique étaient les lois du mouvement de Newton, qui énonçaient que le mouvement des corps est déterminé par l'action des forces qui s'exercent sur eux.

«Ces lois ont servi à expliquer à peu près tout, des orbites planétaires jusqu'à l'accélération des voitures. En gros, Newton pensait que Dieu avait créé un univers ordonné et soumis à certaines lois immuables. Et cette croyance trouvait un écho dans l'état global de la société, à une époque où le capitalisme s'étendait et où le monde se transformait pour se conformer aux prétendues "lois" de l'offre et de la demande.»

Pris dans le feu de son envolée didactique, Jasper accéléra le rythme.

«Ensuite, en 1905, Einstein a développé sa théorie de la relativité restreinte, qui énonçait que tout était relatif. Il a prouvé que la position, la vitesse et l'accélération, qui pour Newton étaient des absolus, n'existaient en fait que *relativement* à quelque chose d'autre. Il a prouvé, surtout, que le temps lui-même était relatif.

– Et maintenant, en clair, Jasper. – Caine regarda sa montre. – Et tu n'as plus que quatorze minutes.

– Hmm, d'accord-bord-tort-mord, fit Jasper. Je me dépêche. Donc, Einstein a dit deux choses : premièrement, que la vitesse de la lumière est constante, où que l'on se trouve et quoi que l'on fasse. Et deuxièmement – poursuivit-il en comptant sur ses doigts – que les lois de la physique sont perçues de la même manière par deux observateurs qui se déplacent à une vitesse constante l'un par rapport à l'autre. Ça signifie que, si nous sommes tous les deux dans un train qui accélère, nous verrons le paysage de la même manière, mais que si tu es dans le train et moi immobile sur la voie, nous le verrons différèmment.

C'est très schématique, mais ça donne une petite idée de la chose.

«Maintenant, si j'étais dans un vaisseau spatial qui voyage à une vitesse proche de celle de la lumière – soit environ 300 000 kilomètres par seconde –, il se passerait quelque chose d'étrange. Relativement à ton point de vue, le temps, pour moi, *ralentirait*. Le jour où je sortirais du vaisseau spatial, je serais plus jeune que toi. En démontrant cela, Einstein a prouvé que le *temps* lui-même était relatif. Puis il a poursuivi sur sa lancée et montré que l'énergie et la masse étaient intrinsèquement liées – que, plus un corps accélérait, plus sa masse paraissait importante par rapport à celle d'un corps au repos-*mot-sot-tôt*.

– Donne-moi un exemple, dit Caine, espérant ainsi rattraper le raisonnement.

– Bien sûr : quand un avion décolle, ton corps est projeté en arrière vers le siège, n'est-ce pas ? Presque comme si tu devenais —

– Plus lourd», acheva Caine.

Il venait de comprendre.

«Exactement. Mais, quand l'avion atteint son altitude de croisière et cesse d'accélérer, tu te sens à nouveau normal. C'est de là que vient la formule $E = mc^2$. E est l'énergie, m la masse et c la vitesse de la lumière. Et c étant une constante, quand l'énergie croît, la masse croît également. Ainsi, quand l'avion décolle et qu'il accélère, ton énergie cinétique augmente, si bien que, sur des bases *relatives*, ton poids semble s'accroître.

– OK, j'y suis, fit Caine. Mais qu'est-ce que ça a à voir avec les ondes ?

– Eh bien, comme je l'ai dit tout à l'heure, Newton pensait que chaque corps occupe une position précise dans l'espace et dans le temps. Mais, quand Einstein a montré que tout était relatif, les physiciens ont compris que la matière n'avait pas de position absolue, ni même d'âge absolu. Et cette révolution a permis le développement de la *relativité restreinte* et l'étude de l'émission et de l'absorption de l'énergie par la matière.

«Ces recherches ont à leur tour conduit à l'hypothèse, puis à la découverte des particules élémentaires qui constituent la matière, et qu'on appelle les quarks. Les physiciens ont démontré l'existence de douze types de quarks – "*up*", "*down*", "*charm*", "*strange*", "*truth*", "*beauty*" et les six antiparticules correspondantes —

– Attends une seconde, l'interrompit Caine en levant la main. C'est ça, le nom des constituants élémentaires de la matière ? »

Et il regarda Doc – qui, contrairement à son habitude, était resté silencieux pendant le cours de Jasper – pour savoir si, oui ou non, son frère avait complètement perdu la boule.

Doc hocha la tête.

« Il a raison, Rain Man. C'est comme ça qu'on les appelle.

– OK, fit Caine en se grattant la tête. Continue.

– Bon. En tout cas, bien qu'il existe douze types de quarks différents, la matière qui nous entoure est entièrement constituée de quarks *up* et *down* et d'une autre particule élémentaire comparable à un quark, le *lepton*. – Jasper prit une inspiration. – Ce qu'il faut bien comprendre, c'est que les quarks et les leptons ne sont pas réellement de la matière.

– Qu'est-ce qu'ils sont alors ?

– De l'énergie. Tu me suis ? Pour la physique quantique, la matière *n'existe pas réellement*. Ce que les physiciens classiques *croyaient* être de la matière n'était que des assemblages d'éléments constitués d'atomes, eux-mêmes constitués de quarks et de leptons – c'est-à-dire d'énergie. Donc, la matière est en réalité de l'énergie. »

Jasper marqua un temps d'arrêt pour laisser Caine s'imprégner de ses paroles, puis poursuivit :

« Et maintenant, dis-moi quoi d'autre est constitué d'énergie. »

Soudain, la connexion se fit dans l'esprit de Caine : il comprenait enfin pourquoi son frère avait emprunté tant de détours.

«La pensée, répondit-il.

– Et voilà. Toute pensée consciente ou inconsciente naît de signaux électriques émis dans le cerveau par les neurones. Tu vois ? Comme toute *matière* est de l'énergie et que toute *pensée* est de l'énergie, la matière et la pensée sont interconnectées. C'est de là que provient l'inconscient collectif – de l'inconscient partagé, connecté, de tous les êtres qui ont jamais existé et existeront jamais-*mais-sais-vais*.

– OK, fit Caine en s'efforçant de déchiffrer ce qu'il venait d'entendre. Mais, même si je veux bien admettre qu'il existe une entité métaphysique appelée l'inconscient collectif, je ne comprends toujours pas comment elle peut englober le passé et l'avenir.

– Eh bien, c'est que le temps est relatif. Réfléchis : la seule chose qui soit plus rapide que la lumière, c'est —

– La pensée », acheva Caine.

La dernière pièce du puzzle venait de se mettre en place.

«Oui ; et en particulier la pensée *inconsciente*. Et comme le temps ralentit quand les particules approchent de la vitesse de la lumière, par rapport aux corps au repos, on peut considérer l'inconscient comme éternel, ou, littéralement, atemporel.»

Caine hocha la tête. Si incroyable et alambiquée fût-elle, la démonstration de son frère tenait presque debout. À nouveau, il chercha un appui dans le regard de Doc : à sa grande surprise, celui-ci hochait également la tête.

«Comment avez-vous fait pour mettre tout ça bout à bout ? demanda Doc.

– C'est grâce à la philo, répondit Jasper en souriant.

– Expliquez-vous.

– Toutes les religions et philosophies orientales sont fondées sur la croyance que l'univers est de l'énergie – une croyance aujourd'hui corroborée par la physique quantique. Elles postulent aussi que l'esprit des hommes, par essence, ne fait qu'un avec l'univers, et cette idée m'a fait penser à l'inconscient collectif de Jung.

«Les bouddhistes croient que tout est éphémère. Bouddha

enseignait que toute la souffrance du monde vient de ce que les hommes s'accrochent à des objets et des idées au lieu d'accepter le flux, le mouvement et le changement de l'univers. Pour les bouddhistes, l'espace et le temps ne sont que les reflets d'états de conscience. Ils voient les objets non pas comme des choses, mais comme des processus dynamiques participant du mouvement de l'univers et de son état constamment transitoire. Traduction : ils considèrent la matière comme de l'énergie – et c'est exactement ce que suggère la physique quantique.

« Les taoïstes croient également au mouvement dynamique de l'univers : *Tao* signifie "la Voie". Ils voient le monde comme un système d'énergie – ou *chi* – qui est dans un flux et un mouvement perpétuels, et l'individu comme un élément de ce tout, une parcelle de cette énergie. Un de leurs textes de référence est le *Yiking*, ou *Livre des transformations,* qui enseigne que la stabilité ne peut être atteinte que grâce à l'équilibre entre le *Yin* et le *Yang,* deux forces naturelles à la fois opposées et interdépendantes. Là encore, cette doctrine trouve un écho dans la physique quantique, qui stipule que tout est fait de particules reliées l'une à l'autre par une énergie subatomique. »

La tête de Caine tournait de plus en plus.

« Mais toutes ces philosophies sont vieilles de milliers d'années. Comment se fait-il que leur doctrine se soit constituée *avant* la découverte de la physique quantique ?

– C'est grâce à l'inconscient collectif, répondit Jasper. Souviens-toi – il est atemporel, ce qui signifie que la pensée circule à travers le temps *dans les deux sens.* Réfléchis-y : on dit toujours que les grands penseurs, les grands philosophes, les grands scientifiques sont "en avance sur leur temps", parce que leur intuition leur permet de faire d'énormes bonds en avant. Certains appellent ça le génie, mais qu'est-ce que le génie, sinon une extraordinaire clairvoyance ? Tu ne vois pas ? Les soi-disant "génies" ne sont rien d'autre que des gens qui accèdent à l'inconscient collectif plus facilement que la plupart d'entre nous-*chou-pou-roue.* »

Doc inspira lentement et regarda Caine. «C'est comme ça que tu as su qu'il fallait partir quand on était au restaurant. Tu as dû avoir accès à l'inconscient de ton futur moi.»

Caine secoua la tête. Ça faisait trop pour lui. «Même si je croyais que les inconscients sont reliés entre eux, comment serais-je capable d'accéder *consciemment* à l'inconscient collectif?»

Il n'avait pas plus tôt posé la question qu'il comprit la réponse.

«Mon Dieu… ce sont les crises, n'est-ce pas?

– Je pense que les crises sont les symptômes, pas la cause, répondit Jasper. Tout le monde puise dans l'inconscient collectif, donc quelque chose dans notre cerveau doit y être connecté.

«Et je pense qu'il y a quelque chose dans ton cerveau, poursuivit-il en montrant du doigt le crâne de Caine, plus particulièrement dans ton lobe temporal, qui te permet de te connecter à l'inconscient collectif davantage que les autres. Jusqu'à une époque récente, tu surchargeais ton cerveau en le faisant, ce qui provoquait une crise et un évanouissement – et tu devenais donc, au sens propre, inconscient-*rang-tant-plan*. Je pense que, d'une manière ou d'une autre, le médicament expérimental de Kumar a "arrangé" ton cerveau de telle sorte que tu peux simultanément te connecter à l'inconscient collectif *et* rester conscient – donc voir l'avenir.

– Mais ce que je ne comprends pas, c'est comment ça marche du point de vue de la physique.»

Caine fit une pause pour rassembler ses idées.

«Enfin, Laplace a dit qu'il fallait *tout* connaître pour être capable de prédire l'avenir, et Heisenberg a dit que, comme rien n'avait de vraie position dans la nature, il était impossible de tout connaître. Donc, prédire l'avenir est impossible, et il ne peut pas exister d'intelligence omnisciente telle que le démon de Laplace, si?

– Je n'ai pas encore résolu cette question-*bon-ton-rond*, admit Jasper, qui se hâta d'ajouter: Mais ça n'infirme pas ma théorie.»

Pendant une minute, le silence se fit autour de la table. Caine essayait d'assimiler tout ce qu'avait dit son frère.

« Il y a un moyen de savoir, dit alors Doc.

– Lequel ? demanda Caine.

– Regarde l'avenir.

– Je ne pense pas que ce soit une bonne idée », dit Nava.

Son intervention surprit Caine. Elle était restée si discrète jusqu'ici qu'il l'avait presque oubliée.

« Pourquoi ? demanda Doc.

– Et si c'était dangereux ? fit-elle en allumant une cigarette.

– Dangereux pour qui ? s'enquit Doc.

– Pour nous tous, répondit-elle en exhalant la fumée. Et pour David en particulier.

– Pourquoi ?

– Supposez qu'il n'arrive pas à revenir ? Qu'une fois son esprit connecté à l'inconscient collectif, il reste coincé là-bas ? Vous l'avez dit vous-mêmes – c'est quelque chose d'atemporel. Il pourrait s'immerger quelques secondes dans l'inconscient collectif et s'apercevoir en revenant que son corps est mort de vieillesse. »

Caine sentit son estomac se nouer. Il n'avait pas envisagé les choses sous cet angle. Une partie de lui-même mourait d'envie d'aller voir ; mais une autre partie, soudain, mourait de peur. En considérant les options qui s'offraient à lui, il se rendit compte de deux choses. La première, c'est que les vingt minutes de Jasper s'étaient écoulées. La seconde, c'est qu'il ne croyait plus que tout ce qu'il vivait était une illusion.

Il n'était pas assez fort en physique pour avoir rêvé ça tout seul.

CHAPITRE 26

«*Mais qu'est-ce que vous avez foutu, putain ?*»

Forsythe éloigna le combiné de son oreille et inspira profondément avant de répondre au sous-directeur exécutif du FBI, qui était furieux de la débâcle survenue à la gare.

«Sam, je n'avais évidemment aucune idée que les choses tourneraient ainsi —

– Je vous défends de m'appeler Sam ! cria Kendall dans le téléphone. Vous m'aviez dit que vous aviez besoin de quelques hommes pour arrêter un *civil* – pas qu'il y aurait un agent ripou de la CIA !

– Sam, euh, je veux dire… », s'empêtra Forsythe.

Il se demandait comment Kendall avait appris aussi vite l'existence de Vaner.

«Ne vous donnez pas la peine, *James*. Je sais que vous m'avez roulé. Félicitations. Qui vous a donné l'idée ? Nielsen ?»

Forsythe ne tenta même pas de répondre ; il le laissa tempêter sans l'interrompre.

«Ouais, grommela Kendall, plus pour lui-même que pour son interlocuteur. Eh bien, qu'il aille se faire *foutre* et vous avec ! Et pour couronner le tout, vous avez le culot de rameuter Martin Crowe ? Mais c'est un putain de miracle que personne ne soit mort !»

Il s'arrêta pour reprendre son souffle, puis poursuivit :

«En plus, je viens d'apprendre que MacDougal comptait vous dégager le mois prochain. Eh bien, laissez-moi vous dire qu'après votre exploit, vous pouvez vous considérer comme viré *dès maintenant*.»

Les doigts de Forsythe se crispèrent sur le téléphone.

« Vous n'avez pas le pouvoir —

– Vous me prenez pour qui, bordel de merde ? – Kendall hurlait à présent. – Je suis le sous-directeur exécutif du FBI et, croyez-moi si vous voulez, j'ai ma petite influence. J'ai parlé au sénateur MacDougal de l'équipée de ce matin et nous sommes *d'accord* pour penser qu'il vaudrait mieux que vous présentiez votre démission *aujourd'hui*. Vous avez une demi-heure pour emballer votre foutoir avant que j'envoie la police militaire vous chercher. Content de vous avoir connu, espèce de trou du cul. »

Et il raccrocha si fort que le téléphone vibra dans l'oreille de Forsythe.

Celui-ci était abasourdi. Il n'était pas prêt. Certes, les recherches de Tversky semblaient extrêmement prometteuses, mais si elles n'aboutissaient pas ? Il pensait avoir encore au moins un mois pour fouiller la base de données du STR et exploiter les ressources de la NSA avant d'aller son propre chemin. Maintenant, il n'avait plus rien. Rien d'autre que Tversky et son « démon » – et encore, il n'avait même pas ça. Il prit un moment pour se ressaisir avant de convoquer Grimes dans son bureau.

« Steven, je ne sais pas comment vous dire ça, mais… »

Il fit une pause, laissant Grimes imaginer le pire avant de lui assener son mensonge.

« Nous sommes virés. C'est notre dernier jour ici.

– Quoi ? Je veux dire, je savais que vous étiez grillé, mais… pourquoi moi ?

– C'est politique, répondit Forsythe. Mais c'est peut-être une bonne chose pour nous deux.

– Comment ça ? » demanda Grimes, les traits crispés.

Forsythe réfléchit à ce qu'il allait dire. Il ne voulait pas que Grimes sache que, depuis six mois, il projetait de changer de barque sans lui. Le labo était déjà installé et il avait dix millions de dollars à la banque. Il ne lui manquait plus qu'une équipe de chercheurs au complet. Il avait d'abord pensé recruter dans le privé, plutôt que parmi les « talents publics » du STR, mais il ne lui restait plus assez de temps.

360

En outre, il comptait bien continuer à braconner sur les terres du STR. Comme Grimes n'était pas réellement licencié, ses codes d'accès allaient rester actifs jusqu'à ce que quelqu'un s'aperçoive de la supercherie – et, à ce moment-là, il aurait sans doute rassemblé toute l'information dont il avait besoin. Il avait peine à l'admettre, mais Grimes était indispensable.

« Je comptais garder le secret pour vous faire une surprise, mais… »

Et, pendant un quart d'heure, Forsythe exposa son plan – en soulignant bien le fait qu'il était le seul à connaître le licenciement de Grimes, et qu'il fallait donc se garder d'en parler.

Lorsqu'il eut terminé, Grimes frotta son menton bourgeonnant.

« Je veux des parts.

– Quoi ?

– Vous m'avez bien entendu. Si vous voulez que je marche avec vous, il me faut une part du gâteau.

– Combien ? demanda Forsythe, en serrant et desserrant les poings sous la table.

– 10 %. »

Forsythe émit un long sifflement. Il n'avait pas le temps de discuter et il savait que Grimes serait aussi buté qu'un gamin s'il s'agissait de négocier sa part. Il se décida en un clin d'œil.

« Steven, si j'étais propriétaire de l'ensemble de l'affaire, je vous donnerais volontiers 10 %. Mais les investisseurs détiennent déjà 80 %. »

Ce mensonge lui vint sans effort. Les investisseurs de capital-risque avaient beau être des vautours, ils n'avaient exigé qu'une part de 35 % en échange des douze millions accordés à Forsythe – dont deux avaient déjà servi à installer le labo.

« Que dites-vous de ceci : je vous offre 10 % de ma part.

– Ça ne fait que 2 %, objecta Grimes, boudeur.

– C'est une offre honnête, Steven, répliqua Forsythe sans se départir de sa gravité.

– Donnez-moi 3 % et on a un deal.

– Marché conclu. »

Grimes lui tendit une main moite. Forsythe la serra, puis s'essuya en vitesse sur son pantalon.

« Formidable, dit-il, pressé de rétablir avec Grimes une relation d'employeur à employé. Et maintenant, appelez-moi Crowe au téléphone.

– Bien sûr… *associé*. »

Grimes découvrit ses dents jaunes pour lui décocher un grand sourire, puis quitta la pièce. Dix-huit secondes plus tard, le voyant rouge du téléphone de Forsythe se mit à clignoter. Il prit une inspiration et décrocha.

« Monsieur Crowe, ici James Forsythe. Il y a un changement de programme… »

☆

Crowe raccrocha, puis se vida l'esprit en contemplant le ciel. À travers les nuages, le soleil montrait enfin le bout de son nez. Un arc-en-ciel apparut. Betsy avait toujours adoré les arcs-en-ciel. Dès qu'elle en voyait un, ils prenaient la voiture et se mettaient en quête du chaudron d'or.

Ses yeux s'embuèrent. Elle avait toujours été si fière de son papa. Il se demandait ce qu'elle penserait si elle le voyait en ce moment. Il n'était pas dupe du baratin de vendeur de voitures que lui avait servi Forsythe : il savait qu'il n'y avait rien de bon à attendre de la mission que ce type lui confiait. Mais il ne pouvait pas laisser passer une telle somme d'argent.

Si Forsythe voulait toujours capturer Caine, il trouverait un moyen de le faire. Il fit défiler le répertoire de son portable jusqu'au nom qu'il cherchait ; le numéro de Jim Dalton s'afficha en chiffres bleus lumineux sur le fond blanc de l'écran.

Crowe s'était juré de ne plus jamais travailler avec Dalton ou ses sbires depuis que le mercenaire l'avait trompé en l'amenant à protéger un trafiquant de drogue. Mais il n'en était plus à un parjure près. Et puis, on ne pouvait pas dire que les autres mercenaires de sa connaissance valaient mieux. En réalité, s'il parvenait à contrôler les violents instincts de Dalton, celui-ci était la personne la plus indiquée.

Avec une pointe de regret, il appuya sur APPEL. Dalton décrocha à la première sonnerie.

« Marty, ça gaze ?

– J'ai un boulot à faire et j'ai besoin de renforts, dit Crowe.

– Quand ?

– Tout de suite.

– Merde, j'aimerais bien t'aider, mais il y a un type qui m'a chargé d'une ou deux courses aujourd'hui. Et la semaine prochaine ?

– Ça ne peut pas attendre, dit Crowe en fronçant les sourcils. Combien gagne un garçon de courses par les temps qui courent ? »

Dalton resta silencieux une seconde avant de répondre :

« Trente mille pour cinq jours de boulot.

– C'est pour toi ou pour toute l'équipe ?

– Pour moi. Rainer, Leary, McCoy et Esposito prennent quinze chacun. »

Il mentait sans doute, mais Crowe s'en fichait. C'était l'argent de Forsythe.

« Mon employeur vous paiera deux cent mille pour la semaine. Vous pouvez vous les partager comme vous voulez. »

Dalton émit un sifflement.

« C'est quel genre de business, Marty ?

– Pas pire que d'habitude. Tu prends ou pas ?

– Qu'est-ce qu'il faut faire ?

– Filer quelqu'un, l'attraper et peut-être le surveiller un peu ensuite.

– Qui est la cible ? demanda Dalton d'un ton soupçonneux.

– Impossible à louper. Un civil.

– Et pourquoi tout ce fric ? Ça m'a l'air d'être quelque chose que tu pourrais très bien faire tout seul.

– Il a un garde du corps.

– Et ?

– Et, répondit Crowe, que toutes ces questions commençaient à irriter, c'est une ex de la CIA, opés clandestines. Une dure à cuire.

– *Une ?* – Dalton éclata de rire. – OK, si tu veux qu'on s'occupe de ta copine avec les gars, on peut sans doute te filer un coup de main. Mais je veux le fric d'avance.

– Pas question. La moitié d'avance, et l'autre quand on aura la cible. »

Il y eut un silence, mais Crowe n'était pas inquiet. Il savait que Dalton accepterait.

« OK, finit par dire ce dernier comme s'il lui accordait une faveur. C'est où ?

– Je ne sais pas exactement pour l'instant, mais sans doute dans la région des trois États.

– Tu veux qu'on se voie quelque part ?

– Non, répondit Crowe en réfléchissant. Pour le moment, rassemble les gars et le matos habituel. Ensuite, ne bouge plus et reste sobre.

– Ça marche.

– Je t'appellerai quand je connaîtrai le lieu.

– No problemo. Content de retravailler avec toi, Marty. »

Une minute après la fin de leur conversation, le portable de Crowe bipa. Dalton n'avait pas traîné pour lui envoyer son numéro de compte. Il transféra le message à Grimes en l'accompagnant d'instructions concernant le montant à virer. Puis il reprit la direction de son appartement. Il n'était pas l'heure de dormir, mais autant essayer de faire un somme pendant qu'il le pouvait. Quelque chose lui disait que la nuit serait longue.

En s'endormant, il repensa à la mission. Où qu'il soit, Grimes allait finir par localiser Caine. Ce n'était qu'une question de temps. Et quand ce serait fait, Crowe l'attraperait – ce qui impliquerait sans doute de tuer Vaner.

Pour le moment, il ne pouvait rien faire d'autre qu'attendre.

☆

Caine contempla son Coca.

« J'aurais dû commander quelque chose de plus fort.

– Tu vas essayer… ? demanda Doc.

– Je ne sais pas. Même si je voulais, je ne suis pas sûr de la manière dont je m'y prendrais.

– Je reste persuadée que c'est trop dangereux, dit Nava. Tant qu'on sera en cavale, les risques seront trop grands.

– Ça ne vous posait pas de problème que je le fasse dans le train, rétorqua Caine.

– C'était différent, riposta Nava. Et en plus, je ne connaissais pas les risques.

– Et s'ils étaient sur nos traces en ce moment ? dit Caine. Peut-être que le plus risqué, c'est de ne *pas* essayer. »

Nava fronça les sourcils et écrasa distraitement sa cigarette.

« Il y a du vrai dans ce qu'il dit, fit remarquer Doc.

– Essaie, David. La Voix — »

Jasper s'interrompit.

« Je veux dire, je pense que c'est le moment. »

Caine observa son frère. Jasper ne lui avait pas tout dit – par exemple, comment il avait pensé à appeler Doc juste après qu'ils avaient arrêté sa voiture. Il devait y avoir une explication. Mais, depuis le cours de physique de Jasper, tout le monde semblait avoir oublié que David n'était pas le seul des frères Caine à présenter des facultés hors du commun.

C'était pourtant logique puisqu'ils étaient de vrais jumeaux : si David était capable de quelque chose, il y avait toutes les chances pour que Jasper le soit aussi. Caine ne savait pas si ça devait l'amener à faire plus ou moins confiance à son frère. Mais quand il l'eut regardé dans les yeux, sa décision fut prise.

« Je vais essayer », annonça-t-il. Sa voix était ferme, mais il avait peur. Tous ses problèmes – l'arrêt de sa carrière universitaire, ses crises, Nikolaev – lui semblaient désormais bien pâles face au risque qu'il s'apprêtait à prendre. Et si Nava avait raison ? S'il restait coincé à tout jamais dans le vide, hors du temps ? Est-ce qu'il deviendrait fou ? Mais peut-être qu'il l'était déjà… Non. Il n'était pas fou. Il n'avait jamais déliré – juste eu peur de voir la vérité en face.

Caine respira profondément. Il fallait qu'il surmonte sa peur et essaie avant qu'il ne soit trop tard. Tout simplement. Comme le jour où il avait surmonté sa peur et s'était transformé en reclus, se tenant à l'écart de ses amis, de ses étudiants, de sa vie. Non, c'était différent. À l'époque, il n'avait pas le choix. Mais était-ce tout à fait vrai ? En y repensant, Caine comprit à quel point il avait été lâche. Eh bien, il ne le serait plus.

Il ferma les yeux, et…

… il ne se passa rien.

Caine entendait toujours la voix lointaine de Mick Jagger dans le juke-box. Il sentait toujours le siège de bois dur sur lequel il était assis et cette douleur sourde dans son genou, qui semblait palpiter à chaque battement de cœur. Il percevait toujours l'odeur fétide de bière éventée et de sueur qui imprégnait le bar. La seule différence, c'était que, maintenant qu'il avait les yeux fermés, il ne pouvait plus voir.

Il expira longuement, s'efforçant de ralentir sa respiration. Qu'avait-il pensé au restaurant ? Il ne se souvenait plus. Il était en train de manger une frite et, la seconde d'après, Doc et Peter s'étaient retrouvés couverts de sang.

Il entendit six claquements rapprochés.

Il crut d'abord que le son venait d'ailleurs, de l'intérieur de lui-même, mais, quand la serveuse prit la parole, il comprit qu'il s'agissait du bruit de ses talons sur le sol.

« Une autre tournée, les amis ?

– Ça vous ennuierait de revenir plus tard ? demanda Doc. Là, nous sommes occupés.

– Bien sûr. »

Alors, tout à coup, le noir se dissipa, comme si on allumait la lumière et qu'on l'intensifiait progressivement. Caine avait toujours les yeux hermétiquement clos… mais il voyait. Et ce n'était pas juste une vision – c'était un savoir.

…

La serveuse, une grande rousse trop fardée, porte un haut noir décolleté. Elle s'appelle Allison Gully, mais tout le monde la surnomme Ally. Son épaisse couche d'ombre à paupières est destinée à couvrir les ecchymoses laissées par les coups de Nick Braughten. Elle voudrait le quitter, mais elle a peur.

En l'absence de commande à la table de Caine, elle retourne au bar et se met à flirter avec Tim Shamus. C'est un nouveau et elle le trouve mignon. Ce soir-là, quand Tim rentre chez lui, il fantasme sur Ally. Il fait les cent pas dans son appartement. Il finit par s'endormir à quatre heures du matin. Quand il se réveille, le soleil est déjà haut dans le ciel.

Tim est en retard. Il fonce prendre sa voiture, une Ford Mustang 89 noire. Sur le chemin de son travail, il barre la route à Marlin Kramer en brûlant un feu rouge. Ce n'est pas le jour de Marlin. Il klaxonne Tim et, d'énervement, prend une mauvaise direction. Il est immobilisé dans les embouteillages et rate son train pour Houston. Matt Flannery, un passager en stand-by, prend sa place dans l'avion à côté de Lenore Morrison. Ils discutent pendant tout le trajet. Quand l'avion atterrit, il lui demande son numéro. Elle rougit pour la première fois depuis... depuis le jour où, à quinze ans, elle a embrassé Derek Cohen au cinéma.

Matt et Lenore couchent ensemble au bout du troisième rendez-vous. Les premières fois, ils utilisent un préservatif, puis ils décident qu'ils peuvent s'en passer sans risque. Or, il y a un risque. Lenore est séropositive. Matt découvre qu'il est malade du SIDA. Il meurt tout seul à l'hôpital au lieu d'épouser Beth Peterson et d'avoir avec elle deux enfants et trois petits-enfants.

...

ou bien

...

Caine commande un verre. Ally retourne au bar dix secondes plus tard qu'elle ne l'aurait fait s'il n'avait pas commandé. Au passage, elle remarque enfin Aidan Hammerstein et Jane Berlent, qui lui commandent deux cocktails. Elle dit à Tim de se dépêcher de servir. Elle n'a pas le temps de flirter. Elle apporte son verre à Caine et leurs

Alabama Slammers à Aidan et Jane. L'alcool met Jane dans un état second. Elle est saoule. Au lieu de rentrer chez eux, Aidan et elle décident de faire la bringue. Merde, c'est son anniversaire après tout. Elle a vingt-cinq ans.

Elle continue à boire, et pendant ce temps... Tim Shamus s'endort sans problème à deux heures du matin. Il se réveille à l'heure et Marlin Kramer attrape son avion. En rentrant chez elle, Jane s'arrête chez le traiteur coréen et s'achète un paquet de Marlboro lights. C'est sa première cigarette depuis... Elle a vingt et un ans. Elle vomit deux enchiladas et un taco au poulet. L'odeur de la fumée se mêle à celle de son dîner à moitié digéré. Elle fait le serment de ne plus jamais toucher une cigarette. Et elle tient parole. Elle vit jusqu'à l'âge de quatre-vingt-dix-sept ans. Steven Greenberg, le chouchou de ses six arrière-petits-enfants, pleure à son enterrement.

... mais voilà, elle a vingt-cinq ans et elle refume. Dans l'air froid de la nuit, la cigarette a un goût génial. Elle se demande pourquoi elle a jamais arrêté. Et elle n'arrête plus jamais. Aidan déteste la fumée de cigarette. Ça provoque un conflit. Il a une liaison avec Tammy Monroe, sa secrétaire. Il rompt avec Jane. Elle commence à voir un psychiatre. Il lui prescrit du Zoloft. Ça l'aide, mais pas assez. À l'aube de son trentième anniversaire, elle décide de fêter ça en faisant passer vingt comprimés avec une bouteille de tequila. On trouve son corps quinze jours plus tard, à cause de l'odeur.

...

« Attendez ! » Caine avait peine à respirer. Il ouvrit les yeux d'un coup et fixa la serveuse – *Ally, elle s'appelle Ally* – comme s'il voyait un fantôme.

« Vous voulez quelque chose ? » demanda-t-elle.

Par-dessus l'épaule d'Ally, Caine aperçut un blond *(Aidan)* qui cherchait à capter l'attention de la jeune femme. Il était tétanisé. Que faire à présent ? Il savait qu'il avait modifié quelque chose. S'il retournait là-bas, il saurait ce qui *était arrivé/arrivait/arriverait* à Ally, Tim,

Marlin, Matt, Lenore, Jane et Tammy. Et aux gens dont les destinées croisaient les leurs. Et à leur *possible/probable/impossible* progéniture. Et à leurs amis. Et —

« Ça va, mon joli ? reprit la serveuse.

– Je… Je… Ah… »

Il n'arrivait plus à parler. Et soudain, il ne sentit plus qu'elle – cette odeur écœurante d'excréments et de moisissure, de viande avariée baignant dans la bile et de fruits pourris rongés par les vers. Ses yeux se révulsèrent et il sentit qu'il tombait en avant. Il savait, quand sa tête s'abattit vers la table, que le choc lui vaudrait un sacré mal de crâne au réveil, mais il s'en moquait : l'instant de la bienheureuse inconscience approchait.

Il entendait les exclamations paniquées de ses compagnons. Jasper. Nava. Doc. Leurs voix résonnaient dans sa tête. Alors, tous les neurones de son cerveau eurent beau se récrier, il recommença à voir. Il avait toujours les yeux fermés, mais les images défilaient devant lui comme un horrible film.

…

Ils vivent. Ils souffrent. Ils meurent. Encore et encore. Caine est impuissant à arrêter les images.

Tout continue à défiler en tous sens. Il a vaguement conscience que, dans le Quand, *il pousse un hurlement de près de neuf secondes – ce qui, dans le* Quand, *peut paraître une éternité.*

Mais il découvre autre chose.

Il découvre à quel point l'éternité, la vraie, peut être longue.

☆

En se réveillant, il ne fut pas surpris de ressentir un violent mal de tête.

« Ça va, David ? »

C'était Nava.

« Ouais, fit-il en se massant doucement le crâne.

– Qu'est-ce qui s'est passé ? » demanda Doc.

370

Il ouvrit la bouche pour répondre, mais ne trouva pas les mots. Il avait peine à donner sens à ce qu'il avait vu. Au début, les images étaient claires et distinctes, puis elles s'étaient mises à se superposer dans le même espace-temps pour ne plus former qu'un tout confus. C'était comme si l'on projetait des diapositives dont chacune, pendant une fraction de seconde, apparaissait nettement sur un écran blanc, puis se surimposait aux précédentes. À la fin, il n'y avait plus que des images enchevêtrées formant une masse sombre et informe.

Caine savait que, lorsqu'il quitterait le bar, il n'aurait presque aucun souvenir de ce qu'il avait vu : c'était plus que son cerveau ne pouvait en contenir. Il sentait déjà le savoir lui échapper pour replonger dans l'abîme. Et il était heureux d'oublier. S'il ne savait pas, il n'aurait pas de choix à faire.

Il ne voyait pas comment il pourrait vivre ainsi, avec tant de responsabilités, tant de décisions à prendre. Même s'il allait vivre sur une île déserte, ses actions continueraient de se propager comme une onde de choc au reste de l'univers. La moindre d'entre elles était susceptible de sauver la vie d'un homme et de provoquer la mort d'un autre. Il ne pourrait pas y arriver. Il ne pourrait pas le supporter.

« Je ne peux pas. Je ne peux pas. Je ne peux pas, répétait-il à voix basse.

– Tu ne peux pas quoi ? demanda Jasper.

– Choisir. Ce n'est pas juste. Qui suis-je pour — »

Jasper le gifla sans ménagement.

« Tu es David Caine.

– Mais si je me plante ? » demanda Caine.

Il ne voyait plus que son frère. C'était comme si Nava et Doc avaient cessé d'exister.

Jasper sourit.

« Eh bien, tu te planteras, petit frère. Même en décidant de ne rien faire, tu fais un choix. Tu ne peux pas éluder la décision.

– Mais il y a tant de choses qui peuvent… qui… tournent mal.

– C'est inévitable, mais tu dois essayer. »

Caine hocha la tête. Il ne se rappelait plus grand-chose de ce qu'il avait vu dans l'avenir. Mais, à l'instant même où il allait oublier, il sut ce qu'il devait faire. Il n'était pas sûr que ce soit la bonne décision – il savait même qu'il avait des chances d'avoir tort ; mais il en avait davantage d'avoir raison. Tout ce qu'il pouvait faire, c'était emprunter la voie qui comportait le moindre risque d'erreur. Ce qui arriverait ensuite n'était plus de son ressort.

Il respira profondément et se tourna vers Nava.

« Il faut partir d'ici. Il y a un endroit sûr où on pourrait aller ?

– Oui, répondit-elle aussitôt. Je connais un endroit.

– Où ? demanda Caine.

– Vous verrez quand nous y serons.

– Non. J'ai besoin de savoir maintenant.

– Je ne crois pas — »

Caine tendit le bras par-dessus la table et lui prit la main. « Nava, il faut que vous me fassiez confiance. C'est important que je sache. Où est-ce que vous nous emmenez ? Précisément. »

Nava scruta les yeux de Caine. Elle dut y trouver ce qu'elle cherchait, car elle répondit à sa question sans protester davantage. Caine ferma les yeux une seconde, puis les rouvrit.

« D'accord, dit-il alors. Il faut que je passe aux toilettes. Ensuite, on y va. »

Il se leva et se dirigea en boitant vers l'autre extrémité du bar, où débouchait un long couloir. Quand il fut certain qu'on ne pouvait plus le voir, il décrocha le téléphone à pièces situé face aux toilettes pour hommes. Au même moment, il aperçut une ombre sur le sol. C'était Doc. Caine mit un doigt sur sa bouche. Il ne voulait pas que Doc mentionne le coup de fil devant Nava. Doc acquiesça d'un signe de tête et disparut dans les toilettes.

Caine se remémora le numéro entr'aperçu trois jours auparavant. Le téléphone sonna un bon moment avant que son interlocuteur décroche.

«Bonjour, Peter. C'est David Caine. – Il ferma les yeux un instant pour réfléchir aux mots qu'il allait employer. – Je vous demande de m'écouter attentivement; je n'ai pas beaucoup de temps.»

☆

«Bonjour, James.»

En décrochant son portable, Forsythe reconnut aussitôt la voix de Tversky.

«Il paraît que vous me cherchez.

– Qu'est-ce qui vous fait croire ça? demanda Forsythe.

– Ne perdons pas de temps, voulez-vous? Je sais après quoi vous courez et je peux vous le donner – pour un certain prix.

– Vous n'avez rien que je puisse vouloir.

– Même pas David Caine?

– Je vous écoute, dit Forsythe en s'efforçant de dissimuler sa nervosité.

– Je sais où il se trouvera à dix-huit heures.»

Forsythe regarda sa montre – c'était dans quarante minutes. Il s'éclaircit la gorge.

«Quel est votre prix?»

☆

Quand ils sortirent du métro, ils se trouvaient dans un quartier de Brooklyn où Caine ne se souvenait pas d'être déjà venu. Les boutiques devant lesquelles ils passaient avaient, pour beaucoup, leur enseigne en hébreu. Les hommes portaient des vestes noires, des chapeaux noirs et des barbes noires. Doc sourit. Il fallait bien admettre qu'il ne se laissait jamais démonter. C'était quelque chose que Caine avait toujours aimé chez lui : rien ne le surprenait.

«C'est la loi des grands nombres, lui avait dit un jour son professeur. Ce qui serait surprenant, c'est que quelque chose d'étrange arrive à tous les habitants de la Terre exactement au même moment. Comme je n'ai qu'un point de vue singulier, je ne peux que supposer, lorsqu'il m'arrive quelque chose d'improbable, que cette chose n'est pas en train d'arriver à tous les hommes de la planète. Or, si la probabilité que cette chose arrive est supérieure à 1/6 milliards, la probabilité qu'elle arrive à *une personne* est proche de 100 %. Et qu'y a-t-il d'étonnant à ce qu'un événement probable à 100 % se produise effectivement ? »

Nava les fit pénétrer dans un dédale de sombres venelles où ils s'enfoncèrent si profondément que le bruit de la rue fut bientôt presque inaudible. Dans un de ces passages, elle s'arrêta près de la troisième porte, descendit les marches et frappa quatre coups. Un panneau ménagé dans la porte coulissa, laissant voir une paire d'yeux brun foncé au regard méfiant. Lorsqu'ils se posèrent sur Nava, la porte s'ouvrit toute grande.

« Ma petite Nava ! » s'écria l'homme. Il ressemblait à un gros ours. Ses bras velus soulevèrent Nava et la serrèrent si fort contre lui que Caine craignit qu'elle ne se casse en deux. Ils échangèrent quelques mots rapides en hébreu et, peu à peu, le joyeux sourire de l'homme disparut. Enfin, Nava se tourna vers les trois autres.

« Je vous présente Eitan, dit-elle en désignant le gros homme. Eitan, voici David, Jasper et Doc.

– Enchanté », dit-il avec un accent prononcé. Il serra la main de Caine avec la vigueur d'un marteau piqueur. « Les amis de Nava sont mes amis. » Puis il s'écarta de la porte et leur fit signe d'entrer. « Je vous en prie. Vous êtes mes invités. »

L'appartement était étonnamment bien tenu en comparaison de la ruelle sordide qui y menait. Un tapis orange couvrait le sol de pierre. Un canapé jaune pâle, considérablement creusé au milieu – la place préférée d'Eitan, à n'en pas douter –, était disposé contre un mur envahi de photos de famille. Près du canapé se trouvait un rocking-chair en bois garni de coussins faits main.

« Asseyez-vous, je vais chercher à manger. »

Eitan sortit d'un pas lourd. Caine contourna la longue table basse en bois et s'assit sur le canapé. Les ressorts grincèrent doucement sous son poids, mais Caine ne doutait pas qu'ils avaient connu bien pire que ses quatre-vingts kilos.

Eitan revint avec une assiette de pitas, un bol de hoummous et quatre verres de thé glacé. Caine mangea goulûment tandis qu'Eitan et Nava partageaient une cigarette. Les deux vieux compagnons conversaient en hébreu. Caine essayait de faire comme si tout était normal, mais il savait qu'il n'avait plus beaucoup de temps à passer avec ses amis.

☆

« Elle est ici.

– Parfait. Elle est seule ?

– Non. Il y a trois autres personnes, plus son contact au refuge.

– Tuez le contact et amenez-la-moi.

– À vos ordres. »

Choi Siek-Jin referma son portable d'un coup sec. La venelle était sombre ; en y pénétrant, il enleva ses lunettes noires réfléchissantes. Crocheter la serrure de la porte de derrière ne fut qu'un jeu d'enfant : en une minute, il était à l'intérieur. Il entendait leurs voix à l'autre bout du petit appartement. Au lieu de se diriger vers le bruit, il attendit dans la cuisine.

Le gros homme allait finir par revenir. Alors, Siek-Jin serait prêt.

☆

« Tout le monde a terminé ? demanda Eitan en montrant le bol de hoummous presque vide.

– C'était plus que suffisant-*banc-sang-temps*, dit Jasper. Merci. »

Eitan fit mine de ne pas remarquer son tic étrange et sourit.

« Vous voulez encore de l'eau ? Ou peut-être un verre de vin ?

« – Je prendrais volontiers un peu plus de thé glacé, dit Doc.

– Bien sûr, fit Eitan en ramassant son verre vide. Je reviens tout de suite. »

Quand il quitta la pièce, une sourde terreur envahit Caine. Il regarda le gros homme disparaître dans le couloir menant à la cuisine et eut soudain une irrésistible envie de l'arrêter. Mais un instinct plus profond encore le retint.

S'il avait su plus tôt ce qui allait se passer, il aurait peut-être pu l'éviter. Mais à présent, il était trop tard. Il fallait laisser l'univers suivre son cours.

☆

Siek-Jin mit un doigt sur sa bouche. Trop effrayé pour bouger, Eitan s'immobilisa, les yeux écarquillés, fixant le gros pistolet dirigé vers sa tempe. Siek-Jin lui fit signe de se débarrasser du verre vide. Les mains d'Eitan tremblaient méchamment, mais il parvint à poser le verre sans encombre sur le plan de travail.

Le revolver toujours braqué sur lui, Siek-Jin le montra du doigt, puis décrivit un cercle avec sa main et désigna le sol. Lentement, Eitan s'exécuta : il se retourna et se mit à genoux, les joues baignées de larmes. Siek-Jin dégaina son couteau et, d'un geste souple, fit glisser la lame sur son cou. On entendit un petit glouglou tandis qu'Eitan s'agrippait la gorge. Alors, Siek-Jin le frappa dans le dos.

Tenant toujours le couteau d'une main et le pistolet de l'autre, il étendit le corps sur le sol. Puis, après l'avoir essuyé sur la chemise d'Eitan, il rengaina son couteau. Il savait que Vaner ne serait pas facile à maîtriser. Il aurait certainement besoin d'une main libre.

☆

Caine ferma les yeux et essaya de se souvenir de l'avenir. Cette fois, il ne se laissa pas entraîner trop loin ;

au bout d'un instant, il ouvrit les yeux pour revenir au *Maintenant*.

« Il faut mettre le canapé devant la porte d'entrée, déclara-t-il en se forçant à se lever. Et cette étagère aussi. »

Sans faire de commentaire, Nava et Jasper soulevèrent chacun une extrémité du canapé et le transportèrent à travers la pièce. Doc s'occupa de l'étagère. Quand ils eurent terminé, ils reculèrent tous les quatre pour contempler leur ouvrage. L'appartement était au rez-de-chaussée, et le dernier rayon de soleil de la journée filtrait à travers la minuscule fenêtre située près du plafond. Il éclaira le visage de Nava, et la sensation de déjà-vu envahit Caine.

Il se pencha alors prestement pour débrancher une lampe. Elle était petite, mais lourde. Il la souleva et la brandit à la manière d'une matraque. Ça ferait l'affaire. Puis il se tourna vers le couloir en priant pour que son instinct ne lui fasse pas défaut dans les minutes à venir. Sinon, il y avait 97,5329 % de chances pour que Nava périsse.

☆

« J'ai sa tête dans ma ligne de tir.

— Attends, Jim, ordonna Crowe. Je veux juste une blessure légère.

— Mais —

— Jim, c'est *mon* équipe et on fait comme *je* dis. Compris ?

— Vu », grommela Dalton.

Crowe ne manquait pas d'air pour le rembarrer alors que toute l'équipe les entendait. Rainer et Esposito allaient se foutre de lui quand ce serait fini.

« Leary, tu es en place ? »

La voix de Leary crépita dans le casque :

« La porte de derrière est couverte.

— Jim, tu l'as toujours dans ta ligne de tir ?

— Et comment ! » fit Dalton en étudiant le visage de Nava dans la lunette.

377

Rien à foutre de ce que disait Crowe : il allait bousiller cette sale traîtresse. Dommage, pourtant. C'était pas rien, cette fille. Les gars et lui auraient certainement pu prendre du bon temps avec elle. Il regrettait de devoir mettre une balle entre deux yeux si expressifs – mais pas au point d'hésiter quand viendrait le moment d'appuyer sur la détente.

☆

« Quelque chose ne va pas, dit Nava. Eitan. Ça fait trop longtemps qu'il est parti. »

Avant qu'elle ait eu le temps de sortir son Glock, le tueur coréen apparut à la porte du couloir, son pistolet braqué sur elle.

« Ne bougez pas, dit-il sans la quitter des yeux. Chang-Sun vous veut vivante. »

Le cœur de Nava fit une embardée. Du sang maculait le pantalon de l'homme, ce qui signifiait qu'Eitan était déjà mort. Son adversaire n'était qu'à trois mètres de distance, mais il aurait aussi bien pu y en avoir mille : elle n'arriverait jamais à l'atteindre avant de se faire descendre.

Tout était fini.

☆

« Dans cinq secondes, je touche Vaner », dit doucement Dalton dans son micro.

Il prit une profonde inspiration et retint son souffle en commençant le compte à rebours. Il stabilisa ses mains, le réticule positionné sur le visage de Nava.

« Quatre. »

La ligne horizontale passait par ses yeux, et la verticale au milieu de son nez. Son visage était joliment divisé en quatre.

« Trois. »

Son doigt se raidit sur la détente.

« Deux. »

Il se prépara à encaisser le recul de son puissant fusil.

« Un. »

Le coup partit et le fusil bondit, tentant d'échapper à son emprise. La balle de 7,62 mm déchira l'air à 335 mètres par seconde en direction du cerveau de Nava Vaner.

☆

Au même moment, Caine lança violemment la lampe à la tête du Coréen. Pour éviter le projectile, celui-ci fit calmement un pas de côté, se déplaçant de soixante centimètres sur sa gauche – exactement comme Caine l'avait prévu.

☆

Vaner fut soudain masquée par une forme sombre qui vira instantanément au rouge : quelqu'un s'était mis dans la trajectoire de la balle. Si ce quelqu'un était David Caine, Dalton était dans la merde jusqu'au cou. Il chassa cette pensée de son esprit. La silhouette s'effondra, disparaissant de sa vue. Vaner était toujours au même endroit, mais, à en juger par son regard, elle n'allait pas y rester longtemps.

Dalton vida son chargeur en visant la tête et en priant pour que tout se passe au mieux.

☆

Il y eut un violent souffle d'air suivi d'un craquement bref. La fenêtre vola en éclats, projetant des débris de verre dans la pièce. Le Coréen tomba en avant et s'effondra sur la table basse. Son front était percé d'un trou de la taille d'une balle de base-ball ; on apercevait à travers sa cervelle grise maculée de sang. Sans réfléchir, Nava se rua de l'autre côté de la pièce et tira Caine vers le bas.

« À TERRE ! » hurla-t-elle. Au même moment, deux trous apparurent dans le mur, juste derrière l'endroit qu'elle venait de quitter. Puis, dans un grand fracas, une partie de la porte se désintégra. Leurs assaillants auraient fait irruption dans la pièce si le canapé et l'étagère ne les avaient retardés. Dans quelques secondes, il serait trop tard.

Nava regarda Caine : étendu sous elle, les yeux fermés, il respirait pesamment.

☆

Il savait qu'il avait 15,3 secondes. Du moins, il croyait le savoir. Un instant, il les vit toutes se déployer devant lui – les millions de possibilités qui découlaient de l'instant présent. Il aurait pu suivre chaque branche et passer une éternité à examiner les futurs possibles résultant d'un simple choix de départ. Un grand nombre de scénarios aboutissaient à sa mort, et presque tous à celle de Nava. Très peu se déroulaient à tout point de vue comme il le souhaitait.

Chaque chemin possédait un nombre infini de ramifications – avec, bien souvent, de terribles et insondables répercussions. S'il avait eu plus de temps, Caine aurait pu prendre une meilleure décision, mais il fallait se dépêcher : il n'avait plus que 13,7 secondes. Il choisit donc la voie qui lui semblait la plus satisfaisante, ou la moins mauvaise, en se fondant en partie sur ce qu'il savait, et en partie sur son instinct.

☆

« Désolé, Nava », dit Caine, les yeux toujours fermés.

Elle allait lui demander de quoi il s'excusait lorsqu'il la prit par les bras, la fit rouler sur le dos et lui cogna violemment le crâne contre le sol de béton. Le choc résonna dans sa tête comme un coup de fusil.

Puis, tout devint noir.

☆

Caine se tourna vers Jasper et Doc, qui tentaient de renforcer leur barrage de fortune. Il aurait eu tant de choses à leur dire – mais il ne lui restait que 9,2 secondes.

À toute allure, il rampa jusqu'à Siek-Jin, traînant derrière lui sa jambe éclissée. Il frémissait d'avance de ce qu'il allait faire, mais il savait que l'heure tournait, et se contenta donc de suivre la voie. Il introduisit sa main dans le crâne fracassé du Coréen et en sortit une poignée de cervelle, mettant ses mains en coupe pour perdre le moins de sang possible. La chaleur de la substance le surprit : c'était comme s'il avait plongé la main dans des lasagnes brûlantes. Il eut un haut-le-cœur, mais ne s'interrompit pas.

Il se mit à ramper sur les coudes en s'efforçant de ne pas plier le genou. Par miracle, il parvint à transporter son ignoble chargement jusqu'à Nava sans le renverser. Il lui en barbouilla alors le visage et les cheveux. Si quelqu'un la regardait attentivement, il s'apercevrait que la mixture rouge et grise ne provenait pas de son crâne ; mais il y avait moins de 2,473 % de chances pour que cela se produise.

Caine s'empara du sac à dos de Nava et se dirigea en clopinant vers la cuisine. La porte se referma derrière lui 1,3 seconde avant que quatre soldats fassent irruption dans la pièce.

…

Ils s'appellent Martin Crowe, Juan Esposito, Ron McCoy et Charlie Rainer. Tous quatre sont vêtus de noir des pieds à la tête et ont la poitrine protégée par un gilet pare-balles. Le verre fumé de leurs casques empêche de distinguer leurs traits.

« À terre, tout de suite ! » aboie Rainer, alors que tout le monde est déjà couché sur le sol.

…

Caine enjamba le corps d'Eitan, qui gisait dans la cuisine au milieu d'une mare de sang. Il prit un long manteau noir et un chapeau suspendus à une patère et ouvrit la porte de derrière. Il garda les yeux fermés : c'était plus facile de voir comme ça.

…

Esposito plaque Doc contre le mur.

Une lourde chaussure s'abat sur le dos de Jasper et Crowe lui pointe le canon de son pistolet sur le crâne. En apercevant le bleu qui commence à s'estomper sur la joue de Jasper, il comprend que ce n'est pas le bon jumeau. Un bref coup d'œil circulaire lui confirme ce qu'il voulait savoir.

« Leary, la cible vient vers toi.

– Je le vois maintenant. »

…

« Pas un geste ! »

Caine se força à ignorer sa peur et continua d'avancer. Comme il l'avait prévu, l'homme *(Mark Leary)* recula lentement, le pistolet toujours braqué sur son torse.

« Arrêtez ou je tire ! glapit Leary.

– Vous ne tirerez pas », dit Caine.

Les yeux toujours fermés, il leva le Glock 9 mm de Nava, puis

…

il vise et appuie sur la détente. La balle déchire le mollet de Leary, mais ça ne l'arrête pas. Il fait sauter son pistolet dans sa main et assène un grand coup de crosse sur le crâne de Caine —

(boucle)

il vise et appuie sur la détente. La balle manque complètement son but et rebondit sur le sol. Leary se jette en avant et saisit Caine à bras-le-corps —

(boucle)

il vise et appuie sur la détente. La balle se loge dans le pied de Leary, qui trébuche, agite frénétiquement les bras et entraîne Caine dans sa chute —

(boucle)

il vise et appuie sur la détente.

…

La balle pénétra dans la chair de Leary et lui fracassa le fémur, puis ressortit en lui déchiquetant l'arrière de la jambe. Il tomba à la renverse en hurlant de douleur. Caine continua d'avancer ; il dévia juste légèrement sur sa gauche pour contourner l'homme à terre. En sortant de la venelle, il mit le chapeau noir sur sa tête.

☆

Crowe se mit à courir à la seconde où il vit Leary par terre, mais il était trop tard. Quand il arriva au coin, Caine était invisible dans la masse des passants – des Juifs hassidiques tous vêtus de noir à l'identique.

« *Nom de Dieu !* » s'écria-t-il. Il scruta la foule, refusant de croire à ce qu'il ne savait pourtant que trop bien : David Caine avait disparu.

Il fit demi-tour et retourna à l'appartement. Le crâne de Vaner était barbouillé de cervelle ; elle était morte, à l'évidence, tout comme l'Asiatique étendu près d'elle. Crowe ne prit même pas la peine de vérifier leur pouls. Il n'arrivait pas à croire que Dalton les avait tués tous les deux. Il s'occuperait de lui plus tard. Au moins, le jumeau était vivant, debout contre le mur avec le professeur.

« Rainer, emmène-les dans le fourgon, ordonna Crowe. Esposito, va à l'arrière aider Leary. Ensuite — »

Il s'interrompit en entendant le hurlement des sirènes. Une armada de voitures de police semblait affluer vers l'appartement. Ils n'avaient pas beaucoup de temps. Crowe ne tenait pas à s'expliquer sur les deux cadavres avec les flics locaux. Tout ce qui comptait, c'était de disparaître avec les deux autres.

« Vous avez vingt secondes. Je vais aider Leary. Esposito – allume tout en sortant. »

Ses hommes savaient ce qu'ils avaient à faire. Esposito posa des détonateurs électroniques sur deux murs opposés et fixa les explosifs. Crowe n'était pas inquiet : il ne resterait aucune trace de leur passage. Il n'avait jamais vu un expert en explosifs y aller mollo et utiliser trop peu de C4 – et Juan Esposito ne faisait certainement pas exception à la règle.

Tandis qu'ils s'éloignaient à toute vitesse avec leurs prisonniers, Crowe entendit un *wouf* sourd, puis une déflagration tonitruante. Quand les autorités arriveraient sur les lieux, elles n'y trouveraient rien d'autre que deux corps calcinés et beaucoup de questions en suspens.

CHAPITRE 28

Forsythe ruminait encore l'humiliation d'avoir dû quitter le laboratoire du STR escorté par deux gardes armés. Il s'efforça de chasser ce souvenir de son esprit et se mit à marcher de long en large dans son nouveau bureau, situé deux étages sous les rues de Manhattan. Heureusement qu'il avait obtenu les capitaux nécessaires à la création de son propre labo plusieurs mois auparavant. Tout l'équipement scientifique était opérationnel, même si le système informatique et l'électricité fonctionnaient encore mal.

De l'autre côté de la baie vitrée, il voyait Grimes s'agiter dans la grande pièce avec ses apprentis cerveaux informatiques, courant de l'un à l'autre tandis qu'ils installaient les nouveaux serveurs et initialisaient le système de sécurité. Si tout se passait bien, l'ensemble serait en place et fonctionnerait d'ici une heure.

Son téléphone se mit à sonner. Il attendait l'appel avec impatience ; pourtant, le bruit le fit bondir. Il tendit le bras et décrocha, coupant court à la sonnerie stridente.

« Vous l'avez ?

– Non. Ils nous attendaient. La porte était barricadée et la cible avait planifié sa fuite. »

Forsythe passa une main sur son crâne à moitié dégarni. Au moins, Crowe n'essayait pas d'enrober la nouvelle.

« Et le jumeau ?

– Nous l'avons. Je lui ai donné cinquante milligrammes d'Amobarbital. L'effet devrait durer trois heures. »

Forsythe laissa échapper un soupir de soulagement.

« Il faut impérativement qu'il reste inconscient. S'il

montre le moindre signe de lucidité, donnez-lui vingt-cinq milligrammes de plus.

– Bien. »

Il y eut un silence gênant, puis Crowe reprit la parole.

« Professeur, la garde du corps de David Caine est morte et nous tenons son frère. Il est seul et sans défense. Il ne va pas tarder à réapparaître et, cette fois, il ne s'échappera pas.

– Que Dieu vous entende », dit Forsythe.

Et il raccrocha.

Il était déçu de ne pas avoir le sujet Bêta, mais Crowe avait raison – ce n'était qu'une question de temps. En attendant, il pourrait effectuer des tests sur le jumeau. Si le sujet Bêta avait vraiment le don, tout portait à croire que son frère le possédait aussi.

Il avait hâte que l'équipe ramène Jasper Caine au labo pour commencer les tests. Il aurait aimé pouvoir sauter les étapes intermédiaires et prélever immédiatement un échantillon du lobe temporal, mais il savait qu'ils ne seraient prêts qu'au bout de plusieurs mois d'analyses chimiques. Et, d'ici là, il faudrait sans doute maintenir le jumeau dans un état quasi constant de catatonie.

Ce n'est que lorsqu'ils auraient tiré de lui le plus de choses possible qu'ils lui ouvriraient le crâne.

☆

Malgré les élancements qui lui tiraillaient le genou, Caine continua d'avancer. Lorsqu'il entendit l'explosion, il se réfugia dans un Starbucks[1]. Il commença par passer aux toilettes pour nettoyer ses mains pleines de sang. De fines éclaboussures rouges striaient encore sa chemise, mais il ne pouvait rien faire d'autre que garder son long manteau noir boutonné.

Deux expressos sucrés lui redonnèrent un coup de fouet. Il ouvrit alors à la dérobée le sac à dos de Nava. Il en

1. Chaîne américaine de *coffee bars*.

connaissait déjà le contenu, mais fut soulagé de le voir de ses propres yeux. Il y avait là deux pistolets – un SIG Sauer et un Glock –, vingt chargeurs, un brouilleur, un traqueur GPS, un PDA et trois jeux complets de pièces d'identité portant un nom et une nationalité différents, avec les cartes de crédit correspondantes. Mais ce qui l'intéressait réellement, c'étaient les trois liasses de billets de vingt dollars. Il en y avait cinquante dans chaque liasse – soit cent cinquante en tout.

Trois mille dollars : ce n'était pas assez pour réaliser son plan, mais c'était un début. Caine ferma les yeux un moment, puis sortit du café. Il ne lui fallut que quarante secondes pour trouver un taxi.

« Vous allez où ? demanda le chauffeur d'une voix lasse et indolente.

– Dans l'East Village, répondit Caine. 7e Rue et Avenue D. »

☆

En imagination, Nava voyait son corps rôtir. Sa peau virait au rouge vif, se couvrait de cloques et commençait à peler, se détachant en longues bandes sanguinolentes. La chaleur était comme un être vivant, un animal qui la léchait avec une langue de feu.

La fumée tourbillonnait autour de son visage et s'insinuait jusque dans ses poumons. Elle lui brûlait les lèvres, les gencives, la gorge. Nava se retint d'ouvrir les yeux – elle savait que la fumée l'empêcherait de voir. Elle se concentra plutôt sur sa respiration.

Caine l'avait retournée sur le dos et mise KO. C'était la dernière chose dont elle se souvenait. À présent, elle avait les bras soudés au corps. Elle fit pivoter ses poignets et étira ses doigts vers le haut. Une vieille étoffe miteuse… le canapé. Il avait dû se retourner et retomber sur elle, la protégeant du feu. Elle enfouit son visage dans le coussin, utilisant la vieille étoffe comme filtre à air. Il fallait qu'elle sorte d'ici sans tarder. Elle ne tiendrait plus très longtemps.

Elle avait juste assez de forces pour pousser une fois : c'était maintenant ou jamais. Elle arc-bouta son bras droit contre le canapé. Il se stabilisa un moment au-dessus d'elle, le côté droit suspendu en l'air, formant un angle de 45 degrés avec le sol. Il pouvait soit se retourner sur lui-même, soit s'écraser sur Nava. Elle poussa sur les doigts de sa main droite pour faire pencher la balance. Les flammes commençaient à s'engouffrer dans l'espace laissé libre entre elle et le canapé, rendant l'air irrespirable. Elle donna une dernière poussée, et le canapé se renversa sur sa gauche. Elle était libre.

Elle se remit sur pied tant bien que mal et courut vers ce qui avait été l'entrée de l'appartement. La façade était presque entièrement détruite ; il ne restait plus qu'un squelette de parpaing. Nava s'élança au-dehors et aspira une grande bouffée d'air, puis, d'un pas trébuchant, s'éloigna du bâtiment en flammes. L'instant d'après, elle tomba. Ça n'avait pas d'importance : le sol était frais et l'air était pur.

Zaïtsev lui avait toujours dit qu'elle aurait le temps de se reposer quand elle serait morte. Pour une fois, elle décida de ne pas tenir compte de ce mantra : le moment lui paraissait parfait pour se reposer. Juste avant de s'évanouir, elle vit un homme étrange se pencher sur elle.

Il portait un nœud papillon rouge.

☆

Forsythe compara l'IRM du jumeau à celui du sujet Bêta. Ils n'étaient pas tout à fait identiques, mais les lobes temporaux droits présentaient une anomalie similaire. C'était encore mieux qu'il n'aurait pu l'espérer. En administrant au jumeau l'antiépileptique expérimental, il devrait réussir à reproduire la chimie du cerveau du sujet Bêta. Alors, tout serait pour le mieux dans le meilleur des mondes : il aurait un sujet pour faire les tests et un pour contrôler les résultats. Dommage que les frères Caine ne soient pas des triplés.

Soudain, les néons vacillèrent et s'éteignirent.

Le rythme cardiaque de Forsythe fut aussitôt multiplié par deux ; il se mit à respirer pesamment. Les lieux étaient étonnamment silencieux. Il n'avait pas remarqué le bruit de la ventilation avant qu'elle cesse de fonctionner. À présent, il n'y avait plus que cette pièce noire comme du charbon et le bruit haletant et laborieux de sa propre respiration. Il battit l'air de ses bras et fit courir ses doigts tremblants sur le bureau. Quelque chose s'écrasa bruyamment sur le sol.

Enfin, ses doigts se refermèrent sur le combiné du téléphone. Il l'approcha de son oreille : Dieu merci, il y avait une tonalité. Il composa le numéro de poste à quatre chiffres de Grimes. Celui-ci décrocha au bout de la huitième sonnerie.

« Ouais.

– Mais qu'est-ce qui s'est passé ? »

Forsythe ne cherchait même pas à dissimuler l'affolement qui perçait dans sa voix.

« Où est la lumière ? Où est la *putain de lumière* ?

– Eh, du calme, Dr Jimmy… Vous avez peur du noir ou quoi ? »

Forsythe voulut répondre, mais il n'y parvint pas. Il pouvait à peine respirer. Il n'avait qu'une seule idée en tête : le placard. L'obscurité ambiante ramenait avec elle ce souvenir – sa mère l'enfermant dans le placard quand il était petit. Parfois, ça ne durait que quelques minutes, mais lorsqu'il avait été particulièrement désobéissant, elle l'y laissait pendant des heures. Il se rappelait encore l'odeur des boules de naphtaline et le frottement des costumes de son père sur sa tête. Et puis la chaleur : au bout de dix minutes, il avait l'impression d'être dans un four, et ses vêtements trempés de sueur lui collaient à la peau.

Mais le pire, c'était l'obscurité. Ce noir implacable et oppressant. Au bout d'un moment, il ne savait plus si ses yeux étaient ouverts ou fermés. Il commençait à voir des choses. Alors, il hurlait. Il savait que ses hurlements ne servaient à rien – sa mère ne le laisserait jamais sortir tant qu'il hurlait –, mais il ne pouvait pas les contenir.

Soudain, Forsythe entendit un souffle d'air et les néons se rallumèrent en tremblotant. Son rythme cardiaque ralentit aussitôt ; il inspira lentement et bruyamment.

« Vous voyez ? dit Grimes. C'est fini.

– Mais qu'est-ce qui s'est passé, bordel ? »

Forsythe commençait à se sentir mieux, mais n'était pas encore tout à fait remis.

« Surveillez votre langage ! dit Grimes en riant. Oh là là, qu'est-ce que je suis marrant. En tout cas, rien d'inquiétant : je vérifiais juste comment les gars de l'informatique avaient raccordé le serveur au circuit électrique et j'ai embrouillé deux ou trois fils.

– Que cela ne se reproduise pas.

– À vos ordres, capit— »

Forsythe raccrocha brutalement, sans attendre la fin des idioties de Grimes. Il regarda sa montre : il était vingt-trois heures. Cela faisait cinq heures que le sujet Bêta avait disparu, et ils n'avaient aucune piste. Ils dépendaient entièrement du logiciel espion que Grimes avait introduit dans le système de la NSA.

Ce programme analysait six mille communications téléphoniques par seconde à la recherche de l'empreinte vocale de Caine. Où que fût le sujet Bêta, il ne pouvait rester éternellement sans téléphoner. Et le jour où il passerait un coup de fil, Crowe et son équipe seraient là. David Caine était sans doute malin, mais, jusqu'ici, il avait aussi eu de la chance. Et la chance finirait par tourner.

Simple question de probabilités.

☆

Quand Caine pénétra dans le *podvaal*, une grosse paluche s'abattit sur son épaule. Il n'eut pas besoin de regarder pour deviner qu'il avait affaire à Sergueï Kozlov.

« Où étais-tu, Caine ? Vitaly s'inquiétait.

– J'ai juste fait un petit voyage, Sergueï, dit Caine en se retournant pour lui faire face. Et je suis de retour pour mon deuxième versement. »

Kozlov parut déçu d'apprendre qu'il n'aurait pas besoin de recourir à la force cette fois-ci. Il marmotta quelque chose en russe et conduisit Caine au bureau de Nikolaev.

« Caine ! – Surpris, Nikolaev se leva. – Serguei pensait que tu avais quitté la ville, mais je savais bien que tu ne ferais jamais une chose pareille, hein ?

– Bien sûr que non, Vitaly », dit Caine en ouvrant le sac à dos.

Il en sortit deux liasses de billets de vingt et les posa sur le bureau.

« Pour toi. »

À l'aide d'un coupe-papier, Nikolaev sectionna les bandes qui entouraient chaque liasse. Puis il déploya les billets en éventail et en choisit un dans chaque lot. Il fit une marque au stylo sur les deux billets et les souleva pour les examiner à la lumière. Lorsqu'il fut assuré de ne pas avoir affaire à des faux, il rangea l'argent dans son tiroir du haut.

« Cet échelonnement fonctionne encore mieux que je ne l'aurais cru, dit-il. On se voit la semaine prochaine à la même heure ?

– En fait, répondit Caine, je pense pouvoir te rembourser le reste ce soir. »

Nikolaev haussa les sourcils.

« Ah bon ? Tu as tout mon argent dans ce sac ?

– Pas vraiment, dit Caine en lui montrant sa dernière liasse de billets de vingt. J'ai mille dollars. »

Nikolaev se renfrogna.

« Tu m'en dois encore dix mille.

– Je sais. Je vais gagner le reste. »

Kozlov s'esclaffa et un grand sourire fendit le visage de Nikolaev. Il dit quelque chose en russe et Kozlov pouffa à nouveau.

« Caine, dit Nikolaev, souriant toujours. S'il te reste mille dollars, peut-être que tu ferais bien de me les donner, au lieu d'aller les perdre en jouant. Tu n'étais pas très en veine ces derniers temps.

– C'est gentil de te préoccuper de ma santé financière, mais je vais jouer de toute manière. Enfin, si tu es d'accord. »

Nikolaev ouvrit grand les bras.

« Mais bien sûr, dit-il en s'emparant de la dernière liasse de billets. Je vais changer l'argent moi-même. »

Kozlov conduisit Caine dans la salle de jeu et l'accompagna jusqu'à sa table habituelle, dans le coin le plus reculé de la pièce. Walter était en train de ratisser le pot en riant sous cape. Sœur Straight croisa le regard de Caine et lui fit un petit signe de tête. Stone se contenta d'un battement de paupières. Deux autres hommes, que Caine ne reconnaissait pas, le jaugèrent rapidement et revinrent à leurs verres. Walter fut le dernier à lever les yeux.

« Ah ah ! gloussa-t-il. C'est donc *vraiment* mon soir de chance. Bienvenue, Caine. T'as encore du fric à me donner ?

– Pas ce soir, Walter », dit Caine du ton le plus confiant qu'il put.

Il s'assit et posa ses jetons sur la table, s'efforçant de rester calme malgré l'acidité qui lui barbouillait l'estomac. Il pouvait y arriver. Il le pouvait s'il se concentrait. *Et si je me perds dans le* Toujours, *comme la dernière fois ? Et si j'ai une crise ? Et si —*

Il coupa brutalement la parole à cette voix inquiète qui résonnait dans sa tête.

« Le change sur deux cents, dit-il en faisant glisser deux jetons noirs vers le croupier.

– Le change sur deux cents », répéta le croupier en ramassant ses jetons noirs et en poussant vers lui une pile de jetons rouges et verts.

Caine ferma les yeux brièvement, le temps de voir ce qu'il voulait voir, puis les rouvrit. Il était prêt. Il poussa deux jetons rouges devant lui.

« Distribuez. »

☆

« Quinte au valet, dit Caine en avançant le bras pour prendre le pot.

– Merde ! s'exclama Walter en jetant ses cartes sur la

table. C'est le troisième pot que tu me piques grâce à la rivière. »

Caine ne répondit pas. Il lui fallait mobiliser toute sa concentration pour accéder au *Toujours*. Il ferma les yeux pour compter ses jetons. Il avait gagné 6 530 dollars en sept heures. Une vraie machine à fric. Le butin était bon, mais pas assez pour lui permettre de sauver Jasper. Il était temps de faire monter les enchères.

Une sensation familière l'envahit à cette pensée. Il s'était déjà retrouvé dans cette situation – accumulant les victoires, persuadé que rien ne pouvait l'abattre ; alors, il misait gros dans l'espoir d'obtenir une couleur grâce à la rivière, et finissait par repartir sans un sou en poche.

Mais pas cette fois. Cette fois, c'était différent. Il faillit éclater de rire en pensant à tous les autres *cette fois* où il s'était dit exactement la même chose. Mais ce *cette fois*-ci était réellement différent. Il savait qu'il pouvait y arriver. Il suffisait qu'il se concentre – et qu'il évite de vomir – et tout irait bien.

« Passons aux choses sérieuses, dit-il en poussant sa grosse pile de jetons devant lui. J'ai sept mille cinq cents et des poussières. Si on organisait un petit tête-à-tête ? Poker fermé, tu bats les cartes, je coupe, le gagnant prend tout. Qu'est-ce que tu en dis, Walter ? »

Walter haussa les sourcils. Caine croyait presque l'entendre peser le pour et le contre. Il savait que le vieux avait gagné plusieurs milliers de dollars au cours de la dernière semaine ; il avait donc l'argent. Et, quand bien même il ne l'aurait pas eu, il restait un joueur compulsif. Jamais il ne pourrait renoncer à relever le défi. Caine décida tout de même de corser un peu sa vengeance.

« Si tu ne veux pas, dis-le tout de suite, *vieux schnock*. »

Walter se renfrogna. Caine savait combien il était puéril de se moquer de son âge – mais il savait aussi que ça marcherait. Au bout d'un instant, Walter compta ses jetons en formant une grosse pile. Puis il appela Nikolaev. Ils échangèrent quelques mots et ce dernier hocha la tête. Le croupier tendit à Walter trois jetons violets. Il les ajouta à son tas et poussa le tout en avant.

« Allons-y. »

Walter tendit la main et le croupier y déposa un nouveau jeu de cartes. Il commença à battre. Derrière ses paupières closes, Caine regardait, hypnotisé, les cartes se mélanger.

...

Le quatre de carreau se trouve au-dessus du valet de cœur. Mélange. Le quatre est entre deux reines. Mélange. Il est au-dessous de l'as de trèfle. Mélange. Au-dessus du quatre de pique. Mélange.

...

« Réveille-toi et coupe », dit Walter en posant brutalement les cartes devant son adversaire. Caine n'ouvrit pas les yeux. Tout en restant concentré sur le *Toujours*, il avança la main et la posa sur le paquet.

...

Ses doigts caressent le bord du paquet tandis qu'il cherche l'endroit où couper. S'il coupe ici, il aura une paire de cinq, mais Walter un brelan de huit. Ici, il aura un roi, mais Walter une paire de deux. Ici —

...

« Arrête tes conneries et *coupe* », ordonna Walter en frappant du poing sur la table.

Caine sursauta et ouvrit les yeux, quittant brusquement le *Toujours* ; dans le même temps, ses doigts se crispèrent involontairement sur le haut du paquet. Pendant une seconde, il se contenta de tenir les cartes en l'air. Une horrible sensation lui chavirait l'estomac.

« Eh ben, tu les poses ? »

Caine s'exécuta. Il avait peur de refermer les yeux. Peur de voir. Walter commença à distribuer. Percevant la nervosité de Caine, il sourit.

« C'est quoi, ton problème ? T'as peur tout d'un coup ?
– Ferme-la, Walter. »

C'était Sœur Straight.

Caine fut soulagé de l'entendre, mais il se garda bien de le laisser paraître. Il s'efforça d'avoir l'air détendu malgré la sueur qui perlait sur son front. Non mais qu'est-ce qu'il foutait ? Jasper avait pieds et poings liés et lui, il était en train de *jouer* pour gagner l'argent qui lui permettrait de le sauver ? Quand il s'était vu jouer dans le *Toujours*, il avait d'abord pensé que c'était dingue. Ensuite, il avait balayé ses doutes et décidé d'y croire. Et voilà ce que ça donnait – il était revenu à la case départ et remettait son avenir au hasard des cartes.

Sûr qu'il était un démon.

« Alors ? » fit Walter en désignant les cartes posées face contre table devant son adversaire. Lentement, Caine les ramassa et les disposa une par une en éventail. Chacune faisait baisser son moral d'un cran.

Cinq de pique.

Sept de trèfle.

Valet de pique.

Deux de cœur.

Neuf de carreau.

Complètement naze.

Il ferma les yeux, s'efforçant de reproduire ce qui s'était passé avec Leary dans la venelle, de faire en sorte que la coupe soit bonne et que tout se passe bien. Mais en fermant les yeux, il vit —

…

Caine a un cinq, un sept, un valet, un deux, un neuf. Walter a une paire de cow-boys.

Caine a un cinq, un sept, un valet, un deux, un neuf. Walter a une paire de cow-boys.

Caine a un cinq, un sept, un valet, un deux, un neuf. Walter a une paire de cow-boys.

…

Ça ne servait à rien. La coupe, la donne – elles avaient déjà eu lieu. Il ne pouvait pas revenir en arrière et modifier le passé. Tout ce qu'il pouvait faire, c'était se servir du *Toujours* pour connaître les futurs possibles et choisir le meilleur d'entre eux.

« Tu veux combien de cartes ? » lui demanda Walter. En temps normal, la décision se serait imposée d'elle-même.

Jeter le deux, le cinq et le sept. Garder le valet et le neuf. Sur quarante-sept cartes, il y en avait six susceptibles d'améliorer son jeu (trois valets et trois neuf). La probabilité d'obtenir une paire était donc de 13 %.

Mais celle d'obtenir un brelan de valets ou de neuf n'était que de 0,5 %. Or, c'est ce dont il aurait besoin pour battre les deux rois de Walter – à supposer, bien sûr, que ce dernier n'améliore pas sa main entre-temps. Caine ferma les yeux et s'efforça de visualiser les trois prochaines cartes du paquet.

…

Six de cœur.
Huit de cœur.
As de trèfle.
Rien à attendre de ça.

…

Un sentiment de révolte l'envahit. Une substance acide lui brûlait l'estomac. C'était fini. Il avait perdu. Après sept heures de jeu magistral, il s'était débrouillé pour tout gâcher. Il ferma les yeux pour trouver un moyen, mais il ne vit rien… rien à part —

…

Le moyen de gagner.

…

Sans hésiter, Caine passa la main sous la table et pinça les fesses de Sœur Straight.

« Oh ! » s'écria-t-elle en levant les bras au ciel. Ce faisant, elle heurta du coude la main de Stone ; celui-ci renversa sa bière, qui se répandit sur la table en direction de Walter. En sentant le liquide froid couler sur son entrejambe, celui-ci sursauta, se cogna le genou contre la table et fit tomber le paquet de cartes par terre.

« Merde ! glapit-il. Merde, merde, merde ! Mais qu'est-ce que vous foutez, Sœur ? »

Sœur Straight ouvrit la bouche pour répondre, puis lança un regard furtif à Caine et s'arrêta net.

« C'était un rat, dit-elle finalement. Il m'est passé sur le pied. – Elle agita le doigt en direction de Nikolaev. – Tu devrais avoir honte, Vitaly. »

Nikolaev haussa les épaules. «C'est le Village. Les rats adorent cet endroit. Qu'est-ce que j'y peux?»

Walter se baissa et se mit à ramasser les cartes. Caine posa les siennes face contre table.

«Il y a maldonne.

– De quoi tu causes? fit Walter.

– Tu as fait tomber le paquet. Tu as vu certaines des cartes. Il y a maldonne.

– Pas question, putain. Ça ne change rien à ce que je comptais faire. J'ai une paire de rois, figure-toi, dit-il en montrant sa main. J'allais prendre trois cartes. Je *vais* prendre trois cartes. Tu peux couper encore une fois, mais il n'y a pas maldonne, bordel. »

Caine leva les yeux vers Nikolaev.

«Vitaly, je pense que nous avons besoin de ton arbitrage.

– Maldonne, dit le Russe.

– *Hein?* Je — »

Nikolaev leva la main. «C'est mon club et on suit mes règles. Si ça ne te plaît pas, tu vas ailleurs.»

Caine se retint de sourire. Sans les montrer, il poussa ses cartes vers le centre de la table. Le croupier les mit de côté et tendit un nouveau paquet à Walter. Sans cesser de bougonner, celui-ci commença à battre les cartes. Quand il eut terminé, il les posa brutalement sur la table. Cette fois, Caine était prêt; il savait exactement ce qu'il cherchait.

...

Ses doigts se posent sur les cartes.
Milieu du paquet.
Encore trois.
Il les touche.
Il est sûr de lui.

...

Caine coupa le paquet en deux parts égales et Walter commença à distribuer. Quand il prit ses cartes, Caine n'était pas inquiet. Il les connaissait déjà – et il savait qu'elles étaient gagnantes. Il jeta son valet et sa reine et conserva sa paire de quatre noirs ainsi que le huit de cœur.

Walter ne tira qu'une seule nouvelle carte. Lorsqu'il la vit, il eut peine à masquer sa jubilation, mais cela n'émut pas Caine. Il s'y attendait. Ça faisait partie de son plan.

« Prêt à montrer ton jeu, Walter ?

– Et si on doublait la mise ? » demanda Walter, les yeux brillants.

Caine se tourna vers Nikolaev, mais le mafieux secoua la tête.

« J'aimerais bien, Walter, mais je ne peux pas vous suivre sur ce coup-là.

– Dégonflé, marmonna Walter à voix basse.

– Attendez, interrompit Sœur Straight. Je financerai Caine », dit-elle à Walter.

Elle se tourna vers Nikolaev, qui acquiesça en haussant les épaules. Puis elle ajouta à l'adresse de Caine : « Pour la moitié des gains que rapportera mon placement, bien sûr. »

Caine sourit : venant d'une joueuse, c'était de bonne guerre.

« Bien sûr », répondit-il.

Ils patientèrent tandis que Nikolaev leur distribuait les jetons nécessaires. Alors, ce fut le moment. Walter retourna ses cartes d'un air triomphant.

« Couleur au valet, annonça-t-il, tout excité.

– Full aux quatre par les huit », dit Caine en montrant sa main.

Il se pencha et déposa une bise sur la joue de Sœur Straight. « Merci, Sœur. »

Elle rougit comme une écolière. « Tout le plaisir était pour moi. » Et elle lui pinça la cuisse sous la table.

Caine avait maintenant près de dix-neuf mille dollars. Juste assez.

☆

Nava se réveilla et arracha aussitôt le masque à oxygène posé sur son visage. Puis elle s'assit tant bien que mal. Elle cherchait ses repères. La pièce était austère – murs blancs, linoléum gris et meubles bon marché. À l'évidence, elle n'était pas à l'hôpital. On aurait plutôt dit un laboratoire. Quatre ordinateurs étaient alignés contre le mur au-dessous d'un tableau noir couvert d'équations. À côté de son lit roulant se trouvait un chariot métallique à trois étagères ; elles étaient couvertes de seringues, de scalpels, de bandages et de médicaments.

Tandis qu'elle promenait son regard dans la pièce, elle entendit tourner la poignée de la porte. D'instinct, elle tendit la main vers son pistolet, et s'aperçut alors qu'on l'avait désarmée : même le couteau de rechange qu'elle gardait sanglé au mollet avait disparu. Il allait falloir improviser. Nava saisit un scalpel sur le chariot et glissa la main sous le mince drap de coton qui la couvrait. Elle sentait le contact dur et froid du métal sur sa peau.

Se tenant prête à intervenir, elle regarda l'homme fluet qui entrait dans la pièce. En la voyant éveillée, il rajusta nerveusement son nœud papillon.

« Bonjour, mademoiselle Vaner, dit-il avec un sourire gauche. Comment vous sentez-vous ? »

CHAPITRE 29

« Qui êtes-vous ? demanda Nava en dévisageant l'homme au nœud papillon. Et comment connaissez-vous mon nom ?

– Je suis Peter, une connaissance de David. C'est lui qui m'a demandé de vous amener ici.

– Où sommes-nous ?

– Dans mon laboratoire de recherche. »

Nava avait envie de se frotter les yeux. Tout cela n'avait aucun sens.

« Quand est-ce qu'il vous a contacté ?

– Il m'a appelé vers dix-sept heures quinze. »

Nava fouilla sa mémoire et se souvint que Caine s'était excusé avant qu'ils quittent le bar. Bien sûr – il était parti téléphoner. Cela dit, ce n'est pas parce que l'heure concordait que cet homme lui disait la vérité.

« Qu'est-ce qu'il a dit ? *Exactement*. »

L'homme fixa un instant le plafond, puis s'éclaircit la gorge.

« Il a dit que… Il a dit que mon collaborateur avait assassiné une de ses thésardes.

– Julia Pearlman. »

L'homme cligna des yeux plusieurs fois de suite.

« Oui. Je ne l'ai d'abord pas cru, mais comme mon collaborateur a disparu et que Julia est morte, je n'ai pas pu m'empêcher de me poser des questions. En tout cas, il m'a dit qu'il savait que j'avais effectué des tests pour mon collaborateur… comme ceux que j'avais faits sur lui… et que, si je ne faisais pas ce qu'il me disait, il allait m'impliquer dans toute cette affaire. »

Nava avait la tête qui tournait. Quelque chose ne collait pas. Elle resserra sa prise sur le scalpel.

« C'est *vous* qui avez fait des tests sur David ? »

Il hocha la tête.

« C'est *vous*, Paul Tversky ?

– Oh, non, dit-il en secouant la tête. Paul est… euh, *était*… mon collaborateur. Je suis Peter Hanneman. »

Cette réponse laissa Nava perplexe.

« Vous avez une photo de votre collaborateur ?

– En fait, il se trouve que oui », dit le Dr Hanneman en montrant du doigt un cadre suspendu au mur.

Sur la photo, il entourait de son bras les épaules d'un homme aux cheveux touffus qui portait une blouse blanche de laboratoire. Nava connaissait cet homme, mais pas sous le nom de Tversky ; elle le connaissait par son surnom – Doc.

Cette découverte la heurta de plein fouet. Tversky et Doc étaient une seule et même personne. Pendant tout ce temps, il s'était trouvé juste sous son nez. C'était incompréhensible. Ils avaient discuté des tests, et… Soudain, elle comprit. Elle s'imaginait que Tversky avait effectué les tests lui-même. Quand elle avait dit à David que l'homme qui lui avait fait faire des examens complotait en secret contre lui, il avait dû croire qu'elle parlait de Peter Hanneman, et non de Paul Tversky.

« Mais Julia faisait aussi référence à "Petey"…, dit-elle, s'adressant davantage à elle-même qu'à Hanneman.

– Oui, c'est ainsi que certains de ses étudiants appellent le Dr Tversky. C'est une sorte de surnom basé sur ses initiales. Paul Tversky. P. T., Petey. »

Nava secoua la tête : elle tenait enfin la pièce manquante du puzzle.

« Continuez.

– Paul m'a dit qu'il voulait aider David à résoudre son problème d'argent, mais qu'il préférait ne pas l'embarrasser. Il m'a donc demandé de lui offrir deux mille dollars pour faire des tests. Je… Je croyais que c'était juste une mascarade. Je ne savais pas que Paul utiliserait pour de bon les données.

– Attendez, l'interrompit Nava, qui avait toujours le vertige. Qu'est-ce que David a dit d'autre quand il vous a appelé ?

– Il m'a donné l'adresse de l'appartement de Brooklyn et précisé à quelle heure je devais y être. Il m'a dit que vous auriez besoin de soins quand je serais sur place, donc j'ai amené tout le matériel que j'avais au labo. Quand je suis arrivé, vous sortiez juste de l'immeuble en flammes. Vous suffoquiez. Je ne suis pas médecin, mais je connais l'anatomie et j'ai des notions de premiers secours, donc j'ai réussi à vous réanimer. Ensuite, je vous ai amenée au labo et je me suis occupé de vos blessures, dit-il en montrant du doigt les mains bandées de Nava.

– Et vous savez où se trouve votre collaborateur maintenant ? »

Peter Hanneman secoua la tête.

« Merde. »

D'un bond, Nava mit les pieds par terre.

« Attendez, vous ne pouvez pas partir.

– C'est ce qu'on va voir.

– Non », dit Hanneman.

Il se mit devant elle et tendit les bras comme s'il cherchait à arrêter un train de marchandises.

« David veut que vous restiez ici et que vous vous reposiez. Il dit qu'on vous contactera quand il aura besoin de vous.

– Vous voulez dire qu'il va m'appeler ?

– Je… Je ne sais pas trop. J'ai eu l'impression qu'il demanderait à quelqu'un d'autre de vous contacter. »

Hanneman baissa les bras.

« Je vous en prie. C'est la vérité. »

Un simple coup d'œil à son visage apeuré suffisait à confirmer son histoire. Nava se rassit et croisa les bras sur sa poitrine. Elle ne pouvait pas se contenter d'attendre ici. Il fallait faire quelque chose. À cet instant, elle comprit ce qui lui manquait : son sac à dos avait disparu. Elle allait se relever lorsque Hanneman l'arrêta.

« Oh, David vous fait aussi dire de ne pas vous inquiéter

pour, euh… "les armes". Il dit que tout sera réglé en temps voulu. »

Un frisson parcourut l'échine de Nava. C'était comme si Caine avait lu dans ses pensées.

Tout compte fait, il était bien le démon de Laplace.

☆

« Comment va-t-il ? demanda Paul Tversky, inquiet, en regardant la poitrine de Jasper se soulever et s'abaisser.
– Il se repose. »

Forsythe jeta un dernier coup d'œil aux tracés EEG du jumeau avant de se retourner.

« Mais, surtout, comment allez-vous ?
– Mieux, maintenant que je suis ici, répondit Tversky. Vos hommes étaient impressionnants, je dois dire.
– Pas assez, j'en ai peur. »

Tversky hocha la tête.

« Des nouvelles de David ? demanda-t-il alors d'une voix hésitante.
– Non, répondit Forsythe avec un peu d'irritation. Mais ce n'est qu'une question de temps. Vous n'avez aucune idée de l'endroit où il peut être ?
– Pas la moindre. Mais, tel que je connais David, il ne va pas tarder à refaire surface. Tant que nous tiendrons son frère, il ne disparaîtra pas.
– C'est une bonne chose à savoir. »

Forsythe observa un moment l'IRM du cerveau de Jasper avant de revenir à Tversky.

« Si vous me permettez de vous poser la question, comment avez-vous compris que le lobe temporal était la clé ?
– Eh bien, fit Tversky, manifestement ravi de revenir à la théorie, c'est en lisant dans une revue un article qui suggérait que le lobe temporal médian droit, l'hippocampe et les structures limbiques associées avaient un lien avec les expériences non corporelles. Un chercheur suisse a fait une étude sur des patients présentant une pathologie du lobe temporal. Ensuite, il a comparé leur expérience à

403

celle de patients normaux dont le lobe temporal était soumis à une stimulation électrique directe, et à celle de patients dont les neurotransmetteurs étaient stimulés par différentes substances chimiques, comme le LSD ou la kétamine.

« De nombreux patients "stimulés" faisaient état d'hallucinations visuelles et auditives ; d'autres disaient avoir retrouvé de vieux souvenirs ; certains avaient eu des visions similaires à celles des expériences de mort imminente ; d'autres encore avaient éprouvé une sensation de déjà ou de jamais-vu. Je me suis aperçu que tous ces symptômes rappelaient l'aura d'une crise d'épilepsie – et, bien sûr, ça m'a fait penser aux expériences de Hans Berger dans les années 30. Ensuite, il ne restait plus qu'à relier les différents points entre eux. »

Forsythe hocha la tête.

« Et, selon vous, qu'est-ce qui se passe d'un point de vue physiologique ? »

Tversky se frotta le menton.

« Je n'ai pas encore complètement résolu la question. Mais si je devais m'avancer, je dirais que le lobe temporal peut permettre au cerveau d'accéder à des réalités non locales.

– Des réalités non locales ? » demanda Forsythe.

Il avait déjà entendu l'expression, mais n'en avait que vaguement compris le sens.

Tversky s'expliqua.

« Comme vous le savez certainement, parmi les douze quarks et les douze leptons qui constituent la matière, seuls quelques-uns existent dans notre univers. Les autres soit n'existent pas, soit disparaissent en une nanoseconde. Cependant, beaucoup de physiciens croient qu'ils existent dans d'autres univers – des univers parallèles, ou "réalités non locales", qui coexistent avec le nôtre mais ont des propriétés physiques différentes. Au lieu d'être faits de quarks et de leptons, comme notre univers, ces univers parallèles seraient constitués de paires de leptons différentes.

– Passionnant», fit Forsythe, qui n'y avait pourtant pas compris grand-chose.

Il avait toujours trouvé la physique quantique trop abstraite pour mériter beaucoup d'attention. Tout ce qu'il comprenait, c'est que les physiciens avaient découvert des particules subatomiques qui n'existaient pas dans l'univers connu – et ça ne lui semblait pas très important : à quoi bon étudier des constructions hypothétiques qu'on ne pourrait jamais observer dans le monde réel ?

«En gros, poursuivit Tversky, je crois que le lobe temporal droit rend possibles des interactions entre notre conscience et les réalités non locales. Je pense que, si David Caine a des hallucinations et des moments de prescience, c'est parce que son lobe temporal droit a accès à des informations provenant d'une réalité a-temporelle, a-spatiale et non locale.

– Ce qui est possible dans la mesure où, selon la physique quantique, le temps et l'espace ne sont pas des constantes, et existent donc en dehors du temps lui-même», ajouta Forsythe dans l'espoir de faire valoir ses vagues notions sur la relativité restreinte d'Einstein.

Tversky hocha vigoureusement la tête.

«Et les auras et les crises ? demanda Forsythe.

– Les auras sont des phénomènes conscients qui se produisent quand le cerveau se connecte aux réalités non locales. Mais cette connexion accroît considérablement l'activité neuronale du cerveau, ce qui finit par provoquer une crise.

– Comme quand on met son doigt dans une douille ?»

Cette comparaison puérile fit tiquer Tversky. «Quelque chose comme ça, oui.»

Un peu gêné, Forsythe lui posa une autre question pour distraire son attention.

«Et y a-t-il, à votre connaissance, d'autres travaux qui corroborent vos théories ?

– Quelques-uns, mais ils sont limités. Il y a eu, il y a quelques années, une étude controversée suggérant que les adeptes du *Qi Gong* chinois étaient capables d'altérer le spectre de résonance magnétique nucléaire de certains produits chimiques par la seule force de leur esprit.»

Forsythe hocha la tête. Il avait bien entendu parler du *Qi Gong*, mais il avait toujours cru qu'il s'agissait d'un culte. Néanmoins, il savait que ses techniques de méditation étaient enseignées un peu partout dans le monde.

«Dans une autre étude, un savant allemand a démontré que les maîtres yogis étaient capables de modifier de manière significative leurs ondes cérébrales par la pratique d'une méditation intense. Et, c'est bien connu, l'électro-encéphalogramme des voyants professionnels présente souvent un tracé atypique au niveau du lobe temporal.

– Bon, et parlez-moi du jumeau, dit Forsythe. A-t-il manifesté des facultés similaires à celles du sujet Bêta?»

Tversky regarda un moment Jasper sur l'écran avant de répondre.

«Oui et non. Une ou deux fois, il a eu l'air de savoir des choses impossibles à savoir – par exemple qu'il devait appeler mon portable quand j'ai pris David en voiture —

– À propos, dit Forsythe en se tournant pour lui faire face, comment se fait-il que vous vous soyez trouvé sur la route longeant la voie ferrée de Philadelphie *juste au moment* où le sujet Bêta cherchait à s'échapper?»

Tversky lui lança un regard noir. «Vous posez mal le problème, James. Que je me sois trouvé là est le fait du hasard. La question que vous devriez poser, c'est comment David *a su* que je serais là. C'est lui qui a planifié cette rencontre, pas moi, même si je ne sais pas pourquoi il l'a fait.»

Forsythe acquiesça d'un signe de tête. Il n'arrivait pas encore à y croire complètement – la coïncidence lui semblait un peu trop frappante –, mais il ne voyait pas d'autre explication.

«Donc, pour en revenir au jumeau…

– Eh bien, il a des facultés, c'est sûr, même s'il ne possède pas le même don que son frère. Quand il se réveillera, je vous propose de me laisser lui parler. J'ai une petite idée de la manière dont je pourrais l'amener à coopérer. Et puis, j'aimerais vérifier une de mes théories avant que David ne soit ici.

– Laquelle ?

– Je crois savoir comment empêcher David d'utiliser son don. Maintenant que la porte est ouverte, et qu'il sait se connecter aux réalités non locales tout en restant conscient, j'imagine qu'il va y avoir accès beaucoup plus facilement.

– Et où est le problème ? demanda Forsythe. N'est-ce pas ce que nous voulons ?

– Si, sauf s'il utilise son don de voyance pour s'enfuir. »

Forsythe hocha la tête.

« Bien sûr.

– Or, je peux me tromper, mais je pense connaître un moyen d'arranger ça… de réduire le don de David Caine… à néant. »

☆

« Jasper… Jasper, vous m'entendez ? Réveillez-vous. »

Du coton. Son cerveau était plein de coton. Il avait beau lutter pour soulever ses paupières, elles étaient trop lourdes. Quelqu'un le secouait par l'épaule. À nouveau, il s'efforça d'ouvrir les yeux ; ses paupières lui semblaient déjà plus légères. Lentement, les formes autour de lui devinrent nettes. La pièce était si blanche, presque aveuglante. L'air était froid. Il toussa. Il avait la bouche sèche ; sa langue lui faisait l'effet d'un épais morceau de papier de verre. Il y avait une bande autour de son bras… et une aiguille plantée dessous.

« Jasper ? C'est moi, Doc. »

Il se tourna pour faire face à la voix et vit Doc penché au-dessus de lui. Il souriait. Jasper esquissa un sourire en retour, puis s'arrêta net. Quelque chose n'allait pas, mais il ne se rappelait pas quoi exactement. Ça flottait à la lisière de sa conscience, juste hors de sa portée. Il espérait que son frère était —

« Où est… », dit-il en toussant.

Sa voix était faible.

«Buvez ça», lui dit Doc en approchant de ses lèvres une paille fine.

Jasper aspira trois petites gorgées et avala. Il sentit l'eau glacée couler dans sa gorge.

«Ça va mieux?»

Il hocha la tête et parvint à articuler:

«Où est David? Est-ce qu'il s'est enfui?»

Doc secoua la tête d'un air peiné.

«Ils nous ont tous pris, Jasper.»

Jasper ferma les yeux. Il ne comprenait pas. La Voix lui avait dit que David réussirait à s'enfuir. Il avait tout fait comme il fallait... mais ça avait quand même mal tourné. Il était censé protéger David, le don de David. Et tout ce qu'il avait fait, c'était le jeter dans un piège. Maintenant, les conspirateurs les tenaient. Une partie de lui avait toujours su que cela finirait par arriver. Toujours. Mais —

« Et pourquoi... Pourquoi êtes-vous libre-*vivre-givre-cuivre*? demanda-t-il, troublé.

– Ils voulaient opérer votre frère... lui ouvrir le crâne.

– Non! fit Jasper. Il ne faut pas... Laissez-moi leur parler... Je dois le protéger...»

Il tenta de s'asseoir, mais des liens le maintenaient en place.

«Chuuut... chuuuuuut... Tout va bien. Pour le moment, je les ai convaincus de le laisser se reposer.

– Ah bon?

– Oui.

– Tant mieux, fit Jasper en se laissant de nouveau aller sur le siège inclinable.

– Mais j'ai dû promettre que vous les aideriez, ajouta Doc.

– Les aider à quoi?

– Ils veulent voir ce que vous voyez, Jasper. Ils veulent comprendre.

– Mais... Comment-*lent-dent-gens*?» demanda Jasper.

Il ne savait plus où il en était. Et il était fatigué. Si fatigué.

«Comme ceci, dit Doc en faisant luire devant ses yeux une pièce argentée. Si je tire à pile ou face, pouvez-vous me dire quel sera le résultat?»

Jasper secoua la tête.

«Je ne vois pas l'avenir sauf quand la Voix me parle… Mais David peut… il voit…»

Doc fronça les sourcils.

«Et comment avez-vous su qu'il fallait appeler mon portable dans la voiture?

– De temps en temps, dit Jasper en plissant le front pour se souvenir, j'arrive à connaître le *Maintenant*.»

Doc hocha légèrement la tête.

«Donc si je lance cette pièce, vous pourrez me dire le résultat sans regarder?

– Je pense que oui… Mais je suis si fatigué, Doc.

– Je sais, Jasper. Mais il faut y arriver… pour David.

– OK, dit Jasper – il avait du mal à articuler. OK-*fée-dé-ré*.»

Doc tourna la tête pour se regarder dans la glace et haussa les sourcils; puis il revint à Jasper.

«Vous êtes prêt?

– Oui.»

Jasper ferma les yeux. Il entendit successivement un *clic* – Doc donnait une pichenette à la pièce –, un *fttt* assourdi – il attrapait la pièce en l'air – et un *tac* – il la rabattait dans sa paume.

«Qu'est-ce que c'est?

– Pile, dit Jasper, les yeux fermés.

– Exact. Bravo, Jasper. On recommence.»

Clic. Fttt. Tac.

«Pile-*file-vil-gril*.

– Bien… Il n'y avait que 25% de chances sur deux essais de suite. Encore.»

Clic. Fttt. Tac.

«Face.

– Bien… 12,5% de chances.»

Clic. Fttt. Tac.

«Pile.

– Excellent… 6,25 %. »

Clic. Fttt. Tac.

« Face-*race-trace-casse*.

– Formidable… 3,125 %. Et maintenant, Jasper, je veux que vous recommenciez encore une fois, mais les yeux ouverts. »

Jasper fut décontenancé.

« Mais alors, je ne pourrai plus voir le *Maintenant*.

– Essayez juste. Allez, Jasper. Pour David. »

Jasper ouvrit les yeux. Le blanc de la pièce l'aveuglait. *Clic. Fttt. Tac.*

Il tenta de deviner le résultat, mais c'était impossible. « Face », dit-il au hasard.

Doc retira sa main : c'était pile.

« Eh bien, fit-il, je pense que ça suffit pour le moment. Vous pouvez vous rendormir.

– OK-*clé-blé-nez.* »

Jasper mourait d'envie de dormir, mais il avait une dernière question à poser à Doc.

« Quand… quand est-ce que je pourrai voir David ?

– Bientôt, Jasper. Il sera là très bientôt. »

☆

Caine dormit jusqu'à trois heures de l'après-midi. Il se réveilla dans sa chambre de motel obscure, passa sous la douche, puis reprit le chemin de son appartement. Malgré les élancements de son genou, il savoura cette marche dans l'air froid de l'hiver ; il savait que c'était peut-être la dernière. Une fois chez lui, il ferma la porte, mais ne prit pas la peine de la verrouiller. C'était inutile.

Quand ils seraient là, ils n'auraient pas à forcer sa serrure à pêne dormant. Au mur, la pendule indiquait 16 :28 :14. Ils arriveraient à 16 :43 :27 – peut-être une ou deux secondes plus tard. Caine aurait pu le savoir précisément s'il l'avait souhaité, mais ce n'était pas nécessaire. Il n'avait plus que deux choses à faire ; après, il laisserait l'univers suivre son cours.

La probabilité qu'il survive aux prochaines vingt-quatre heures était de 43,9 % – un résultat honnête. Cela dit, il n'y avait que 13,1 % de chances pour qu'il vive libre, au lieu de devenir le cobaye de Doc. Il s'efforçait de ne pas trop penser à cette trahison. S'il survivait, il aurait tout le temps du monde pour y penser – et plus encore.

Et s'il mourait, eh bien… ça n'aurait plus d'importance.

☆

« Putain de merde ! »

Grimes se retourna d'un bond et appuya sur le bouton qui le mettait en communication avec Crowe.

« Je l'ai trouvé !

– Où ?

– Vous ne me croirez jamais, dit Grimes, les yeux rivés sur son moniteur. Il est chez lui !

– Rassemblez les autres. Qu'ils se mettent en tenue et me retrouvent près de l'hélicoptère dans trois minutes.

– Vu. »

Quand il eut terminé avec Dalton, Grimes passa un coup de fil à Dr Jimmy.

« J'ai localisé la cible.

– Appelez Crowe.

– C'est fait. Son équipe décolle d'ici une minute.

– Vous lui avez indiqué où se trouve le sujet ?

– Non, répondit Grimes en levant les yeux au ciel. Je lui ai dit de deviner.

– Mettez-moi en relation avec lui. »

D'une chiquenaude, Grimes appuya sur deux boutons pour transférer l'appel. « Il n'y a pas de quoi », fit-il dans son micro maintenant éteint. Nom de Dieu. Pas un seul *Bravo* ni même *Comment vous avez fait ?* Juste *Mettez-moi en relation*. Comme s'il était un putain de standardiste. Ce con de Jimmy n'avait aucune idée de son talent. Il le considérait comme un dû. Comme si c'était la chose la plus simple au monde de s'introduire dans le système de la NSA et de détourner les données recueillies grâce au matériel audiovisuel caché dans l'appartement de Caine.

Eh ben, va te faire foutre, Jimmy.

Va te faire foutre.

Comme il n'avait rien d'autre à faire, Grimes s'installa pour observer le déroulement de l'action en direct – son propre épisode de *La Caméra cachée*. D'après les coordonnées GPS de l'hélicoptère, Crowe et ses hommes devraient être lâchés sur le toit de l'immeuble dans une dizaine de minutes. Si Caine ne bougeait pas d'ici là, il n'aurait aucun moyen de s'échapper. Et même s'il essayait, comme le ciel était clair, le KH-12 le repérerait sans problème. Au cas où, Grimes s'était déjà assuré que le satellite Keyhole était en position.

Malheureusement, il y avait peu de chances pour que la cible cherche à s'enfuir. Dommage. Il aimait bien les poursuites. Cela dit, voir Crowe défoncer cette porte allait sûrement être marrant. Sûr que Grimes n'aimerait pas être à la place de Caine. Pas pour tout l'or du monde.

☆

Caine clopina jusqu'à la cuisine pour y chercher du papier ; il ne trouva que le revers d'une enveloppe. Il faudrait faire avec. Il écrivit une note en grosses lettres majuscules et griffonna sa signature au-dessous. Le message ne comportait que vingt-quatre mots, mais il pouvait facilement tout changer. La probabilité qu'il soit lu par son destinataire était élevée : 87,3246 %.

Ce n'était pas sûr. Mais, Caine le savait maintenant, rien ne l'était jamais.

Il lui restait neuf minutes et dix-sept secondes. En tournant en rond dans l'appartement, il finit par trouver ce qu'il cherchait. Il plaça alors sa chaise pile au bon endroit, face à la plante araignée, et se mit à parler. Lorsqu'il eut terminé, il recommença depuis le début, juste pour le cas où. Au bout de la troisième fois, il s'arrêta. Il restait 8,7355 % de chances pour que son monologue soit passé inaperçu, mais le répéter une nouvelle fois aurait été trop risqué.

Il posa l'enveloppe sur ses genoux, message vers le bas, et ferma les yeux. Il avait fait tout ce qu'il pouvait. L'issue ne dépendait plus de lui. C'était étrange d'abandonner ainsi tout contrôle. Pendant trente ans, il avait laissé les forces du Destin gouverner sa vie – mais, aujourd'hui, cette passivité lui semblait terrifiante.

Une partie de lui brûlait de s'enfuir. Il lui restait encore quatre minutes – largement le temps de quitter l'appartement et de disparaître. Il savait qu'il pouvait y arriver. S'il se sauvait, il y avait 93,4721 % de chances pour qu'il parvienne à quitter le pays – et à échapper à Forsythe – pour toujours. Mais alors, il lui faudrait abandonner Jasper à son sort, et c'était quelque chose qu'il ne pouvait envisager. Il resta donc cloué sur sa chaise, les mains tremblantes, le genou palpitant, le cœur battant et l'esprit tiraillé par l'attente.

Soit sa grande combine fonctionnait.

Soit il mourrait.

☆

La sonnerie du téléphone réveilla instantanément Nava. Le Dr Hanneman se précipita vers l'appareil pour répondre.

« Allô ?… Oui, ne quittez pas. »

Il tendit le combiné à Nava, qui le lui arracha des mains.

« Nava Vaner ? fit un homme à l'accent russe prononcé.

– Qui est à l'appareil ? » demanda Nava.

Un frisson lui parcourut la nuque : elle se rappelait soudain que Chang-Sun avait menacé de révéler son identité au SVR. Mais même s'il avait informé les Russes, ils n'avaient aucun moyen de savoir où elle était… si ?

« Je suis Vitaly Nikolaev, un ami de M. Caine. Il m'a demandé de vous contacter.

– Où est-il ?

– Je ne sais pas, mais il a dit qu'il fallait qu'on se rencontre.

413

– Et comment puis-je être sûre que vous êtes bien celui que vous dites ?»

Elle entendit un rire éraillé à l'autre bout du fil.

«M. Caine m'avait prévenu que vous étiez méfiante, *Tania*.»

Le cœur de Nava cessa de battre. Caine connaissait son nom russe. Cela dit, le RDEI le connaissait aussi.

«Il m'a aussi dit, poursuivit Nikolaev, *il faut bien que la confiance commence quelque part*.»

Nava souffla. C'étaient les mots qu'elle lui avait dits dans le train. Le message était authentique.

«Où et quand ? demanda-t-elle.

– Sergueï vient vous chercher tout de suite.

– C'est votre chauffeur ?

– Oui, s'esclaffa Nikolaev. C'est ça, mon chauffeur. Soyez prête dans trente minutes.»

Il y eut un clic et la communication fut coupée. Nava raccrocha.

«Est-ce que tout va bien ? s'enquit Hanneman en joignant les mains d'un air inquiet.

– Je ne sais pas, répondit-elle. Mais je ne vais pas tarder à le savoir.»

☆

«Ils sont arrivés ?

– Pas encore, dit Grimes en faisant sauter l'image pour revenir au direct.

– C'était quoi ? demanda Forsythe.

– Quoi, quoi ?

– La vidéo a sauté. Caine était assis devant la plante et maintenant, il est au milieu de la pièce.

– Conditions climatiques, mentit Grimes. Parfois, l'électricité produite par les nuées orageuses interfère avec le signal. Rien d'inquiétant.»

Forsythe hocha la tête. «Où est Crowe ?»

Grimes montra du doigt un autre écran où clignotait un point vert.

« Il est en train de survoler Central Park. Ils devraient arriver dans deux minutes.

– Bon », dit Forsythe.

Il croisa les bras et se pencha tout près de l'écran qui montrait l'appartement de Caine.

« Qu'est-ce qu'il fait ? »

Grimes observa la grossière image noir et blanc. David Caine était assis sur une chaise au milieu de la pièce, face à la porte. Il avait les yeux fermés, mais la position de son corps indiquait clairement qu'il ne dormait pas.

« On dirait… »

La voix de Grimes retomba. Ça n'avait aucun sens, mais après ce qu'il venait d'entendre dans le casque, plus rien n'avait vraiment de sens.

« On dirait qu'il attend. »

CHAPITRE 30

L'hélicoptère vole haut au-dessus des arbres. Il vire vers l'ouest. À l'intérieur, les cinq hommes écoutent en silence la rotation assourdissante des pales. Chacun se prépare psychologiquement à la bataille. Juan Esposito et Charlie Rainer sont avides d'action. Ron McCoy a la trouille ; il aimerait juste s'en sortir entier. Jim Dalton rêve de sang. Quant à Martin Crowe... il prie pour sa fille.

Cet homme-là est différent. Et, bien que sa différence fasse de lui quelqu'un de meilleur, elle le rend plus dangereux que les quatre autres réunis. Rien ne l'arrêtera dans l'accomplissement de sa mission – même si, contrairement à celle de ses acolytes, sa mission n'a rien à voir avec David Caine. Caine n'est qu'un moyen au service d'une fin. La seule vraie mission de Martin Crowe, c'est sa fille.

Il sait qu'il a très peu de chances de parvenir à la sauver, mais il n'abandonne pas la partie. Caine le respecte. Toute personne qui refuse de capituler au mépris des probabilités est digne d'admiration – et de crainte. Ils ne sont pas si différents, Crowe et lui. Chacun des deux est prêt à risquer sa vie pour quelqu'un d'autre. Dommage que leurs missions respectives les aient jetés dans des camps adverses. Caine sait que, dans une autre vie, ils sont amis.
...

Le bruit résonnait maintenant dans les oreilles de Caine – et plus seulement dans sa tête. Il était encore faible, mais bien reconnaissable : on aurait dit le battement d'une paire d'ailes géantes. Lentement, il se rapprocha jusqu'à emplir tout l'appartement. La vaisselle se mit à vibrer dans la cuisine. Un petit bibelot de porcelaine tomba de la cheminée et s'écrasa sur le sol, où il se brisa en cent vingt-quatre morceaux.

Ce ne serait plus très long maintenant.

☆

« ALLEZ-Y ! »

Les hommes en noir se laissèrent glisser le long des cordes et atterrirent brutalement sur le toit. Crowe se retourna pour jeter un coup d'œil à Dalton et McCoy, qui étaient toujours attachés. Il savait que Dalton était furieux de faire partie de l'équipe de réserve, mais il s'en fichait. Si la cible cherchait à s'échapper, il aurait besoin de deux hommes dans l'appareil pour la suivre. Néanmoins, cette fois, Caine n'avait pas l'air de vouloir s'enfuir : d'après Grimes, il les attendait. Et ça rendait Crowe encore plus nerveux.

C'est la raison pour laquelle il avait décidé de laisser Dalton dans l'appareil. Si la cible comptait livrer un dernier combat, il voulait éviter que la situation ne dérape par la faute du mercenaire. Il avait toujours su que Dalton était dangereux, mais depuis que ce dernier avait délibérément logé une balle dans la cervelle de Vaner, il avait dû revoir son jugement à la hausse – c'était un vrai psychopathe. Il ne voulait pas voir se répéter le même numéro.

Il détacha la corde de sa ceinture et leva le pouce à l'intention du pilote. L'hélicoptère prit de la hauteur, traînant derrière lui les cordes de rappel. Crowe inspecta les lieux et s'aperçut qu'Esposito avait déjà enfoncé la porte donnant sur la cage d'escalier. Il courut le rejoindre, approuva d'un signe de tête et demanda dans son micro :

« Grimes, la cible est toujours sur les lieux ?

– Ouaip. Il n'a pas bougé d'un iota en cinq minutes.

– OK, tenez-moi informé s'il change de place ou met la main sur une arme quelconque. Sinon, silence radio.

– Ça marche. »

Crowe se tourna vers ses hommes.

«Rainer, descendez par l'escalier de secours, côté nord, deux étages vers le bas. Restez juste au-dessus de la fenêtre. À mon signal, entrez.

– Vu.

– Allez-y.»

Rainer traversa le toit au petit trot et disparut derrière le rebord. Crowe se tourna vers Esposito.

«Vous venez avec moi. N'attaquez qu'en cas de nécessité absolue.

– Compris.»

Crowe passa la porte et se mit à descendre les escaliers quatre à quatre.

☆

Caine ouvrit les yeux.

Il s'imagina qu'il les entendait atterrir sur le toit, mais il savait que le son n'existait que dans sa tête. Ce n'est que lorsque leurs pas lourds résonnèrent dans l'escalier de service qu'il les entendit de la bonne vieille manière. Quinze secondes plus tard, on enfonçait la porte d'entrée. Crowe fut le premier à pénétrer dans l'appartement, mais il y avait un homme dans son dos. Caine entendit alors un bris de verre derrière lui : un troisième homme faisait irruption par la fenêtre.

Il regarda la pendule et fut un peu surpris : ils avaient une seconde d'avance sur ses prévisions. Le vent arrière avait dû augmenter.

Par-derrière, deux mains vigoureuses s'abattirent sur ses épaules. Il ne broncha pas et se contenta de regarder Martin Crowe droit dans les yeux. Quoi qu'on lui eût dit, il voulait que cet homme sache qu'il n'était pas un monstre. La dernière chose qu'il vit, ce fut le canon de l'arme de Crowe et son doigt qui appuyait sur la détente.

Avant de perdre connaissance, Caine se souhaita bonne chance : il n'y avait plus rien d'autre à faire.

☆

« Cible maîtrisée, lâcha Crowe dans son micro avec soulagement. Serons de retour sur le toit dans deux minutes pour ramassage.

– Roger, répondit le pilote.

– Ç'a été facile, dit Esposito en arrivant derrière Crowe et en lui donnant une tape sur l'épaule. Vous l'avez endormi avant même que je sois dans la pièce.

– Ouais », murmura Crowe.

Quelque chose ne tournait pas rond. Après ce qui s'était passé à la gare et dans l'appartement de Brooklyn, ceci n'avait aucun sens. À deux reprises, Caine leur avait prouvé l'étendue de ses talents. Et voilà qu'au lieu de se défendre il restait assis à attendre à l'endroit même où il *savait* qu'ils le trouveraient.

« Je l'emmène ? » demanda Esposito.

Crowe hocha la tête. Esposito hissa la cible sur son épaule. À ce moment, une enveloppe blanche tomba en voltigeant des genoux de Caine. Crowe allait quitter la pièce lorsque les premiers mots attirèrent son attention. Le cœur battant, il se pencha pour ramasser l'enveloppe et lut le message ; il sentit alors un frisson glacé le parcourir.

« Qu'est-ce que c'est ? demanda Rainer par-dessus son épaule.

– Rien, répondit Crowe en faisant de l'enveloppe une boulette qu'il laissa choir sur le sol. Allons-y. »

L'hélicoptère les attendait. En montant l'escalier, Crowe se demandait dans quelle étrange affaire il était allé se fourrer – et ce qui allait bien pouvoir se passer maintenant.

☆

Le trajet se déroula en silence. Quand ils furent rendus, le grand Russe coupa le moteur et sortit du fourgon sans mot dire. Nava le suivit dans une taverne sombre et enfumée. Il y avait là quelques clients américains, mais la plupart étaient russes – elle n'avait même pas besoin de les entendre parler pour le savoir.

« Par ici », dit Kozlov en désignant une porte en bois

située au fond du bar. De l'autre côté, on n'entendait plus que le bruit assourdi de la musique filtrant à travers les minces cloisons. Ils descendirent un escalier froid et humide et pénétrèrent dans une pièce réservée. En contournant les tables de poker, Kozlov conduisit Nava jusqu'à un petit bureau.

Un homme pâle et maigre se leva pour l'accueillir. Sans la moindre discrétion, il promena son regard sur le corps de Nava.

« Bonjour, mademoiselle Vaner. Je suis Vitaly Nikolaev, dit-il avec un grand sourire. M. Caine ne m'avait pas dit que vous étiez aussi charmante.

– C'est pour ça que vous vouliez me rencontrer ?

– OK, parlons d'abord de nos affaires, hein ? »

Et il tendit à Nava une enveloppe au dos de laquelle était griffonné : *La confiance commence ici.* Nava la déchira et sortit la lettre, qu'elle lut deux fois intégralement avant de la ranger. Si elle s'attendait à quelque chose, ce n'était certainement pas à ça. Le plan de Caine était sensé, mais le réaliser n'allait pas être une partie de plaisir. À cet instant, exactement comme Caine l'avait prédit, le téléphone de Nikolaev sonna.

« C'est pour moi », dit Nava en décrochant.

Nikolaev haussa les sourcils, mais ne tenta pas de l'arrêter.

« Ouais, c'est, euh, Nava ?

– Elle-même, répondit Nava.

– Hmm, ça risque de vous paraître complètement dingue, mais…

– David Caine vous a dit de m'appeler.

– Ouais, fit la voix, manifestement soulagée. Comment vous saviez ? »

☆

« James, je pense que vous devriez jeter un coup d'œil.

– Qu'y a-t-il ?

– C'est Jasper Caine, répondit Tversky. Il y a quelques

minutes, il s'est mis à pousser des hurlements hystériques.

– Eh bien, ça ne me paraît pas extraordinaire chez un sujet atteint de schizophrénie paranoïde.

– Non, ce n'est pas extraordinaire. C'est son EEG qui l'est. »

Ces derniers mots firent réagir Forsythe. Il appuya sur quelques touches et l'EEG du jumeau apparut sur son écran : il était absolument hors normes. Forsythe ôta ses lunettes de lecture et regarda Tversky.

« Et qu'est-ce qu'il dit ?

– Il répète sans arrêt la même chose : *Elle vient nous chercher.* »

☆

« Ça ne faisait pas partie du cahier des charges.

– Je vous paie extrêmement cher, monsieur Crowe. Et j'attends de vous —

– Vous m'avez engagé pour capturer David Caine. Je l'ai fait, et j'ai pris son frère en plus. J'ai honoré mon contrat.

– Vous l'aurez honoré quand je le déciderai », répondit froidement Forsythe.

Crowe serra les poings. Il mourait d'envie de lui en envoyer un dans la figure. La seule chose qui l'arrêtait, c'était Betsy.

« Dr Forsythe, dit-il en s'efforçant de rester calme. Je n'ai pas envie de discuter avec vous. Tout ce que je veux, c'est mon argent et je vous laisserai en paix.

– Voici ce que je vous propose : je double votre salaire si vous acceptez de superviser une équipe de garde. Une semaine seulement, le temps que je prenne d'autres dispositions. »

Crowe ferma brusquement la bouche. Cent vingt-cinq mille dollars de plus. Il ne pouvait pas refuser. « Très bien. Mais je ne m'occuperai pas de l'interrogatoire. »

Forsythe plissa le front. « Et si l'un de vos hommes s'en chargeait ? M. Grimes m'a donné leurs dossiers. »

Il appuya sur quelques boutons et l'écran de son ordinateur s'éclaira.

« Il est écrit ici que M. Dalton a beaucoup d'expérience en la matière.

– Si vous vous préoccupez du bien-être de M. Caine, je vous déconseille de vous adresser à Dalton.

– Mais cela ne vous ennuierait pas que je lui demande, n'est-ce pas ? »

Crowe ne pouvait rien dire et Forsythe le savait.

« Non.

– Parfait. Dans ce cas, envoyez-le-moi. De votre côté, voyez avec Grimes pour les mesures de sécurité. »

Et il le congédia d'un geste de la main.

En longeant le couloir, Crowe se demanda si Forsythe avait la moindre idée de ce dans quoi il mettait les pieds.

☆

Au bout d'une heure, Kozlov revint avec tout l'arsenal réclamé par Nava. Elle monta à l'arrière du fourgon et repassa le plan dans sa tête. Grâce à Caine, elle possédait des renseignements quasi exhaustifs. Plans, fichiers du personnel, codes d'accès, dispositifs de sécurité – elle avait tout.

Le seul problème, c'est que cette mission réclamait au moins quatre agents. Or, elle était seule – et blessée, même si le Dr Loukine, le « médecin personnel » de Nikolaev, avait fait de son mieux pour pallier cet inconvénient. Elle savait que la chute serait rude, mais, pour le moment, elle se sentait assez forte pour défier la Terre entière. Elle aurait pu courir un 10 000 mètres et conserver assez d'énergie pour remporter ensuite un décathlon olympique.

Cela dit, elle n'aurait pas été brillante au test anti-dopage.

☆

L'eau le rendait fou. Une nouvelle goutte atterrit au milieu de son front. Si elles étaient tombées à intervalles réguliers, Caine n'aurait sans doute pas été aussi perturbé ; mais ces écarts aléatoires lui faisaient perdre la raison.

Comme les écouteurs. Dans son oreille gauche, on aurait dit une radio programmée sur CHERCHER : il entendait cinq secondes d'une chanson, puis quelques secondes de bruits parasites, puis un bout d'une autre chanson, et ainsi de suite. Quant à l'écouteur placé dans son oreille droite, il passait en boucle *Chopsticks*[1], ce qui aurait déjà constitué une forme de torture en soi si le volume n'avait en plus varié incessamment : le son était tantôt assourdissant, tantôt presque inaudible.

Et puis, il y avait le tournoiement. Caine avait d'abord cru qu'il était juste désorienté, mais, en se forçant à ouvrir les yeux, il s'était aperçu que son siège, de fait, pivotait lentement sur lui-même. Après quelques essais, il conclut que la nausée et le vertige diminuaient légèrement quand il avait les yeux fermés. Il cessa donc de les ouvrir.

À quelques secondes d'intervalle, il recevait une décharge électrique dans l'un ou l'autre de ses appendices corporels – le plus souvent un orteil ou un doigt, mais parfois autre chose… au milieu. Ce n'était en général qu'un choc, mais, de temps à autre, c'était assez douloureux. Le cœur de Caine battait à tout rompre, et ses muscles restaient contractés dans l'attente de la prochaine secousse.

Il essayait d'accéder au *Toujours*, mais ses efforts restaient vains – il se passait trop de choses à la fois. Il était totalement désarmé. Il lui semblait qu'un tuyau géant aspirait sa raison. Tout à coup, son siège cessa de tourner. La nausée, elle, persista. Quelqu'un lui souleva de force la paupière gauche et lui projeta dans l'œil une lumière aveuglante. Même chose pour l'œil droit. Caine voulut lever la main pour arrêter l'intrus, mais ses poignets étaient attachés. Il sentit alors qu'on le piquait et entendit le bruit de quelque chose qu'on déchire. On lui enroula une bande adhésive autour du bras pour maintenir en place la seringue intraveineuse.

1. Morceau de piano très simple, souvent prescrit aux débutants.

Les secondes s'écoulaient une à une. Une fois de plus, on lui souleva les paupières à l'aide d'un instrument pointu. Mais, cette fois, on ne les laissa pas se refermer. Ses yeux commencèrent à sécher. Quand il essayait de les faire cligner, une vive douleur lui transperçait les paupières : c'était impossible.

Une solution transparente lui inonda alors les yeux. Les gouttes s'écoulaient à intervalles de quelques secondes. Il n'avait plus besoin de cligner des yeux pour les lubrifier – mais comment supprimer un réflexe vieux de trente ans ? Caine se demanda combien de temps il lui faudrait pour s'en débarrasser. Il se sentait fatigué, harassé, à moitié fou et mort de peur, mais, au fond de lui, la détermination restait entière.

Il reçut soudain une décharge électrique au scrotum qui lui fit oublier tout le reste. Entre deux gouttes de solution saline, il s'efforça d'accommoder sa vision. Un homme était debout devant lui, grand et menaçant. Nouveau choc, cette fois au gros orteil. Quand la douleur reflua, Caine fit un nouvel effort pour voir.

L'homme lui paraissait familier. Il essayait de se rappeler pourquoi, mais les gouttes d'eau continuaient à le déconcentrer. Et la musique. Caine adorait la musique, mais grands dieux, si ça continuait comme ça, il ne pourrait plus jamais toucher un Walkman. Alors, comme sur commande, la musique s'arrêta. Il y eut un divin moment de silence, interrompu par une voix rauque et glaciale.

« Vous m'entendez ?

– Oui, haleta Caine.

– Vous connaissez la date d'aujourd'hui ?

– On est, euh… – Caine essaya de se souvenir. La nausée s'intensifia. – Je crois que… AAAAHH ! »

Incroyable ce qu'une décharge dans le petit doigt gauche pouvait faire mal.

« On est… euh… en février… février…

– Pas trop mal, dit la voix d'un ton moqueur. Bon. Je vais faire cesser la torture dans un instant. Mais d'abord, écoutez-moi bien, OK ?

– OK », fit Caine d'une voix faible.

Tout ce qu'il voulait. Il ferait tout ce que voulait cet homme pour que ça s'arrête, ne serait-ce qu'une minute. Ou une seconde.

« Nous surchargeons votre organisme parce que nous ne voulons pas que vous vous échappiez. Cela dit, ça rend la communication difficile. Et il est très important pour nous de vous parler. Maintenant, mettez-vous bien une chose en tête : si vous essayez de vous enfuir, votre frère en subira les conséquences. Et vous ne voulez pas qu'il lui arrive du mal, n'est-ce pas ? »

Caine crut qu'il allait vomir. Il aurait voulu fermer les yeux pour que tout ceci disparaisse, mais ses paupières endolories luttaient en vain contre les pinces qui les retenaient.

« Monsieur Caine. – L'homme lui donna une petite tape sur la joue. – Je sais que c'est difficile, mais restez avec moi. Tant que vous accepterez de travailler avec nous, il n'arrivera rien de mal à Jasper. D'accord ? »

Caine s'aperçut avec retard que c'était à son tour de parler.

« D'accord, croassa-t-il.

– Bien. »

L'homme se retourna et sortit de son champ de vision. Les décharges électriques cessèrent. Caine essaya de se détendre, mais ses muscles n'obéissaient pas ; chacun de ses tendons était aussi raide qu'une corde de piano. Son cœur battait la chamade, irriguant son organisme en prévision d'un nouveau choc.

Il inspira profondément, puis retint son souffle une seconde et expira par le nez. Lentement, son corps s'apaisa. Son rythme cardiaque ralentit et il parvint à desserrer les mâchoires. Tout allait bien. Il voulut tourner la tête, mais de lourdes entraves métalliques la maintenaient en place. L'homme avait dû percevoir sa tentative, car il revint vers lui afin d'être visible. Cette fois, Caine le reconnut. Il l'avait vu dans le *Toujours*.

C'était Jim Dalton.

« Vous avez passé une semaine plutôt intéressante, hein, monsieur Caine ? »

Il ne répondit pas.

« Vous savez pourquoi vous êtes ici ? reprit Dalton.

– Non », répondit Caine, impassible.

Soudain, une douleur d'une violence insoupçonnée lui transperça le corps de part en part. Une douleur bien vivante, qui dansait et qui hurlait. Caine se mit à hurler avec elle.

Puis, aussi vite qu'elle était venue, elle disparut. Il serra les mâchoires, se mordit la langue, sentit le goût du sang dans sa bouche. Il était si fatigué. Il n'avait qu'une envie : fermer les yeux. Au bout d'un moment, il retint son souffle et, lentement, desserra les dents.

« Monsieur Caine, comme cela ne vous a certainement pas échappé, nous vous avons posé des électrodes sur le corps. Certaines d'entre elles provoquent des chocs assez douloureux ; d'autres servent à déchiffrer votre rythme cardiaque et vos autres signaux bioélectriques. Ce qui nous permet de savoir si vous mentez ou non. La prochaine fois que vous mentirez, nous le saurons. Et la prochaine décharge ne sera pas aussi faible que celle-ci.

« La plupart des gens pensent que, s'il le fallait, ils pourraient résister à la torture. Ils se disent : *Ouais, je suis un dur. Je suis un homme. Je tiendrai le coup*. Or, je sais d'expérience – et je peux vous assurer que j'ai une bonne dose d'expérience en la matière – que la plupart des gens *se trompent*. »

Sa voix était pleine de menace.

« En général, les gens tiennent une, deux minutes au maximum ; après ça, ils tueraient volontiers leur propre mère pour faire cesser la douleur. Mais alors, leur corps a déjà subi des dommages permanents, ou suffisamment graves pour que la poursuite de l'interrogatoire nécessite une dose massive de calmants. Ce qui ne fait que ralentir le processus d'ensemble.

« Donc, facilitez-nous la tâche à tous les deux : n'essayez pas de jouer au dur. Quand je vous pose une question, répondez vite et sincèrement. Si vous me cachez quelque chose, je le saurai. Et, si je le sais, vous vous en repentirez. Est-ce que j'ai été clair ?

– On ne peut plus clair », répondit Caine d'une voix cassée par les hurlements.

Il se demanda à quoi elle ressemblerait après quelques heures du même traitement.

« Parfait. Et maintenant, recommençons. Vous savez pourquoi vous êtes ici ?

– Parce que vous croyez que… que je suis… le démon de Laplace. »

Dalton hocha la tête.

« Et est-ce que *vous* croyez que vous êtes le démon de Laplace ?

– Je… – Caine hésita. – Je ne suis pas sûr à 100 %. »

Ses muscles se raidirent en prévision d'une nouvelle décharge, mais elle ne vint pas.

« Et si vous deviez deviner ?

– Oui, lâcha Caine.

– Bien. Donc tout ça n'était pas pour rien.

– Qu'est-ce que vous voulez ? »

Dalton ne répondit pas. Il dit simplement :

« Le professeur sera bientôt là pour vous parler. »

Et il s'éloigna. Lorsqu'il reprit la parole, il n'était plus dans le champ de vision de Caine. C'était étrange de l'entendre sans voir son visage.

« Au fait, inutile d'essayer d'utiliser vos… vos pouvoirs. Ils ne fonctionnent pas quand vous avez les yeux ouverts. »

Caine comprit aussitôt que Dalton avait raison : les yeux grands ouverts, il était aussi désarmé qu'un agneau. Quelques secondes plus tard, il entendit la porte se refermer. Il tendit l'oreille pour discerner si Dalton était encore là, mais tout était silencieux. Il était seul.

Il expira bruyamment et son cerveau se remit en mouvement. Il aurait voulu échafauder des plans, mais il savait que c'était peine perdue : il ne pouvait plus se projeter dans l'avenir. Il s'était laissé capturer parce qu'il avait compris que le seul moyen de regagner le contrôle était de s'en dessaisir. Mais il n'imaginait pas que ce serait si dur – et si terrifiant.

Chez lui, quand il était dans le *Toujours*, il avait vu tous les futurs possibles. À présent, il n'avait plus accès à sa vision, et il ne savait plus dans quelle voie, vers quel futur possible il s'était engagé. Il en avait une idée, pourtant. C'était plus qu'une intuition et moins qu'une certitude, mais c'était là. Nava était la clé.

Avec elle, il y avait d'infinies possibilités.

Sans elle… Caine était perdu.

☆

Il entendit la porte s'ouvrir et se refermer : quelqu'un entrait. Au bruit de ses pas, il sut que ce n'était pas Dalton. La démarche du nouveau venu était plus légère. Il s'avança, s'arrêta, revint en arrière et s'arrêta encore, comme s'il s'interrogeait sur la manière la plus sûre d'approcher le prisonnier. Puis Caine entendit derrière lui le bruit ténu de sa respiration, ainsi qu'un crissement léger, mais aigu. Était-ce une seringue ? Peut-être un scalpel. Son cœur se mit à battre violemment. Enfin, l'homme vint vers lui : c'était Doc.

« Bonjour, David. »

Caine resta silencieux.

« Désolé que les choses se soient passées ainsi, mais je n'avais pas le choix.

– On a toujours le choix.

– Non, dit Doc en secouant la tête. J'avais un autre sujet comme toi. Elle m'a dit ce qui allait se passer, quelle voie je devais prendre. Elle m'a dit que je devais essayer de te tuer pour t'amener à révéler tous tes talents. Et elle avait raison.

– C'est pour ça que tu as posé cette bombe ? Parce qu'elle t'avait dit de le faire ?

– Oui.

– Mais puisque ça a échoué, pourquoi ne m'as-tu pas tué quand tu en avais l'occasion ? Tu aurais pu me capturer à Philly.

– Tu ne comprends donc pas ? demanda Doc d'un ton

implorant. Je n'ai jamais voulu ta mort. Je voulais juste que tu découvres de quoi tu étais capable. Il fallait te mettre en danger de mort pour que tu franchisses le dernier pas. Et c'est ce que j'ai fait.

– Mais pourquoi ? Pourquoi fais-tu tout ça ?

– Pour la science, répondit Doc. Tu imagines tout le savoir que je… que nous pourrions acquérir grâce à ton don ? »

Il fit un pas vers Caine.

« David, nous tenons une occasion incroyable, toi et moi, de faire l'Histoire. »

Ses yeux brillaient à présent. Ils regardaient Caine, mais ce dernier savait que Doc ne voyait plus que lui-même.

« Non, pas seulement de faire l'Histoire, mais de *changer* l'Histoire, de modifier le futur de l'humanité tout entière.

– Je ne t'aiderai pas, dit Caine.

– Ce serait bien plus simple pour nous deux si tu —

– Non.

– Juste quelques tests. Quel mal y a-t-il à faire quelques tests ? »

Doc suppliait presque.

« C'est bien le problème. Je ne sais pas quel mal peuvent faire tes tests – ni à qui ils peuvent en faire. »

Caine respira profondément. Il essayait de parler d'une voix ferme, mais il n'en menait pas large.

« Je ne le ferai pas. »

Doc secoua la tête.

« C'est pour ça que je ne pouvais pas te le proposer dans un endroit moins surveillé. Mais que ça te plaise ou non, David, tu vas devoir coopérer. »

Il sortit une télécommande de sa poche et l'orienta vers un petit téléviseur accroché en haut du mur, juste au-dessous du plafond. L'écran s'éclaira. Caine dut faire un effort pour regarder en l'air. Il vit alors un homme au visage las, attaché à un siège, une seringue intraveineuse fichée dans le bras. Jasper. Il semblait avoir pris dix ans depuis la dernière fois que Caine l'avait vu.

Doc se retourna pour lui faire face.

«Je n'ai pas envie de faire de mal à ton frère, mais s'il le faut… C'est à toi de décider.

– Et qu'est-ce qui se passera si j'accepte de coopérer?

– Ça permettra d'écourter ton séjour ici.»

Les yeux de Doc le trahirent: il mentait. Il fallait gagner du temps.

«J'ai besoin d'un peu de temps pour réfléchir.

– Non, fit Doc, catégorique. C'est maintenant ou jamais. Quelle est ta réponse?»

Caine savait qu'il y avait une chance – une très forte chance – pour qu'il ne quitte jamais cet endroit. Et, bien qu'il fût à peu près sûr que les tests de Doc étaient sans danger, il craignait, s'il disait oui maintenant, de ne plus jamais être capable de dire non.

«Je suis fatigué… Donne-moi juste un peu de temps pour récupérer.»

Doc secoua la tête. Il se dirigea vers un téléphone mural et composa un numéro. «Monsieur Dalton?» Caine sentit ses muscles se contracter. Doc lui jeta un coup d'œil. «Merci de vous occuper de Jasper Caine. Niveau deux, soixante secondes.» Il raccrocha et, d'un air chagriné: «Désolé.»

Caine regarda l'écran. Rien ne se produisit pendant quelques secondes. Jasper semblait dormir; il reposait aussi paisiblement que le lui permettaient les courroies de cuir qui retenaient ses bras, ses jambes et sa tête. Puis Dalton entra dans sa chambre, lui mit quelque chose dans la bouche et sortit du champ de la caméra. Un frisson parcourut l'échine de Caine. Au même moment, Jasper fut pris de convulsions. Il serrait et desserrait les poings, traversé de part en part par le courant électrique. Il n'y avait pas de son, ce qui, curieusement, rendait les images encore plus insoutenables.

«Arrêtez! Arrêtez!» hurla Caine.

Doc jeta un coup d'œil à sa montre, puis le regarda.

«Plus que cinquante secondes, David. C'est presque fini.»

430

Caine ne pouvait fermer les yeux pour faire barrage à l'horrible vision. Il tentait de les détourner, mais ses pupilles revenaient d'elles-mêmes se fixer sur les jambes de Jasper, qui étaient agitées de spasmes. Enfin, les convulsions cessèrent. Jasper resta prostré en silence, les joues ruisselantes de larmes. Puis vint l'humiliation finale : Caine vit une tache sombre s'étendre entre les jambes de son frère.

Doc revint se placer face à son prisonnier. Caine dut faire appel à tout son sang-froid pour ne pas lui cracher au visage. À nouveau, il se prenait à douter du choix qu'il avait fait en venant ici. Mais il était trop tard pour changer d'avis : cette fois, il n'y aurait pas maldonne.

« D'accord, fit-il d'une voix où perçait le désespoir. Je vais faire tes tests. Mais sans toi dans la pièce, ajouta-t-il en se rappelant comment les choses étaient censées se passer. Je ne veux avoir affaire qu'à Forsythe. »

Une grimace déforma le visage de Doc. Il allait répliquer lorsqu'une voix retentit dans l'interphone qui reliait les pièces entre elles.

« Paul, dit la voix, je crois qu'il faut que nous parlions. »

CHAPITRE 31

Forsythe était enchanté que le sujet Bêta ait réclamé sa présence et non celle de Tversky. S'il parvenait à nouer un lien avec Caine, il pourrait peut-être se débarrasser de son rival encore plus tôt que prévu. Il sourit et sortit un petit objet luisant de sa poche. Quand il s'approcha du sujet, les légers bips de l'électrocardiographe s'accélérèrent.

« Détendez-vous, monsieur Caine. Le test ne vous fera pas mal, je vous le promets. Je vais ôter les pinces de vos paupières pour que vous puissiez… accommoder. Mais, si vous tentez quoi que ce soit, je le saurai. »

Il jeta un coup d'œil à la rangée de moniteurs alignés contre le mur du fond, et particulièrement au tracé EEG décrivant l'activité électrique du lobe temporal. Si l'amplitude augmentait au-delà d'un niveau déterminé, le sujet recevrait une décharge électrique qui briserait sa concentration.

À titre de précaution supplémentaire, il administra à Caine un sédatif léger afin de le rendre plus malléable. Lentement, la fréquence cardiaque du sujet diminua jusqu'à 70 bpm. Alors seulement, Forsythe retira les pinces. Les yeux de Caine se fermèrent aussitôt. Le cœur de Forsythe fit une embardée, mais un rapide coup d'œil à l'EEG lui indiqua que le sujet ne faisait que se reposer : les ondes delta dominaient ; les autres apparaissaient à peine.

Au bout de quelques secondes, le sujet ouvrit les yeux et posa sur lui son regard d'un vert éclatant.

« Bon, et maintenant ?

– Je veux que vous regardiez cette pièce, dit Forsythe en

lui montrant les 25 cents qu'il avait sortis de sa poche. Je vais tirer à pile ou face. Et je veux que le résultat soit face. »

Caine parut décontenancé. « Mais qu'est-ce que *je* suis censé faire ? »

Ce fut au tour de Forsythe d'être surpris.

« Eh bien, je voudrais que vous fassiez apparaître le côté face.

– Comment ?

– Avec votre esprit. »

☆

Caine dévisagea Forsythe sans savoir quoi dire. S'il mentait, il se ferait prendre. Mais il n'avait pas non plus envie de dire la vérité. Il fallait que Nava se dépêche.

Si jamais elle vient. Souviens-toi, la probabilité qu'elle n'arrive même pas jusqu'ici est de 12,7 %. Tu pourrais être pris au piège pour toujours.

Caine s'efforça de ne pas se laisser gagner par le fatalisme. Il leva les yeux vers l'écran et vit Jasper allongé sur le ventre, un filet de bave coulant sur son menton. Puis il regarda Forsythe et, à la veine qui palpitait sur sa tempe, comprit qu'il commençait à perdre patience.

Il n'avait pas le choix.

« Ce n'est pas comme ça que ça marche, dit-il finalement.

– Qu'est-ce que vous voulez dire ?

– Si vous voulez, je peux prédire avec un haut degré de certitude de quel côté la pièce atterrira. Mais je ne peux pas faire que quelque chose se produise avec mon seul esprit. Il faut que j'intervienne d'une manière ou d'une autre pour influencer le résultat. »

Il ouvrit la main droite.

« Donnez-moi la pièce et laissez-moi la lancer. »

Forsythe regarda sa main d'un air méfiant.

« C'est le seul moyen pour que votre expérience fonctionne », insista Caine.

Forsythe hésita encore une seconde puis, à contrecœur, laissa tomber la pièce dans la main de Caine, dont les poignets étaient toujours entravés. Caine ferma les yeux. Il ne vit d'abord que quelques taches de couleur qui dansaient devant ses paupières closes. Puis une autre image apparut et le happa.

…

Il est là de toute éternité. L'arbre géant se nourrit de son être. Son tronc épais et unique en son genre prend racine dans des temps immémoriaux. Plus haut, une infinité de branches naissent de l'instant présent.

L'image ne cesse d'évoluer. Certaines branches grossissent et s'allongent, d'autres se flétrissent et meurent. De nouvelles branches surgissent sans arrêt ; d'autres disparaissent comme si elles n'avaient jamais existé. Les branches secondaires engendrent leurs propres ramifications qui à leur tour s'étendent. Il y a tant de nœuds, de coudes et de combinaisons qu'au bout de plusieurs générations les branches forment un réseau inextricable qui se perd dans un abîme informe.

La part cognitive de son cerveau voudrait se révolter, se réfugier dans la folie pour fuir l'éternité qui s'étend devant lui. Mais une autre part, une part primitive, se sent ici chez elle. Et il laisse cette part le guider.

…

« Vous avez dit face ? demanda Caine, les yeux toujours fermés.

– Oui », répondit Forsythe.

Alors, il sut comment faire.

…

Il y a un léger courant d'air provenant des bouches d'aération – il est à peine perceptible, mais Caine le voit déplacer les molécules d'oxygène et d'azote ici et là. La pièce est une pièce de 25 cents ; le côté face est 0,00128 gramme plus lourd que le côté pile. Le motif gravé sur le côté face est également plus gros et moins aérodynamique que sur le côté pile. Mais ces facteurs sont négligeables en regard de la force qu'il met dans ses

434

doigts et de la torsion qu'il imprime à son poignet menotté : celles-ci déterminent à 98,756 % la trajectoire de la pièce. Cela dit, la trajectoire elle-même ne détermine qu'à 58,24510 % le résultat du lancer.

Afin de bien apprécier tous les facteurs, Caine analyse la structure de la pièce (100 % cuivre à l'intérieur et un alliage 75 % cuivre-25 % nickel à l'extérieur) et du sol (des pièces de linoléum de 232 cm² chacune). Ces deux facteurs déterminent à 37,84322 % le résultat final. Celui-ci dépend également à 0,55164 % de leur situation par rapport aux pôles magnétiques, à 1,12588 % de la vitesse de rotation de la Terre et à 2,23415 % de la propreté du sol.

Le 0,00001 % restant dépend du bruit – Caine a donc une chance de se tromper sur cent mille lancers de pièce. Après avoir pris en compte toutes ces informations, il choisit une voie adaptée et —

...

Avec l'index et le majeur, Caine donna une impulsion à la pièce qui s'élança vers le haut. Il ouvrit les yeux et la regarda virevolter en miroitant dans la lumière. Clair, sombre, face, pile. On entendit un *tac* quand elle atterrit sur le sol, puis un *ding*, *ding*, *ding*, *brrrrrrrrrrrm* tandis qu'elle rebondissait et se stabilisait en dehors du champ de vision de Caine.

Forsythe se précipita pour la ramasser. Caine le vit sourire.

« Cinquante-cinquante, dit-il en s'adressant à lui-même autant qu'au professeur. Ça ne prouve rien.

– C'est vrai, admit Forsythe, tout excité. Mais si le côté face apparaît quarante-neuf autres fois, ça prouvera quelque chose. Continuez, s'il vous plaît. »

Et il laissa retomber la pièce dans la main entravée de Caine. Une fois de plus, celui-ci ferma les yeux. Cette fois, il eut à peine besoin de chercher pour trouver la bonne branche. La chose lui vint naturellement. À nouveau, il donna une impulsion à la pièce. À nouveau, elle tournoya en l'air et rebondit sur le sol.

À nouveau, c'était face.

« Encore. »

La pièce lui tombe dans la main. Il la lance. Elle miroite. Atterrit. Rebondit.

Autre lancer, autre face. Puis un autre. Et un autre. Et encore un autre. Face. Face. Face. Entre deux lancers, Caine piquait du nez et manquait s'endormir, mais Forsythe le réveillait d'une secousse. Il recevait aussi une décharge électrique quand il essayait de voir Nava dans le *Toujours*. Il ne fit d'ailleurs que deux tentatives : à l'évidence, Forsythe ne bluffait pas lorsqu'il lui avait dit qu'il saurait s'il cherchait à tricher.

Enfin, l'expérience cessa. Il lui semblait qu'elle avait duré des heures. Il était étourdi et trempé de sueur. Après avoir tiré face pour la cinquantième fois en cinquante lancers, il se força à regarder Forsythe. Ce dernier cessa de sourire, et une autre expression apparut brièvement sur son visage. Il se détourna pour la dissimuler, mais trop tard : Caine connaissait bien cet air-là.

C'était de la peur.

☆

« C'était incroyable », haleta Forsythe.

Tversky hocha la tête.

« Vous connaissez la probabilité de tirer face cinquante fois d'affilée ? C'est un divisé par deux puissance cinquante. Ça fait… »

Il tapa les chiffres sur le clavier de l'ordinateur.

« … 1 / 1 125 899 906 842 620. Alors même qu'il était *drogué*. Vous imaginez ce qu'il pourrait faire s'il était lucide ? »

Forsythe hocha vigoureusement la tête. Sous l'effet des sédatifs, le sujet, durant les deux heures qu'ils avaient passées ensemble, n'avait cessé d'osciller entre la veille et le sommeil. Bien sûr, le dispositif expérimental n'était pas assez complet pour que ce test ait valeur de preuve dans un article – il aurait fallu utiliser un système mécanique de lancer de pièces et un groupe de contrôle –, mais il l'était assez pour convaincre Forsythe que le sujet était bien une incarnation moderne du démon de Laplace.

D'ailleurs, aucun des deux hommes ne se souciait de publier les résultats. Avec le sujet Bêta à leur disposition, ils n'auraient plus jamais besoin de se soucier de quoi que ce soit. Et, grâce aux essais effectués par Tversky sur le jumeau, ils savaient maintenant comment neutraliser le démon.

Tversky pensait que la nécessité de fermer les yeux avait quelque chose à voir avec le système d'activation réticulaire du cerveau ; Forsythe, quant à lui, se disait qu'il devait exister une explication plus simple et plus générale. De toute façon, ce n'était pas la cause qui importait, mais l'effet : soumis à des stimulations visuelles constantes, le sujet Bêta ne pouvait utiliser ses pouvoirs.

« Avez-vous mesuré combien de temps ses yeux restaient fermés entre deux essais ? » demanda Forsythe.

Tversky hocha la tête. « C'est exactement ce à quoi je m'attendais : il y a une relation linéaire entre le temps nécessaire pour faire advenir un événement improbable et le niveau d'improbabilité de cet événement. Quand la probabilité de réussir est élevée, comme dans le cas d'un seul lancer de pièce, très peu de temps suffit ; quand la probabilité est plus faible – avec des dés, par exemple –, il en faut davantage, dans un état proche du sommeil paradoxal. »

Il interpella Forsythe pour le tirer de ses pensées :

« James, avec les ressources appropriées, je crois que David serait capable d'accomplir à peu près tout ce qu'il veut. »

Il se mit à marcher de long en large.

« Sa connaissance infinie de l'univers, si elle était bien orientée, pourrait conduire à des avancées scientifiques spectaculaires, que ce soit en matière de microbiologie, d'astrophysique, de mathématiques, d'oncologie – la liste s'étend, littéralement, à l'infini ! David pourrait nous aider à percer les plus grands mystères de l'univers. »

Mais Forsythe ne pensait à rien d'aussi trivial que les

avancées de la science. Il avait de bien plus hautes ambitions : la personne qui contrôlerait le sujet Bêta détiendrait un pouvoir tel qu'il n'en avait jamais existé.

« Il y a d'autres manières dont nous pourrions utiliser ses talents, hasarda-t-il pour voir la réaction de Tversky.

– Comme quoi ?

– Wall Street, par exemple. La politique. L'armée.

– Vous êtes fou ? Il faut l'utiliser pour la *science*. Le reste serait trop dangereux. D'ailleurs, il y a tant de questions à résoudre avant de commencer à discuter de ses usages. Les possibilités sont littéralement infinies. »

Il se remit à arpenter la pièce.

« Il va falloir trouver un moyen de le garder secret. Nous pourrions demander à différents chercheurs de venir travailler au labo et —

– Une minute », l'interrompit Forsythe.

Il ne voulait pas laisser Tversky faire des projets tant qu'il n'aurait pas élaboré ses propres plans. Pour l'instant, il avait encore besoin de lui, mais, avec un peu de chance, ce ne serait plus le cas très longtemps.

Peut-être pourrait-il le dénoncer à la police pour le meurtre de son étudiante ? Ce serait un bon moyen de l'écarter de son chemin tout en le discréditant. Forsythe sourit. Oui, c'est ça qu'il allait faire. Dès qu'il aurait compris le fonctionnement du sujet, il se débarrasserait une fois pour toutes de Tversky.

« Il nous reste à déterminer comment nous allons contrôler le sujet, dit-il pour ramener la conversation à des questions d'ordre pratique. Je ne pense pas que nous puissions éternellement utiliser son frère comme moyen de chantage. Et puis, si nous lui demandons de prédire ou de réaliser des événements plus improbables, il risque d'en profiter pour planifier la fuite parfaite.

– Oui, dit Tversky, c'est un problème. Nous ne pouvons pas continuer à administrer d'aussi hautes doses de Thorazine. Peut-être que peu à peu, à l'aide d'une thérapie comportementale, nous pourrions réussir à le sevrer sans perdre le contrôle de son esprit.

438

– Je doute que nous y arrivions, dit Forsythe en secouant la tête. Et même si c'était le cas, nous ne serions jamais sûrs de rien. Si notre contrôle faiblissait un seul instant, nous pourrions tout perdre. »

Les deux hommes se tournèrent vers la vitre sans tain et méditèrent la question en silence. Caine était allongé de l'autre côté. Malgré lui, il gardait les yeux fixés sur le mur.

« Il est bien trop dangereux pour qu'on lui rende sa liberté, finit par déclarer Forsythe. Je ne vois qu'une solution – il faut le maintenir dans un état catatonique permanent.

– Mais ce serait le priver totalement de son libre arbitre ! objecta Tversky, indigné.

– N'est-ce pas le but ?

– Si, mais ce genre d'état est irréversible.

– La mort l'est aussi, dit froidement Forsythe. Et ça n'a pas semblé vous poser problème quand vous vous êtes occupé du sujet Alpha. »

Tversky rougit violemment.

« Je… C'était un accident… Est-ce que vous me menacez ?

– Pourquoi ? demanda Forsythe. Ai-je des raisons de le faire ? »

Tversky se tut un long moment, puis : « Je pense que nous devrions tester le traitement sur le frère avant de l'utiliser sur David. Juste pour vérifier qu'il n'y a pas d'effets secondaires. »

Forsythe hocha la tête. « Heureux que vous voyiez les choses comme moi. »

Ils restèrent silencieux quelques instants ; la tension était palpable. Tversky fut le premier à reprendre la parole :

« Je vais aller me reposer, dit-il d'un air embarrassé. La journée a été longue et j'ai beaucoup de tests à faire demain. »

Forsythe n'avait pas confiance. Il regarda Tversky d'un œil soupçonneux. Qu'est-ce qu'il manigançait ? Il songea un instant à le faire prisonnier, puis y renonça. Pour le moment, Tversky tenait bien trop à avoir accès au sujet Bêta pour tenter quoi que ce soit.

« Eh bien, bonne nuit, dit Forsythe. Je vais rester encore un peu pour préparer le jumeau. »

Tversky fit d'abord mine de protester, puis il parut changer d'avis.

« Bonne nuit, James. Je trouverai la sortie. »

Lorsqu'il fut seul, Forsythe calcula précisément les doses nécessaires pour plonger le jumeau dans un état passif de catatonie. Tversky cherchait la petite bête, mais il n'avait pas tort : mieux valait tester le traitement sur Jasper Caine pour le cas où quelque chose tournerait mal.

Il appuya sur quelques touches. Quand l'ordinateur lui demanda s'il était *sûr* de vouloir injecter les substances sélectionnées, il cliqua sur OK. À l'écran, il vit le regard du jumeau devenir vague et vitreux à mesure que l'intraveineuse faisait passer les drogues dans son sang. Dans moins de trois heures, Jasper Caine aurait disparu ; il serait remplacé par un être dénué de volonté propre, un être bien plus soumis et déférent qu'il ne l'avait jamais été.

Forsythe détourna son attention du jumeau et ajouta un narcotique au cocktail médicamenteux du sujet Bêta : inutile de risquer un comportement violent de sa part. Lorsqu'il eut terminé, il poussa un soupir. Les expériences auraient été bien plus nettes sans les médicaments, mais il était convaincu que les jumeaux pourraient quand même utiliser leurs talents. Et, si ce n'était pas le cas, son équipe parviendrait sans doute à mettre au point une substance pharmaceutique capable de reproduire la chimie de leur cerveau – comme Tversky l'avait fait avec le sujet Alpha.

Alors, il n'aurait plus besoin des jumeaux.

☆

Le fourgon déposa Nava à cent cinquante mètres du bâtiment. C'était un bloc de béton de six étages en tout point semblable à ceux qui l'entouraient, mais elle savait que la façade faisait partie du déguisement. Elle abaissa la visière de sa casquette de base-ball pour masquer son visage, tira une dernière fois sur sa cigarette et l'écrasa sous le talon de sa botte.

En arrivant à la hauteur de l'utilitaire sport noir garé dans la rue, elle se pencha pour regarder sous la roue avant droite. Le matériel était là, comme promis. Elle fourra le badge dans sa poche, enfila le bracelet et se dirigea vers l'entrée de l'immeuble.

Après avoir respiré un grand coup, elle poussa la porte tambour en verre fumé. Le hall était entièrement recouvert de faux marbre. Ses pas résonnèrent sur le sol lorsqu'elle s'avança vers le guichet de sécurité. En la voyant approcher, un garde empâté posa lentement son magazine *People*. Il jeta un coup d'œil au faux badge, puis passa cinq bonnes secondes à fureter dans le sac marin de la jeune femme.

Comme prévu, il ne fouilla que la poche zippée qu'elle lui avait ouverte et ignora complètement le compartiment plus vaste qui contenait un pistolet tranquillisant, deux Glock semi-automatiques 9 mm, trois cents cartouches, un aérosol de Fréon et assez de plastic pour raser tout l'immeuble. Une fois convaincu de ne pas avoir affaire à une terroriste, il demanda une signature à Nava et se replongea dans son *People*.

Elle le remercia avec un bref sourire et se dirigea prestement vers les ascenseurs. L'une des portes s'ouvrit dès qu'elle eut appuyé sur le bouton. Elle allait pénétrer dans la cabine lorsqu'elle remarqua son occupant : il était si perdu dans ses pensées qu'il passa près d'elle sans même lever les yeux. Il ne vit pas son visage, qui était dissimulé par la casquette ; elle, en revanche, l'avait bien reconnu.

C'était Doc.

L'espace d'une seconde, elle eut envie de lui trancher la gorge avec son poignard et de le laisser mourir dans son sang. Elle aurait voulu le tuer pour ce qu'il avait fait à David – et pour ce qu'il avait fait à Julia. Mais, si elle cédait à la tentation, le garde déclencherait l'alarme et elle ne pourrait plus sauver Caine. Malgré la rage qui l'étouffait, elle laissa donc passer Doc sans proférer une parole.

Les mâchoires serrées, elle monta au cinquième en s'efforçant de ne plus penser à lui. Elle aurait le temps de se venger plus tard. Pour l'instant, elle avait une mission à accomplir.

L'ascenseur s'arrêta et elle pénétra dans une petite pièce fermée par une double porte vitrée. Elle ouvrit son sac à dos, en sortit un appareil électromagnétique de la taille d'un jeu de cartes, l'approcha du lecteur situé sur le mur et patienta tandis qu'il passait par toutes les fréquences possibles. Enfin, elle entendit un léger déclic : les serrures électroniques venaient de s'ouvrir. L'opération avait pris moins de cinq secondes.

Elle passa la porte et se retrouva dans un luxueux vestibule. Deux canapés de cuir noir identiques se faisaient face de part et d'autre d'un tapis oriental bariolé. Au fond de la pièce, une fenêtre occupant toute la hauteur du mur laissait voir les lumières scintillantes de la ville presque endormie. En contemplant ce spectacle, Nava se prit à regretter la vie qu'elle aurait pu avoir. Elle s'autorisa quelques secondes de rêverie, puis se força à revenir sur terre : cette vie, c'était elle et personne d'autre qui l'avait choisie. Et maintenant, elle avait du travail.

Elle s'arracha à la vue et s'engagea dans le couloir d'un pas résolu, suivant l'itinéraire qu'elle avait mémorisé dans le fourgon. Après avoir déjoué une autre serrure électromagnétique, elle arriva devant une nouvelle rangée d'ascenseurs. Elle inspira profondément et prit son air le plus déterminé. Une fois qu'elle aurait appuyé sur le bouton, elle ne pourrait plus revenir en arrière : elle serait sous surveillance permanente.

Si les renseignements qu'on lui avait donnés étaient corrects, elle s'en sortirait sans doute. Mais s'ils ne l'étaient pas… elle était foutue. L'ascenseur pouvait s'ouvrir sur un groupe de gardes armés ou sur des gaz neurotoxiques ; ou elle pouvait descendre sans encombre jusqu'au labo et, là, se faire mettre en pièces par des bergers allemands. Il n'y avait aucun moyen de savoir.

Nava prit ses armes et ses munitions dans le sac marin et

les transféra dans un sac à dos très plat. Puis elle sortit un petit paquet enveloppé dans du papier brun, son pistolet tranquillisant et l'un de ses 9 mm. Elle vérifia que le cran de sûreté n'était pas mis. Il ne l'était pas. Il n'était jamais mis.

Enfin, elle manipula un bouton situé sur son bracelet – son arme secrète. Elle espérait ne pas avoir à s'en servir : elle n'aimait pas dépendre d'autrui quand sa vie était en jeu. En y réfléchissant, elle se dit qu'elle ne l'utiliserait qu'en cas de danger de mort imminent. Alors, si le dispositif ne fonctionnait pas, elle ne pourrait s'en prendre qu'à elle-même. Curieusement, cette pensée la soulagea.

Elle appela l'ascenseur et attendit la suite.

☆

D'abord, Caine eut l'impression de comprendre l'attrait des drogues. Puis il se sentit si merveilleusement bien que plus rien d'autre ne compta. La solution saline froide qui coulait tout à l'heure dans ses veines avait été remplacée par autre chose. Quelque chose d'incroyable. Jamais il n'aurait cru qu'on pouvait sentir son sang circuler – il est vrai qu'on ne lui avait jamais administré de narcotique par voie intraveineuse.

Le liquide glacial remontait son bras à toute allure, affluant vers son cerveau. Dans son sillage, le corps de Caine était gagné par un néant bienfaisant. Son bras, puis son épaule, son cou et… *Waouh*. Plus rien n'avait d'importance. Tout allait bien. Les élancements laborieux de son genou cessèrent, son mal au dos s'apaisa et la crampe qu'il avait à la nuque ne fut soudain plus qu'un lointain souvenir. Il se sentait… vaseux… mais bien. Si bien.

Il sourit, puis se mit à glousser. Du coup, ses paupières tiraient sur les pinces, mais il s'en moquait. Tout à l'heure, les pinces lui faisaient mal ; maintenant, elles le chatouillaient. Tout le chatouillait. Une vague de bien-être envahit tout son corps. Il soupira. Rien n'avait d'importance, il le voyait bien maintenant. Il ne savait plus pourquoi il s'était fait tant de souci.

Il eut soudain terriblement sommeil. Il aurait aimé fermer les yeux pour dormir, mais c'était impossible parce que… eh bien, parce que… il ne se souvenait plus. De toute façon, ce n'était pas grave. Il pouvait sans doute s'endormir les yeux ouverts. Ce serait cool, dormir les yeux ouverts.

Vraiment… cool…

CHAPITRE 32

En attendant l'ascenseur, Nava resserra sa prise sur son pistolet. Elle s'était mise sur le côté afin de ne pas être trop visible depuis la cabine. Avec un petit clic métallique, celle-ci s'arrêta au cinquième étage et s'ouvrit lentement sur…

Rien.

Avant d'entrer, Nava jeta un coup d'œil au plafond pour éviter les mauvaises surprises : il n'y avait là que trois néons circulaires et une minuscule caméra de surveillance. Elle baissa la tête et redressa les épaules. Avec sa casquette de base-ball et sa combinaison grise informe, elle espérait passer pour un homme aux yeux de la personne qui se trouvait de l'autre côté de la caméra.

Une fois à l'intérieur, elle appuya sur le bouton 2e SS. La porte se referma et la cabine fila vers le deuxième sous-sol. L'estomac de Nava fit un bond lorsqu'elle ralentit. Elle palpa le pistolet caché dans la grande poche de sa combinaison et sentit le métal froid à travers le tissu.

La porte s'ouvrit et Nava prit ses repères en un clin d'œil. La pièce était petite – pas plus de douze mètres carrés. Sol blanc, murs blancs. Grosse porte de sécurité équipée d'un scanner d'empreintes de main. Grand bureau gris en forme de L, avec une rangée de minuscules moniteurs noir et blanc.

Deux gardes étaient assis derrière le bureau. Contrairement à ceux du hall, ce n'étaient pas des quantités négligeables : jeunes, musclés, les cheveux coupés ras – des mercenaires. L'un était hispano-américain, l'autre blanc.

Nava prit un air revêche et s'avança vers eux d'un pas ferme. Elle posa le paquet sur le bureau d'une main ; l'autre tenait le pistolet caché dans sa poche.

« J'ai un colis pour le Dr Forsythe », annonça-t-elle en guise de présentation. Le Blanc regarda l'Hispano d'un air interrogateur. C'était l'Hispano qui commandait. Bon à savoir. Elle sortit son pistolet et lui tira dans le cou.

Il n'eut même pas le temps d'avoir l'air surpris : il s'affala sur sa chaise et du sang se mit à perler de sa blessure, à l'endroit où la seringue était venue se loger. Sans laisser à l'autre le temps de réagir, Nava tendit le bras et lui appuya fermement le pistolet sur l'œil droit. La douleur le fit tressaillir.

« Les mains derrière la tête. »

Il s'exécuta.

« Comment vous appelez-vous ?

– Jeffreys. »

Elle désigna du menton le scanner d'empreintes de main.

« C'est le seul ?

– Oui, répondit le garde en déglutissant laborieusement.

– Quelles sont les autres mesures de sécurité ? »

Il hésita une fraction de seconde et sentit le canon froid de l'arme appuyer plus fort sur son visage.

« Il y a des scanners d'empreintes de pouce partout.

– Vous avez déclenché l'alarme silencieuse ?

– Non.

– À quels intervalles faites-vous le point avec les autres gardes ?

– Tous les quarts d'heure.

– Quand a eu lieu le dernier point ?

– À vingt-deux heures quarante-cinq. Le prochain est à vingt-trois heures. »

La montre de Nava indiquait 22 :47. Elle avait treize minutes. Vingt lui auraient mieux convenu, mais il allait falloir faire avec.

« Il y a combien de gardes dans le labo ?

– Euh… »

Son œil gauche pivota vers le plafond, comme s'il les comptait dans sa tête.

« Six, dit-il finalement. Non, non, attendez… Sept. Sept, j'en suis à peu près sûr.

– Y compris vous et votre collègue ?

– Oui.

– Est-ce que ses empreintes de main et de pouce ouvrent toutes les portes du labo ? » demanda-t-elle en désignant le garde étendu par terre.

Lorsqu'il comprit ce qu'impliquait la question, Jeffreys déglutit bruyamment. Puis il hocha légèrement la tête : « Oui. »

Sans ajouter une parole, Nava dégagea son pistolet tranquillisant et lui tira dans le bras. Il s'effondra près de son collègue. Elle passa alors derrière le bureau et souleva la main droite de l'Hispano. À l'aide du poignard qu'elle gardait à la cheville, elle lui sectionna les tendons latéraux du pouce ; puis, elle inséra doucement la lame dans l'articulation et détacha le bout de son doigt. Il était presque intact, mais l'homme saignait abondamment.

Elle s'essuya les doigts sur son uniforme, puis découpa deux bandes de tissu dans sa manche pour panser son pouce sectionné et sa blessure au cou. Elle trouvait incroyable que sa source ait oublié de mentionner les scanners de pouce. C'était à cause de bévues comme celle-ci qu'elle préférait faire elle-même le travail de reconnaissance. Elle se demandait quelles autres erreurs son contact avait bien pu commettre – mais elle le saurait assez tôt.

Elle fit le tour des écrans et finit par trouver ce qu'elle cherchait : David. Ses yeux fixaient le plafond, et pourtant il semblait inconscient. Sa poitrine se soulevait et s'abaissait régulièrement. En bas et à droite de l'écran, « C10 » était inscrit en caractères blancs. Nava allait quitter les lieux lorsque son œil fut attiré par un autre moniteur.

Jasper. Tout comme David, il était attaché à un grand siège métallique inclinable et avait les yeux grands ouverts. Mais, contrairement à son frère, il paraissait conscient. Son front était sillonné de plis profonds et ses mains tremblaient. Il faisait peine à voir. L'écran indiquait qu'il se trouvait en D8. L'aile D, loin de David. Bizarre qu'ils aient mis autant d'espace entre eux. Elle n'aurait pas le temps de les sauver tous les deux.

Elle regarda sa montre : 22 :48. Plus que douze minutes. Il fallait se dépêcher.

☆

Elle parcourut des yeux le long couloir. Comme dans l'entrée, tout était blanc ; les surfaces brillaient presque sous la lumière crue des néons. Au bout de vingt mètres, le couloir bifurquait à droite et à gauche. Avant d'atteindre l'embranchement, Nava perçut les intonations graves de deux voix d'hommes. Elle s'arrêta pour réfléchir à ce qu'elle devait faire. Elle ne voulait pas sortir en tirant – si elle les manquait, l'un d'entre eux risquait d'actionner le signal d'alarme.

Si elle parvenait à les neutraliser rapidement sans faire usage de son arme, elle pourrait les dissimuler dans l'un des cagibis qui donnaient sur le couloir. Mais, si l'un ou l'autre réussissait à tirer, son opération de sauvetage ne resterait pas secrète bien longtemps. Il fallait se décider rapidement.

Optant pour la deuxième solution, elle posa ses armes et se prépara à lutter directement à mains nues. Elle combattait beaucoup plus facilement sans être encombrée ; si les choses se corsaient, elle pourrait toujours utiliser son poignard.

D'abord, il fallait les séparer. Le plus simple était d'en neutraliser un sans que l'autre s'en aperçoive, puis de s'attaquer au second. Elle recula de quelques pas et se tapit dans le retrait d'une des portes qui longeaient le couloir. Alors, elle éternua – ou, du moins, produisit un son qui *ressemblait* à un éternuement. C'était un truc vieux comme le monde, mais elle savait d'expérience que seules les meilleures recettes subsistaient pour *devenir* de vieux trucs.

Les hommes se turent aussitôt. Nava croyait presque les sentir écouter, tendre l'oreille à l'affût du moindre son. Elle retint son souffle.

« Tu as entendu ?

– On aurait dit un éternuement.

– Ouais. Bouge pas, je vais voir. »

Un pas lourd retentit dans le couloir. Nava attendit que le garde soit presque sur elle pour sortir de sa cachette. Ils s'observèrent un quart de seconde avant l'assaut. L'homme faisait à peu près un mètre quatre-vingt-dix et quatre-vingt-quinze kilos ; il avait les cheveux couleur sable, le front saillant et, à la main, une énorme matraque, dont il essaya aussitôt de la frapper à la tête. Elle fit un pas vers lui et lui saisit l'avant-bras de ses mains gantées, puis continua d'avancer en lui tordant le poignet de toutes ses forces pour le faire passer par-dessus son épaule.

Mais il était trop rapide : il leva l'autre bras et lui donna un grand coup dans la poitrine avec la base de la main. Le souffle coupé, Nava lâcha prise. D'ici une seconde, l'autre garde se rendrait compte que quelque chose n'allait pas. Elle n'avait plus de temps à perdre en subtilités.

Elle le prit par les épaules et lui écrasa les testicules d'un grand coup de genou. L'homme devint livide. Sans attendre, Nava lui décocha un vigoureux uppercut qui lui fit perdre connaissance. Il s'effondra comme un château de cartes et sa matraque heurta bruyamment le sol.

« Ça va, McCoy ? » cria aussitôt l'autre voix.

Si le type avait un peu de jugeote, il déclencherait l'alarme avant de venir voir. Mais, comme la plupart de ces gros bras n'étaient pas réputés pour leur intelligence, Nava se dit qu'il lui restait une chance. Elle ramassa la matraque et fonça vers la portion de couloir d'où provenait la voix.

Le deuxième garde était nettement plus petit, mais bâti comme un haltérophile. Nava envoya doucement la matraque vers ses genoux ; sans réfléchir, il se pencha pour l'attraper, se retrouvant ainsi exposé. C'était une erreur qu'il ne commettrait plus jamais.

D'un coup de pied circulaire arrière, elle projeta violemment le talon de sa botte sur le côté de son crâne. Il ne tomba pas, mais resta sonné pendant quelques secondes ; c'était tout ce qu'il fallait à Nava. Elle lui décocha successivement un coup de coude sur la nuque et un coup de genou au menton qui lui brisa la mâchoire.

Il s'affaissa sur le sol, sans connaissance.

Une minute plus tard, Nava avait neutralisé les deux gardes avec son pistolet tranquillisant et traîné leurs corps inertes dans l'un des cagibis. Elle enleva sa casquette de base-ball, enfila une blouse blanche trop grande pour elle et reprit sa marche en direction de la chambre C10.

Elle franchit une porte de sécurité et pénétra dans un autre couloir immaculé. Il semblait s'étendre à l'infini, mais était à peine assez large pour permettre à deux personnes de marcher côte à côte. Des portes donnaient sur le côté droit, séparées par trois mètres d'intervalle. À environ trente mètres de distance, deux hommes se tenaient de part et d'autre d'une d'entre elles. Il devait s'agir de la chambre C10.

Tout en continuant d'avancer, Nava passa en revue les quelques options qui s'offraient à elle. Une manœuvre de distraction ne servirait évidemment à rien, puisqu'il n'y avait nulle part où se cacher. Peut-être arriverait-elle à s'approcher suffisamment des deux hommes pour utiliser son pistolet tranquillisant, mais elle en doutait. Le combat à mains nues était une autre possibilité. L'étroitesse du couloir lui donnait un léger avantage, car elle lui permettrait de se mouvoir plus facilement que deux hommes de forte carrure. D'un autre côté, si elle tombait, elle n'aurait aucune marge de manœuvre, et ils seraient sur elle en une seconde.

Non, le combat à mains nues était trop risqué. Elle avait mis les deux autres gardes KO assez facilement, mais sa chance n'allait pas durer éternellement. La surprise était son atout principal ; il fallait l'utiliser. En arrivant devant la chambre C6, Nava fit tomber son dossier, et les papiers s'éparpillèrent sur le sol. L'un des gardes se tourna vers elle ; la prenant pour une protégée de Forsythe, il s'en désintéressa aussitôt. En ramassant les papiers, elle tourna le dos aux deux hommes et, avec précaution, prit le 9 mm silencieux dans son holster épaule pour le transférer dans une des poches de sa blouse.

Elle aurait aimé s'en tenir au pistolet tranquillisant, mais elle n'avait pas droit à l'erreur ; une balle, même si le tir était imprécis, ralentirait l'adversaire. Malheureusement, comme les deux gardes étaient tout proches, l'un d'entre eux lui masquait partiellement l'autre. Il faudrait attendre d'être plus près.

Elle se remit en marche dans leur direction. Feignant d'avoir honte de sa maladresse, elle garda la tête basse et laissa ses longs cheveux lui balayer le visage. C8. Plus que six mètres. D'un geste nonchalant, elle fit tomber sa main dans sa poche.

C9. Trois mètres.

Elle toucha l'acier froid et fit courir ses doigts sur le canon, puis les referma sur la crosse. Lorsqu'elle atteignit la porte, elle s'arrêta et lança un regard timide aux deux gardes. Le plus grand était mince et fort, avec des muscles lisses et bien dessinés. À l'évidence, il savait se battre. L'autre était bâti comme un mini-bulldozer. Elle entendit une voix bourdonner dans son écouteur.

« Ici Dalton », dit-il.

Nava se raidit. Si les autres gardes avaient été découverts, il fallait attaquer maintenant. Mais alors, la personne qui était en ligne avec le dénommé Dalton risquait d'entendre un bruit suspect. Elle décida d'attendre : s'il apprenait quelque chose, elle le verrait dans ses yeux avant qu'il ait le temps de faire un geste.

« Ça marche », dit Dalton, et il raccrocha. Ses yeux étaient menaçants, mais elle n'avait perçu aucun changement.

« Je peux vous aider, mademoiselle ? demanda le grand mince d'une voix grave et provocante.

– Je… Je suis censée examiner le patient », balbutia Nava en prenant son air de gamine effarouchée.

Il la regarda comme si elle était la plus stupide des oies. « Vous êtes dans une zone réservée. Vous — »

Il s'interrompit : une balle venait de lui traverser la poitrine.

Nava tourna aussitôt l'arme vers Dalton, mais il lui saisit le poignet et le tir fut dévié vers le plafond. La lumière s'éteignit, et des éclats de plastique et de verre se mirent à pleuvoir. Dalton tordit le poignet de Nava, la forçant à lâcher son pistolet. Puis il la prit à la gorge et la poussa de toutes ses forces vers le mur.

La tête de Nava rebondit bruyamment contre la surface dure. Elle suffoquait ; sa gorge était comme prise dans un étau de métal. Elle avait la main droite plaquée contre le mur, et Dalton était trop près pour qu'un coup de pied fût efficace. Elle utilisa son bras libre pour lui donner un coup de poing dans les reins, mais il ne broncha pas. Elle sentait son souffle tiède sur son visage. Il lui serrait le cou de plus en plus fort.

Soudain, comme il la regardait dans les yeux, son visage s'éclaira : il la reconnaissait. « Je pensais t'avoir déjà tuée, Vaner. »

Des taches noires se mirent à danser devant les yeux de Nava. D'ici dix secondes, elle aurait perdu connaissance. Sa bouche s'ouvrait et se refermait, cherchant en vain à aspirer de l'air : il était trop fort. Elle utilisa ses dernières ressources pour lever le genou et tendre le bras vers son pied gauche.

Elle fit courir ses doigts moites sur le haut de sa botte et finit par les refermer sur le manche de son poignard. Elle tira si fort pour le dégager que sa main fut projetée contre le mur ; elle faillit lâcher l'arme, mais parvint à raffermir sa prise à temps.

Alors, elle leva le bras et frappa Dalton dans le dos. Quand la lame pénétra dans sa chair, il se mit à serrer plus fort que jamais, mais elle continua à pousser et sentit le poignard s'enfoncer dans son épaule. Lorsqu'il atteignit le tendon, Dalton poussa un cri perçant et lâcha prise. Nava s'effondra à quatre pattes, haletante. Elle réussit à ne pas s'évanouir en labourant le sol de ses phalanges sanglantes et en se concentrant sur la douleur.

Elle s'accorda à peine le temps de reprendre son souffle avant d'achever la besogne. Il fallait faire cesser les cris de Dalton. Debout à côté d'elle, une main tâtonnant dans son dos, il cherchait désespérément à retirer le poignard. Nava tendit les deux bras, attrapa son pied droit et le tira vers l'avant. Il tomba à la renverse et atterrit brutalement sur le côté ; sa clavicule craqua et se fendit en deux. Ses yeux étincelaient de douleur et de rage.

Nava prit une nouvelle bouffée d'air, puis bondit sur lui et s'assit à califourchon sur sa taille. Elle saisit le manche du poignard, le fit pivoter de 90 degrés et l'arracha de son épaule. Comme si un barrage venait de se rompre, un flot de sang jaillit de la blessure.

Elle leva alors le poignard à deux mains et l'abattit sur la poitrine de Dalton. La lame lui brisa deux côtes avant de s'enfoncer dans son cœur. La tête projetée vers l'avant, les yeux exorbités, il haleta une dernière fois. Puis sa tête retomba et son corps massif s'affaissa, sans vie.

Nava avait toujours peine à respirer. Elle inspecta les lieux tout en se massant la gorge. L'affrontement avait été beaucoup moins propre que les précédents. Le grand mince était étendu sur le dos, jambes écartées. Une flaque sanglante s'était formée autour de sa poitrine. Il avait dû survivre quelques secondes, car ses mains étaient barbouillées de sang et le bout de ses doigts avait laissé sur le sol de fines traînées rouges.

Dalton avait causé bien plus de désordre encore. Il gisait dans une mare rouge foncé qu'alimentait sa blessure à l'épaule. Le sol, quand il n'était pas couvert de sang, était jonché de débris de verre et de plastique noir tombés du plafond. Si quelqu'un empruntait le couloir, il ne manquerait pas d'apercevoir le spectacle.

La montre de Nava indiquait 22 :55. Dans cinq minutes, ce serait la pagaille. Au moins, depuis que son tir incontrôlé avait fait exploser l'un des tubes de néon, l'endroit était plongé dans une demi-obscurité. Elle regarda les portions éclairées du couloir, puis revint à cette zone d'ombre devant la porte de la chambre de Caine.

Alors, elle eut une idée.

☆

Crowe jura tout bas : en entendant le coup derrière la porte, il avait eu l'intuition surnaturelle qu'il s'agissait de Vaner. Quand il se tourna vers le moniteur, Esposito était déjà mort, allongé dans son sang. Il vit Dalton attraper Vaner par le poignet, puis l'écran devint gris : le tir avait dû détruire la caméra de surveillance fixée au plafond.

Crowe sortit un SIG Sauer .45 de son holster épaule et fonça vers la porte, les oreilles pleines des hurlements de Dalton. Il allait tourner la poignée quand un grand *BAM* retentit. Ensuite, les cris cessèrent. Elle avait dû le tuer à mains nues. Il retira sa main de la poignée. Si Vaner vivait toujours, elle attendait peut-être qu'un autre garde sorte de la pièce ; dans ce cas, elle le descendrait avant qu'il ait eu une chance de tirer.

Jeffreys, Esposito, Gonzalez, McCoy, Rainer – il se demandait si l'un d'entre eux était encore en vie. Ce n'étaient pas des modèles de vertu, mais aucun ne méritait de mourir. Il pensait que six anciennes recrues des forces spéciales suffiraient ; à l'évidence, il avait sous-estimé la traîtresse de la CIA. Non seulement Vaner était revenue d'entre les morts, mais elle en était revenue pour se battre. Le faux numéro de chambre indiqué par le moniteur à l'accueil était la seule mesure de sécurité qui eût fonctionné : pendant tout ce temps, au lieu de se rapprocher de David Caine, Vaner s'en était éloignée pour arriver devant le bureau de Crowe.

Sur le mur, le signal lumineux passa soudain au vert, indiquant qu'on venait de déverrouiller la serrure électronique. Crowe recula et leva son pistolet vers la porte. Il appuya sur la détente – trop peu pour que le coup parte, mais assez pour pouvoir tirer immédiatement quand l'adversaire se montrerait. La porte s'ouvrit d'un coup, révélant une Nava Vaner bien mal en point. Avant qu'elle ait eu le temps de réagir, Crowe tira. Le sol fut aussitôt couvert de sang, de matière grise et de morceaux de crâne brisé.

☆

À la seconde où elle ouvrit la porte, Nava sut qu'elle avait été jouée. Elle venait d'en prendre conscience lorsqu'elle aperçut l'homme basané de la gare, son .45 braqué sur elle. Elle se demanda si elle aurait mal en mourant. Elle avait déjà reçu des balles, deux à la jambe et une à l'épaule, mais elles n'avaient causé que des blessures légères – sanglantes et douloureuses, certes, mais sans gravité. Ce ne serait pas le cas aujourd'hui.

À cette distance, il ne pouvait pas manquer son coup.

Elle sentit le coup avant d'entendre la détonation. La balle aboutit juste sous l'œil droit de Dalton. Nava l'avait transporté dans la chambre pour dégager un peu le couloir : le corps sans vie reposait sur son épaule, la tête contre sa poitrine.

Le crâne de Dalton explosa comme un fruit trop mûr, arrosant la chemise de Nava de sang chaud et poisseux. Sans lui, la balle l'aurait frappée en plein cœur – au lieu de quoi, elle ne fit que l'égratigner en ressortant. Nava commençait à se demander si le don de prescience de Caine avait déteint sur elle.

Mais elle ne pouvait pas compter là-dessus. Elle laissa choir le corps décapité et plongea dans le couloir. Elle atterrit sur le côté et dérapa sur le sol ensanglanté en tâtonnant frénétiquement pour trouver son 9 mm. Il n'était pas là. Elle avait oublié de le remettre dans sa poche. Elle l'aperçut dans l'embrasure de la porte ouverte, à quelques centimètres seulement de son pied. Il aurait aussi bien pu se trouver à un kilomètre.

L'homme serait sur elle d'ici une seconde : elle n'arriverait jamais à atteindre le pistolet à temps. Elle appuya énergiquement sur le bouton de son bracelet. L'urgence

455

qu'elle avait anticipée était arrivée. Mais elle n'avait jamais remis sa vie entre les mains d'un autre et s'attendait sincèrement à être déçue.

Toujours allongée sur le dos, elle sortit un petit couteau à lancer de sa ceinture et leva le bras en priant pour qu'un miracle se produise.

☆

Grimes était occupé à choisir un bonbon gélifié – il aimait les blancs avec les rayures vertes – lorsqu'une grosse pastille lumineuse se mit à clignoter sur son écran. Simultanément, l'alerte rouge de *Star Trek* retentit dans ses écouteurs. Il se redressa et goba un bonbon pris au hasard. Cool. Le jeu continuait.

Il double-cliqua sur la pastille rouge et se laissa aller dans son siège pour contempler le feu d'artifice – ou, du moins, pour l'écouter. Il se demanda un instant s'il n'était pas en train de commettre un crime quelconque, puis il se rappela qu'il ne travaillait plus pour le gouvernement des États-Unis. Il chassa donc cette pensée de son esprit et songea plutôt à l'énorme somme qui venait d'être versée sur son compte offshore numéroté. En prime, il avait la certitude que Dr Jimmy deviendrait complètement dingue quand le grabuge serait terminé.

Et ça, c'était presque aussi jouissif que le fric. Presque. Pas tout à fait.

☆

Crowe fit un pas de côté pour éviter le corps. En le regardant, il comprit aussitôt ce qui s'était passé : c'était sur la tête de Dalton qu'il avait tiré, pas sur celle de Vaner. Mais la chance de celle-ci touchait à sa fin – son pistolet gisait dans l'embrasure de la porte. En regardant dans le couloir, il constata que l'arme d'Esposito était toujours rangée dans son holster.

Il enjamba le corps de Dalton et s'avança calmement

vers la porte pour tuer Vaner. En approchant du couloir, il aperçut son pied. Comme elle savait qu'il venait, il n'avait aucune raison de ne pas tirer une première fois. Inutile d'attendre de la regarder dans les yeux : ceci n'était pas un *James Bond*, mais la vraie vie, et il ne voulait pas prendre de risque.

Sans cesser d'avancer, il appuya sur la détente.

☆

Quand la balle transperça la semelle de sa botte, Nava ressentit une douleur fulgurante ; toutes ses terminaisons nerveuses se mirent à hurler à l'unisson. Elle ramena vivement sa jambe à elle et se mordit la langue pour s'empêcher de crier. Si elle vivait ses derniers instants, elle ne voulait pas de hurlements – et surtout pas des siens. Être immobilisée sur le dos lui paraissait déjà suffisamment moche. Elle s'était toujours imaginé qu'elle mourrait debout.

Quand l'homme atteignit la porte, une ombre tomba sur le couloir. Elle allait mourir. En serrant les dents pour résister à la douleur, elle stabilisa sa main sur le couteau et attendit qu'il sorte de la pièce. Il la tuerait, oui, mais elle lui laisserait un souvenir.

Alors, le miracle se produisit. Les néons vacillèrent, puis s'éteignirent, et le couloir fut plongé dans l'obscurité la plus totale.

Nava fut presque étonnée, bien qu'elle eût elle-même déclenché l'extinction des feux en appuyant sur le bouton de son bracelet. Elle réagit à la vitesse de l'éclair. Ignorant la douleur qui lui brûlait le pied, elle se redressa et se pencha en avant : si son pied était dans la ligne de tir de l'homme, l'inverse devait également être vrai.

Elle recula le bras et lança le couteau. Il se ficha dans sa cible avec un bruit affreux. Aussitôt après, elle entendit un gémissement sourd et un grand fracas métallique sur les dalles. L'homme avait laissé tomber son pistolet : Nava avait encore une chance. Elle se baissa et fit courir sa main sur le sol poisseux de sang, cherchant désespérément le 9 mm qui gisait quelque part dans le noir.

Enfin, elle le trouva, et sa main se referma sur la crosse de métal.

Elle allait lever son arme lorsqu'une grosse chaussure lui écrasa le poignet. Elle hurla de douleur. L'homme appuya plus fort sur son talon et, dans un craquement, lui broya les os du poignet. Nava voulut tirer, mais, au même moment, il se pencha pour tenter de lui arracher l'arme et une douleur atroce la cloua sur place.

Elle empoigna frénétiquement le pistolet avec sa main libre et trouva la détente. Dans l'obscurité, elle avait oublié de quel côté l'arme était orientée, mais ça n'avait plus d'importance : si elle ne tirait pas, elle serait morte d'ici quelques secondes. Elle appuya sur la détente. La détonation fut assourdissante. Nava pria pour que le tir ait atteint sa cible, car elle n'avait plus la force de combattre.

☆

Crowe sentit la balle le traverser entre le pouce et l'index. Ça faisait un mal de chien, mais il s'en fichait : en agrippant le canon, il avait atteint son but – la balle était passée sur le côté et n'avait touché aucun organe vital. Du moins, c'est ce qu'il avait cru en orientant le pistolet de Vaner vers la porte en acier. Mais il n'avait pas pensé au ricochet.

Sans le couteau fiché dans sa poitrine, le ricochet n'aurait pas été un problème. Mais le couteau était là. La balle rebondit contre la porte et passa en sifflant à un centimètre de son torse, heurtant au passage le manche du couteau. La force du projectile fit pivoter la lame, qui lui perfora le ventricule gauche.

Le muscle cardiaque blessé se mit à répondre du sang dans sa cage thoracique. Le cœur de Crowe continuait à battre, mais ne pouvait plus irriguer son organisme. Il tomba comme une pierre sur le corps de Vaner. Leurs visages n'étaient qu'à quelques centimètres de distance.

«Où est Caine?» demanda-t-elle d'une voix entre-coupée.

Crowe savait qu'il n'avait plus que quelques instants à vivre. Il n'arrivait pas à croire qu'il ne verrait plus jamais Betsy. Alors, il se souvint: le message. Il ferma les yeux, cherchant à retrouver les mots de Caine avant qu'il ne soit trop tard. Il allait abandonner quand, soudain, il les vit:

Pour Martin Crowe exclusivement:
Quand Nava vous demandera où je suis, dites-le-lui.
C'est le seul moyen pour que je puisse sauver Betsy.

David Caine

Comprenant soudain l'importance de la note, Crowe fit un suprême effort:

«D10, haleta-t-il. Dites-lui… Dites-lui que j'ai rempli ma part du contrat.»

Les synapses de son cerveau commençaient à s'engourdir. Dans une brillante explosion de couleurs, il se vit chasser les arcs-en-ciel avec sa petite fille, un bel après-midi d'été. Était-ce cela, la mort? Dans ce cas, mourir n'était peut-être pas si terrible. C'est ce que pensait Martin Crowe quand la transmission synaptique cessa et qu'il rendit son dernier souffle.

CHAPITRE 33

L'obscurité était douce, tellement plus douce que la lumière. L'effet des médicaments se dissipait. À présent, Caine pouvait s'évader – non pas physiquement, mais en pensée. Il s'immergea donc dans le *Toujours*, ce monde où le temps n'était plus qu'un concept abstrait. Et en contemplant l'univers, le *Maintenant*, le passé et tous les futurs, il s'aperçut que, cette fois, quelque chose avait changé.

Cette fois, il n'était plus seul.

…

Il y a une femme. Elle est à la fois jeune et d'âge immémorial. Il sait qu'Elle est belle, même s'il ne peut pas La voir. Sa beauté irradie de l'intérieur. Comme lui, Elle possède un savoir infini ; mais, contrairement à celui de Caine, ce savoir est déjà en Elle, et circule librement dans Son esprit.

Soudain, le savoir submerge Caine.

Elle – *Tu comprends ?*
Caine – *Oui. Le futur est informe tant qu'il n'est pas observé. Quand on lance une pièce, il existe deux futurs possibles : l'un où elle tombe sur face, l'autre où elle tombe sur pile. Et aucun des deux ne devient effectif avant d'être observé.*
Elle – *Oui. C'est la raison pour laquelle les particules sont en tous les lieux possibles à la fois – parce qu'elles représentent simultanément tous les futurs possibles.*
Caine – *Mais cela contredit la théorie du démon de*

460

Laplace. Laplace pense que, si quelqu'un connaît tout du Maintenant, *il connaît aussi tout le passé et tout le futur. Si la théorie de Laplace est juste, alors le futur est déterminé, il est singulier – or, le futur n'est pas singulier, il est infini.*

Elle – *Exact. La théorie de Laplace est incomplète. Elle rend compte du passé, mais n'englobe pas tout le futur.*

Caine – *Ah. Le démon de Laplace connaît tout le passé, car le passé est toujours singulier, puisque tous les embranchements vont vers l'avant. Mais le démon de Laplace ne connaît pas précisément le futur, parce qu'il y en a plus d'un. Il connaît tout de tous les futurs possibles.*

Elle – *Oui. Le futur du* Quand *est probabiliste par nature. Parce que tu vois le* Maintenant *dans sa multiplicité, tu vois aussi tous les futurs possibles, donc tes observations s'étendent à l'infini. Et, comme la réalité est le reflet de l'observation, tu choisis ta propre réalité à chaque embranchement, parce que tu choisis le moment que tu veux observer.*

Caine – *Je comprends. C'est pour ça que je ne peux pas voir le* Toujours *quand j'ai les yeux ouverts : quand j'observe l'univers, il se restreint au* Maintenant *qui m'entoure, ce qui élimine certains des futurs possibles.*

Elle – *Oui.*

Caine – *Mais… Pourquoi moi ? Pourquoi suis-je le démon ? Pourquoi pas quelqu'un d'autre ?*

Elle – *C'est purement probabiliste, comme la courbe en cloche. Tout le monde possède des facultés « démoniaques ». La plupart des gens en ont peu. Certains en ont beaucoup. Quelques-uns n'en ont pas du tout. Par conséquent, quelques-uns les ont toutes, et ceux-là sont les démons.*

Caine – *Si tout le monde possède des facultés, pourquoi est-ce que je ne connais personne qui aille dans le* Toujours *?*

Elle – *Le* Toujours *est prisonnier dans leur inconscient. Ils peuvent le voir, mais ils ne le comprennent pas. Il agit parfois comme un écho.*

Caine – *Comme une sensation de déjà-vu ?*

Elle – *Oui. Le déjà-vu est le souvenir d'un futur possible entrevu dans le passé. En général, les gens ne suivent pas la voie conduisant à ce futur possible qu'ils ont entrevu. Mais, lorsqu'ils la suivent précisément, le souvenir refait surface et devient conscient – c'est ce qu'on appelle du déjà-vu.*

Caine – *Donc les gens possèdent plus ou moins de facultés ?*

Elle – *Oui. Certains sont faibles, d'autres sont forts. Les faibles ont peu de capacités de prévoyance, voire pas du tout. Ils ne peuvent prévoir intuitivement les conséquences de leurs actes parce qu'ils ne voient pas les futurs possibles. Ils avancent dans la vie en trébuchant comme des aveugles ou des sots. Leurs décisions sont aléatoires, comme les conséquences de ces décisions.*

« Les forts voient beaucoup de choses, mais elles restent prisonnières de leur inconscient. Ils attribuent leurs bonnes idées à la "perspicacité", à l'"intuition", à un "pressentiment". En réalité, ils doivent ces idées aux futurs qu'ils ont entrevus dans le Toujours. *Dans le* Toujours, *chacun peut se trouver un avenir agréable et heureux.*

« Les forts cherchent à faire advenir une de ces vies heureuses en imitant les décisions de leur futur moi heureux, en empruntant la même voie que lui. Par conséquent, ils prennent les bonnes décisions : leur inconscient sait quelles sont les décisions à prendre pour faire advenir un futur heureux.

Caine – *Mais y a-t-il d'autres personnes comme moi ? D'autres… démons ?*

Elle – *Oui. Il y a d'autres démons dans le* Quand. *Socrate, Alexandre le Grand, Jules César, Jeanne d'Arc, Molière, Napoléon Bonaparte, Hermann von Helmholtz, Vincent Van Gogh, Alfred Nobel. Tous sont des démons.*

Caine – *Tous sont épileptiques… comme moi. Est-ce cela, les crises – des fragments du* Toujours *qui viennent saturer les synapses ?*

Elle – *Oui. Dans le* Quand, *la vision du* Toujours *fait souffrir les démons.*

Caine – *Et en revenant dans le* Quand, *que dois-je faire ?*

Elle – *Ce qu'il te plaira. Tu as le pouvoir de choisir ton avenir et, en le choisissant, de modifier celui des gens qui t'entourent.*

Caine – *Mais comment savoir quelles décisions sont les bonnes ? Tout est interconnecté. En choisissant quelque chose de bon pour moi, je peux faire du mal à d'autres.*

Elle – *Les décisions ne sont pas bonnes ou mauvaises. Elles sont, tout simplement. Choisis ce qui te paraît le mieux.*

Caine – *Mais comment choisir ?*

Elle – *À toi de voir.*

☆

« *Grimes, mais qu'est-ce qui se passe ? ?*

– Désolé, Dr Jimmy. Apparemment, nous avons un problème avec un des commutateurs.

– Je me contrefous des détails ! hurla Forsythe dans l'appareil. – Il était proche de la crise de nerfs. – Je vous demande juste de *régler le problème*. Vous allez y arriver, oui ou non ?

– Écoutez, Jimmy, répliqua sèchement Grimes, je fais de mon mieux. Foutez-moi la paix. »

Et il raccrocha. Forsythe serra les poings. Pauvre petit con. Dès que ce bazar serait terminé, il trouverait un autre technicien. Il en avait ras-le-bol de l'incompétence de Grimes.

Il se tourna vers la vitre sans tain et se mit à regarder dans le vide en écoutant le son âpre et rauque de sa respiration. Dans la pièce sans fenêtre, l'obscurité était totale. Forsythe sentait son cœur s'emballer. Il s'obstinait à cligner des yeux, comme pour dissiper les ténèbres, mais cela ne servait à rien. Avoir les yeux ouverts ou fermés ne faisait aucune différence.

Soudain, son cœur cessa de battre. Doux Jésus… le sujet Bêta. Les pinces à paupières n'auraient aucun effet dans le noir… et l'injection des drogues était contrôlée par l'ordinateur : sans électricité, pas de sédatifs. Le sujet pouvait s'éveiller d'ici moins de dix minutes. Ce nouveau motif de frayeur éclipsa le précédent. Forsythe décrocha le téléphone et composa nerveusement le numéro de poste de Grimes.

« Je veux que vous rallumiez les lumières !

– Euh… *ouais*, répliqua Grimes d'un ton sarcastique. C'est un peu ce que j'avais dans l'idée, vous savez ?

– Grimes, je suis sérieux. Vous ne comprenez pas… il est *impératif* que l'électricité soit rétablie immédiatement !

– Écoutez, Dr Jimmy, je viens de vous dire que je travaillais aussi vite que possible. Et vous avoir en ligne ra-len-tit-mon-tra-vail, dit Grimes en étirant les derniers mots. Donc, à moins que vous n'ayez d'autres scoops, je suggère que vous me laissiez bosser.

– Débrouillez-vous, un point c'est tout ! » cria Forsythe, et il raccrocha violemment.

Son cœur battait la chamade. Il fallait faire quelque chose, mais quoi ? Il enfonça ses mains moites dans les poches de sa blouse et se mit à arpenter la pièce en essayant de contrôler le rythme de sa respiration. Au bout de trois pas, il se cogna contre son meuble de classement. « Merde ! » s'écria-t-il en attrapant son genou meurtri.

Il tâtonna dans l'obscurité pour trouver son siège et se rassit. Tout en se massant le genou d'une main, il desserra le poing qu'il avait dans la poche pour étirer ses doigts. Il sentit alors quelque chose de mince et de long. Il avait failli l'oublier. Il sortit l'objet de sa poche et appuya sur un minuscule bouton : pendant un instant, l'éclat de sa lampe-stylo l'éblouit.

Il poussa un soupir de soulagement. Peu à peu, les battements de son cœur reprirent un rythme normal. Il orienta la lumière vers la vitre sans tain, mais elle ne fit que s'y réfléchir en dessinant des ombres géantes sur le mur opposé. Impossible d'atteindre le sujet de cette manière. Il fallait entrer dans sa chambre et lui projeter directement la lumière dans les yeux. Ça devrait le faire tenir tranquille jusqu'au retour de l'électricité.

Il utilisa la lampe-stylo pour éclairer son chemin et posa la main sur la poignée de la porte : elle était fermée à clé. Ça n'avait aucun sens. Sa porte ne se verrouillait jamais de l'intérieur, les serrures électriques ne fonctionnaient que d'un côté... Bon Dieu... les serrures *électriques*. Forsythe secoua à nouveau la poignée, mais il savait qu'il n'arriverait à rien. Il contempla son reflet trouble dans la vitre en se demandant ce qui se passait de l'autre côté.

Alors, il tambourina sur la porte et se mit à hurler.

☆

Impossible de savoir ce qui l'avait empêchée de s'évanouir : son pied qui la torturait, les élancements de son poignet ou le liquide tiède qui, par intermittence, lui dégoulinait dans le cou. Nava passa la main sur son crâne pour s'essuyer. Lorsqu'elle la retira, ses doigts étaient humides et poisseux. Du sang – pas le sien, fort heureusement.

Elle fit rouler sur le côté l'homme qui était sur elle et chercha son pouls. Rien. Avec un soupir de soulagement, elle regarda sa montre : 23 : 01. Maintenant qu'elle avait neutralisé les sept gardes, il n'y avait plus à se soucier de l'alarme. Mais elle avait un autre délai à respecter.

Grimes l'avait avertie qu'une fois l'électricité coupée, il faudrait dix minutes aux personnes chargées de l'immeuble pour envoyer une équipe de sécurité au sous-sol. En temps normal, elle n'aurait rien eu à craindre d'une demi-douzaine de faux flics, mais elle savait qu'elle n'arriverait jamais à les combattre dans cet état.

D'après son bracelet, il lui restait huit minutes et quinze secondes pour délivrer Caine.

Elle ramassa le SIG Sauer de l'homme basané et le soupesa, puis entreprit de se remettre debout. Elle pouvait à peine prendre appui sur son talon gauche, et le sang rendait le sol glissant. Au bout d'une minute, elle parvint à se hisser sur ses jambes. Elle s'adossa au mur, pantelante. Craignant à nouveau de s'évanouir, elle donna une secousse à son poignet brisé. Une douleur aiguë l'assaillit et ses yeux s'ouvrirent tout grand.

En tenant son sac à dos entre ses dents, elle fourragea dans la poche zippée avec sa main valide et en sortit ses lunettes de vision nocturne. Puis elle se remit en marche aussi vite qu'elle le pouvait.

Il fallait trouver David avant qu'il ne soit trop tard.

☆

Grimes ricana en abaissant son casque sans fil. Dr Jimmy était complètement *déchaîné*. Grand moment. Grand moment, putain ! Il regrettait juste de ne pas avoir pensé à enregistrer la crise de rage de son patron. Il aurait pu utiliser les jurons comme effets sonores sur son ordinateur. Ça, ç'aurait été cool. Tant pis, la prochaine fois peut-être. Enfin, si Dr Jimmy ne mourait pas sur-le-champ d'une embolie.

Tout avait été si facile. Il n'arrivait pas à croire qu'il existait des types à la fois aussi futés et aussi couillus que David Caine. Pour comprendre que le micro caché dans son appartement était dans la jardinière, il fallait être malin ; mais s'asseoir devant et exposer calmement son plan… *waouh*. Pour ça, il fallait du cran.

Si Grimes l'avait loupé, Caine aurait été complètement dans le caca. Pire, si Forsythe avait vu la vidéo à sa place, la copine de Caine serait venue se jeter droit dans la gueule du loup. Mais, heureusement pour Caine, tout avait parfaitement fonctionné.

Grimes repensa au moment où il avait regardé la vidéo de surveillance. C'était juste avant que l'équipe de Crowe ne fasse sa descente sur l'appartement. En voyant les lèvres de Caine remuer, il avait monté le volume. Et là, il avait eu la surprise de sa vie.

«Ceci est un message pour Steven Grimes. Je sais que

vous m'écoutez et que Martin Crowe vient m'enlever. Quand il l'aura fait, j'aurai besoin de votre aide pour m'enfuir. Vous recevrez un million de dollars pour votre soutien. Voici ce que je vous demande de faire… »

Caine avait alors exposé son plan dans le détail – l'idée de couper l'électricité était tout simplement géniale. Ensuite, il avait demandé à Grimes d'appeler Nava dans un bar de l'East Village pour lui expliquer le plan. Elle avait transféré l'argent sur le compte de Grimes aux îles Caïmans, et il lui avait envoyé par e-mail les schémas et les codes d'alarme. Puis il avait fabriqué un faux badge d'identité et un bracelet équipé d'un émetteur et les avait déposés sous l'utilitaire sport de Forsythe. Il n'avait jamais gagné d'argent aussi facilement de sa vie.

Il espérait que Caine s'échapperait – Nava lui avait promis un demi-million supplémentaire si l'opération réussissait. Le job proposé par Dr Jimmy s'avérait sacrément plus lucratif qu'il ne l'avait cru au départ.

Son casque se mit à vibrer.

« Ici Grimes.

– Je suis enfermé, bordel ! »

Forsythe était proche de l'hystérie.

« Hein ? demanda Grimes, sincèrement surpris.

– J'ai dit *je suis enfermé ! Toutes les serrures sont électroniques, imbécile !*

– Ah, je vois, dit Grimes en étouffant un éclat de rire. J'avais oublié. Ne bougez pas. L'électricité devrait être rétablie dans quelques minutes.

– Il est *hors de question* que je ne bouge pas ! Envoyez quelqu'un pour me sortir de là !

– Dr Jimmy, je vous l'ai déjà dit, je suis comme qui dirait occupé. D'ailleurs, vous n'iriez pas bien loin : l'électricité est coupée dans l'ensemble du labo.

– *Il faut que j'aille voir le sujet !* – Cette fois, Forsythe faisait plus que frôler l'hystérie : il était en plein dedans. – *Vous comprenez, espèce de petit morveux ? Il faut que j'aille voir le sujet ou on est tous foutus ! Et maintenant, envoyez-moi quelqu'un IMMÉDIATEMENT !*

– OK, OK, vous excitez pas. Je vous envoie quelqu'un dans une seconde —

– Non. Pas dans une seconde. – La voix de Forsythe était soudain d'un calme implacable, ce qui, étrangement, la rendait plus inquiétante. – Maintenant. Envoyez-le *maintenant*.

– D'accord. C'est tout ? »

Forsythe marmonna quelques mots inintelligibles et raccrocha violemment. Grimes frissonna ; il avait peine à l'admettre, mais la terreur de Forsythe était contagieuse. Quel que fût son plaisir à torturer Dr Jimmy, il ferait peut-être bien d'envoyer un garde. S'il perdait son boulot, il ne retrouverait plus d'aussi bonnes occasions d'arrondir ses fins de mois.

Eh, une minute ! À quoi pensait-il ? Il n'allait quand même pas risquer un demi-million sous prétexte que Dr Jimmy n'avait pas sa petite lumière. Il composa un numéro pour accéder au réseau Telecom, tapa son code d'administrateur système, choisit une option et raccrocha. Forsythe n'avait qu'à le virer si ça lui faisait plaisir.

À partir d'aujourd'hui, il pouvait se permettre de prendre de longues vacances.

☆

Le cœur de Forsythe battait à tout rompre. L'obscurité l'oppressait. Le mince faisceau de lumière projeté par sa lampe-stylo ne parvenait pas à dissiper sa terreur. Mais qu'est-ce qui leur prenait tant de temps ? Ça faisait bien cinq minutes qu'il avait appelé Grimes, non ? Il consulta sa montre, qu'éclairait une lueur bleutée. Moins de quatre-vingt-dix secondes s'étaient écoulées depuis le coup de fil. Tout de même. Une minute et demie était plus qu'il n'en fallait pour parcourir les trente mètres menant à la pièce d'observation.

Il regarda la vitre sombre, mais ne vit qu'un trouble reflet de lui-même dans la faible lumière bleue projetée par sa montre. Il fallait accéder à la pièce voisine avant qu'il ne soit trop tard. Le sujet pouvait redevenir conscient d'un moment à l'autre. Certes, il y aurait encore de la Thorazine dans son organisme : il était extrêmement improbable qu'il soit assez lucide pour chercher à s'échapper.

Improbable ? Mais où avait-il donc la tête ? Il n'y avait plus rien de tel que des événements improbables. Forsythe décrocha le téléphone pour rappeler Grimes. Pas de tonalité. Il appuya sur le bouton et le relâcha lentement en priant pour que la ligne fonctionne. Elle était toujours silencieuse.

Alors, il se mit à marteler le bureau avec le combiné, et des éclats de plastique fusèrent dans l'obscurité tandis que sa raison continuait de s'effilocher.

☆

Adossée à la porte, Nava haletait bruyamment. Malgré la courte distance à parcourir, elle avait dû s'arrêter deux fois pour se reposer en rebroussant chemin dans le couloir. Son pied gauche lui paraissait lourd. À chaque nouveau pas, elle entendait le bruit écœurant du sang qu'il expulsait. Heureusement, la pointe d'acier de sa botte avait empêché la balle de ressortir complètement : au moins, un des côtés de sa blessure était obturé.

Elle se demanda combien de temps elle pourrait rester consciente en perdant autant de sang – sans doute un quart d'heure à tout casser ; mais elle le saurait bien assez tôt. Elle inspira une dernière fois, se redressa du mieux qu'elle put et actionna la poignée. La porte ne bougea pas. Elle prit dans sa poche le pouce sectionné et l'appliqua contre le scanner. Toujours rien.

Merde. Toutes les serrures électroniques étaient bloquées. Elle recula de deux pas, sortit le .45 du garde de son sac à dos et tira trois coups sur la poignée. Puis elle poussa la porte et, en clopinant, poursuivit son chemin dans le couloir. Quand elle l'avait longé en sens inverse, il lui avait paru insignifiant ; sans lumière, il devenait sinistre et oppressant. Elle ne voulait pas mourir ici, à dix mètres au-dessous du sol.

Il fallait qu'elle se concentre. Qu'elle se concentre sur Caine, sur sa mission, sur son but.

Enfin, elle aperçut au mur une plaque argentée portant l'inscription «Aile D» : elle approchait. Quand elle avait vu les moniteurs de sécurité, elle avait trouvé étrange que Jasper soit retenu en D8, si loin de son frère. À présent, tout prenait sens – David, en D10, était en fait tout près de son jumeau.

Elle s'affaissa contre la porte la plus proche pour reprendre son souffle. D6. Elle y était presque. En expirant à fond, elle reprit sa marche. Malgré l'atmosphère étouffante, un frisson glacé la parcourut – la perte de sang avait déjà provoqué un refroidissement.

Elle se força à faire un pas de plus... puis un autre. D8. Encore un pas. Elle touchait presque au but. Une brusque poussée d'adrénaline lui donna un regain d'énergie et elle se traîna jusqu'au bout du couloir. À un mètre cinquante de la porte D10, elle leva son pistolet.

Il fallait que Caine soit derrière cette porte. Il le fallait, parce que, s'il n'y était pas, aucun d'entre eux ne sortirait d'ici vivant. Elle visa la poignée et se mit à tirer.

☆

Caine tenta d'ouvrir les yeux, puis s'aperçut qu'ils étaient déjà ouverts : une lumière aveuglante le brûlait jusqu'au cerveau. Il voulut se couvrir le visage, mais il n'arrivait plus à bouger les bras... Il n'arrivait même plus à battre des paupières. Mon Dieu, il était paralysé. Non, une minute... S'il était paralysé, il pourrait encore cligner des yeux, non ?

Il perçut un faible gémissement et se rendit compte qu'il provenait de sa gorge.

«David, vous pouvez parler ?» demanda une voix de femme. Une voix familière. Il la connaissait, c'était... «C'est Nava. Je suis venue vous sortir d'ici.»

Nava... elle l'avait sauvé... l'avait emmené chez son ami... mais il s'était passé quelque chose... quelque chose de grave. Tout était si confus. Sa tête était comme engluée.

Encore de la lumière… Des doigts touchaient son visage, ses paupières. Il entendit un déclic métallique, sentit un petit pincement, et sa paupière droite fut libre. Autre clic, à gauche cette fois. Ses paupières étaient douloureuses, irritées et distendues, comme si on les avait étirées après les avoir fait sécher. Mais c'était si bon de fermer les yeux.

«Ah!» s'écria-t-il soudain. Il venait de ressentir une douleur aiguë au bras gauche.

«Désolée, s'excusa Nava. Je vous enlève l'intraveineuse. C'est presque fini.»

Nouvel élancement. Du sang jaillit quand Nava retira la seringue. D'instinct, Caine voulut plier le bras pour faire cesser l'écoulement; il sentit alors la morsure du métal froid contre son poignet. Il n'obtint pas davantage de résultat avec l'autre bras. Ses jambes et ses pieds étaient également entravés. Maintenant, ça commençait à lui revenir… sa capture… et son réveil dans cette chambre, ligoté à ce siège.

Il regarda autour de lui. Nava était debout à ses côtés, une paire de lunettes relevée sur le crâne. Un bâton lumineux posé sur la table projetait de longues ombres dans la pièce. Nava se pencha et disparut de son champ de vision. Puis il l'entendit déchirer quelque chose, et elle glissa une bande de tissu entre l'une des menottes et son poignet.

«Je vais vaporiser du Fréon sur les menottes. Ça va être froid une seconde.» Caine entendit siffler un aérosol et sentit sa chair se glacer sous la fine bande de tissu. «Ne bougez pas», dit Nava. Elle n'avait pas plus tôt prononcé ces mots qu'il entendit un bruit aigu semblable à un bris de verre. Son bras était libre.

«Ça va?

– Ouais, je crois», répondit-il en faisant un essai pour plier le bras.

Il avait des fourmis et se sentait encore lourd et engourdi.

Nava entreprit de libérer son autre bras, puis ses jambes. Elle allait s'attaquer à la dernière entrave lorsqu'un grand bruit sourd retentit. Ils se tournèrent tous les deux vers l'endroit d'où il provenait. D'abord, Caine ne vit dans la glace qu'un reflet sombre ; puis, en affûtant son regard, il crut voir un mince rai de lumière passer au travers. Il y eut encore un bruit, puis un autre, et une grande crevasse apparut au centre du panneau.

Soudain, leur reflet se disloqua et, dans un vacarme assourdissant, la baie vitrée vola en éclats. Caine leva les bras pour abriter son visage de la pluie de verre brisé qui retombait autour d'eux. Un millier de miroirs miniatures fusaient dans sa direction. Quelques-uns vinrent se loger dans sa chair, provoquant sept petites coupures qui se mirent aussitôt à saigner.

Mais, plus encore que la douleur, ce furent les hurlements stridents qui l'arrachèrent à sa torpeur et lui rendirent toute sa lucidité.

CHAPITRE 34

Nava bondit sur Caine pour le protéger. Au même moment, une chaise métallique passa à travers la glace et s'écrasa sur le sol dans un vacarme qui éclipsa momentanément celui du verre brisé. Puis, un petit homme aux cheveux rares se fraya un passage dans la pièce. Il hurlait.

«VOUS NE POUVEZ PAS EMMENER LE SUJET!»

Elle se tourna pour faire face à l'assaillant. Il avait le visage empourpré, presque violacé. Une longue balafre sanglante lui barrait le front. Il passa la main dessus d'un air absent pour empêcher le sang de lui brouiller la vue.

Nava pointa son pistolet vers son front et appuya sur la détente, mais, au lieu d'une détonation tonitruante, elle n'entendit qu'un petit bruit sec : son chargeur était vide. Sans lui laisser le temps de réagir, l'homme parcourut d'un bond la courte distance qui les séparait et s'abattit sur elle, lui faisant perdre l'équilibre. La tête de Nava heurta violemment le sol, et les mains de l'homme se refermèrent sur son cou.

Ce n'était pas un tueur professionnel, comme Dalton. D'un autre côté, elle était tout sauf en grande forme. Elle ne pouvait plus se servir de son bras gauche, et la perte de sang l'avait affaiblie. L'homme avait sur elle un seul avantage – l'énergie que lui procurait une rage sans mélange. Malheureusement, ce serait peut-être suffisant.

Mais elle n'allait pas abandonner sans se battre. De sa main valide, elle empoigna ses testicules et se mit à les broyer. Aussitôt, il lâcha son cou et ramena les mains vers son entrejambe en hurlant. Nava tint bon. Comme il n'arrivait pas à lui desserrer les doigts, il recula le poing pour la frapper au visage. Elle ne vit pas venir le coup et le reçut en pleine bouche.

Sa tête rebondit sur le sol et elle lâcha prise. L'homme roula sur le côté en se tenant le poing et en geignant de douleur. Nava cracha du sang et se remit debout. Il fallait sortir Caine d'ici.

Ignorant les gémissements de son adversaire, elle reprit la tâche qu'elle avait interrompue. D'un coup de crosse, elle brisa la dernière entrave de Caine, puis l'aida à se lever. Comme ses jambes étaient faibles, il mit tout son poids sur elle, manquant les faire tomber tous les deux.

« Tout doux, David. Je ne me sens pas très brillante non plus.

– Désolé, dit-il. Je crois que ça va maintenant. Vraiment.

– Vous pouvez marcher ? »

Caine fit deux pas en avant en lui tenant le bras pour ne pas perdre l'équilibre.

« Oui, répondit-il avec un peu d'hésitation. Je ne suis pas bien solide, mais je peux marcher. »

Nava hocha la tête et introduisit un nouveau chargeur dans son Glock.

« Bien, alors allons-y.

– NOOOON ! » hurla Forsythe.

Quelque chose s'enfonça dans le pied blessé de Nava : Forsythe avait planté un éclat de verre dans sa botte. Ce fut au tour de la jeune femme de hurler. Elle recula vivement son pied et tomba à genoux en lâchant son pistolet.

Forsythe semblait sur le point d'étouffer. Il rampa vers elle, laissant une traînée de sang dans son sillage. De son pied valide, elle le frappa à la tête, mais le coup n'était pas assez puissant pour l'assommer. Il continua d'avancer. Elle tâtonna désespérément parmi les débris de verre pour retrouver son pistolet.

Sa main finit par se refermer sur la crosse. Elle braqua l'arme sur Forsythe, mais au moment où elle appuyait sur la détente, Caine lui saisit le poignet, faisant dévier son bras vers le haut. La balle manqua sa cible et vint se loger dans le mur derrière Forsythe. Ce dernier cessa de crier et la pièce devint silencieuse. Nava n'entendait plus que le sifflement provoqué par le coup de feu dans ses oreilles.

Elle regarda Caine, perplexe.

«Plus de morts», dit-il simplement.

Elle hésita un instant, puis fit sauter l'arme dans sa main et en assena un grand coup sur la tête de Forsythe. Il s'affaissa sur le sol, sans connaissance.

«Je ne l'ai pas tué», fit-elle d'une voix haletante.

Caine cligna des yeux et lança :

«Il faut sauver Jasper.

– Suivez-moi.»

Il s'empara du bâton lumineux. En clopinant, Nava le précéda hors de la pièce. Elle manqua tomber à deux reprises ; son pied n'était plus qu'une pelote de terminaisons nerveuses enflammées. Lorsqu'elle trébucha pour la troisième fois, Caine lui prit le bras pour la soutenir.

«On dirait que je ne suis pas le seul à avoir besoin d'aide pour marcher.»

Nava repartit.

«Restez là, dit-elle quand ils arrivèrent devant la chambre D8. Et couvrez-vous les oreilles.»

Elle se mit à tirer sur la poignée, qui ne fut bientôt plus qu'un morceau de métal tordu et méconnaissable. Caine poussa la porte en tenant devant lui le bâton lumineux.

«Mon Dieu, Jasper…», murmura-t-il.

Jasper était allongé sur un siège, les bras et les jambes retenus par de grosses courroies de cuir.

«David, dit-il dans un râle, c'est vraiment toi ?

– Oui, c'est moi, grand frère, répondit Caine d'une voix étranglée. Et Nava.»

Tandis qu'il s'employait à détacher Jasper, Nava s'appuya contre l'encadrement de la porte pour reprendre son souffle. *On y est presque*, se dit-elle. *Presque. Presque…*

Elle se sentit tomber et perdit connaissance.

« Nava. Nava, réveillez-vous. »

Caine lui tapotait le visage.

« Allez, on y est presque. »

Elle battit des paupières.

« Elle revient à elle, dit Caine à Jasper, qui regardait d'un air inquiet par-dessus son épaule. Aide-moi à la mettre debout. »

Ils la prirent chacun par une main. Nava gémit quand Caine l'empoigna.

« Poignet… cassé, haleta-t-elle.

– Mon Dieu, fit Caine en lâchant sa main comme s'il s'était brûlé. Je suis désolé, Nava.

– Il n'y a pas de mal, dit-elle en secouant la tête. Prenez juste le bras droit. »

Jasper la tira doucement par le bras tandis que Caine la soutenait du côté gauche. Elle vacillait légèrement, mais elle était debout.

« Allons-y, dit-elle. On n'a pas beaucoup de temps. »

Elle se remit en marche avec les jumeaux à ses côtés. Ils longèrent le couloir obscur, puis passèrent une porte de sécurité qu'elle défonça à coups de pistolet.

« Attention aux corps », avertit-elle lorsqu'ils arrivèrent près des ascenseurs.

Un homme était étendu par terre.

« Est-ce qu'il est…, commença Caine.

– Ils ne sont pas morts », répondit-elle d'un ton neutre.

Caine eut un soupir de soulagement. Nava tendit le bras pour appuyer sur le bouton, mais rien ne se produisit : pas de bruit d'ascenseur se mettant en mouvement ; pas de chiffres lumineux indiquant la progression de la cabine. Lumineux…

« J'imagine que la coupure de courant touche aussi les ascenseurs ? » demanda Caine.

Nava se frappa le front, exaspérée.

«Bon sang ! s'exclama-t-elle. On n'a plus que deux minutes.

– Et ensuite quoi ? s'enquit Jasper.

– Ensuite, les renforts envoyés par l'immeuble vont arriver et on sera fichus. Venez.»

Ils rebroussèrent chemin dans le couloir. Nava leur fit compter vingt pas et s'arrêta. Elle sortit de son sac à dos quelque chose qui ressemblait à du mastic gris et le fixa en bas du mur, puis y attacha un petit appareil équipé d'un minuscule clavier noir.

«Tenez-vous prêts à m'aider, ordonna-t-elle. Quand je dirai "maintenant", tout le monde court jusqu'aux ascenseurs. Vu ?

– Vu», répondirent les deux frères à l'unisson.

Nava tapa «00 :45» sur le clavier. Elle allait appuyer sur un bouton vert quand Caine l'interrompit :

«Attendez !

– Caine, on n'a pas le temps —

– Si vous faites exploser la bombe ici, ça déclenchera une réaction en chaîne qui tuera des innocents. Il faut la mettre ailleurs. Allez vous mettre à l'abri, je m'occupe du minuteur. Jasper, emmène-la !»

Sans lui laisser le temps de protester, Jasper prit Nava par la taille et l'entraîna en lieu sûr. Caine ôta l'explosif et s'éloigna dans le couloir, en quête du bon emplacement. Quand tout fut en place, il régla la minuterie. Il n'avait que vingt secondes. Il y avait 37,458 % de chances pour que cela ne suffise pas, mais il avait choisi son destin. Il ne regrettait rien.

☆

Nava sentit l'explosion avant de l'entendre : elle fut projetée contre Caine, et celui-ci essuya le plus dur de leur chute. Le souffle d'air chaud fut suivi d'un énorme mugissement. Dès qu'elle eut entendu la dernière pierre tomber, elle se dégagea en roulant sur le côté.

«Venez, allons-y !»

Caine et Jasper l'aidèrent à se mettre debout et tous trois se dirigèrent vers les gravats. Le mur avait fait place à un trou béant et une grosse portion de sol s'était effondrée. Nava regarda dans le trou. Elle espérait avoir bien mémorisé les plans du bâtiment.

« Est-ce que c'est bien ce que je pense ? » demanda Jasper.

C'est alors que l'odeur d'eaux usées la frappa. Elle acquiesça d'un signe de tête.

« Jasper, posez la dernière charge juste là », dit-elle en montrant un point au plafond, au-dessus d'un tas de gravats. Jasper jeta un coup d'œil à Caine, qui hocha la tête. Lorsqu'il eut terminé, les jumeaux aidèrent Nava à descendre dans le trou. Une fois à l'intérieur, Jasper la souleva, la jeta sur son épaule et se mit à courir dans le tunnel. Dix secondes plus tard, ils entendirent une nouvelle explosion suivie d'une petite avalanche : une partie du plafond s'était écroulée, condamnant la voie par laquelle ils s'étaient enfuis.

Personne ne les suivrait.

☆

Jasper souleva la plaque d'égout avec un grognement et grimpa sur le trottoir. Puis il se retourna, saisit précautionneusement le bras valide de Nava et la hissa dans la rue. Caine venait juste derrière elle. Presque instantanément, un gros fourgon blanc s'arrêta près d'eux. Sergueï Kozlov était au volant. La portière latérale coulissa et un homme barbu sauta du véhicule.

Caine cligna des yeux.

« Dr Loukine, elle est sérieusement blessée, dit-il.

– Comment connaissez-vous mon nom… »

Il s'interrompit en voyant Nava.

« Mon Dieu, dit-il en passant un bras de la jeune femme autour de son épaule. Faites-la monter, il faut se dépêcher. »

☆

478

Dans le fourgon qui filait sur le pont de Brooklyn, Loukine administra des sédatifs à Nava tandis que David et Jasper s'efforçaient de maîtriser le saignement. Par la vitre arrière, Caine regarda s'éloigner la silhouette de Manhattan, qui disparut bientôt derrière les immeubles de Brooklyn. À mesure qu'ils progressaient sur Flatbush Avenue, les environs devenaient de plus en plus délabrés.

Caine voyait Nava décliner et sentait son estomac se nouer de minute en minute. Soudain, le fourgon décolla et son cœur se souleva. Le véhicule atterrit brutalement sur ses roues avant, puis s'arrêta dans un grand hurlement de freins.

Le Dr Loukine ouvrit la portière, saisit une extrémité du brancard de Nava et sauta hors du fourgon ; Jasper fit de même en portant l'autre bout. Clopin-clopant, Caine les suivit jusqu'à un étroit ascenseur. Loukine appuya sur un bouton et Kozlov eut juste le temps de se glisser à l'intérieur.

Dans l'ascenseur, personne ne parla. On n'entendait que le vrombissement du mécanisme. Jasper serrait la cheville de Nava dans sa main, faisant office de garrot humain. Enfin, la cabine s'arrêta et la porte coulissa. Ils se précipitèrent tous les cinq dans le couloir humide.

Loukine introduisit nerveusement une clé dans une serrure et les fit entrer dans son appartement, qui tenait à la fois de la garçonnière et de la salle d'urgences. D'un côté, un sofa marron maculé de taches de café et faisant face à un téléviseur 13 pouces ; de l'autre, une table d'opération gris métallisé équipée de tout le matériel médical, et une femme courtaude, entre deux âges, qui semblait les attendre.

Loukine et Kozlov transportèrent sans tarder le corps inerte de Nava sur la table d'opération. Caine et Jasper s'écartèrent aussitôt pour laisser le médecin faire son travail. Il cria quelque chose en russe concernant l'état de la patiente, et la femme se hâta de disposer des électrodes sur la poitrine de Nava.

Sa tension était basse et chutait rapidement. L'électro-cardiographe bipait à une allure inquiétante. Tout en s'occupant de ses blessures, le médecin et la femme – dont Caine avait fini par comprendre qu'elle était son infirmière – échangèrent quelques mots sur un ton animé. Puis une ombre s'abattit sur le visage de Loukine. L'infirmière le regarda d'un air grave et se remit au travail. L'urgence qui perçait tout à l'heure dans leurs voix avait disparu : ils avaient cessé de se comporter comme si une vie était en jeu.

« Qu'est-ce qui ne va pas ? » demanda Caine.

Loukine ignora sa question. L'infirmière lui lança un regard attristé, puis revint à ses occupations.

« Répondez ! » fit Caine, hurlant presque.

Loukine marmonna tout bas quelque chose en russe, puis vint vers lui en levant ses mains couvertes de sang.

« Elle a perdu trop de sang. Je ne pense pas qu'on puisse la sauver.

– Vous ne pouvez pas lui faire une transfusion ? »

Pendant une fraction de seconde, Loukine fixa le sol d'un air coupable, puis il leva les yeux vers Caine.

« Elle est du groupe O négatif.

– Et ?

– Et… Le O négatif n'accepte que du sang O négatif… et nous n'en avons pas assez. C'est un groupe sanguin très rare. Je suis désolé. »

Caine recula en serrant le poing. Il devait y avoir un moyen. Il le fallait. Une minute… Mais à quoi pensait-il, putain ? Il pouvait le trouver, ce moyen. Il ferma les yeux, priant pour apercevoir la bonne voie – mais il ne vit rien. Rien que des taches de couleurs vives qui dansaient sur l'écran de ses paupières.

« Est-ce que ça v—

– Taisez-vous et laissez-moi me concentrer ! » cria Caine.

Il se laissa aller, tâchant de se remémorer les fois précédentes ; en s'immergeant dans le *Toujours*, il appela à lui l'image de l'arbre. Alors, comme s'il avait toujours été là, il apparut, immense et majestueux, avec ses ramifications infinies plongeant dans l'éternité. Caine suivit les branches du regard. Il empruntait les voies l'une après l'autre, puis les abandonnait. Enfin, il trouva la bonne.

C'était si évident. Et dire qu'il cherchait une solution obscure et improbable alors qu'il y en avait une si simple. Il ouvrit les yeux, fit volte-face et vit Kozlov qui observait la scène depuis le fond de la pièce, ses bras massifs croisés sur sa poitrine.

Il se tourna alors vers Loukine.

« Il est O négatif, dit-il en désignant Kozlov. Allez-y.
– Ahhh… Mais ça pourrait être dangereux, elle a perdu tant de… »

Le médecin semblait très peu sûr de lui.

Caine lança un regard à Kozlov.

« Qu'est-ce que j'aurai en échange de mon sang ? » demanda calmement celui-ci.

Caine cligna des yeux. S'ils ne démarraient pas la transfusion d'ici une minute, il y avait 89,532 % de chances pour que Nava meure. Il n'avait pas le temps de discuter avec le grand Russe. Il saisit le pistolet de Nava sur la table et tira un coup ; la balle siffla à l'oreille de Kozlov et vint se loger derrière lui dans le mur. Caine visa alors sa tête.

« Tu auras la vie sauve. »

Kozlov n'essaya pas de discuter : il se dirigea vers Loukine en remontant sa manche. L'infirmière commença à le préparer. Elle lui frotta le bras avec de l'alcool, et une odeur caractéristique envahit la pièce. Quand l'aiguille s'enfonça sous sa peau, Kozlov grimaça légèrement. Caine ferma les yeux et poussa un soupir de soulagement. À présent, il y avait 98,241 % de chances pour que Nava survive. Il sentit la chaleur d'une main sur son épaule et, en ouvrant les yeux, vit Jasper qui lui souriait de toutes ses dents.

« Je suis fier de toi, petit frère. Je savais que tu pouvais y arriver. »

Caine lui rendit son sourire et serra brièvement sa main dans la sienne. Puis il referma les yeux, et une vague d'épuisement le submergea. Soudain, il n'était plus inquiet de l'avenir. Il n'avait plus besoin de s'en inquiéter : il contrôlait enfin la situation.

CHAPITRE 35

Les jours suivants s'écoulèrent paisiblement ; le Dr Loukine soignait leurs blessures et les bourrait d'analgésiques. Bien que confinés dans le petit appartement, Caine, Jasper et Nava discutaient peu. Ce n'était pas nécessaire. Tous trois appréciaient ce silence que, bien souvent, les gens ne s'autorisent que lorsqu'ils se connaissent depuis de longues années.

Caine faisait son possible pour rester à l'écart du *Toujours*. Il ne s'y risqua qu'une seule fois, pour voir comment se portait Bill Donnelly Junior – trois kilos quatre et une tête blonde comme celle de son père. En dehors de cette fugue, il resta solidement ancré dans le *Maintenant*. Il ne s'autorisa même pas à regarder le passé, malgré son ardent désir de voir et de comprendre la trahison de Doc. Il savait qu'il n'aurait rien à y gagner, et s'abstint donc de se replonger dans le *Toujours*.

Il en découla de terribles malheurs qu'il aurait pu éviter – mais qui, à leur tour, occasionnèrent d'heureux événements. Caine ne se sentait pas coupable : il savait que les uns n'allaient pas sans les autres. Il laissa donc l'univers tranquille, et ses habitants déterminer eux-mêmes leur avenir.

Pour le moment, seuls comptaient à ses yeux Nava, Jasper et la promesse qu'il avait faite à Martin Crowe. Il ne savait pas encore bien comment il allait la tenir – mais il savait que le moyen lui apparaîtrait bientôt. En attendant, il se concentra sur son frère. Dans le *Toujours*, il avait vu ce qui n'allait pas chez Jasper, et compris pourquoi aucune dose de neuroleptiques n'avait pu apaiser ses démons sans émousser ses facultés mentales.

Oui, Jasper était schizophrène, mais ce n'était pas sa vraie maladie – c'était juste un symptôme de ce dont il souffrait. Le problème de Jasper, c'était la perception. Les médecins n'avaient qu'en partie raison quand ils disaient que son frère avait du mal à discerner la réalité. En fait, Jasper avait de la réalité une perception infiniment plus étendue que la plupart des gens prétendument « sains » qui l'entouraient. Son problème, c'était qu'au lieu de percevoir une seule réalité il en percevait souvent plusieurs à la fois.

Lorsqu'on lançait une pièce et que le côté face apparaissait, Jasper voyait aussi le côté pile, parce qu'il voyait les différents futurs possibles. De la sorte, il voyait à tout moment, parallèlement à sa propre réalité, un nombre infini de réalités potentielles, qui se répondaient dans son cerveau comme les reflets d'un palais des glaces. Caine savait que la guérison de son frère reposait non sur la biochimie, mais sur la connaissance, la méditation et – chose étrange – sur les échecs.

En apercevant le vieil échiquier poussiéreux sous la table basse, il l'avait aussitôt compris. Il avait sorti les pièces, et les deux frères s'étaient mis à jouer. Pour Jasper, c'était le meilleur moyen d'apprendre à rester concentré sur le présent ; car, si le but du jeu était de prévoir et de contrecarrer les futurs coups de l'adversaire, il fallait pour ce faire posséder une suprême maîtrise de l'instant présent.

Les jumeaux jouaient toute la journée. Leurs parties incessantes rappelaient à Caine celles qu'il faisait avec son père quand il était petit. Mais, au lieu de l'affliger d'un sentiment de perte, elles l'emplissaient d'une douce nostalgie, car il comprenait que, tant qu'il se souviendrait de son père, il serait toujours avec lui.

Et surtout, les échecs enseignaient à Jasper la maîtrise de soi. Peu à peu, en apprenant à concentrer son énergie sur le présent – cette réalité qui n'existait que sous ses yeux et se jouait entre trente-deux pièces réparties sur soixante-quatre cases –, il apprenait aussi à endiguer les visions qui se reflétaient à l'infini dans les miroirs de son cerveau.

Chaque jour apportait de nouveaux progrès. Caine savait que son frère ne serait jamais « normal » au sens conventionnel du terme, mais il savait aussi qu'avec le temps Jasper parviendrait à un équilibre qu'il n'avait jamais connu auparavant. Dans le *Toujours*, il avait entrevu un avenir meilleur pour son frère ; mais, à présent, il lui suffisait de le regarder dans les yeux pour savoir que tout irait bien.

☆

Ce n'est que le cinquième jour que Nava revint vraiment à la vie. Ce matin-là, elle se réveilla à l'aube, fraîche et l'esprit alerte. Jasper et David dormaient encore. Aucun d'entre eux n'avait quitté l'appartement depuis leur arrivée. Même s'ils ne l'avouaient pas, elle savait que les deux hommes s'étaient fait un devoir de veiller sur elle en ces temps difficiles, comme elle l'avait fait pour eux.

Elle avait tant de questions à poser à David – mais, dès qu'elle s'apprêtait à les formuler, il secouait la tête : « Nous avons toute la vie devant nous pour les questions et les réponses, Nava. Pour l'instant, reposez-vous. Il ne va rien nous arriver dans les jours qui viennent, ça, je peux vous le promettre. » Dans la bouche de n'importe qui d'autre, ces mots ne l'auraient pas rassurée, mais elle avait appris à faire confiance à David et elle lui obéit.

À présent, elle le regardait. Il leva la tête et lui sourit.

« B'jour, fit-il en se frottant les yeux. Ça fait combien de temps que vous êtes réveillée ?

– Seulement quelques minutes. »

Caine se leva, s'étira et s'approcha du sofa qui servait de lit à Nava. Il s'assit à côté d'elle, sur la table basse, et lui passa une main dans les cheveux.

« Vous allez m'expliquer, maintenant ? demanda-t-elle.

– Bien sûr, dit Caine, comme s'il attendait sa demande.

– Quand j'ai trouvé Julia… »

Elle s'interrompit quelques instants, songeant à la jeune femme nue et disloquée dans sa benne à ordures. Ça lui semblait à des millions d'années. Elle chassa cette image de son esprit et se força à revenir au présent.

«… Elle m'a dit que, quand je vous aurais sauvé, vous pourriez m'expliquer pourquoi ma mère était morte et pourquoi j'avais survécu. Mais maintenant, je crois que je sais. Les rêves… les cauchemars que j'avais quand j'étais petite… ceux qui me donnaient peur de l'avion… ceux qui m'ont sauvé la vie… ils venaient de vous, n'est-ce pas ? »

Caine secoua la tête en souriant.

« Non.

– D'où, alors ? »

Il pointa le doigt vers la poitrine de Nava.

« Vous les avez puisés dans l'inconscient collectif. Vous avez dû entrevoir un de vos avenirs possibles, et vous avez fait en sorte de l'éviter.

– Mais comment ?

– Vous voulez vraiment que je reprenne le cours de physique de Jasper ?

– J'imagine que non », dit-elle en riant.

Puis son visage s'assombrit à nouveau.

« Mais pourquoi ? Pourquoi l'ai-je vu et pas ma mère ?

– Bien souvent, les enfants voient des choses que les adultes ne voient pas. Quand nous sommes petits, nous sommes tellement plus proches du collectif. Et, surtout, les enfants croient à ce qu'ils voient là-bas. C'est comme ça qu'ils s'imaginent en pompiers, en astronautes ou en héros. Ce n'est qu'en vieillissant qu'on apprend à rejeter ses images "irrationnelles" de l'avenir.

« Peut-être que votre mère a eu une vision de sa mort. Peut-être que non. Je ne peux pas vous répondre là-dessus, Nava. Tout ce que je peux vous dire, c'est que la petite fille que vous étiez a vu un futur possible et que, en refusant de prendre cet avion, elle a fait un choix.

« Et c'était un bon choix. Vous avez fait plus de bien dans votre vie que vous ne pouvez l'imaginer. Je sais, ça fait mal d'avoir perdu la personne qu'on aurait le plus aimé sauver. Mais vous ne pourrez jamais revenir en arrière et faire que ça n'ait pas été. Vous pouvez regretter votre mère et votre sœur, Nava. Mais ne regrettez pas d'avoir vécu. »

Il lui prit la main et ajouta :

« Vous avez un don incroyable pour choisir la bonne voie – plus encore que vous ne le pensez. Faites-vous confiance, Nava, et vous arriverez à maîtriser votre destin.

– Mais je ne pourrai jamais faire mes choix comme vous, dit-elle alors. Je ne peux pas être *sûre*. »

Caine secoua la tête. « Moi non plus. D'accord, j'ai un talent, mais il n'est pas infaillible. Il me permet de me projeter dans l'avenir, proche ou lointain, et de choisir la voie qui a le plus de chances de réussir. Mais je ne suis jamais sûr du succès à 100 %. Même moi, je ne sais pas tout ce qui va arriver. Comme le vôtre, mon avenir dépend des choix de tous les autres hommes, parce que leurs décisions constituent la *réalité* collective que nous partageons tous. »

Nava avait la tête qui tournait, mais elle croyait comprendre. Enfin, plus ou moins. Après un silence, elle reprit :

« Et maintenant ? Vous connaissez le futur, vous pouvez faire tout ce que vous voulez.

– Je ne connais pas *le* futur, Nava. Je connais tous les futurs, et comme ils sont en nombre infini, cela revient à ne rien connaître du tout.

– Mais tous ces processus que vous avez enclenchés… Les choses se sont passées exactement comme vous l'aviez prévu.

– Je n'ai prévu que l'issue la plus probable de chaque scénario. Je n'étais pas certain que tout marcherait. Si vous n'aviez pas *choisi* de me sauver, si vous n'aviez pas créé les conditions de votre propre succès, je serais encore enfermé dans ce labo. »

Nava frissonna. « Mais vous n'avez pas répondu à ma question – qu'est-ce que vous allez faire maintenant ?

Et qu'est-ce qui va se passer avec Tversky et Forsythe ? Où sont-ils ? Est-ce qu'ils vont recommencer à vous poursuivre ? »

Caine haussa les épaules. « Je ne suis pas sûr de la réponse. Mais je suis sûr que je finirai par la connaître. »

Soudain, Nava sentit son cœur se glacer.

« Le RDEI. Ils vont venir me chercher. Il faut que —

– Ne vous inquiétez pas, l'interrompit Caine. Je leur ai fourni des renseignements qui sauveront la vie à pas mal de gens – et, en échange, ils ont accepté de vous laisser tranquille. »

Nava poussa un soupir de soulagement. Elle aurait voulu en apprendre davantage sur la suite des événements, mais, sans lui laisser le temps de parler, Caine annonça qu'il allait prendre une douche. Elle savait, sans qu'il eût rien dit, qu'il ne répondrait plus à ses questions. En tout cas, pas aujourd'hui. Quand il se fut éclipsé dans la salle de bains, elle se leva pour prendre son paquet de Parliaments sur la table. Parler de sa mère lui donnait envie de fumer.

Elle mit une cigarette entre ses lèvres et frotta une allumette, savourant d'avance l'afflux de la nicotine dans son corps. Mais au moment d'allumer la cigarette, elle fit quelque chose d'étrange : elle ferma les yeux. L'espace d'une seconde, elle crut voir quelque chose derrière ses paupières closes – quelque chose d'à la fois étrange et familier. Lorsqu'elle rouvrit les yeux et regarda la flamme, une sensation de déjà-vu la submergea.

Alors, sans réfléchir, elle éteignit l'allumette. Lentement, elle remit la cigarette intacte dans le paquet et alla jeter le tout à la poubelle. En reposant le couvercle, elle comprit qu'elle avait arrêté pour de bon.

Nava avait pris sa décision.

☆

Ce soir-là, Caine sut qu'il était temps d'y retourner. Il avait repoussé ce moment aussi longtemps que possible, mais si le *Toujours* était atemporel, dans le *Quand*, le temps pressait – et qu'il fût ou non une construction artificielle ne changeait rien à l'affaire.

Au bout de quelques secondes, Caine rouvrit les yeux, et un triste sourire apparut sur son visage.

« Qu'est-ce que tu as vu ? demanda Jasper.

– Comment sais-tu que je regardais ?

– Je le sais, c'est tout. Réponds à ma question.

– J'ai vu comment ça marchait. Et je n'étais pas seul.

– Qu'est-ce que tu veux dire ? Il y avait quelqu'un avec toi ?

– Je ne sais pas exactement, répondit Caine en se frottant le menton.

– Tu ne voyais pas qui c'était ?

– J'imagine que j'aurais pu, mais je sais que j'aurai la réponse bientôt. Donc j'ai décidé d'attendre.

– Ça alors ! » fit Jasper.

Caine eut un sourire. « Même les démons aiment les surprises. »

☆

Caine ne fit pas de rêve cette nuit-là, mais, en se réveillant, il sut qu'il était temps de passer le coup de fil. Il composa le numéro, puis resta deux bonnes minutes sans dire le moindre mot et raccrocha. Le second appel fut nettement plus bref. Quand il eut terminé, il mit son manteau et se dirigea vers la porte d'entrée.

« Où vas-tu ? demanda Jasper.

– Voir mon avocat », répondit Caine, et il sortit.

L'appartement de Loukine était à Coney Island ; il lui fallut plus d'une heure de trajet sur la ligne D pour se rendre dans le centre de Manhattan. C'était étrange de se retrouver dehors après avoir passé presque une semaine dans un lieu clos. En arpentant le quai de son allure boiteuse, Caine se dit qu'il ferait bien de rester dans le *Maintenant* : s'il se plongeait dans le *Toujours* et se mettait à observer les conséquences de chacun de ses pas sur la foule qui l'entourait, il risquait de devenir dingue.

Au vingt-neuvième étage du Chrysler Building, un homme maigre arborant un classique nœud papillon rouge vint vers lui.

« Monsieur Caine ?

– Oui.

– Bonjour, je suis Marcus Gavin, dit l'avocat en lui tendant la main. Merci infiniment d'être venu. Si vous voulez bien me suivre. J'ai de grandes nouvelles à vous annoncer. »

Gavin ferma la porte de son bureau, puis ouvrit un dossier marron et en sortit une mince feuille de papier. Il la tenait avec précaution, comme si elle risquait de se désintégrer. Il fit d'abord mine de la donner à Caine, puis changea d'avis et la reposa délicatement devant lui.

« Puis-je vous offrir un verre d'eau ou un café ? demanda-t-il pour retarder son effet.

– Non, merci, je n'ai besoin de rien.

– Bon, très bien, dit l'avocat en s'éclaircissant la gorge. Vous vous demandez certainement de quoi il s'agit.

– En effet », mentit Caine.

Il le savait déjà, mais se disait que le plus simple était de feindre l'ignorance.

« Eh bien, hmm, je dois dire que tout ceci est réellement extraordinaire. – Gavin tapotait nerveusement la table avec son crayon. – Monsieur Caine, vous étiez un bon ami de Thomas DaSouza, j'imagine ?

– Oui, répondit Caine, même si nous ne nous étions pas beaucoup vus ces dernières années.

– Vraiment ? Eh bien, ceci est encore plus étrange que je ne le croyais. »

Gavin porta sa tasse à ses lèvres et but une gorgée de café, puis reprit plus bas :

« Je ne sais pas si vous êtes au courant, mais, il y a une semaine environ, M. DaSouza a été gravement blessé dans un accident. Il se trouve actuellement à l'hôpital Albert Einstein. Les médecins ont fait tout ce qu'ils pouvaient, mais le pronostic n'est pas bon : malheureusement, il semble que M. DaSouza soit dans un état de mort cérébrale irréversible. Je suis désolé. »

Caine ferma les yeux un instant. Il avait beau être déjà au courant, cela ne rendait pas les choses plus faciles à entendre.

« Bon, euh… Vous vous demandez sans doute pourquoi je vous ai fait venir ici pour vous dire ça. »

Dans la voix de Gavin, l'embarras avait fait place à de l'excitation. Visiblement, maintenant que les mauvaises nouvelles étaient derrière lui, l'heure était à la fête.

« Ce document, dit-il en soulevant délicatement la feuille sacrée, contient les dernières volontés de M. DaSouza. On l'a trouvé sur son réfrigérateur. »

Il tendit la feuille à Caine. Celui-ci s'attarda un moment sur le document, puis le rendit à Gavin.

« Ce testament vous nomme exécuteur testamentaire et vous donne pouvoir de mandataire pour gérer le patrimoine de M. DaSouza – notamment les 240 millions de dollars qu'il a gagnés à la loterie. Bien sûr, cet argent restera dans un trust jusqu'à ce que vous décidiez, euh… » Gavin baissa la voix jusqu'à murmurer presque : « … De débrancher la prise. »

Il marqua un temps d'arrêt pour laisser à Caine le temps de peser ses paroles, puis poursuivit :

« Comme M. DaSouza n'a plus de famille, il vous revient de prendre cette décision.

– Et si je ne veux pas ?

– Si vous ne voulez pas quoi ? Prendre la décision ?

– Non. Si je décide de ne pas mettre fin à sa vie, que se passera-t-il ?

– Ah… Eh bien, hmm, si vous ne le faites pas, les intérêts du trust suffiront amplement à couvrir ses frais médicaux pendant, euh… pour l'éternité j'imagine. Ah oui, et vous percevrez un salaire de cent mille dollars par an pour superviser ce trust.

– Le superviser comment ? demanda Caine.

– Eh bien, son testament stipule que si M. DaSouza devait un jour être frappé d'incapacité, il faudrait placer sa fortune dans un trust caritatif destiné, euh, je cite, à "rendre la vie des gens meilleure". En tant qu'exécuteur testamentaire, vous pourrez décider de la répartition des revenus annuels de ce trust. Mais bien sûr, comme il n'y a aucune chance de guérison, quand M. DaSouza, euh, décédera, vous pourrez dissoudre le trust et faire ce qu'il vous plaira. »

Gavin sourit de toutes ses dents.

« Vous êtes millionnaire, monsieur Caine. »

Caine secoua la tête. « Non. »

Il fit une pause, puis ajouta :

« Et je ne le serai jamais.

– Mais… – Gavin semblait décontenancé. – Vous comprenez bien que M. DaSouza est dans un coma dépassé…

– Oui.

– … Et que les médecins considèrent sa guérison comme impossible, dit Gavin avec agitation.

– Rien n'est impossible, monsieur Gavin. Simplement, certaines choses sont très improbables. – Caine se leva. – J'imagine qu'il va falloir que je signe quelque chose avant d'aller à l'hôpital ?

– Bien sûr », dit l'avocat en exhibant une petite liasse de papiers.

Quand Caine eut terminé, il serra la main de Gavin et se dirigea vers la porte.

« Euh, fit Gavin, vous me permettez de vous poser une question ?

– Bien sûr, dit Caine en se retournant.

– Si vous n'avez pas l'intention de, euh… de débrancher M. DaSouza… »

Il baissa la voix sur ces derniers mots, puis reprit :

« … Pourquoi allez-vous à l'hôpital ?

– J'ai quelques analyses à faire », répondit Caine.

Et il sortit, conscient de la stupéfaction de Gavin, mais peu désireux d'y mettre un terme.

☆

Lorsqu'il eut obtenu un échantillon du sang de Tommy, Caine s'adressa à un laboratoire privé pour les analyses.

Vingt-quatre heures plus tard, le labo lui téléphona pour lui communiquer la bonne nouvelle. Son interlocutrice était surprise des résultats, mais Caine ne l'était pas ; lorsqu'elle lui demanda pourquoi, il lui souhaita une bonne journée et raccrocha.

Ensuite, il prit le dossier et retourna à l'hôpital. En chemin, il fit l'acquisition d'un ours en peluche aux couleurs de l'arc-en-ciel. Cette fois, en arrivant au quatorzième étage, il savait ce qu'il faisait là.

« Caine ! s'écria Elizabeth lorsqu'il entra dans sa chambre. Tu es revenu !

– Bien sûr que je suis revenu, dit-il. Et je t'ai amené un ami. »

Il lui montra la peluche qu'il cachait derrière son dos. Un sourire éclaira le visage de la petite fille.

« Excusez-moi, fit une voix inquiète, qui êtes-vous ? »

Caine se tourna pour faire face à la femme. Elle avait les yeux rouges et gonflés ; on aurait dit qu'elle venait de passer une semaine à pleurer. Caine ne l'avait jamais vue, mais elle lui était familière – comme si elle l'avait visité en rêve.

« Bonjour, dit-il en lui tendant la main. Je m'appelle David Caine. J'étais un ami de votre mari.

– Oh, dit-elle en reniflant discrètement. Je suis Sandy. »

Elle lui serra la main avec douceur.

« C'est gentil d'être venu. Nous n'avons pas beaucoup de visites.

– Je sais, dit Caine. Hmm, est-ce que je peux vous parler dehors une minute ?

– Mais bien sûr. Ma chérie, nous revenons tout de suite, d'accord ?

– D'accord, m'man. »

Quand ils furent dans le couloir, Caine se lança.

« Je sais que ça va vous paraître étrange, mais j'ai de bonnes nouvelles à vous annoncer.

– Oui ?

– J'ai trouvé un donneur de moelle osseuse pour votre fille. Il est compatible à 99 % et prêt à procéder à la transplantation dès qu'Elizabeth ira assez bien. »

Différentes émotions se succédèrent sur le visage de Sandy – la stupeur, la joie, puis la tristesse. Caine ne lui laissa pas le temps de parler.

« Ne vous inquiétez pas pour l'argent. Je représente une grosse fondation qui a été créée pour aider des gens comme votre fille. Tous les frais médicaux seront couverts.

– Est-ce que c'est une plaisanterie ? demanda Sandy, le visage soudain sévère. Dans ce cas, monsieur Caine, je ne la trouve pas de très bon goût. »

Caine lui montra le dossier médical de Tommy pour lui prouver qu'il était compatible. Elle parcourut le document des yeux.

« Alors, c'est pour de vrai ? Vous êtes sérieux ?

– Je n'ai jamais été aussi sérieux de ma vie.

– Oh, mon Dieu. Oh, mon Dieu. »

Sandy fondit en larmes et l'étreignit de toutes ses forces.

« Je ne sais pas quoi dire. Enfin… Oh, mon Dieu… Je ne pourrai jamais vous remercier.

– Ce n'est pas nécessaire, répondit Caine. Disons juste que nous sommes quittes. »

Déconcertée, Sandy se contenta de hocher la tête. Caine sortit de sa poche la carte de visite de Gavin.

« C'est mon avocat. Quand vous aurez parlé aux médecins, passez-lui un coup de fil. Il prendra toutes les dispositions nécessaires.

– Merci, monsieur Caine, dit-elle en lui serrant la main.

– Si vous m'appelez monsieur Caine, il va falloir que je vous appelle madame Crowe. David fera l'affaire.

– D'accord. Alors merci… David. »

Sandy Crowe s'essuya le nez.

« Je vais aller annoncer la bonne nouvelle à Betsy. »

Au moment où elle allait rentrer dans la chambre, elle se retourna.

« Au fait, vous ne m'avez pas dit comment vous connaissiez Marty.

– Oh, fit Caine en se grattant la tête. J'imagine qu'on pourrait appeler ça une relation de travail. »

Caine sortit de l'hôpital. Il ne s'était pas senti aussi bien depuis des semaines. Bien sûr, il y avait encore un risque pour que la greffe échoue, mais la probabilité qu'Elizabeth s'en sorte était de 93,726 %.

Il faisait quelques pas pour s'éclaircir les idées quand, soudain, l'odeur le submergea. Il s'effondra sur le trottoir. Avant même de toucher le sol, il avait rejoint le *Toujours*.

...

La femme – Elle. Elle est là, avec lui. Mais Elle est différente. Plus petite, dirait-on, et plus reconnaissable. Il voit qu'Elle est à la fois heureuse et triste, et il La plaint.

Elle – *Merci, Caine.*
Caine – *De quoi ?*

À l'instant même où il pose la question, il voit.
Et il comprend.
Elle est dans le passé du Quand*, et elle aide Tania à voir son avenir pour qu'elle ne monte pas dans l'avion.*
Elle est dans les rêves de Tommy et l'aide à voir les chiffres.
Elle est la Voix de Jasper et lui explique comment aider son frère.
Elle montre à Caine le chemin du Toujours *en provoquant les crises.*
Toutes Ses interventions convergent, formant une chaîne d'événements qui conduit au testament improvisé de Tommy et à son improbable accident, à l'opération de sauvetage entreprise par Nava et à l'éveil de Caine. Tout ça pour sauver une petite fille atteinte de leucémie – Elizabeth Crowe, dite Betsy.
Caine comprend pourquoi Son visage lui est familier. Elle ressemble à Sa sœur Sandy et à Sa nièce – Betsy.

Caine – *C'est Vous qui provoquez tout ça.*

Elle – Non. Nous ne faisons qu'aider les gens à voir. Nous n'avons pas d'autre pouvoir. C'est toi qui provoques ces événements, toi, mais aussi Nava et Tommy, Jasper et Julia, Forsythe et Tversky, ainsi que des millions d'autres, chacun suivant son propre chemin, chacun faisant ses propres choix.

Caine – Et tout ça... pour Betsy ?

Elle – Non, Betsy n'est qu'un élément de l'objectif final. Tu ne comprends pas. Mais plus tard dans le Quand, tu comprends.

Caine – Dans le Quand... Vous êtes Julia.

Elle – Non. Dans le Quand, Nous ne sommes pas singulière. Nous sommes plurielle. Nous sommes la Volonté de l'inconscient collectif. Tu Nous perçois comme Julia parce qu'elle est Notre Intermédiaire et Notre Voix. Dans les derniers moments de sa vie, elle découvre en toi un désir commun. Alors, Nous faisons appel à elle pour qu'elle Nous aide à accomplir Notre but. Mais c'est toi qui, inconsciemment, recherches sa voix, car elle ne peut parler qu'à ceux qui veulent l'entendre.

Caine – Mais Julia est morte.

Elle – Le Toujours est extérieur au Quand. Ici, Julia est vivante. C'est une petite fille. Elle grandit. Elle tombe amoureuse de Petey. Elle est la tante Julia de Betsy. Elle meurt dans une benne à ordures.

Caine – C'est ça, l'odeur. C'est Julia qui fait surgir l'odeur dans mon cerveau.

Elle – Les souvenirs olfactifs sont les plus puissants de tous. Parce qu'elle est Notre intermédiaire, le souvenir de la puanteur dans laquelle elle meurt Nous accompagne.

Caine – Dans le Quand, pourquoi dire au Dr Tversky de chercher à me tuer ?

Elle – C'est le seul moyen de provoquer l'accident de Tommy.

Caine – Vous préférez la vie de Betsy à celle de Tommy.

Elle – Non. Dans ton Quand, Tommy se suicide. En l'aidant à réaliser son rêve, Nous prolongeons sa vie. Rien n'est vain.

Caine – Êtes-Vous éternelle ?

Elle – C'est… incertain.

Caine – Et pourquoi ?

Elle – *Dans certains futurs, Nous sommes éternelle. Dans d'autres, Nous disparaissons. Notre destin est lié au tien et à ceux de tes semblables, car vous êtes* Nous *et* Nous *sommes vous.*

Caine – Pourquoi suis-je ici ?

Elle – *Il faut que tu comprennes ton rôle. Il faut que tu te serves du* Toujours *pour* Nous *aider.*

Caine – Et comment puis-je aider ? Avec l'argent de Tommy ?

Elle – *L'argent aidera quelques personnes, mais, en définitive, il changera peu de chose.*

Caine – Alors, comment puis-je aider ?

Elle – *Ce n'est pas pour cette fois. C'est pour plus tard dans le* Quand.

Caine – Pourquoi pas cette fois ?

Elle – *Tu as besoin de… temps.*

…

« Eh, j'ai l'impression qu'il reprend connaissance, dit une voix au-dessus de lui. Ça va, mon pote ? »

Caine se frotta l'arrière du crâne – il commençait déjà à avoir mal. Puis il huma délicatement l'air. L'odeur avait disparu.

« Ouais, dit-il. Je crois que ça va… pour le moment. »

Épilogue

Après s'être identifié, Tversky cliqua sur «OK» ; l'écran devint violet et se remplit d'icônes. Il double-cliqua sur le «e» bleu minuscule et attendit impatiemment l'ouverture du navigateur. Sans laisser à la page le temps de se charger, il entra un nouvel URL. Il ne lui fallut qu'une minute pour trouver l'article qu'il cherchait.

UN ANCIEN RESPONSABLE DE LA NSA JUGÉ POUR TRAHISON
Par Patrick O'Beirne

Washington DC (Associated Press) – 131 charges de conspiration et de trahison contre les États-Unis viennent d'être retenues à l'encontre du Dr James P. Forsythe, ancien directeur du laboratoire de recherche scientifique et technologique de la National Security Agency. Le Dr Forsythe a été formellement inculpé aujourd'hui dans une salle d'audience comble de Washington.

Les autorités ont été averties des méfaits présumés du Dr Forsythe le 7 février, après l'intervention des pompiers dans un immeuble de bureaux de New York où une bombe venait d'exploser (voir article). Les secours, qui ont dégagé des décombres le Dr Forsythe et les membres de son équipe, ont également retrouvé sur les lieux les corps de trois personnes décédées, ainsi que des centaines de fichiers informatiques. Selon un observateur de Washington, le Dr Forsythe aurait dérobé ces fichiers à la NSA après avoir été licencié pour l'organisation d'une «opération illégale du FBI» liée à la fusillade de la gare de Philadelphie (voir article).

Malgré les «preuves accablantes» que l'accusation dit avoir rassemblées, le Dr Forsythe a plaidé non coupable sur tous les chefs d'inculpation. Les procureurs fédéraux pensent toutefois pouvoir obtenir sa condamnation.

«Nous avons une véritable montagne de preuves, et il y a un témoin [...] il est extrêmement probable qu'il [le Dr Forsythe] sera condamné.» Le témoin vedette de l'accusation est M. Steven R. Grimes, actuellement employé par la NSA.

«Très franchement, j'ai été choqué d'apprendre que tout ça se passait sous mon nez, a déclaré aujourd'hui M. Grimes. Jamais je n'aurais pensé que Jimmy [Forsythe] était capable de s'emparer de secrets d'État [...] Je vais faire tout mon possible pour faciliter la tâche de l'accusation. Je suis américain – et je n'aime pas les traîtres.»

Tversky parcourut le reste de l'article, mais son nom n'était nulle part mentionné. Il poussa un soupir de soulagement. Certes, la police voulait encore l'interroger sur le décès de Julia, mais il savait qu'on avait officiellement conclu au suicide. Il sourit. Il n'arrivait pas à croire à sa chance. S'il n'avait pas quitté le labo ce soir-là, lui aussi se serait fait prendre. Bon sang, l'explosion aurait même pu le tuer.

Après tout ce qui s'était passé, il ne pouvait rêver mieux que la situation actuelle. L'inculpation de Forsythe le mettait presque au-dessus de tout soupçon. Même si Forsythe l'accusait du meurtre de Julia – et quelle raison aurait-il de le faire? –, personne ne le croirait. C'était quasi trop beau pour être vrai.

Il avait perdu la plupart de ses données; c'était regrettable, mais il était sûr de pouvoir recréer le composé chimique qui avait révélé les talents de David Caine. Tout ce qu'il lui fallait, c'était du temps – et, maintenant qu'il était en sécurité au Mexique, il n'en manquait pas. Tous les matins, il lançait une paire de dés pour déterminer sa nouvelle destination. Il espérait que, s'il continuait à parcourir ainsi le pays au hasard, David n'arriverait pas à le retrouver.

Il se déconnecta, paya vingt pesos à l'homme qui se

trouvait au comptoir et sortit. Au bout de quelques secondes, il se retrouva en sueur. Le soleil du Mexique était accablant. Tversky s'abrita les yeux. Mon Dieu, quelle chaleur. Et puis, cette odeur d'ordures qui envahissait soudain la rue... La puanteur était si forte qu'elle semblait éclipser toute autre sensation.

Tversky accéléra le pas pour retourner à son bungalow et échapper à l'odeur. Il aperçut alors un vendeur de glaces sur le trottoir d'en face. Ça tombait juste à point, vraiment : à la seconde où l'odeur avait pénétré ses narines, il avait été pris d'une puissante envie de glace au chocolat. Il traversa en toute hâte, sans prendre le temps de regarder la chaussée.

Quand il vit le bus, il était trop tard. Il fut projeté dans les airs et atterrit juste à temps pour se faire écraser par la roue avant ; ses côtes se brisèrent en mille morceaux, lui lacérant le cœur et les poumons.

Il entendit des gens appeler à l'aide en espagnol, mais il savait qu'il n'y avait plus rien à faire. Les ténèbres commençaient déjà à se refermer sur lui. Au moins, l'odeur semblait avoir disparu. Pourquoi avait-il eu un besoin si urgent de traverser la rue ? S'il avait vécu quelques secondes de plus, il aurait peut-être compris la signification de l'odeur. Mais il n'avait plus le temps.

Au moment où il perdait connaissance, une dernière pensée lui traversa l'esprit : *Et moi qui n'aime pas les glaces.*

☆

Un mois plus tôt, Julia rendait l'âme dans une benne à ordures après avoir serré une dernière fois la main de Nava. Elle avait le sourire aux lèvres et, en tête, une glace.

Remerciements

Si j'ai entrepris d'écrire ce livre, c'est en partie parce que je voulais créer quelque chose de vraiment singulier, quelque chose que je ne devrais qu'à moi-même. Curieusement, à mesure que je progressais, je me suis aperçu que l'écriture d'un livre était à bien des égards l'entreprise la plus collective dans laquelle je me fusse jamais lancé. À chaque étape, quelqu'un m'a aidé à aller de l'avant et, sans le soutien de chacune des personnes mentionnées ci-dessous, ce livre n'aurait jamais existé.

Il serait absurde de vouloir classer ces personnes selon leur mérite ; j'ai donc opté pour l'ordre chronologique. Je tiens à exprimer ma gratitude à :

Stephanie Williams. Tu étais avec moi au Starbucks quand j'ai écrit la première page et tu as été la première à me lire quand j'ai mis le point final. Sans toi, mon rêve d'écrire un roman ne se serait jamais concrétisé. Je te dois plus que je ne saurais dire. Tu me manques.

Daniela Drake. Tu as lu chacun de mes brouillons, et tu as été la seule personne à me critiquer assez sévèrement pour me forcer à éliminer tous les « RNW ». (Par ailleurs, tu es l'unique WCN que je connaisse à parler intelligemment des complexités de la télé-réalité.)

Erin Hennicke. Tu as été la première personne « du milieu » à lire mon livre. Et, surtout, tu as toujours été présente une fois que « le plus facile » – l'écriture – a été derrière moi.

Suzanne Gibbons-Neff. Non seulement tu as été une conscience et un réconfort pendant toute l'écriture du texte, mais tu as joué un rôle décisif en m'adressant à…

Barrie Trimingham. Je vous connais à peine, et pourtant, vous avez contribué à la publication de ce livre en répondant à l'appel de Suzanne et en me mettant en contact avec…

Ann Rittenberg. Sans doute le meilleur agent du monde. Vous avez cru en moi quand mon livre en était encore à ses balbutiements, et avez été la première à me dire que je *pouvais* vivre de mon écriture.

Ted Gideonse. Un homme sans frontières. Sans vous, je devrais m'y retrouver seul dans les contrats japonais et la fiscalité allemande, et le résultat ne serait pas beau à voir.

Mauro DiPreta. Vous avez fait acheter mon livre chez HarperCollins. Puis vous l'avez édité. Puis vous m'avez convaincu de reprendre des passages qui, à mes yeux, ne le nécessitaient pas (et il s'est avéré que vous aviez raison). Puis vous l'avez à nouveau édité. Que pouvais-je demander de plus ?

Joelle Yudin. Mon ange gardien chez HarperCollins. Vous avez répondu à toutes mes questions bêtes sans jamais me donner l'impression que je l'étais.

Maureen Sugden et Andrea Molitor. Sans vous, il resterait beaucoup de virgules aux mauvais endroits et pas mal de tirets courts à la place des tirets longs. Vous me faites paraître intelligent, ce dont je vous suis sincèrement reconnaissant.

Julia Bannon, Jamie Beckman, George Bick, Lisa Gallagher, Karen Resnick, Pam Spengler-Jaffee et tous ces gens qui, chez HarperCollins, s'occupent de tant de choses inconnues de moi.

Mes agents étrangers : vous faites un boulot formidable.

Et enfin Judith Roze, pour son excellente traduction.

Je tiens aussi à remercier ces personnes qui ont tant apporté à ma vie :

La confrérie du 4000, Pine Street, en particulier Andrew «Andefiance» Burrows (excellent ami, mais joueur de Halo exécrable), Cyrus Yang (qui en sait un peu trop sur les armes à feu et les munitions), Donald Johnson (la seule personne à qui je peux donner rendez-vous à l'autre bout de la Terre et qui me dira «OK, à quelle heure ?»), Brady O'Beirne (ça y est, tu es dans le livre, content?), Kei Sato («ACH!») et Rick Sibery (un vrai pote). Et Tad, aussi.

Tous mes amis de Dartmouth, notamment Leon Hsu (tu continues à tout savoir), Jeff «El Jefe» Geller (plus relax, tu serais mort) et, bien sûr, «S. K. & the evil van groupies».

Le groupe de poker du mardi soir à Stanford («Il y a une quinte par ici?»).

Mon département personnel d'informatique, entre autres Ron McCoy (l'homme, le mythe, la légende), Marshall Simmonds (un vrai optimisateur de moteur de recherche) et Spur et Mavdaddy (gardiens de mes fichiers).

Divers habitants de New York, en particulier Margo «Aborakyiraba» Wright, Ori Uziel, Kimberly Krouse et Dave Otten.

Tous mes correspondants téléphoniques, notamment Mina Song et Iris Yen, ainsi qu'Emily He et l'exubérant Jason Meil.

Mes médecins, sans qui mon œil fatigué aurait depuis longtemps abandonné la partie, et tout particulièrement le docteur Janice Cotter et la Boston Foundation for Sight, le docteur C. Stephen Foster et, bien sûr, le docteur Alan «DG» Geller.

Joanie et Billy Felder, pour l'appartement de New York.

Ma mère Lois et mon adorable sœur Cheryl, qui m'ont toujours soutenu dans ce que j'entreprenais, bien que je ne les appelle pas aussi souvent que je le devrais.

Marge et Steve Hoppe, qui cuisinent les meilleures côtelettes du monde.

George Davis, qui m'appelle trois fois par jour, et Toni Davis, à qui je suis reconnaissant de ne pas le faire.

Et, pour finir, Meredith. Que dire, sinon que tu rends la vie plus belle? Je t'aime.

RÉALISATION : PAO ÉDITIONS DU SEUIL
IMPRESSION : BRODARD ET TAUPIN À LA FLÈCHE
DÉPÔT LÉGAL : MAI 2006. N° 87359 (35310)
IMPRIMÉ EN FRANCE

Collection Points